AF238242

ACCESO GRATIS *a la Lectura en la Nube*

Para visualizar el libro electrónico en la nube de lectura envíe junto a su nombre y apellidos una fotografía del código de barras situado en la contraportada del libro y otra del ticket de compra a la dirección:

ebooktirant@tirant.com

En un máximo de 72 horas laborales le enviaremos el código de acceso con sus instrucciones.

La visualización del libro en **NUBE DE LECTURA** excluye los usos bibliotecarios y públicos que puedan poner el archivo electrónico a disposición de una comunidad de lectores. Se permite tan solo un uso individual y privado

TOMO XXXIII

ESQUEMAS DE DERECHO DE LOS CONTRATOS MERCANTILES

INCLUYE LOS CONTRATOS DE LA NAVEGACIÓN MARÍTIMA Y AÉREA

5ª Edición

TOMO XXXIII

ESQUEMAS DE DERECHO DE LOS CONTRATOS MERCANTILES

INCLUYE LOS CONTRATOS DE LA NAVEGACIÓN MARÍTIMA Y AÉREA

5ª Edición

ELISEO SIERRA NOGUERO

Doctor en Derecho
Profesor agregado de Derecho Mercantil de la Universidad Autónoma de Barcelona
con acreditación nacional de Profesor titular de Universidad

tirant lo blanch
Valencia, 2022

© ELISEO SIERRA NOGUERO

© TIRANT LO BLANCH
EDITA: TIRANT LO BLANCH
C/ Artes Gráficas, 14 - 46010 - Valencia
TELFS.: 96/361 00 48 - 50
FAX: 96/369 241 51
Email:tlb@tirant.com
www.tirant.com
Librería Virtual: www.tirant.es
DEPÓSITO LEGAL: V-992-2022
ISBN: 978-84-1130-261-6
MAQUETA: Tink Factoría de Color

Si tiene alguna queja o sugerencia, envíenos un mail a: atencioncliente@tirant.com. En caso de no ser atendida su sugerencia, por favor, lea en *www.tirant.net/index.php/empresa/politicas-de-empresa* nuestro Procedimiento de quejas.

Responsabilidad Social Corporativa: http://www.tirant.net/Docs/RSCTirant.pdf

A Núria y a nuestros hijos, Daniel y Víctor

Índice general

Capítulo I
DISPOSICIONES GENERALES SOBRE LOS CONTRATOS DE COMERCIO O MERCANTILES

Capítulo II
REGÍMENES ESPECIALES DE CONTRATACIÓN

Capítulo III
LOS CONTRATOS DE COLABORACIÓN COMERCIAL

Capítulo IV
LOS CONTRATOS DE DEPÓSITO MERCANTIL

Capítulo V
EL CONTRATO DE COMPRAVENTA MERCANTIL Y CONTRATOS AFINES

Capítulo VI

LOS CONTRATOS SOBRE DERECHOS DE LA PROPIEDAD INDUSTRIAL E INTELECTUAL Y SECRETOS EMPRESARIALES

Capítulo VII

LAS OPERACIONES DE LOS MERCADOS DE VALORES

Capítulo VIII
LOS CONTRATOS FINANCIEROS

Capítulo IX
LOS CONTRATOS DE SEGURO

Capítulo X
EL TRANSPORTE EN GENERAL Y LOS CONTRATOS DE TRANSPORTE TERRESTRE

Capítulo XI
LOS CONTRATOS DE LA NAVEGACIÓN MARÍTIMA

Capítulo XII
LOS CONTRATOS DE LA NAVEGACIÓN AÉREA

Presentación

Los contratos mercantiles son los principales "actos de comercio" a los que se refiere el vigente Código de Comercio de 1885, pero el legislador no define ninguno de estos conceptos, ni fija sus características esenciales. Como señala la Exposición de motivos del proyecto de 1882 del Código de Comercio, la determinación por parte del legislador de una regla o patrón que sirva de criterio a los particulares y a los tribunales para decidir en cada caso concreto lo que debe entenderse por acto de comercio constituye "uno de los problemas más difíciles de la ciencia moderna". Además, "aun en el supuesto de que fuera completa la lista de actos y operaciones mercantiles, ofrecería siempre el inconveniente de cerrar la puerta a combinaciones, hoy desconocidas, pero que pueden fácilmente sugerir el interés individual y el progreso humano". Por ello, el legislador se decidió por una fórmula práctica, exenta de toda pretensión científica, pero "tan comprensiva" que en una sola frase enumera y resume todos los contratos y actos mercantiles conocidos hasta ese momento y "tan flexible" que permite la aplicación del Código a las combinaciones del porvenir.

Los actos y contratos de comercio no son sólo los que están regulados expresamente en el Código de Comercio (sociedad, depósito, compraventa, transporte, etc.), "sino cualesquiera otros de naturaleza análoga" (art. 2 Código de Comercio). Esta fórmula ha permitido calificar como mercantiles las leyes que regulan actos y contratos de comercio de nueva creación.

En la misma línea que el legislador y la doctrina científica posterior, estos esquemas de derecho de los contratos mercantiles analizan también sin ánimo exhaustivo los principales contratos de comercio regulados en el Código de Comercio y en las normas más modernas. También se estudian algunos contratos mercantiles atípicos o que carecen de una regulación normativa completa, pero cuya presencia en el tráfico jurídico actual es manifiesta, sobre todo si ha sido reconocida por la jurisprudencia reiterada del Tribunal Supremo y la doctrina mercantilista.

En cambio, no se analiza el contrato de compañía o sociedad mercantil, ni el derecho de los títulos valores que, catalogados como contratos mercantiles en el Código de Comercio, se tratan en el derecho societario y cambiario, respectivamente.

En relación al orden de presentación de los contratos mercantiles, caben varias formas, tal y como ponen de manifiesto las diferentes obras doctrinales. Se ha optado por un criterio que sigue en la medida de lo posible la clasificación que realiza el Código de Comercio de 1885, complementándola con las nuevas leyes y contratos.

El capítulo I trata de las disposiciones generales sobre los contratos de comercio, con análisis de los artículos 50 a 63 del Código de Comercio y de la normativa complementaria más moderna, como la Ley que establece medidas de lucha contra la morosidad en las operaciones comerciales.

El capítulo II examina algunas especialidades de la contratación mercantil que la moderna legislación ha regulado, como es el frecuente recurso a las condiciones generales de contratación, la contratación con consumidores y usuarios o el comercio electrónico. También se incluye un análisis de las particularidades de los contratos mercantiles internacionales.

El capítulo III analiza los contratos de colaboración comercial, partiendo del contrato de comisión de los artículos 244 y siguientes del Código de Comercio, se estudia luego la Ley del contrato de agencia y la Ley general de publicidad. Se tratan también contratos atípicos o no totalmente regulados, pero de gran difusión en el tráfico mercantil, como el corretaje, la concesión o distribución, la franquicia y de arrendamientos de servicios y obras comerciales.

El capítulo IV estudia el contrato de depósito mercantil de los artículos 303 y siguientes del Código de Comercio.

El capítulo V versa sobre el contrato de compraventa mercantil de los artículos 325 y siguientes del Código de Comercio y contratos afines, como el suministro y el contrato estimatorio, así como la Convención de Viena sobre la compraventa internacional de mercaderías. Estudia también la cesión de créditos no endosables ni al portador de los artículos 347 y 348 del Código de Comercio y la compraventa de empresas, incluyendo la realizada en fase de liquidación concursal de la Ley concursal. Especial mención merece la venta en tienda o almacén mencionada en los artículos 85 a 87 del Código de Comercio, que se completa modernamente con la Ley de ordenación del comercio minorista.

El capítulo VI examina la compraventa y licencia de los derechos de la propiedad industrial e intelectual, tal y como están regulados en la Ley de patentes, la Ley de marcas, la Ley de diseños industriales, la Ley de obtenciones vegetales y la Ley de propiedad intelectual, así como en la normativa comunitaria e internacional ratificada por España.

El capítulo VII comprende los contratos de compraventa, comisión y otros realizados en régimen de mercados de valores, Las Bolsas de Comercio estaban originariamente reguladas en los artículos 64 a 80 del Código de Comercio, pero estos preceptos han sido sustituidos por efecto de la más moderna Ley de mercado de valores y normativa complementaria.

El capítulo VIII observa el tradicional contrato de cuenta corriente comercial, por el cual dos empresarios acuerdan concederse crédito recíproco en sus operaciones comerciales. Este contrato carece de una regulación específica en el Código de Comercio, pero ha sido ampliamente reconocido por la jurisprudencia del Tribunal Supremo y la doctrina mercantilista.

El capítulo IX trata especialmente sobre los contratos bancarios, mencionados en los artículos 175 y siguientes del Código de Comercio, pero no regulados con detalle en este cuerpo legal. Se analiza la normativa complementaria de ordenación bancaria, pues impone normas que las entidades de crédito han de cumplir en sus contratos con la clientela.

El capítulo X observa los contratos mercantiles de garantía. Se inicia con la regulación del afianzamiento mercantil de los artículos 439 a 442 del Código de Comercio y se hace referencia a la normativa complementaria que prevé la prenda mercantil y la hipoteca mobiliaria.

El capítulo XI trata sobre los contratos de seguro, originariamente regulados en los artículos 380 a 438 del Código de Comercio; hoy sustituidos por la Ley del contrato de seguro, que se estudia en detalle. Se analiza también el estatuto jurídico de los aseguradores y de los mediadores de seguros, resultante de la Ley de ordenación y supervisión de los seguros privados y de la Ley de mediación en los seguros privados.

El capítulo XII analiza los transportes de personas y de cosas en general y los contratos de transporte terrestre en particular sobre los cuales trataban los derogados artículos 349 a 379 del Código de Comercio. Se estudia de forma especial la Ley de contrato de transporte terrestre de mercancías y se hace una referencia a la normativa nacional, comunitaria e internacional sobre el transporte por carretera y por ferrocarril.

El capítulo XIII comprende los principales contratos del comercio marítimo tal y como están regulados en los artículos 573 y siguientes del Código de Comercio, en normativa especial como las Reglas de La Haya-Visby y el Convenio de Atenas sobre el transporte marítimo de viajeros y en las pólizas-tipo al uso dispuestas para agilizar la contratación.

Finalmente, el capítulo XIV estudia los contratos esenciales del comercio aéreo. El Código de Comercio de 1885 no pudo prever ni regular el fenómeno de la navegación aérea, entonces desconocido, si bien debe considerarse mercantil el contrato de transporte aéreo de personas y de mercancías por ser de naturaleza análoga a los transportes terrestres y marítimos (art. 2 C. Com.). El capítulo analiza la Ley de navegación aérea, el Convenio de Varsovia y el Convenio de Montreal, ambos ratificados por España, sobre ciertas reglas relativas a los transportes aéreos internacionales. Se analiza por último la normativa comunitaria sobre autorizaciones requeridas al operador y a la compañía aérea, sobre los derechos de los pasajeros y sobre los seguros aéreos obligatorios.

Universidad Autónoma de Barcelona, 7 de febrero de 2011

Prólogo a la quinta edición

La publicación de la cuarta edición de estos *Esquemas* tuvo lugar en junio de 2020. La presente actualiza la obra con los principales cambios legislativos producidos desde entonces. Entre las novedades, destaca el empleo del Real Decreto-ley como forma urgente de transposición de Directivas a fin de evitar sanciones al Estado Español. En materia mercantil, se trata del Real Decreto-ley 7/2021, de 27 de abril, y del Real Decreto-ley 24/2021, de 2 de noviembre.

De gran interés sigue siendo la jurisprudencia del Tribunal Supremo, en cuanto complemento del ordenamiento jurídico. Sobre todo, en materia de contratos mercantiles que, inspirados por el principio de libertad contractual, cuentan normalmente con una regulación legal de contenido limitado. Así, la nueva edición también pone al día la doctrina del Tribunal Supremo, con sentencias aisladas de interés o con otras que, por su reiteración, forman una jurisprudencia consolidada.

El Capítulo I, sobre *Disposiciones generales sobre los contratos de comercio o mercantiles*, se enmienda para adaptarse a la Ley 8/2021, de 2 de junio, que reforma la legislación civil y procesal para el apoyo a las personas con discapacidad en el ejercicio de su capacidad jurídica. Por ejemplo, la Ley cambia los artículos 4, 5 y 234 del Código de Comercio para adaptarlos a la nueva regulación del Código Civil.

El Capítulo II, sobre *Regímenes especiales de contratación*, se modifica conforme al Real Decreto-Ley 1/2021, de 19 de enero, de protección de los consumidores y usuarios frente a situaciones de vulnerabilidad social y económica. En particular, en lo relativo a la persona consumidora vulnerable en el TRLGDCU.

Otra reforma supone el Real Decreto-ley 7/2021, que modifica ampliamente el TRLGDCU, por un lado, para regular los contratos sobre contenidos o servicios digitales. Son aquellos en los que el empresario suministra o se compromete a suministrar contenidos o servicios digitales al consumidor a cambio de que éste facilite o se comprometa a facilitar sus datos personales.

Por otro lado, el Real Decreto-ley 7/2021 también modifica el régimen de garantías del TRLDCU. La falta de conformidad del bien adquirido debe manifestarse en un plazo de 3 años desde la entrega; en 2 años si son contenidos o servicios digitales. Si es de segunda mano, cabe pactar un período inferior, no menor a 1 año. Se presume, salvo prueba en contrario, que el defecto existía, si se manifiesta en los 2 años siguientes a la entrega.

El Real Decreto-ley 24/2021 también modifica el TRLGDCU con una reforma que entrará en vigor el 28 de mayo de 2022, en aspectos como la información precontractual de los contratos a distancia y los contratos celebrados fuera del establecimiento mercantil.

En lo relativo a la jurisprudencia, la STS 12-11-2020, Pleno de la Sala de lo Civil, trata sobre la fijación del préstamo hipotecario conforme al índice IRPH, y no al Euribor u otro. El Alto Tribunal considera que, en el caso enjuiciado, se vulneró el control de transparencia, pero no fue abusiva, ni nula por ende, al no producir un desequilibrio importante ni haber faltado el empresario a la buena fe.

Además, el Tribunal Supremo confirma su jurisprudencia, según la cual la autonomía de la voluntad para pactar cláusulas penales topa con los límites generales de la moral y el orden público cuando su cuantía es desproporcionada, en cuyo caso cabe la reducción judicial del importe preservando la validez de la cláusula (la STS 23-11-2021 se enmarca en la STS de Pleno de la Sala Civil de 13-9-2016).

El Capítulo III, sobre *los contratos de colaboración comercial*, actualiza el régimen jurídico de las obligaciones del prestador de servicios de alojamiento de datos, conforme al Reglamento (UE) 2021/784, de 29 de abril de 2021, sobre la lucha contra la difusión de contenidos terroristas en línea.

En relación a los contratos publicitarios, la Ley Orgánica 8/2021, de 4 de junio, de protección integral a la infancia y la adolescencia frente a la violencia, considera publicidad ilícita la que coadyuve a generar violencia o discriminación en cualquiera de sus manifestaciones sobre las personas menores de edad, o fomente estereotipos de carácter sexista, racista, estético o de carácter homofóbico o transfóbico o por razones de discapacidad.

Respecto al contrato de corretaje o mediación, la STS 21-7-2021 se inserta en la jurisprudencia consolidada según la cual el corredor tiene derecho a la comisión en los términos y condiciones fijados en el contrato de comisión; es el caso de la cláusula del contrato que condiciona la comisión a que el contrato con el tercero llegue a celebrarse.

El Capítulo VI, sobre *los contratos sobre derechos de la propiedad industrial e intelectual y secretos empresariales*, incluye la mención introducida por el Real Decreto-ley 24/2021, sobre el mercado de los derechos de propiedad intelectual. En particular, las medidas que facilitan la liquidación de derechos de autor para las actividades de transmisión y retransmisión de contenidos a través de la radio y de la televisión en línea.

El Capítulo VII, sobre las *operaciones de los mercados de valores*, presenta, como es habitual por razón de la materia, modificaciones de calado. Por un lado, el Real Decreto-ley 7/2021 prevé normas especiales de comercialización o colocación de instrumentos financieros de deuda entre clientes o inversores minoristas (disposición adicional 4ª TRLMV).

Por otro lado, el Real Decreto-ley 24/2021, de 2 de noviembre, transpone la Directiva (UE) 2019/2162, sobre la emisión y la supervisión pública de bonos garantizados. El Real Decreto-ley regula en detalle dicho instrumento y los tres mercados diferentes de bonos garantizados: 1º) el hipotecario, cuya garantía de pago son los préstamos hipotecarios de la entidad de crédito; 2º) la cédula territorial, garantizada por la cartera de préstamos y créditos concedidos por la entidad de crédito a las Administraciones Públicas; y, 3º) la cédula de internacionalización, en la que su garantía son los préstamos vinculados a contratos de exportación y a la internacionalización de empresas de una determinada calidad crediticia.

Otra modificación en materia societaria y, específicamente, de las sociedades cotizadas, opera por la Ley 5/2021, de fomento de la implicación a largo plazo de los accionistas en las sociedades cotizadas. Las estrategias de inversión cortoplacistas generan tensión por ofrecer resultados trimestrales y afectan al desarrollo sostenible de las sociedades cotizadas. Para aliviar dicha presión, entre otras medidas legales, con la reforma, se suprimen los informes trimestrales (queda derogado el art. 120 TRLMV).

Además, se suprime la anterior mención a que los valores adquiridos serán libremente transmisibles (derogado art. 33.3 TRLMV). Con la supresión, será posible introducir cláusulas de restricción de la transmisión de los valores, fomentando también la mayor implicación de los accionistas a largo plazo en la sociedad cotizada.

En el Capítulo VIII, sobre *los contratos financieros*, con la Circular 4/2021, de 25 de noviembre, a entidades de crédito y otras entidades supervisadas, sobre modelos de estados reservados en materia de conducta de mercado, transparencia y protección de la clientela, y sobre el registro de reclamaciones, del Banco de España.

En relación a la jurisprudencia bancaria, la STS 23-12-2021 aplica la doctrina del Tribunal de Justicia de la Unión Europea de 9 de julio de 2020, de respuesta a una cuestión prejudicial planteada por un juzgado español. El Tribunal Supremo señala que es posible que una cláusula potencialmente nula, como la cláusula suelo, pueda ser modificada por las partes con posterioridad. No obstante, si esta modificación no ha sido negociada individualmente, sino que la cláusula ha sido predispuesta por el empresario, en ese caso debería cumplir, entre otras exigencias, con la de transparencia.

El Capítulo IX, sobre *los contratos de seguro*, apenas incluye la referencia al Real Decreto 287/2021, de 20 de abril, que regula la formación y remisión de la información estadístico-contable de los distribuidores de seguros y reaseguros.

En relación a la abundante jurisprudencia sobre seguros, las SSTS 21-12-2021 y 2-3-2021 señalan que no concurre causa justificada para el impago del siniestro (art. 20.8 LCS), que ampare la pasividad de la aseguradora en la liquidación del siniestro, cuando: no cuestiona su realidad; tampoco la responsabilidad del asegurado; ni la existencia de cobertura derivada del contrato de seguro.

Respecto al informe pericial, la STS 26-7-2021 indica que su carácter inatacable no se extiende a la interpretación del contrato de seguro y determinación del ámbito de la cobertura suscrita, dada su naturaleza estrictamente jurídica y no de mera liquidación del daño.

El Capítulo X, sobre *el transporte en general y los contratos de transporte terrestre*, se modifica para incluir la reforma de la LOTT en materia de infracciones relativas al arrendamiento de vehículos con conductor.

En relación al Capítulo XI, sobre *los contratos de la navegación marítima*, se hace referencia a la jurisprudencia sobre la figura del transitario, como organizador de transportes de mercancías, potencialmente de carácter multimodal, esto es, sea por tierra, mar y aire. En concreto, se aclara su régimen jurídico, pues las SSTS 14-9-2021 y 28-9-2020 aplican al transitario el régimen jurídico que corresponde al porteador efectivo de las mercancías.

El Capítulo XII, sobre *los contratos de la navegación aérea*, sigue todavía pendiente que se acometa la necesitada reforma de la LNA.

La STS 21-12-2021 niega a los familiares de un pasajero aéreo accidentado una indemnización por daño moral separada de la de daño corporal.

Finalmente, respecto a ediciones anteriores, se ha modificado el subtítulo para utilizar la terminología legal, referida al fenómeno técnico de la navegación marítima (como hace la LNM de 2014) y de la navegación aérea (como la LNA).

Eliseo Sierra Noguero
Universitat Autònoma de Barcelona, 2 de febrero de 2022

Abreviaturas

CA:	Convenio de Atenas de 13 de diciembre de 1974, relativo al transporte de pasajeros y sus equipajes por mar, al que se adhirió España por Instrumento de 22 de septiembre de 1981; Protocolo de 19 de noviembre de 1976, al que se adhirió España por Instrumento de 22 de septiembre de 1981; y, Protocolo de 1 de noviembre de 2002, al que se adhirió España mediante instrumento de 20 de mayo de 2015.
CC:	Real Decreto de 24 de julio de 1889. Código Civil.
C. Com.:	Real Decreto de 22 de agosto de 1885. Código de Comercio.
Convención de Viena:	Convención de las Naciones Unidas sobre los contratos de compraventa internacional de mercaderías, hecho en Viena, a la que se adhirió España por Instrumento de 17 de julio de 1990.
CM:	Convenio para la unificación de ciertas reglas para el transporte aéreo internacional, hecho en Montreal el 28 de mayo de 1999, ratificado por España mediante Instrumento de 4 de junio de 2002.
CMR:	Convenio de Ginebra de 19 de mayo de 1956, del contrato de transporte internacional de mercancías por carretera, al que se adhirió España por Instrumento de 12 de septiembre de 1973; y su Protocolo de 5 de julio de 1978, al que se adhirió España por Instrumento de 23 de septiembre de 1982; y su Protocolo adicional de 20 de febrero de 2008, al que se adhirió España por Instrumento de 11 de mayo de 2011.
CP:	Ley Orgánica 10/1995, de 23 de noviembre. Código Penal.
Convenio de Roma:	Convenio sobre la Ley aplicable a las Obligaciones Contractuales, hecho en Roma el 19 de junio de 1980, ratificado por España mediante Instrumento de 7 de mayo de 1993.
COTIF:	Convenio Internacional relativo a los Transportes Internacionales por Ferrocarril (COTIF) con Instrumento de ratificación de España de 16 de diciembre de 1981; y Protocolo de 3 de junio de 1999, ratificado por España con Instrumento de 7 de junio de 2002.

CV:
: Convenio para la unificación de ciertas reglas relativas al transporte aéreo internacional, hecho en Varsovia el 12 de Octubre de 1929, ratificado por España el 31 de enero de 1930; modificado por Protocolo de La Haya de 28 de septiembre de 1955, ratificado por España el 6 de diciembre de 1965; y modificado por los Protocolos de Montreal 1, 2 y 4, de 25 de septiembre de 1974, ratificados por España el 20 de diciembre de 1984.

EU-OPS:
: Reglamento (UE) 965/2012, de la Comisión de 5 de octubre de 2012 por el que se establecen requisitos técnicos y procedimientos administrativos en relación con las operaciones aéreas

LA:
: Ley 60/2003, de 23 de diciembre. Arbitraje.

LAU:
: Ley 29/1994, de 24 de noviembre. Arrendamientos urbanos.

LC:
: Real Decreto Legislativo 1/2020, de 5 de mayo. Aprueba el texto refundido de la Ley Concursal.

LCA:
: Ley 12/1992, de 27 de mayo. Contrato de agencia.

LCCC:
: Ley 16/2011, de 24 de junio. Contratos de crédito al consumo.

LCCH:
: Ley 19/1985, de 16 de julio. Cambiaria y del cheque.

LCCI:
: Ley 5/2019, de 15 de marzo. Reguladora de los contratos de crédito inmobiliario.

LCD:
: Ley 3/1991, de 10 de enero. Competencia desleal.

LCDSF:
: Ley 22/2007, de 11 de julio. Comercialización a distancia de servicios financieros destinados a los consumidores.

LCGC:
: Ley 7/1998, de 13 de abril. Condiciones generales de la contratación.

LCOOP:
: Ley 27/1999, de 16 de julio. Cooperativas.

LCS:
: Ley 50/1980, de 8 de octubre. Contrato de seguro.

LDC:
: Ley 15/2007, de 3 de julio. Defensa de la competencia.

LEC 1881:
: Ley de enjuiciamiento civil de 1881.

LDS:
: Real Decreto Ley 3/2020, de 4 de febrero. Medidas urgentes por el que se incorporan al ordenamiento jurídico español diversas directivas de la Unión Europea en el ámbito de la contratación pública en deter-

minados sectores; de seguros privados; de planes y fondos de pensiones; del ámbito tributario y de litigios fiscales. Incluye transposición de la Directiva (UE) 2016/97, de 20 de enero de 2016, sobre la Distribución de Seguros.

LEC:	Ley 1/2000, de 7 de enero. Enjuiciamiento Civil.
LGP:	Ley 34/1988, de 11 de noviembre. General de publicidad.
LGT:	Ley 58/2003, de 17 de diciembre. General tributaria.
LH:	Decreto de 8 de febrero de 1946, que aprueba la Ley Hipotecaria.
LHMPSD:	Ley de 16 de diciembre 1954. Hipoteca Mobiliaria y Prenda sin Desplazamiento.
LIIC:	Ley 35/2003, de 4 de noviembre. Instituciones de Inversión Colectiva.
LM:	Ley 17/2001, de 7 de diciembre. Marcas.
LMLCMOC:	Ley 3/2004, de 29 de diciembre. Establece medidas de lucha contra la morosidad en las operaciones comerciales.
LNA:	Ley 48/1960, de 21 de julio. Navegación aérea.
LNM:	Ley 14/2014, de 24 de julio. Navegación marítima.
LOCM:	Ley 7/1996, de 15 de enero. Ordenación del comercio minorista.
LOPDGDD:	Ley Orgánica 3/2018, de 5 de diciembre. Protección de datos personales y garantía de los derechos digitales.
LOSSEAR:	Ley 20/2015, de 14 de julio. Ordenación, supervisión y solvencia de aseguradoras y reaseguradoras.
LOSSEC:	Ley 10/2014, de 26 de junio. Ordenación, supervisión y solvencia de entidades de crédito.
LOSSP:	Real Decreto Legislativo 6/2004, de 29 de octubre. Aprueba el texto refundido de la Ley de ordenación y supervisión de los seguros privados.
LOTT:	Ley 16/1987, de 30 de julio. Ordenación de los transportes terrestres.
LP:	Ley 24/2015, de 24 de julio, de patentes.
LSE:	Ley 1/2019, de 20 de febrero. Secreto empresarial.
LSF:	Ley 38/2015, de 29 de septiembre. Sector ferroviario.

LSSICE:	Ley 34/2002, de 11 de julio. Servicios de la sociedad de la información y de comercio electrónico.
LSP:	Real Decreto-ley 19/2018, de 23 de noviembre, de servicios de pago y otras medidas urgentes en materia financiera.
LVPBM:	Ley 28/1998, de 13 de julio. Regula la venta a plazos de bienes muebles.
Propuesta de Código Mercantil:	Propuesta de Código mercantil de 2013, elaborada por la Sección de Derecho Mercantil de la Comisión General de Codificación del Ministerio de Justicia.
RHV:	Convenio internacional para la unificación de ciertas reglas en materia de conocimientos de embarque en los buques mercantes de 1924, ratificado por España mediante Instrumento de 2 de junio de 1930; modificado por los Protocolos de 23 de febrero de 1968 y de 21 de diciembre de 1971, ratificados mediante Instrumento de 16 de noviembre de 1981.
RRM:	Real Decreto 1784/1996, de 19 de julio. Aprueba el Reglamento del Registro Mercantil.
RRM 1956:	Decreto de 14 de diciembre de 1956. Aprueba el Reglamento del Registro Mercantil.
SSTS:	Sentencias del Tribunal Supremo.
STS:	Sentencia del Tribunal Supremo.
TFUE:	Tratado sobre el Funcionamiento de la Unión Europea (consolidado según Tratado de Lisboa) Tratado de 25 de marzo de 1957, ratificado por Instrumento de 13 de diciembre de 2007.
TOL:	Tirant on Line.
TRET:	Real Decreto Legislativo 2/2015, de 23 de octubre. Aprueba el Texto Refundido de la Ley del estatuto de los trabajadores.
TRLGDCU:	Real Decreto Legislativo 1/2007, de 16 de noviembre. Aprueba el texto refundido de la Ley general para la defensa de los consumidores y usuarios y otras leyes complementarias.
TRLGSS:	Real Decreto Legislativo 8/2015, de 30 de octubre. Aprueba el Texto Refundido de la Ley general de la Seguridad Social.
TRLMV:	Real Decreto Legislativo 4/2015, de 23 de octubre. Aprueba el texto refundido de la Ley del mercado de valores.

TRLPEMM: Real Decreto Legislativo 2/2011, de 5 de septiembre. Aprueba el texto refundido de la Ley de puertos del Estado y de la Marina Mercante.

TRLPI: Real Decreto Legislativo 1/1996, de 12 de abril. Aprueba el texto refundido de la Ley de propiedad intelectual.

TRLSC: Real Decreto Legislativo 1/2010, de 2 de julio. Aprueba el texto refundido de la Ley de sociedades de capital.

Bibliografía general

AAVV: *GPS Contratos mercantiles,* Valencia, 2020.

AAVV: *Practicum Contratos mercantiles,* Pamplona, 2019.

AAVV: *Memento práctico contratos mercantiles*, Barcelona, 2019-2020.

AAVV: *Contratación mercantil y bancaria*, Madrid, 2010.

ABRIL, A., *Los contratos mercantiles y su aplicación práctica*, Barcelona, 2017.

ALCOVER GARAU, G.: *Introducción al Derecho mercantil*, Madrid, 2004.

ALONSO UREBA, A.: *Elementos de Derecho mercantil*, tomo I, Albacete, 1989.

AZNAR GINER, E., *Formularios de contratos mercantiles y de la empresa*, Valencia, 2020.

BOTE GARCÍA, M. T., *Derecho mercantil. Los contratos mercantiles*, Madrid, 2021.

BERCOVITZ, A. y CALZADA, M. A., (dirs.): *Contratos mercantiles*, Pamplona, 2017.

BERCOVITZ, A.: *Apuntes de Derecho mercantil. Derecho mercantil, derecho de la competencia y propiedad industrial*, Pamplona, 2021.

BRADGATE, R.: *Commercial Law*, Oxford, 2008.

BROSETA PONT, M. y MARTÍNEZ SANZ, F.: *Manual de Derecho mercantil*, tomo II, Madrid, 2021.

CANO RICO, *Manual práctico de contratación mercantil*, Madrid, 2002.

CASTRILLÓN Y LUNA, V. M.: *Contratos mercantiles,* México, 2021.

JACQUEL, J. M., DELEBECQUE, P. y USUNIER, L.: *Droit du commerce international*, París, 2021.

DE BENITO, J.: *Derecho mercantil*, Madrid, 1922.

DE HEVIA BOLAÑOS, J.: *Curia Philipica. vol. II, Laberinto de comercio terrestre, o de tierra, y canal o de mar*, Madrid, 1797.

DE LA CUESTA, J. M. (dir.) y VALPUESTA, E. (coord.): *Contratos mercantiles*, 3 tomos, Barcelona, 2009.

DÍEZ-PICAZO, L.: *Fundamentos de Derecho civil patrimonial. Introducción. Teoría del contrato*, Madrid, 1996.

EIZAGUIRRE, J. M.: *Derecho mercantil*, Madrid, 2008.

FERNÁNDEZ DE LA GÁNDARA, L. y GALLEGO, E.: *Fundamentos de Derecho mercantil*, tomo I, Valencia, 1999.

FERNÁNDEZ ROZAS, J. C., ARENAS, R. y MIGUEL, P.: *Derecho de los negocios internacionales*, Madrid, 2020.

FERNÁNDEZ RUIZ, J. L. y MARTÍN REYES, M. A.: *Fundamentos de Derecho mercantil*, Madrid, 2005.

FERNÁNDEZ RUIZ, J. L.: *Elementos de Derecho mercantil*, Bilbao, 2004.

FOLCHI, M., GUERRERO, M. J. y MADRID, A.: *Estudios de derecho aeronáutico y espacial*, Madrid-Barcelona-Buenos Aires, 2008.

GABALDÓN GARCÍA, J. L. y RUIZ SOROA, J. M.: *Manual de derecho de la navegación marítima*, Madrid-Barcelona, 2006.

GABALDÓN GARCÍA, J. L.: *Curso de Derecho marítimo internacional*, Barcelona-Madrid-Buenos Aires-São Paulo, 2012.

GADEA. E., GAMINDE, E. y REGO, A.: *Derecho de la contratación mercantil*, Madrid, 2021.

GADEA. E., GAMINDE, E. y REGO, A.: *Manual sobre la contratación mercantil*, Madrid, 2016.

GALGANO, F.: *Diritto del commercio internazionale*, Padua, 2007.

GALLEGO, E.: *Contratación mercantil*, 3 tomos, Valencia, 2003.

GARCÍA GIL, F. J.: *Los contratos mercantiles y su jurisprudencia*, Pamplona, 1999.

GARCÍA-PITA Y LASTRES, *Derecho mercantil de obligaciones: contratos comerciales*, Santiago de Compostela, 2011.

GARRIGUES, J.: *Contrato de seguro terrestre*, Madrid, 1983.

JIMÉNEZ SÁNCHEZ, G. (coord.): *Derecho mercantil II*, Barcelona, 2014.

JIMÉNEZ SÁNCHEZ, G. y DÍAZ MORENO, A. (coords.) *Lecciones de Derecho Mercantil*, Madrid, 2021.

JIMÉNEZ SÁNCHEZ, G. y LACASA GARCÍA, R. (coords.): *Nociones de Derecho mercantil*, Madrid, 2021.

MARTÍ DE EIXALÀ, R.: *Instituciones de Derecho mercantil de España*, Barcelona-Madrid, 1870.

MARTÍNEZ SANZ, F. (dir.) y PUETZ, A. (coord.): *Manual de derecho del transporte*, Madrid-Barcelona-Buenos Aires, 2010.

MENÉNDEZ, A. ROJO, A. (dirs.): *Lecciones de Derecho Mercantil*, Vol. 2, Madrid, 2021.

MORILLAS JARILLO, M. J., PETIT LAVALL, M. V. y GUERRERO LEBRÓN, M. J., *Derecho aéreo y del espacio,* Madrid-Barcelona, 2014.

PILOÑETA ALONSO, L. M., *Contratos mercantiles*, Valencia, 2020.

Ruiz de Velasco, A.: *Manual de Derecho mercantil*, Madrid, 2007.

Sánchez Calero, F. y Sánchez Calero-Guilarte, J.: *Instituciones de Derecho mercantil*, tomo 2, Madrid, 2016.

Sánchez Calero, F.: *Principios de Derecho mercantil*, Madrid, 2015.

Sierra Noguero, E.: *Curso de Derecho mercantil*, Barcelona, 2020.

Sierra Noguero, E., *Curso de Derecho aeronáutico*, Valencia, 2020

Uría, R. y Menéndez, A. (dirs.): *Curso de Derecho mercantil*, tomo I, 2006, y tomo II, Madrid, 2007.

Uría, R.: *Derecho mercantil*, Madrid, 2002.

Vicent Chuliá, F.: *Introducción al Derecho mercantil*, Valencia, 2012.

Vivante, C.: *Derecho mercantil*, Buenos Aires, 2005.

Capítulo I

Disposiciones generales sobre los contratos de comercio o mercantiles

1. RÉGIMEN JURÍDICO

Derecho de los contratos mercantiles. Contenido y características	✓ El Derecho de los contratos regula determinados contratos (denominados típicos o tipificados) y los derechos y obligaciones surgidos de cada uno. ✓ La regulación de cada singular contrato (compraventa, depósito, arrendamiento, comisión, etc.) sólo incluye el contenido "normal" de cada contrato, los aspectos esenciales que constituyen su causa y su objeto. Es muy habitual, así, que el contrato realmente celebrado vaya mucho más allá del contenido legal, con el nivel de detalle que necesiten los contratantes. Se piense, por ejemplo, en un contrato de cuenta corriente bancaria. ✓ No regular de forma pormenorizada todas las cláusulas usuales de un contrato específico es una opción legislativa. Además, casi siempre sería incompleto, pues es normal que surjan nuevos intereses de las partes que el legislador no pudo prever. Incluso es una constante la creación de nuevos contratos (o modificaciones de los típicos) para responder a nuevas necesidades. ✓ La norma esencial del Derecho de los contratos está prevista en el art 57 C. Com. y en el art. 1255 CC: se reconoce la libertad contractual de las partes del contrato, como manifestación de su condición de ciudadanos dotados de derechos civiles para regir su persona y su patrimonio. ✓ La libertad contractual es protegida por el ordenamiento jurídico. El Estado, con sus normas y sus órganos, vela para que la "reglamentación autónoma de los intereses de los contratantes", que es el contrato, sea respetada. El Estado pone los medios necesarios para garantizar el cumplimiento del contrato y para sancionar el incumplimiento o el cumplimiento irregular o defectuoso del contrato. ✓ El Derecho de los contratos está normalmente escrito. Las normas de derecho positivo (Código de Comercio, Ley del contrato de seguro, Ley del contrato de agencia, etc.) están publicadas en diarios oficiales.

Derecho de los contratos mercantiles. Contenido y características (cont.)	✓ El Derecho de los contratos mercantiles se integra también con los usos del comercio que tengan el valor de costumbre, como fuente del Derecho. Son aquellos usos y prácticas del sector que, salvo que las partes pacten en contrario, integran el contrato en caso de silencio. Los usos del comercio han de cumplirse, si se prueba su carácter de costumbre y su existencia, como si las partes los hubieran pactado en el propio contrato. Sin embargo, al no estar positivizados en la ley, genera inseguridad jurídica su aplicación. Por ello, es tan habitual en muchos sectores mercantiles contratos muy extensos con las prácticas más comunes del sector, obligatorias ya por razón de estar integradas en el contrato por decisión de las partes y no por ser usos.
	✓ El Derecho de los contratos suele tener carácter dispositivo. "Salvo pacto en contrario", se dice a veces en las normas. Incluso en caso de silencio la naturaleza dispositiva del Derecho de los contratos es la norma habitual. Porque es preferente, con excepciones, la libertad contractual. Las normas sirven para completar la voluntad de las partes en lo no expresamente regulado por ellos, para integrar el contrato con las normas legales. Las excepciones son las normas imperativas, la moral y el orden público (art. 1255 CC), que si se vulneran son motivo de anulación de la cláusula afectada o del contrato en su conjunto.
	✓ El legislador a veces opta por dotar una singular norma de naturaleza imperativa. Se dice "sin que quepa pacto en contrario", "serán nulas las estipulaciones que contravengan lo dispuesto en la ley" y otras similares. Las razones de la imperatividad dependen de cada norma; puede ser para garantizar el equilibrio de las prestaciones, asegurar una regulación que se considera justa y equitativa, por razones de orden público, por defensa de los intereses generales, para proteger a la parte débil del contrato, etc. Sin embargo, la imperatividad es la excepción a la norma general de dispositividad de las normas legales en materia de contratos mercantiles.
	✓ El Derecho de los contratos tiene mayoritariamente carácter imperativo cuando el empresario contrata con un consumidor o usuario, así como otras personas que tienen la condición de parte débil (agente comercial, asegurado). La finalidad es mantener el equilibrio de las prestaciones frente al mayor poder económico del empresario que puede imponer los términos del contrato, incluyendo cláusulas abusivas. Frente a este riesgo, el legislador dota al consumidor y usuario y otras partes débiles de derechos irrenunciables. Aunque el contrato se haya celebrado válidamente, el afectado podrá solicitar a un juez o árbitro la nulidad de la cláusula abusiva, manteniendo el contrato si puede existir igualmente, o anulando íntegramente el contrato.
	✓ Como el legislador no puede prever anticipadamente todas las normas imperativas o prohibitivas, el juez o árbitro podría anular el contrato o la cláusula afectada recurriendo a la nulidad de los términos contrarios a la moral o el orden público (art. 1255 CC). Sin embargo, resulta muy excepcional la aplicación de esta norma, pues la seguridad jurídica exige que lo que esté prohibido, conste en una norma escrita. Faltando ésta, rige la libertad contractual.

Derecho de los contratos mercantiles. Contenido y características (cont.)	✓ Los contratos mercantiles son los principales "actos de comercio" a los que se refiere el Código de Comercio de 1885. Éste dedica su Título IV del Libro I a las "disposiciones generales sobre los contratos de comercio"; su Libro II a los "contratos especiales del comercio"; y, el Título III del Libro III a los "contratos especiales del comercio marítimo" derogado y sustituido por la LNM. ✓ El Código de Comercio de 1885 sigue vigente, pero ha sufrido un proceso denominado por la doctrina como "descodificación", pues muchos de sus preceptos han sido sustituidos por leyes modernas. Algunos de sus artículos están desfasados, otros han sido modificados y/o desarrollados a través de reglamentos. ✓ Más de 40 leyes especiales relativas a diversos aspectos del comercio han sido aprobadas desde la entrada en vigor de la Constitución española de 1978. En unos casos, las leyes mercantiles regulan de forma actualizada materias ya comprendidas en el Código de Comercio, al que complementan o sustituyen como normativa aplicable. En otros casos, las leyes especiales regulan actos de comercio y cuestiones relacionadas con los mismos que no están previstos en el texto originario del Código de Comercio.
Distinción entre los contratos civiles y mercantiles	✓ El Derecho español mantiene la distinción entre contratos civiles y mercantiles, mediante la vigencia del Código Civil y el Código de Comercio y la legislación complementaria civil y mercantil, respectivamente. Esto es una diferencia respecto a los países que han unificado el derecho de obligaciones y contratos en un único cuerpo legal, como Italia. ✓ Los límites entre el Derecho privado común o civil y el Derecho privado especial, que es el mercantil, no son claros. Para dotar de certidumbre al tráfico económico, el Código de Comercio fija el criterio de mercantilidad de los contratos que regula (compraventa, depósito, transporte, etc.) y así se distinguen del régimen general del Código Civil. ✓ En los contratos no previstos en el Código de Comercio, ni en leyes sobre las cuales el Tribunal Supremo o la propia Ley hayan declarado su mercantilidad, subsisten las dudas entre su calificación entre civil y mercantil. El criterio general de distinción lo fija el artículo 2 C. Com.: • Los actos de comercio, sean o no comerciantes los que los celebren y estén o no específicamente previstos en el Código de Comercio, se rigen por las disposiciones contenidas en éste; en su defecto, por los usos de comercio generalmente observados en cada plaza; y, a falta de ambas reglas, por las del Derecho común. • Esta fórmula abierta ha permitido aplicar el Código de Comercio y las leyes mercantiles, así como calificar de mercantiles, a los actos de comercio de nueva creación. Por ejemplo, los contratos de transporte aéreo de personas o de mercancías. • En todo caso, los contratos mercantiles son contratos de Derecho privado, por lo que en todo lo relativo a sus requisitos, modificaciones, excepciones, interpretación, extinción y a la capacidad de los contratantes, se regirán en todo lo que no se halle expresamente establecido en el Código de Comercio o en Leyes especiales, por las reglas generales del Derecho común (art. 50 C. Com.).

Distinción entre los contratos civiles y mercantiles (cont.)	✓ A pesar de que hay muchos contratos mercantiles que disponen de una regulación jurídica más o menos extensa, en función de cada uno, otros contratos son atípicos y su nota de mercantilidad procede de ser calificados como actos de comercio. ✓ La doctrina mercantil mayoritaria apunta un criterio adicional distintivo: con algunas excepciones, el contrato mercantil pertenece a una serie de negocios que realiza diariamente el comerciante como parte de la actividad empresarial (Garrigues, Uría, Menéndez, Vergez, Sánchez Calero, García Villaverde, entre otros). De ahí que al menos una de las partes de los contratos mercantiles sea un empresario en el ejercicio de su actividad lucrativa. ✓ La Propuesta de Código mercantil de 2013, elaborada por la Sección de Derecho Mercantil de la Comisión General de Codificación del Ministerio de Justicia, pretende sustituir al vigente Código de Comercio e integrar y delimitar la legislación mercantil existente. La Propuesta pretende dejar lo más claro posible cuáles son los elementos que hacen que el contrato deba considerarse mercantil (ap. VI-5 Exposición de motivos). Subsiste con todo la fórmula abierta del vigente Código de Comercio, pues los contratos mercantiles no regulados lo serán en base a los criterios generales de mercantilidad que resultan de la delimitación de la materia objetiva del Código Mercantil (ap. VI-2 Exposición de motivos).
El contrato como principal fuente de derechos y obligaciones	✓ La manifestación esencial de la libertad contractual es el reconocimiento legal a los contratantes para que establezcan los términos y condiciones de su contrato (art. 1255 CC) y que se obliguen a cumplirlo (art. 1091 CC). El Código de Comercio y, sobre todo, el Código Civil, detallan el contenido de la libertad contractual y sus límites. Como Derecho privado común, el Código Civil ofrece así una regulación más completa sobre el contenido de la autonomía privada y los límites jurídicos que deben respetar todos los contratantes, también en las transacciones mercantiles. ✓ Los contratos de comercio se ejecutarán y cumplirán de buena fe, según los términos en que fueron hechos y redactados, sin tergiversar con interpretaciones arbitrarias el sentido recto, propio y usual de las palabras dichas o escritas, ni restringir los efectos que naturalmente se deriven del modo con que los contratantes hubieren explicado su voluntad y contraído sus obligaciones (art. 57 C. Com.). ✓ La teoría general de las obligaciones y contratos del Código Civil es aplicable de forma supletoria a los contratos especiales de comercio (arts. 2, 50 C. Com. y 4.3 CC). En particular, en materia de libertad contractual la norma de referencia es el art. 1255 CC. ✓ Los contratantes pueden establecer los pactos, cláusulas y condiciones que tengan por conveniente, siempre que no sean contrarios a la leyes, a la moral, ni al orden público (art. 1255 CC).

El contrato como principal fuente de derechos y obligaciones (cont.)	✓ La jurisprudencia del Tribunal Supremo [SSTS 12-1-2009 *(Tol 1441152)*; 3-12-2008 *(Tol 1413562)*, entre otras)] señala también que la fuente primordial de las obligaciones es el contrato, esto es, lo pactado libremente por las partes, dentro de los límites impuestos a la autonomía de la voluntad.
	✓ Cuando las partes estipulan un contrato, llevan a cabo una "regulación convencional", que se denomina en la práctica con las expresiones latinas *lex privata* o *lex contractus*. Es el fruto de su libertad, de la autonomía contractual y de la negociación (pero a veces todo o parte del contenido del contrato es la imposición de uno de los contratantes).
	✓ El contrato existe desde que una o varias personas consienten en obligarse, respecto de otra u otras, a dar alguna cosa o prestar algún servicio (art. 1254 CC). Las disposiciones que nacen de los contratos tienen fuerza de ley entre las partes contratantes, y deben cumplirse al tenor de los mismos (art. 1091 CC). El contrato obliga y vincula a las partes (aunque si hay cláusulas ilegales, deben ser declaradas nulas por el juez o árbitro que conozca del litigio). Esta vinculación y obligación con los propios pactos contractuales también se conoce con una expresión latina: *pacta sunt servanda* (los pactos deben cumplirse).
	✓ La jurisprudencia del Tribunal Supremo también es reiterada en exigir el respeto debido al principio de la autonomía de la voluntad de los contratantes (art. 1255 CC) y al efecto vinculante de la *lex privata* conforme a la regla *pacta sunt servanda* (art. 1091 CC) [SSTS 5-7-2021 *(Tol 8510317)*, 2-2-2021 *(Tol 8310127)*, 11-12-2018 *(Tol 6958184)*, 24-2-2017 *(Tol 5984443)*, entre muchas otras].
	✓ En la doctrina, Diez-Picazo (pág. 128) explica que el principio de autonomía privada de los contratantes significa:
	    • Optar por contratar o no hacerlo.
	    • Elegir el tipo de contrato que más se ajuste a sus necesidades.
	    • Crear otros contratos, más allá de los regulados en las leyes. Son los denominados contratos atípicos, tan frecuentes en el tráfico mercantil, pero que adolecen de un reconocimiento normativo o, al menos, completo (por ejemplo, el *factoring*, el *leasing*, la franquicia, la concesión, el *merchandising*, etc.).
	    • Sustituir el contenido de los contratos previstos en la Ley por otro distinto, siempre y cuando la naturaleza dispositiva de las normas así lo permita.

Integración del contrato con la ley	✓ Los contratos se perfeccionan por el mero consentimiento, y desde entonces obligan no sólo al cumplimiento de lo expresamente pactado, sino también a todas las consecuencias que, según su naturaleza, sean conformes a la buena fe, al uso y a la Ley (art. 1258 CC). Analizamos a continuación:
	    • La Ley. Incluye normas dispositivas (admiten pacto en contrario) e imperativas (no admiten pacto en contrario).
	    • La buena fe.
	    • Los usos del comercio.

Integración del contrato con la ley (cont.)	✓ En cuanto a la ley, hay que entenderla ampliamente: todas las normas que pudieran resultar de aplicación al contrato específico. Sobre todo, son aplicables las normas legales que regulan el concreto contrato y la teoría general de las obligaciones y contratos.
	
	✓ Las normas reguladoras de un contrato explicitan la regulación normal, son un modelo de ordenación, en el que el legislador ha ponderado cuidadosamente la situación normal de los intereses de las partes (Diez-Picazo, pág. 359). Estas normas tienen una función ordenadora del contrato y una naturaleza predominantemente "dispositiva", esto es, admiten pacto contractual en contrario. Integran el contrato con lo dispuesto en la ley cuando las partes no hayan pactado nada o sea incompleta la regulación sobre un tema específico. Tienen así una aplicación supletoria a la regulación convencional, a la *lex privata* o *lex contractus*.
	
	✓ En cambio, las normas de la teoría general de obligaciones y contratos, así como algunas normas del contrato específico que así lo decida el legislador, tienen normalmente naturaleza "imperativa". Vinculan a las partes como si las hubiesen estipulado, pues se integran en el contrato, siendo nulas las cláusulas pactadas en contrario.
	
	✓ En caso de duda sobre el carácter dispositivo o imperativo de un precepto mercantil, hay que atender a la jurisprudencia reiterada del Tribunal Supremo (art. 1.6 CC). El art. 411-1 de la Propuesta de Código Mercantil declara, con el título "carácter dispositivo de las normas", que las normas que regulan los contratos, excepto las relativas a la noción de mercantilidad, tienen carácter dispositivo, salvo que en ellas se establezca otra cosa, y en consecuencia se aplicarán salvo pacto en contrario entre las partes.
	
	✓ Algunas normas mercantiles vigentes sí definen claramente su carácter dispositivo con expresiones del tipo "salvo acuerdo de las partes", "salvo pacto en contrario" y otras fórmulas legales similares. Por ejemplo:
	  • El artículo 345 C. Com. señala que, en toda venta mercantil, el vendedor queda obligado a la evicción y saneamiento por vicios ocultos, salvo pacto en contrario.
	
	✓ Varias leyes más modernas explicitan, como ya hace la Propuesta de Código Mercantil, el carácter dispositivo de su regulación o de algunos de sus contratos regulados Destacamos:
	  • El artículo 6 de la Convención de Viena sobre compraventa internacional de mercancías indica que las partes pueden excluir su aplicación o establecer excepciones a cualquiera de sus disposiciones o modificar sus efectos.
	  • El art. 3 Ley del contrato de transporte terrestre de mercancías (LCTTM) señala que, salvo estipulación contraria en esta ley o de la legislación especial aplicable, las partes podrán excluir determinados contenidos de esta ley mediante el correspondiente pacto. También podrá ser así, respecto de las condiciones generales de los transportes cuando sus obligaciones resulten más beneficiosas para el adherente.

Integración del contrato con la ley (cont.)	• El art. 407 Ley de navegación marítima (LNM) dispone que salvo que expresamente se disponga de otra forma, las partes del contrato de seguro marítimo podrán pactar libremente las condiciones de cobertura que juzguen apropiadas.
	✓ Las normas "imperativas" y "prohibitivas" determinan que los contratantes no pueden estipular nada en contrario. Son también denominadas como normas de *ius cogens*.
	• Los actos contrarios a las normas imperativas y a las prohibitivas son nulos de pleno derecho, salvo que en ellas se establezca un efecto distinto para el caso de contravención (art. 6.3 CC).
	• La misma regla rige en el ámbito mercantil, pues son convenciones ilícitas que no producen obligación ni acción, aunque recaigan sobre operaciones de comercio (art. 53 C. Com.).
	✓ En el ámbito del comercio, la existencia de normas de naturaleza imperativa o prohibitiva suele estar relacionada con la protección de un interés público. En el ámbito de la regulación administrativa de la actividad comercial (por ejemplo, en materia de defensa de la competencia, comercio minorista, mercado de valores, publicidad, entre otras), las normas son imperativas y la contravención supone la nulidad de los pactos contrarios a las mismas. Las normas imperativas tienden también a proteger a la parte débil del contrato, esto es, aquella que carece de poder contractual para imponer sus condiciones.
	✓ Una misma Ley mercantil puede contener normas dispositivas e imperativas, autorizando que las partes convengan lo que estimen por conveniente, pero imponiendo en ciertas materias la solución legislativa, sin que quepa pacto en contrario. Por ejemplo:
	• El artículo 3 LCTTM señala que "salvo expresa estipulación contraria en esta Ley o de la legislación especial aplicable, las partes podrán excluir determinados contenidos de esta Ley mediante el correspondiente pacto".
	• El artículo 46 LCTTM expresa el carácter imperativo de las normas sobre responsabilidad del porteador y el artículo 78 LCTTM hace lo mismo en materia de prescripción de acciones.
	✓ Algunas normas mercantiles son de naturaleza imperativa. Constituyen con todo la excepción a la regla general del carácter mayoritariamente dispositivo del Derecho de los contratos mercantiles. Se ofrece a continuación una referencia a las principales normas de contratos mercantiles de naturaleza imperativa.
	✓ El artículo 2 Ley de contrato de seguro (LCS) dice que las normas de esta ley tienen carácter imperativo, a no ser que en ellos se disponga otra cosa. No obstante, serán válidas las cláusulas contractuales que sean más beneficiosas para el asegurado que las previstas en esta ley. La excepción a esta naturaleza imperativa en materia de seguro son los contratos de seguro de grandes riesgos (arts. 44, 107.2 LCS y 11 LOSSEAR), contratados normalmente por grandes empresas que no necesitan, en principio, de la protección legal frente al poder económico de una aseguradora.

Integración del contrato con la ley (cont.)	• El contrato de seguro será nulo, salvo en los casos previstos por la Ley, si en el momento de su conclusión no existía el riesgo o había ocurrido el siniestro (art. 4 LCS). Sin un riesgo real, el contrato de seguro no tiene sentido. Es la incertidumbre, convertida en inseguridad, lo que le induce al tomador a contratar un seguro. A veces, la cobertura del riesgo nace de la propia ley, se trata de "seguros obligatorios". El riesgo es la causa del contrato de seguro. Si ya ha ocurrido el siniestro o el riesgo no existe, el contrato de seguro es nulo (Garrigues, pág. 113). • El contrato de seguro contra daños es nulo si en el momento de su conclusión no existe un interés del asegurado a la indemnización del daño (art. 25 LCS). Se habla del interés del propietario, del interés del usufructuario, del interés del acreedor hipotecario en relación con la cosa asegurada. El valor asegurado es el valor que el tomador del seguro asigne a su interés. Si no hay un interés lícito en asegurar la cosa, el contrato de seguro es ineficaz (Garrigues, pág. 135). ✓ El artículo 3 Ley de contrato de agencia (LCA) indica expresamente que los preceptos de estas leyes son imperativos, a no ser que en ellos se disponga otra cosa. La Directiva 86/653/CE, incorporada en España por la Ley de contrato de agencia, se justifica, en su Exposición de motivos, entre otros aspectos, en las diferencias en las legislaciones nacionales que afectan al nivel de protección de los agentes comerciales en relación con sus poderdantes. En efecto, muchos agentes comerciales son personas físicas que se adhieren a las condiciones generales de contratación impuestas por el empresario, alguna de las cuales podría ser abusiva. Los agentes tampoco se benefician del Estatuto de los trabajadores. • El pacto por cuya virtud el agente asuma el riesgo y ventura de uno, de varios o de la totalidad de los actos u operaciones promovidos o concluidos por cuenta de un empresario, será nulo si no consta por escrito y con expresión de la comisión a percibir (art. 19 LCA). ✓ El artículo 10 del Texto refundido de la Ley general de defensa de los consumidores y usuarios (TRLGDCU) declara que la renuncia previa a los derechos que esta norma reconoce a los consumidores y usuarios es nula, siendo asimismo nulos los actos realizados en fraude de ley de conformidad con lo previsto en el artículo 6 del Código Civil. Es cuando el empresario, en el ejercicio de su actividad, contrata con consumidores o usuarios, cuando la libertad contractual está más legalmente constreñida, hasta el punto que, sin duda, se puede decir que la regla general es la imperatividad de la norma y el carácter residual de aquellas normas dispositivas. Muchos de los preceptos del TRLGDCU reiteran la nulidad de las cláusulas contractuales o de todo el contrato celebrado con consumidores y usuarios en contravención de los derechos de estos (por ejemplo, arts. 68,1, 83 y 100.1). ✓ Todas o algunas de las cláusulas incluidas en un contrato mercantil formalizado mediante "condiciones generales" pueden ser declaradas no incorporadas o nulas [art. 8 Ley de condiciones generales de contratación (LCGC)]. La LCGC es aplicable cuando un particular, pero también otro empresario o un profesional, se adhieren a las condiciones generales preparadas por una persona que actúa dentro de su actividad profesional o empresarial.

Integración del contrato con la ley (cont.)	• Un pequeño empresario, sea persona física o una PYME, no es a estos efectos un consumidor o usuario. No basta, en principio, alegar el desequilibrio de poder contractual para dejar sin efecto un contrato o una cláusula. La regla es que el contrato se ha celebrado y hay que cumplirlo en sus términos *(pacta sunt servanda)*. Sin embargo, hay desprotección legal de estos empresarios cuando se adhieren a las condiciones generales de contratación impuestas por el otro contratante. Pueden alegar que el art. 7 LCGC dispone que no quedan incorporadas al contrato las que el adherente no haya tenido oportunidad real de conocerlas, ni las ilegibles, ambiguas, oscuras e incomprensibles. El artículo 8 LCGC declara nulas de pleno derecho las condiciones generales que contradigan en perjuicio del adherente lo dispuesto en esta ley o en cualquier otra imperativa o prohibitiva, salvo que en ellas se establezca un efecto distinto para el caso de contravención. Sin embargo, la regla general es mantener el respeto a los pactos contractuales, siendo la anulación de cláusulas contractuales entre empresarios la excepción. • El Tribunal Supremo mantiene una jurisprudencia reiterada en anular el contrato, también si es mercantil, cuando una parte ha incumplido sus deberes de información impuestos imperativamente por la legislación (como la del mercado de valores, la bancaria) y la otra parte ha incurrido en un error vicio en el consentimiento [SSTS Pleno Civil 20-1-2014 *(Tol 4103965)*, seguida por muchas otras, como 8-3-2017 *(Tol 5990675)*, 10-10-2019 *(Tol 7531509)*, 15-12-2021 *(Tol 8702304)*]. ✓ Tampoco admiten pacto en contrario algunas normas, como las que garantizan unos derechos mínimos a los usuarios de transportes terrestres, marítimos y aéreos de personas y de mercancías (Ley de contrato de transporte terrestre de mercancías —LCTTM—, Reglas de la Haya-Visby —RHV—, Convenio de Montreal —CM— etc.). Por ejemplo, las normas que prevén la responsabilidad del transportista de personas o de mercancías no admiten pacto en contrario en el contrato. • Para facilitar el ejercicio de la actividad de transporte y que el transportista pueda contratar un seguro de responsabilidad civil con unos límites económicos aceptables por la aseguradora, estas normas prevén unos "límites de indemnización" de los que se beneficia el transportista. En general, salvo en caso de dolo personal, no paga el valor real del daño sufrido, sino conforme a unos límites que fija cada norma. También es nula cualquier estipulación en contrario de estos límites de indemnización, salvo para aumentarlos en beneficio del usuario. ✓ Será nula una cláusula contractual o una práctica relacionada con la fecha o el plazo de pago, el tipo de interés de demora o la compensación por costes de cobro, cuando resulte manifiestamente abusiva en perjuicio del acreedor teniendo en cuenta todas las circunstancias del caso (art. 9.1 LMCMOC).

Integración del contrato con la ley (cont.)	• El negocio actual de las empresas distribuidoras de productos no sólo reside en el margen comercial que les queda entre el precio pagado al proveedor y el precio recibido por el consumidor final. También les es beneficioso el margen temporal de pago de los proveedores, normalmente mediante pagos diferidos. Esto supone que desde que revenden el producto hasta que pagan a quien se lo ha suministrado, disponen de un dinero del cual pueden tener rendimientos económicos (aunque los tipos de interés del dinero sean bajos en la actualidad). ✓ El pacto en contrario relativo a la demora en el pago del precio del transporte se considerará nulo en todos aquellos casos en que tenga un contenido abusivo en perjuicio del porteador (terrestre de mercancías) (art. 41 LCTTM), ✓ En los contratos de arrendamiento de los buques y embarcaciones, son a cargo del arrendador las reparaciones necesarias para mantener la embarcación en estado de navegabilidad, salvo las debidas a culpa del arrendatario. Será nulo cualquier pacto que exonere al arrendador, total o parcialmente, de esta obligación (art. 194.2 LNM). ✓ Cuando haya sobreseguro (en un riesgo marítimo) y se debiera a mala fe del tomador o del asegurado, el contrato será nulo. El asegurador de buena fe podrá, no obstante, retener las primas vencidas y las del período en curso (art. 413.3 LNM). • El contrato de seguro (marítimo) celebrado con posterioridad al siniestro o cesación del riesgo es nulo siempre que alguna de las partes conociese tal circunstancia (art. 422 LNM).
Integración del contrato con la buena fe	✓ La buena fe (*bona fides*) es una fuente de creación de especiales deberes de conducta exigibles entre las partes del contrato y con la finalidad perseguida a través de él por las propias partes (Diez-Picazo, pág. 362). ✓ Los derechos deben ejercitarse conforme a las exigencias de la buena fe (art. 7.1 CC). ✓ La Ley no ampara el abuso del derecho o del ejercicio antisocial del mismo (art. 7.2 CC). ✓ El principio de buena fe no sólo sanciona los comportamientos abusivos, sino que también tiene una vertiente integradora del contrato en aquello que éste no haya previsto (arts. 1258 CC y 57 C. Com.). • Son muy frecuentes las sentencias del Tribunal Supremo que condenan o desestiman la pretensión de quien ha faltado a la buena fe contractual que le era exigible en litigios relativos a contratos en general y mercantiles en particular. Por ejemplo, SSTS 12-11-2020, Pleno *(Tol 8195711)*, sobre índice IRPH en préstamo hipotecario, 20-2-2020 *(Tol 7790005)*, sobre pactos parasociales, 19-5-2017 *(Tol 6113226)*, sobre un contrato de distribución, o 15-10-2015 *(Tol 5534927)*, en contrato de arrendamiento de industria, entre otras.

Integración del contrato con la buena fe (cont.)	• De acuerdo con la doctrina jurisprudencial recogida en la STS 19-5-2017 *(Tol 6113226)*, y otras sentencias aquí citadas: el principio de buena fe es una fuente de integración normativa del contrato (art. 1258 CC) que: 1) Sanciona comportamientos que en la ejecución del contrato resulten contrarios a los deberes de lealtad y corrección debida respecto de lo acodado y de la confianza que razonablemente derivó de dicho acuerdo, y; 2) También colma obligacionalmente las lagunas que presente la reglamentación contractual de las partes; de forma que las obligaciones derivadas del principio de buena fe integran el contrato y, por tanto, su cumplimiento puede ser reclamado por vía de acción.

Integración del contrato con los usos del comercio	✓ Los usos aludidos en el art. 1258 CC son los que se han llamado usos del tráfico o usos de los negocios, definidos como el modo normal de proceder en el mundo de los negocios. Se trata de la práctica habitual en los contratos de un determinado tipo, procedente de las partes que otorgan tales contratos (Diez-Picazo, págs. 360-361).
	 ✓ Los usos del comercio son fuente objetiva de Derecho mercantil, después de la legislación mercantil (art. 2 C. Com.). Es la especialidad comercial del principio general del derecho privado conforme al cual las fuentes del ordenamiento jurídico son la ley, la costumbre y los principios generales del derecho (art. 1 CC).
	 ✓ No cualquier práctica comercial, por muy extendida que esté, tiene el valor de uso del comercio. En la creación del uso de comercio contractual pueden identificarse dos etapas.
	   • Primera, la repetición constante, reiterada y uniforme de una cláusula en el mismo tipo de contrato significa que se convierte en "usual".
	   • Segunda, la cláusula se entiende incluida en los contratos de esa clase, aunque no se pacte, porque "es la costumbre" (derecho consuetudinario), es decir, existe una conciencia social de que esta práctica equivale a derecho (arts. 1258 y 1287 CC). Por tanto, la cláusula usual deviene una norma jurídica, que se aplica aunque los contratantes no la conozcan, si bien puede pactarse su exclusión.
	 ✓ En caso de conflicto, la validez y ejercicio del uso han de ser probados ante el juez, que debe apreciar si esta práctica comercial es o no una costumbre, es o no contraria al orden público y si resulta probada (art. 1.3 CC).
	   • La STS 21-1-2015 *(Tol 5979625)*, en relación a un contrato de mediación deportiva indica que "debe atenderse, principalmente, a la autoría negocial como criterio preferente de interpretación y, en su caso, a los usos y costumbres que resulten de aplicación". La STS 18-2-2016 *(Tol 5655324)* en relación a las cláusulas de vencimiento anticipado del préstamo hipotecario en caso de impago de cuotas de amortización, indica que para valorar la validez de una cláusula contractual al amparo de la autonomía de la voluntad, se atiende a los usos del comercio y a la habitualidad de dicha cláusula en la práctica comercial.

Integración del contrato con los usos del comercio (cont.)	✓ El problema de los usos de comercio es que no son reglas fijas, no son siempre uniformes y son más o menos vagos en su contenido (como señala Martí de Eixalà). No generan la seguridad jurídica que aporta la norma escrita. Por ello, cuando la sociedad en su conjunto o un sector acostumbra a respetar una determinada conducta o a establecer un tipo de cláusula en el mismo contrato, ésta suele "positivizarse", es decir, se convierte en Derecho positivo a través de una ley o un reglamento.
	   • En ocasiones, los usos del comercio están redactados por escrito, aún sin valor de Derecho positivo, y sí como expresión de la práctica del sector. Por ejemplo, las Reglas y Usos Uniformes para Créditos Documentarios de la Cámara de Comercio Internacional, a cuya aplicación remiten estos contratos financieros. Por ejemplo, STS 22-1-2020 *(Tol 7708995)*.
	✓ Tal y como indica la Exposición de motivos del Proyecto de Código de Comercio de 1882, los usos del comercio pueden resolver los diversos casos particulares que ocurran:
	   • Supliendo las cláusulas insertas generalmente en los actos mercantiles.
	   • Fijando el sentido de las palabras oscuras, concisas o poco exactas que suelen emplear los comerciantes.
	   • Dando al acto o contrato de que se trata el efecto que naturalmente debe tener, según la intención presunta de las partes.
	   • La interpretación de los contratos no puede hacerse exclusivamente desde el punto de vista del Derecho civil, porque haría incurrir a los Tribunales en apreciaciones equivocadas, sino desde el punto de vista comercial, único que puede captar la verdadera inteligencia de las palabras oscuras, revelar el sentido que encierran y presentar el acto y contrato bajo todas sus fases.
	✓ Sin embargo, la propia Exposición de motivos dice también que los usos de comercio no se admiten como "derecho consuetudinario", lo que genera confusión. En 1974, la cuestión quedó más aclarada, cuando se reformó el art. 1.3 CC para añadir que los usos jurídicos que no sean meramente interpretativos de una declaración de voluntad tendrán la consideración de costumbre (art. 1.3 CC). En conclusión, los usos de comercio son la expresión especial en el ámbito del comercio de la costumbre, como fuente de derecho.
	✓ En todo caso, hay que recurrir a la jurisprudencia del Tribunal Supremo a la hora de interpretar y aplicar la ley, la costumbre y los principios generales del Derecho (art. 1.6 CC). El Tribunal Supremo mantiene una jurisprudencia sobre cuatro principios básicos relativos a los usos de comercio:
	   • Un uso de comercio genera obligaciones y derechos para las partes, aunque no se haya previsto expresamente en el contrato. Las SSTS siguientes recogen aplicaciones concretas de este principio a contratos de agencia, comercio de arte, suministro mercantil, descuento bancario, préstamo hipotecario y mediación deportiva: 18-2-2016 *(Tol 5655324)*, 21-1-2015 *(Tol 5979625)*; 17-2-2010 *(Tol 1793029)*; 2-3-2004 *(Tol 352234)*; 22-1-2001 *(Tol 129901)*; y, 10-12-1996 *(Tol 1658676)*.

Integración del contrato con los usos del comercio (cont.)	• En aplicación del art. 1.3, el uso o costumbre mercantil ha de ser probado en juicio por la parte que lo alegue. La jurisprudencia del Tribunal Supremo es abundante en negar derechos y obligaciones contractuales no pactadas si la parte interesada no logra probar la existencia de un uso de comercio que integre el contrato en lo no previsto. Por ejemplo, SSTS 1-2-1988 *(Tol 1734351)*; 10-7-1989 *(Tol 1731100)*; 6-4-1992 *(Tol 1661715)*; y, 21-9-1996 *(Tol 1002376)*. • Las partes del contrato pueden pactar, en ejercicio de su libertad contractual (art. 57 C. Com.), en contra del uso de comercio [STS 6-4-1992 *(Tol 1661715)*]. • En ningún caso, se aplicará un uso o práctica contraria a la "ley" (art. 1 CC), sea de naturaleza civil, mercantil, administrativa, etc. [SSTS 10-7-1989 *(Tol 1731100)*, que indica que un uso marítimo no puede dejar sin efecto la aplicación de un reglamento portuario de tarifas; 26-11-2007 *(Tol 1793029)* en donde se señala que un uso marítimo no puede contradecir la Ley de Puertos del Estado y de la marina mercante]. ✓ Si un contrato se encuadra en el marco del comercio internacional y se comprueba la existencia de un uso en el sector del comercio internacional en el que operan las partes en litigio, se ha de considerar el conocimiento efectivo o presunto de dicho uso por ellas. • En concreto, de una cláusula atributiva de competencia jurisdiccional. Así, STJCE 16-3-1999 *(Tol 24045)*, incluida en un conocimiento de embarque; y, STJUE 20-4-2016 *(Tol 5690333)*, contenida en un folleto de emisión de bonos. ✓ Los usos del comercio también constituyen un límite de los derechos legales de su titular frente a terceros, como el del derecho de marca, así STS 26-10-2021 *(Tol 8634586)*.
Integración del contrato con el derecho común	✓ El contrato mercantil es un contrato de Derecho privado que, como tal, participa, salvo que haya especialidades, en la teoría general de las obligaciones y contratos. Por ello, es tan frecuente que, al resolver conflictos mercantiles, los tribunales apliquen los principios contractuales del Derecho civil y que estos sean esenciales en su resolución. • Un ejemplo de ello son la multitud de litigios sobre contratos mercantiles realizados en el marco de operaciones financieras y de mercados de valores (*swaps*, preferentes, subordinadas, bonos estructurados, cláusulas suelo, etc.), de la que es buena prueba el análisis de la jurisprudencia del Tribunal Supremo. Determinar si el inversor ha sufrido un error vicio del consentimiento o no es está siendo la clave para obligarle a aceptar las consecuencias financieras del contrato o beneficiarle anulando el contrato o la cláusula contractual. ✓ La Exposición de motivos del Proyecto de Código de Comercio de 1882 explica que el Código de Comercio proclama como Derecho propio el mercantil. Reconoce al mismo tiempo que el Derecho privado común es la base o parte general de los derechos privados especiales, entre los cuales se halla sin duda el mercantil, por lo que atribuye al Derecho civil el

Integración del contrato con el derecho común (cont.)	carácter de supletorio en último término del Derecho mercantil, esto es, cuando las dudas o cuestiones a que dan lugar las transacciones mercantiles no puedan resolverse por la legislación escrita mercantil ni por los usos o práctica del comercio (art. 2 C. com.). ✓ Como excepción, los contratos mercantiles, en todo lo relativo a sus requisitos, modificaciones, excepciones, interpretación y extinción y a la capacidad de los contratantes, se regirán en todo lo que no se halle expresamente establecido en el Código de Comercio o en leyes especiales, por las reglas generales del Derecho común (art. 50 C. com.). En estas materias, la costumbre mercantil queda relegada frente al Derecho común. ✓ Por "Derecho común" ha de entenderse el derecho civil estatal y, particularmente, el Código Civil, cuyas disposiciones son supletorias en las materias regidas por otras leyes (art. 4.3 CC).

Límites a la libertad contractual	✓ La potencialidad creadora de los contratantes tiene límites: la ley, la moral y el orden público (art. 1255 CC).
	✓ Como hemos visto arriba, cuando una norma jurídica tiene naturaleza "imperativa" o de *ius cogens*, la regulación convencional debe respetar la norma, bien porque se prohíbe un determinado contrato, bien porque el contenido del contrato está imperativamente fijado.
	  • El contrato o una determinada cláusula contraria a la norma imperativa deben ser declaradas nulas por el juez o el árbitro que conozca del asunto. Ha de observarse que el perjudicado por el contrato o cláusula ilegal ha de tener una conducta activa para defender sus derechos, pretendiendo su anulación. Entretanto no se anule, está vinculado por el contrato. De ahí que antes de celebrar el contrato, hay que estar debidamente asesorado sobre su contenido, evitando anticipadamente futuros litigios.
	✓ La moral y el orden público del art. 1255 CC son conceptos jurídicos indeterminados, que permiten poner excepciones a la regulación convencional cuando no hay una ley imperativa. Los contratos inmorales están prohibidos (también arts. 1271 y 1275 CC).
	  • La finalidad es evitar que, por medio de la libertad de contratar del art. 1255 CC, los órganos del Estado se encuentren obligados a imponer el cumplimiento de un contrato o de una cláusula que repugne el sentido de lo justo y de lo moral (Díez-Picazo, pág. 43). La inmoralidad hace que el contrato o la cláusula específica tengan una causa ilícita y sean ineficaces o nulos.
	✓ El orden público es la organización general de la comunidad o sus principios fundamentales y rectores y, aun faltando normas legales expresamente imperativas, las materias de orden público quedan sustraídas a la disponibilidad de los particulares (Diez-Picazo, págs. 129-130). Por tanto, son nulos los contratos o cláusulas contractuales que el juzgador considere que vulneren el orden público.

2. LAS PARTES CONTRATANTES

Capacidad para contratar	✓ La capacidad legal para celebrar contratos en general y contratos mercantiles en particular se rige, en lo que no se halle previsto en el Código de Comercio o en Leyes especiales, por las reglas generales del Derecho común (art. 50 C. Com.). ✓ En el encabezamiento de los contratos mercantiles redactados por escrito, las partes suelen declarar expresamente que se reconocen capacidad legal para contratar. Si se formaliza ante notario, éste manifiesta haberse asegurado de la identidad y capacidad legal para contratar de las partes. ✓ Son capaces para contratar todas aquellas personas a quienes la ley no declare expresamente incapaces para ello (Diez-Picazo, pág. 145). Esto supone que todas las personas, en principio, pueden consentir en obligarse mediante contratos. ✓ La prohibición para consentir es la excepción y ha de establecerla de forma expresa la ley. En particular, según el art. 1263 CC: • Los menores de edad no emancipados podrán celebrar aquellos contratos que las leyes les permitan realizar por sí mismos o con asistencia de sus representantes y los relativos a bienes y servicios de la vida corriente propios de su edad de conformidad con los usos sociales.
El consentimiento de los padres o tutor en nombre de menores e incapacitados	• Tampoco pueden prestar su consentimiento en los contratos los que tienen su capacidad modificada judicialmente. ✓ La razón es que los menores e incapacitados son titulares de derechos y obligaciones, tienen capacidad jurídica, pero les falta plena capacidad de obrar, precisamente porque el legislador pretende su protección. El menor la necesita hasta la mayoría de edad o su emancipación. El incapacitado, hasta que cese la causa de su incapacidad. ✓ Corresponde a sus representantes legales contratar en nombre del menor o incapacitado, recayendo los efectos jurídicos sobre el representado. Necesitan, pues, el complemento o capacidad que le pueden dar sus padres o su tutor. ✓ En algunos casos que detalla la ley, no basta el complemento de capacidad de los padres o tutores. Es preceptivo que un juez autorice determinados negocios cuyos efectos recaen sobre el menor o incapacitado. ✓ En relación a los menores no emancipados, los padres que ostenten la patria potestad tienen la representación legal. Se exceptúan los actos relativos a los derechos de la personalidad; cuando exista conflicto de intereses entre los padres y el hijo; y, sobre bienes excluidos de la administración de los padres (art. 164 CC).

El consentimiento de los padres o tutor en nombre de menores e incapacitados (cont.)	• Necesidad de autorización judicial para contratos de importancia. Los padres no pueden renunciar a los derechos de que los hijos sean titulares ni enajenar o gravar sus bienes inmuebles, establecimientos mercantiles o industriales, objetos preciosos y valores mobiliarios, salvo el derecho de suscripción preferente de acciones, sino por causas justificadas de utilidad o necesidad y previa la autorización del Juez del domicilio, con audiencia del Ministerio Fiscal (art. 166 CC). • No será necesaria esta autorización judicial si el menor ha cumplido 16 años y consiente en documento público, ni para la enajenación de valores mobiliarios siempre que su importe se reinvierta en valores seguros (art. 166 CC). • Cuando la administración de los progenitores ponga en peligro el patrimonio del hijo, el Juez, a petición del propio hijo, del Ministerio Fiscal o de cualquier pariente del menor, podrá adoptar las medidas que estime necesarias para la seguridad y recaudo de los bienes, exigir caución o fianza para la continuación en la administración o incluso nombrar un Administrador (art. 167 CC). • Al obtener la mayoría de edad y la plena capacidad de obrar, los hijos pueden exigir a los padres que rindan cuentas (art. 168 CC). La STS 3-3-2006 *(Tol 856110)*, con cita de doctrina jurisprudencial anterior, indica que los hijos pueden proceder a anulación de los negocios realizados en su nombre (art. 1302 CC) o a su confirmación expresa o tácita (artículo 1311 CC en relación con el art. 1301 CC). ✓ El tutor es el representante del menor, salvo para aquellos actos que este pueda realizar por si solo o para los que únicamente precise asistencia (art. 225 CC). • El tutor también necesita autorización judicial para ciertos actos y contratos relacionados con la administración de bienes del tutelado, por ejemplo (art. 271 CC), para enajenar o gravar bienes inmuebles, establecimientos mercantiles o industriales, objetos preciosos y valores mobiliarios de los menores o incapacitados, o celebrar contratos o realizar actos que tengan carácter dispositivo y sean susceptibles de inscripción. Se exceptúa la venta del derecho de suscripción preferente de acciones; para renunciar a derechos, así como transigir o someter a arbitraje cuestiones en que el tutelado estuviese interesado; para hacer gastos extraordinarios en los bienes; para entablar demanda en nombre de los sujetos a tutela, salvo en los asuntos urgentes o de escasa cuantía; para ceder bienes en arrendamiento por tiempo superior a seis años; para dar y tomar dinero a préstamo; para disponer a título gratuito de los bienes o derechos del tutelado; para ceder a terceros los créditos que el tutelado tenga frente a él, o adquirir a título oneroso los créditos de terceros contra el tutelado.

El consentimiento de los padres o tutor en nombre de menores e incapacitados (cont.)	• El tutor al cesar en sus funciones deberá rendir la cuenta general justificada de su administración ante la Autoridad judicial en el plazo de tres meses (art. 279 CC). La aprobación judicial no impedirá el ejercicio de las acciones que recíprocamente puedan asistir al tutor y al tutelado o a sus causahabientes por razón de la tutela (art. 285 CC).
El consentimiento del emancipado	✓ El menor emancipado puede regir su persona y bienes como si fuera mayor, pero hasta que llegue a la mayoría de edad no podrá, sin consentimiento de sus padres y, a falta de ambos, sin el de su curador (art. 323 CC), tomar dinero a préstamo y gravar o enajenar bienes inmuebles y establecimientos mercantiles o industriales u objetos de extraordinario valor. ✓ Para que el casado menor de edad pueda enajenar o gravar bienes inmuebles, establecimientos mercantiles u objetos de extraordinario valor que sean comunes, basta si es mayor el otro cónyuge, el consentimiento de los dos; si también es menor, se necesitará, además, el de los padres o curadores de uno y otro (art. 324 CC).
El consentimiento de las personas jurídicas	✓ Son personas jurídicas las corporaciones, asociaciones y fundaciones de interés público reconocidas por la Ley, así como las asociaciones de interés particular, sean civiles, mercantiles o industriales, a las que la Ley conceda personalidad propia, independiente de la de cada uno de sus asociados (art. 35 CC). ✓ Las personas jurídicas pueden adquirir y poseer bienes de todas clases, así como contraer obligaciones y ejercitar acciones civiles o criminales, conforme a las leyes y reglas de su constitución (art. 38, ap. 1° CC). ✓ En el ámbito mercantil, las compañías o sociedades mercantiles, una vez constituida cada una, tienen personalidad jurídica en todos sus actos y contratos (art. 116 C. Com.). La personalidad le confiere la condición de sujeto de derecho, con capacidad de obrar plena, tanto para adquirir y obligarse en el tráfico, como para ser titular de derechos. ✓ El órgano de administración de la sociedad de capital está encargado de la gestión y representación de la misma en los términos establecidos en el texto refundido de la Ley de sociedades de capital (art. 209 TRLSC). El administrador de la compañía es su representante legal y solo éste o estos, si son varios con poder de representación, pueden usar válidamente la denominación social. ✓ Los administradores de la sociedad mercantil, así como los apoderados generales de la sociedad en quien deleguen la representación, deben estar inscritos en el Registro Mercantil (art. 94.4° y 5° RRM).

Innecesidad de ser empresario para consentir en contratos mercantiles	✓ El ejercicio de la actividad empresarial no está condicionado, como regla general, a disponer del estatuto jurídico de empresario, sea comerciante individual, sea sociedad mercantil.
	✓ El Derecho mercantil, y el Derecho de los contratos mercantiles en particular, regula objetivamente los actos y operaciones mercantiles, cualquiera que sea el estado y profesión de las personas que los celebren. Por tanto, un contrato no pierde su consideración de mercantil porque no sean empresarios los que lo celebren.
	✓ Será mercantil si concurren las notas de mercantilidad dispuestas en la ley o si es análogo a los actos de comercio (art. 2 C. Com.). Con independencia de si las partes contratantes son empresarios, consumidores y usuarios o poderes públicos que participen en el comercio o industria.
	   • Los consumidores y usuarios son parte contratante de muchos contratos civiles y mercantiles. El Derecho del consumo tiene una función tuitiva de sus derechos y ha de ser respetado, por su naturaleza mayoritariamente imperativa, por el empresario que contrate con ellos.
	   • En defensa del interés general, la Constitución reconoce la iniciativa pública en la actividad económica (art. 128.2). Este reconocimiento permite a los poderes públicos, a través de organismos públicos o mediante compañías mercantiles bajo su control, participan en la actividad económica. Se someten al Derecho privado en los contratos privados que celebren. Asimismo, mediante ley, se podrá reservar al sector público recursos o servicios esenciales, especialmente en caso de monopolio (art. 128.2 CE).
	✓ No obstante, normalmente una o ambas partes del contrato mercantil son comerciantes o empresarios, sean personas físicas o jurídicas. La razón es que la creación de una empresa, de la que sea propietario el empresario, permite organizar capital y trabajo, con la finalidad de participar de forma estable y permanente en el mercado con ánimo de lucro. Así, pueden distinguirse tipos de empresas que participan de forma regular en contratos mercantiles, por ejemplo:
	   • Las entidades de crédito.
	   • Las entidades aseguradoras.
	   • Los fabricantes de bienes.
	   • Los prestadores de servicios.
	   • Los transportistas.
	   • Los propietarios de comercios minoristas.
	   • Los agentes de comercio, etc.

Innecesidad de ser empresario para consentir en contratos mercantiles (cont.)	✓ El comerciante o empresario individual es aquel que, teniendo capacidad legal para ejercer el comercio, se dedica a él habitualmente (art. 1.1° C. Com.). ✓ Tienen capacidad legal para el ejercicio habitual del comercio las personas mayores de edad y con libre disposición de sus bienes (art. 4 C. Com.). Sin embargo, existen algunas excepciones legales a esta regla general. • Los menores de 18 años podrán continuar, por medio de sus guardadores, el comercio que hubieren ejercido sus padres o sus causantes. Si los guardadores carecen de capacidad legal para comerciar, o tuvieran alguna incompatibilidad, estarán obligados a nombrar uno o más factores que reúnan las condiciones legales, quienes les suplirán en el ejercicio de comercio (art. 5 C. Com.). • Hay supuestos de prohibiciones e incompatibilidades de personas que, de otro modo, sí estarían habilitadas para ejercer el comercio. Por ejemplo, no pueden ejercer el comercio ni tener cargo ni intervención directa administrativa o económica en compañías mercantiles o industriales (art. 13 C. Com.): • Las personas que sean inhabilitadas por sentencia firme conforme a la Ley concursal mientras no haya concluido el período de inhabilitación. Si se autoriza al inhabilitado a continuar al frente de la empresa o como administrador de la sociedad concursada, los efectos de la autorización se limitan a lo específicamente previsto en la resolución judicial que la contenga. • Los que, por leyes o disposiciones especiales, no puedan comerciar. Por ejemplo, los miembros del Gobierno y los altos cargos de la Administración General del Estado y en las entidades del sector público estatal (Ley 3/2015, de 30 de marzo). • Dentro de los límites de los distritos, provincias o pueblos en que desempeñan sus funciones (art. 14 C. Com.), tampoco los magistrados, jueces y funcionarios del Ministerio Fiscal en servicio activo (no es aplicable a los alcaldes, jueces y fiscales municipales, ni a los que accidentalmente desempeñen funciones judiciales o fiscales); los jefes gubernativos, económicos o militares de distritos, provincias o plazas; los empleados de la recaudación y administración de fondos del Estado, nombrados por el Gobierno, exceptuándose los que administren y recauden por asiento; y, los que por leyes o disposiciones especiales no puedan comerciar en determinado territorio. ✓ Son comerciantes también las compañías o sociedades mercantiles o industriales que se constituyan con arreglo al Código de Comercio (art. 1.2° C. Com.). Debido al proceso de descodificación, han de entenderse incluidas también aquellas sociedades constituidas conforme a alguna de las leyes mercantiles especiales, como la Ley de sociedades de capital.

Innecesidad de ser empresario para consentir en contratos mercantiles (cont.)	✓ Los extranjeros y las compañías constituidas en el extranjero podrán ejercer el comercio en España, con sujeción a las leyes de su país, en lo que se refiera a su capacidad para contratar, y a las disposiciones del Código de Comercio (y otra normativa especial sobre extranjería), en todo cuanto concierna a la creación de sus establecimientos dentro del territorio español, a sus operaciones comerciales y a la jurisdicción de los tribunales españoles. Esto se entenderá sin perjuicio de lo que en casos particulares pueda establecerse por los tratados y convenios con las demás potencias (art. 15 C. Com.). ✓ Los extranjeros mayores de 16 años precisarán, para ejercer cualquier actividad lucrativa, laboral o profesional, de la correspondiente autorización administrativa previa para residir y trabajar (art. 36.1 Ley Orgánica 4/2000, de 11 de enero, de extranjería). ✓ Para la realización de actividades económicas por cuenta propia habrá de acreditarse: • El cumplimiento de todos los requisitos que la legislación vigente exige a los nacionales para la apertura y funcionamiento de la actividad proyectada. • Los relativos a la suficiencia de la inversión y la potencial creación de empleo, entre otros que reglamentariamente se establezcan (art. 37.1 Ley Orgánica 4/2000). • La autorización inicial de residencia y trabajo por cuenta propia se limitará a un ámbito geográfico no superior al de una Comunidad Autónoma, y a un sector de actividad. Su duración se determinará reglamentariamente (art. 37.2 Ley Orgánica 4/2000). ✓ En el marco y con las condiciones impuestas en el Tratado de Funcionamiento de la Unión Europea (TFUE) y en el derecho comunitario derivado, los comerciantes individuales y las sociedades mercantiles de nacionalidad de uno de los Estados miembros de la Unión Europea pueden beneficiarse del llamado "mercado único de servicios en la Unión Europea", en virtud del cual: • Pueden establecerse en cualquier otro país de la Unión Europea para prestar sus servicios empresariales en las mismas condiciones exigidas a los nacionales. También pueden mantener su domicilio o establecimiento en su país y abrir agencias, sucursales o filiales en los otros Estados miembros de la Unión Europea (arts. 49 y ss. TFUE). • Los nacionales de un Estado miembro de la Unión Europea y establecidos en un Estado miembro pueden desarrollar su actividad empresarial en régimen de "libre prestación de servicios", esto es, sin necesidad de establecerse en el Estado miembro donde preste sus servicios (por ejemplo, venta a distancia, por teléfono, comercio electrónico, etc.) (arts. 56 y ss. TFUE)

Efectos jurídico-privados del intrusismo profesional	✓ Sólo en algunos contratos mercantiles, la ley sí exige que al menos una de las partes sea un empresario y que disponga de una autorización o licencia para operar en una determinada actividad económica.
	✓ Una cuestión de interés es la eficacia o ineficacia de los contratos privados celebrados por parte de quien, por intrusismo o negligencia, opera sin la autorización administrativa exigida por la normativa sectorial. Las soluciones varían, desde las normas que declaran nulo el contrato, sin perjuicio de eventual responsabilidad administrativa o penal adicional, como la que no anula el contrato. Pueden verse las dos concepciones distintas en dos leyes de ordenación del sector asegurador y de las entidades de crédito:
	    • El art. 24 LOSSEAR señala que serán nulos de pleno derecho los contratos de seguro celebrados y demás operaciones sometidas a esta Ley realizados por entidad no autorizada, cuya autorización administrativa haya sido revocada, o que transgredan los límites de la autorización administrativa concedida.
	    • El art. 92 LOSSEC no prevé una nulidad absoluta para las entidades de crédito que capten depósitos sin autorización, sólo se considera una infracción administrativa muy grave.
	✓ A falta de una norma expresa, en los demás casos, subsiste la inseguridad jurídica.
	    • De acuerdo con la jurisprudencia del Tribunal Supremo, la autorización administrativa de un contratante no es uno de los requisitos del contrato (consentimiento, objeto, causa y, en su caso, forma). La falta de licencia o autorización puede tener efectos en el ámbito administrativo (multas, etc.). Sin embargo, desde el punto de vista de Derecho privado, el contrato en principio es válido y eficaz [SSTS 27-9-2007 *(Tol 1150981)*; 23-5-1997 *(Tol 5119457)*; y 7-7-1981 *(Tol 1739554)*].
	    • Habrá que probar que el intruso ha actuado en contra de una norma imperativa o prohibitiva, en cuyo caso son nulas las cláusulas o el contrato en su conjunto que las contravengan.

3. LA FORMA Y LA PRUEBA DEL CONTRATO

La forma del contrato como medio de prueba o como requisito de validez y eficacia del contrato	✓ El consentimiento recíproco en obligarse mediante un contrato mercantil adopta generalmente alguna de las siguientes formas: • Oralmente. • Por escrito en documento privado firmado por ambas partes. • Por escrito en documento público (como una escritura pública notarial). • Para que sea válida la celebración de contratos por vía electrónica no será necesario el previo acuerdo de las partes sobre la utilización de medios electrónicos (art. 23.1 Ley de servicios de la sociedad de información y correo electrónico, LSSICE). Siempre que la Ley exija que el contrato o cualquier información relacionada con el mismo consten por escrito, este requisito se entenderá satisfecho si el contrato o la información se contienen en un soporte electrónico (art. 23.2 LSSICE). • Por cualquier otra forma que permita acreditar el consentimiento de ambas partes, como el SMS, oralmente con grabación de voz y otras opciones que puedan crearse. ✓ La normativa ordenadora de algunos contratos mercantiles exige que consten por escrito muchos contratos, entre otros los siguientes. • Artículo 3 LCS: la póliza de contrato de seguro debe ser suscrita por el asegurado y el asegurador y de la que se entregará copia al asegurado. Sin embargo, de acuerdo con la doctrina y la jurisprudencia, el contrato de seguro es consensual. • Artículo 440 C. Com.: el contrato de afianzamiento mercantil deberá constar por escrito, sin lo cual no tendrá ni valor ni efecto. La doctrina jurisprudencial es pacífica, conforme a este tenor legal, en exigir la forma escrita. Aunque ha matizado la exigencia en varios casos concretos, pues no es necesario el documento público, puede ser suficiente la comunicación epistolar o sólo basta probar que la manifestación de voluntad se ha hecho constar por escrito, aunque éste no se aporte con la demanda [STS 6-10-2005 *(Tol 725220)*], analiza la jurisprudencia sobre el tema). • Artículo 63 Ley de navegación marítima (LNM): La adquisición del buque, embarcación y artefacto naval deberá constar en documento escrito y para que produzca efectos respecto de terceros deberá inscribirse en la Sección de Buques del Registro de Bienes Muebles.

La forma del contrato como medio de prueba o como requisito de validez y eficacia del contrato (cont.)	• Art. 109 LNM. El contrato de construcción naval deberá constar por escrito y para su inscripción en el Registro de Bienes Muebles habrá de elevarse a escritura pública o en cualquiera de los otros documentos previstos en el artículo 73. • Artículo 189 LNM: El contrato de arrendamiento de buque constará por escrito. • Artículo 82 Ley de patentes (LP): la solicitud de patente y la patente son transmisibles y podrán darse en garantía o ser objeto de otros derechos reales, licencias, opciones de compra, embargos, otros negocios jurídicos o medidas que resulten del procedimiento de ejecución. También pueden ser dadas en garantía mediante la constitución de una hipoteca mobiliaria. Estos actos, cuando se realicen entre vivos, deberán constar por escrito para que sean válidos. • Artículo 3 LHMPSD: la hipoteca mobiliaria y la prenda sin desplazamiento se constituirán en escritura pública. • Artículo 6 LVPBM: para la validez de los contratos sometidos a la presente Ley, será preciso que consten por escrito. Se formalizarán en tantos ejemplares como partes intervengan, entregándose a cada una de ellas el correspondiente ejemplar debidamente firmado. • Artículo 63 TRLGDCU: en los contratos con consumidores y usuarios se entregará recibo justificante, copia o documento acreditativo con las condiciones esenciales de la operación, incluidas las condiciones generales de la contratación, aceptadas y firmadas por el consumidor o usuario, cuando éstas sean utilizadas en la contratación. El consumidor tiene derecho a recibir una factura en papel, , salvo que consienta en recibir la factura electrónica (art. 63.3) • En caso de contratación telefónica o electrónica con condiciones generales, se le envia justificación por escrito o, salvo oposición expresa del mismo, en cualquier soporte de naturaleza duradera, con los términos de la misma (art. 80.1.b TRLGDCU). • Artículo 99.2 TRLGDCU: en los contratos celebrados fuera del establecimiento mercantil, el empresario deberá facilitar al consumidor y usuario una copia del contrato firmado o la confirmación del mismo en papel o, si éste está de acuerdo, en un soporte duradero diferente. Cuando proceda, también la confirmación del previo consentimiento expreso del consumidor y usuario y del conocimiento por su parte de la pérdida del derecho de desistimiento. • Art. 155.1 TRLGDCU. En los contratos de viaje combinado, se proporcionará al viajero una copia del contrato o una confirmación del mismo en un soporte duradero. En papel, si se formaliza presencialmente.

La forma del contrato como medio de prueba o como requisito de validez y eficacia del contrato (cont.)	• Artículos 10 y 12 LCTTM: cualquiera de las partes del contrato podrá exigir a la otra que se extienda una carta de porte con las menciones exigidas legalmente, pero la ausencia o irregularidad de la misma no producirá la inexistencia o nulidad del contrato. • Artículo 22 LCA: cada una de las partes podrá exigir a la otra, en cualquier momento, la formalización por escrito del contrato de agencia, en el que se harán constar, en su caso, las modificaciones que se hubiesen producido. • Artículo 11 LOCM: los contratos de compraventa en el comercio minorista no están sujetos a formalidad alguna, pero cuando la perfección del contrato no sea simultánea con la entrega del objeto o cuando el comprador tenga la facultad de desistir del contrato, el comerciante deberá expedir factura, recibo u otro documento análogo en el que deberán constar los derechos o garantías especiales del comprador y la parte del precio que, en su caso, haya sido satisfecha. En todo caso, el comprador podrá exigir la entrega de un documento en el que, al menos, conste el objeto, el precio y la fecha del contrato. • Artículo 6 LCDSF: en la comercialización a distancia de los servicios financieros, deberá quedar constancia de las ofertas y la celebración de los contratos en un soporte duradero. • Artículo 4 Ley 43/2007, de 13 de diciembre, de protección de los consumidores en la contratación de bienes con oferta de restitución del precio: estos contratos se formalizarán en escritura pública. • Artículo 21 Ley 2/2009, de 31 de marzo, de celebración de contratos de préstamo o crédito: los contratos de intermediación celebrados por empresas con consumidores se harán constar por escrito o cualquier otro soporte duradero que permita su constancia, y se formalizarán en tantos ejemplares como partes intervengan, debiéndose entregar a cada una de ellas su correspondiente ejemplar debidamente firmado. • Art. 22.1 LCCI: Los contratos de préstamo regulados en esta Ley se formalizarán en papel o en otro soporte duradero. Se formalizará en escritura pública si están garantizados con hipoteca constituida sobre un inmueble de uso residencial situado en territorio nacional. • Artículo 16 Ley de contratos de crédito al consumo (LCCC): los contratos de crédito al consumo sometidos a la presente Ley se harán constar por escrito en papel o en otro soporte duradero y se redactarán con una letra que resulte legible y con un contraste de impresión adecuado. • Artículo 314 C. Com.: los préstamos no devengarán interés si no se hubiere pactado por escrito. ✓ Es causa de nulidad del contrato la falta de forma cuando la formalidad exigida por la ley es un requisito *ad solemnitatem*, como elemento esencial del contrato. Cuando la formalidad es requisito de validez y eficacia del contrato, se llama "contrato formal".

La forma del contrato como medio de prueba o como requisito de validez y eficacia del contrato (cont.)	✓ No tendrá lugar este efecto de ineficacia contractual cuando la formalidad exigida por la ley (por ejemplo, el contrato por escrito en documento privado o en escritura pública notarial) lo sea sólo a efectos de prueba (*ad probationem*), pero sin ser un elemento esencial del contrato. Se trata de un "contrato consensual", donde una determinada formalidad lo es sólo a efectos probatorios. ✓ El problema es la calificación de la formalidad de un contrato (tan habitual en las normas) como requisito esencial del contrato (contrato formal) o como medio de prueba (contrato consensual). ✓ Hay que atender a los términos en que está redactada la exigencia de una determinada formalidad en una norma para dilucidar la cuestión, pero muchas veces simplemente se dice "El contrato ha de redactarse por escrito". ¿Y si se pacta oralmente? ¿Existe contrato igualmente y una parte puede exigir la firma del contrato si prueba el pacto oral? ¿O el pacto oral no tiene ningún efecto porque no hay contrato? ✓ Como regla general, los contratos mercantiles son consensuales, no formales, como resulta del Código de Comercio y el Código Civil (aplicable supletoriamente por arts. 2 y 50 C. Com.): • Serán válidos y producirán acción en juicio los contratos mercantiles, cualquiera que sea la forma en que se hayan celebrado (art. 51 C. Com.). • Se exceptúan de lo anterior los contratos que, con arreglo al Código de Comercio o a las leyes especiales, deban reducirse a escritura o requiera formas o solemnidades necesarias para su eficacia, así como los celebrados en el extranjero, cuya ley exija tales solemnidades, aunque no las exija la Ley española. En uno y otro caso, los contratos que no llenen las circunstancias requeridas no producirán obligación ni acción en juicio. • El contrato existe desde que una o varias personas consienten en obligarse, respecto de otra u otras, a dar alguna cosa o prestar algún servicio (art. 1254 CC). • Los contratos serán obligatorios, cualquiera que sea la forma en que se hayan celebrado, siempre que en ellos concurran las condiciones esenciales para su validez (art. 1278 CC).

La prueba del contrato	✓ La existencia del contrato mercantil ha de constar por alguno de los medios que el Derecho civil tiene establecidos (art. 51 C. Com.). ✓ Las normas de aplicación en materia de prueba del contrato están contenidas en el libro cuarto, título primero, capítulo cinco, sobre prueba de las obligaciones, del Código Civil (arts. 1214 a 1253 CC). No obstante, específicamente sus artículos 1214, 1215, 1226 y 1231 a 1253 del CC han quedado derogados por la LEC, cuyos artículos 299 y siguientes recogen los medios de prueba en juicio. ✓ De su lectura conjunta, los principales medios de prueba de los contratos son el documento público y el documento privado, con un buen número de especialidades para los mercantiles en virtud de los usos del comercio. ✓ Si se trata de contratos formales, no producirán obligaciones ni acción en juicio los contratos que no cumplan las formalidades o solemnidades exigidas legalmente (art. 52 C. Com.). En los contratos consensuales (art. 51 C. Com.), el contrato existe igualmente, pero habrá que probar su existencia por algún o algunos medios de prueba siguientes.

El documento público	✓ El documento público (arts. 1216 a 1224 CC).
	  • El artículo 58 del Código de Comercio dispone que, si apareciere divergencia entre los ejemplares de un contrato que presenten los contratantes, y en su celebración hubiere intervenido agente o corredor, se estará a lo que resulte de los libros de éstos, siempre que se encuentren arreglados a derecho.
	  • La figura del agente o corredor colegiado dotado de fe pública (art. 93 C. Com.) ha desaparecido en la actualidad, por lo que este precepto hay que interpretarlo por referencia a la intervención de Notario, pues por Ley 55/1999, de 29 de diciembre, los Notarios y los Corredores de Comercio se han integrado en el Cuerpo único de Notarios.
	✓ También son documentos públicos los autorizados por el funcionario competente con las solemnidades requeridas en la Ley, como los autos y decretos judiciales de adjudicación de bienes embargados y vendidos en subasta u otro medio de enajenación forzosa.

Los documentos privados	✓ El documento privado (arts. 1225 a 1230 CC, salvo derogado art. 1226). • Como el contrato firmado por los dos contratantes o por uno solo de ellos (por ejemplo, el conocimiento de embarque, según el art. 249 LNM), pero también los libros contables, las facturas, el albarán, los correos electrónicos, las declaraciones por fax, etc. • La factura, el albarán de entrega, las certificaciones, telegramas y otros documentos privados son utilizados como medio de prueba en el proceso monitorio (art. 812 LEC).	
	El contrato privado	✓ Si es reconocido legalmente, tiene el mismo valor que la escritura pública entre los que lo hubiesen suscrito y sus causahabientes (art. 1225 CC). ✓ El soporte electrónico en que conste un contrato celebrado por vía electrónica será admisible en juicio como prueba documental (art. 24.2 LSSICE). ✓ También son válidos como prueba en juicio los medios de reproducción de la palabra, el sonido, la imagen, así como los instrumentos que permitan el archivo o reproducción de palabras, datos, cifras y operaciones matemáticas relevantes para el proceso (art. 299.2 LEC).
	La factura comercial	✓ La factura es un documento privado emitido por uno de los contratantes. Hay una obligación jurídica de emitir factura a cargo de los sujetos obligados, en papel o en formato electrónico, desarrollada por el Real Decreto 1619/2012, de 30 de noviembre. • En general para las operaciones comerciales entre empresas y entre éstas y la Administración Pública, la Ley de medidas de lucha contra la morosidad en las operaciones comerciales (LMLCMOC) dispone que la factura o solicitud de pago debe hacerse llegar antes de los 15 días siguientes a la recepción de las mercancías o prestación de los servicios (art. 4.2). • Los proveedores de los comerciantes minoristas deben indicar en su factura el día en que se ha de producir el pago, haciéndola llegar al comerciante antes de que se cumplan 30 días desde la entrega y recepción de las mercancías (art. 17 LOCM).

Los documentos privados (cont.)	*La factura comercial* (cont.)	✓ El Código de Comercio de 1829 establecía expresamente que una factura "aceptada" era una prueba de la existencia de la obligación mercantil (art. 262). El Código de Comercio de 1885 no recoge un precepto similar. ✓ La jurisprudencia de principios del siglo XX consideraba que si la factura estaba reconocida y aceptada tenía, por aplicación del artículo 1224 CC, el valor de escritura pública, pero esta línea no es seguida por el Tribunal Supremo en la actualidad. ✓ La jurisprudencia del Tribunal Supremo también utiliza la factura, aunque no esté aceptada por el destinatario, normalmente junto con otros medios de prueba, para probar la existencia del contrato mercantil [SSTS 1-10-2019 *(Tol 7523323)*; 31-1-2007 *(Tol 1036553)*; 3-12-2001 *(Tol 1656706); y*, 22-11-1994 *(Tol 1666579)]*. ✓ En el marco del comercio minorista, la LOCM contiene una regla importante en materia de aceptación de facturas, introducida por la Ley 55/1999, de 29 de diciembre, de medidas fiscales, administrativas y del orden social. 　• Las facturas se entenderán aceptadas en todos sus términos y reconocidas por sus destinatarios, cuando no hayan sido objeto de reparo en el plazo de los 25 días siguientes a su remisión. En el caso de que no sean conformes se dispone sobre la anterior un plazo adicional de 10 días para su subsanación y nueva remisión de la correspondiente factura rectificada (art. 14.2. ap. 2º LOCM). 　• Obsérvese la defectuosa técnica legislativa de la citada Ley de presupuestos: la enmienda sobre aceptación presunta de la factura se introduce en el artículo 14 sobre "venta a pérdida" que no tiene nada que ver. 　• No queda claro tampoco si se refiere sólo a las facturas del comerciante minorista con clientes o también con proveedores.
	El albarán de entrega	✓ Puede definirse como la nota de entrega que firma la persona que recibe la mercancía (Real Academia Española de la Lengua). ✓ El artículo 17.2 LOCM dispone que los comerciantes a quienes se efectúen entregas quedan obligados a documentar, en el mismo acto, la operación de entrega y recepción con mención expresa de su fecha.

Los documentos privados (cont.)	*Libros contables*	✓ El valor probatorio de los libros de contabilidad y demás documentos contables es apreciado por los tribunales conforme a las reglas generales del Derecho (art. 31 C. Com.). ✓ Es una diferencia respecto al derecho tradicional que atribuía una fe excesiva a los libros regularmente llevados y privaba de todo valor de prueba en juicio a los libros defectuosos o irregulares. Dado que la formalidad externa no excluye la inexactitud o falsedad del contenido de los asientos, la pena era excesivamente dura para el comerciante que no llevaba bien sus libros contables.

Otros medios de prueba. Mención especial a los documentos preparatorios del contrato		✓ Otros medios de prueba de la existencia de los contratos mercantiles o de su contenido de derechos y obligaciones para las partes son los previstos en la LEC: interrogatorio de las partes, dictamen de peritos, reconocimiento judicial, interrogatorio de testigos y cualquier otro no expresamente previsto si pudiera tenerse certeza sobre hechos relevantes, en cuyo caso, el tribunal lo admitirá como prueba, adoptando en cada caso las medidas necesarias (art. 299.3 LEC).
		✓ Es usual, sobre todo en la contratación internacional, que las partes firmen algún documento preparatorio que, con distintos nombres (*letter of intent, memorandum of understanding*, etc.), tratan sobre algunas cuestiones relativas al futuro contrato, aún no perfeccionado. Mientras no conste la voluntad de obligarse, no hay contrato. En caso de conflicto, habrá que examinar caso por caso.
		✓ Los Principios UNIDROIT sobre los contratos comerciales internacionales no tienen el carácter de tratado internacional, pero las partes pueden decidir que se apliquen a su contrato. Disponen que, si las partes han tenido el propósito de celebrar un contrato, el hecho de que intencionalmente hayan dejado algún término sujeto a ulteriores negociaciones o a su determinación por un tercero no impedirá el perfeccionamiento del contrato (art. 2.1.14).
		    • Además, los Principios sancionan expresamente la responsabilidad por daños y perjuicios causados a la otra parte por quien negocia o interrumpe las negociaciones de mala fe (art. 2.1.15). La Propuesta de Código Mercantil también recoge esta norma y que, si se entablan negociaciones para la celebración de un contrato mercantil, nadie incurre en responsabilidad si no se consigue un acuerdo definitivo (art. 412.2).
		    • La Propuesta de Código Mercantil sanciona expresamente el deber de confidencialidad sobre la información reservada que las partes reciban durante las negociaciones. La parte que infrinja este deber responde de daños y perjuicios que ocasione a la otra parte la infracción de este deber (art. 412.2.2).
		✓ La Propuesta de Código Mercantil también alude a la denominada "carta de confirmación" del contrato. Si contiene términos adicionales o diferentes de los convenidos, pasarán a integrar el contrato, a menos que lo alteren sustancialmente o que el destinatario, sin demora o con demora justificada, objete la discrepancia (art. 413.10).

4. LA INTERPRETACIÓN Y LA CALIFICACIÓN DEL CONTRATO

Interpretación del contrato	✓ Interpretar consiste en explicar o declarar su sentido, especialmente un texto (Diccionario de la Real Academia Española de la Lengua).
	
	 ✓ Interpretar un contrato en general y un contrato mercantil en especial consiste en averiguar qué finalidad tenían los contratantes y qué obligaciones y derechos han contraído recíprocamente. Si el contrato completo consta por escrito o al menos existe alguna constancia documental (facturas, albaranes, correos electrónicos preparatorios, etc.), la interpretación resulta más fácil.
	
	 ✓ Los contratos mercantiles, en todo lo relativo a interpretación que no esté expresamente establecido en el Código de Comercio o leyes especiales, se regirá por las reglas generales del Derecho común (art. 50 C. Com.). Procedemos a analizar:
	   • Los criterios especiales de interpretación de los contratos mercantiles
	   • Las reglas generales de interpretación del Código Civil.
	
	 ✓ Los criterios especiales de interpretación de los contratos mercantiles:
	   • El criterio principal de interpretación del Código de Comercio es que los contratos de comercio deben cumplirse de buena fe, según los términos en que fueron hechos y redactados, sin tergiversar con interpretaciones arbitrarias el sentido recto, propio y usual de las palabras dichas o escritas, ni restringir los efectos que naturalmente se deriven del modo con que los contratantes hubieran explicado su voluntad y contraído sus obligaciones (art. 57 C. com.).
	   • El Tribunal Supremo suele aplicar conjuntamente a los contratos mercantiles este artículo 57 C. Com. y el artículo 1258 CC, que impone que los contratos obligan no sólo al cumplimiento de lo pactado, sino también a todas las consecuencias que, según su naturaleza, sean conformes a la buena fe, al uso y a la ley. El Tribunal Supremo mantiene que el principio de buena fe no solo se ha destacado su papel típico en el plano diferenciado de la integración del contrato, sino que también se ha reforzado su función como criterio decisivo en materia de interpretación y ejecución del contrato [SSTS 27-12-2021 *(Tol 8635056)*, 17-2-2015 *(Tol 4839077)* y 14-1-2014 *(Tol 4075911)*].

Interpretación del contrato (cont.)	• Las dudas que se hayan podido suscitar sobre un contrato mercantil, y no hayan podido resolverse acudiendo a los medios hermenéuticos dispuestos en el propio Código de Comercio, a los usos del comercio o al Derecho común, se resolverán a favor del deudor (arts. 2 y 59 C. Com.). El Tribunal Supremo mantiene una jurisprudencia reiterada que niega la aplicación de este principio, llamado *favor debitoris*, cuando la interpretación del contrato no origina ninguna duda sobre su sentido [SSTS 4-11-2021 *(Tol 8649949)*; 5-3-2020 *(Tol 7857091)*; 18-2-2016 *(Tol 5655324)*, y 23-2-2015 *(Tol 5615949)*; 14-3-2012 *(Tol 2494141)*; SSTS 30-11-2005 *(Tol 781277)*; 5-6-1995 *(Tol 1668883)*; y, 24-5-1980 *(Tol 1740525)*, entre otras].
	• La interpretación de las condiciones generales de contratación tiene regímenes especiales. Hay normas interpretativas en el texto refundido de la Ley general de defensa de los consumidores y usuarios, en la Ley de condiciones generales de contratación, así como en la jurisprudencia del Tribunal Supremo en materia de seguro. Son aplicaciones especiales del artículo 1288 CC, según la cual la interpretación de las cláusulas oscuras no puede favorecer a la parte que la hubiera ocasionado, normalmente el empresario que redacta el condicionado general del contrato al cual el cliente, consumidor o empresario se limita a adherirse (*contra proferentem*).
	✓ Las normas generales de interpretación de los contratos están recogidas en los artículos 1281 a 1289 CC, y pueden resultar de aplicación también a los contratos de comercio debido a la remisión que realiza el artículo 50 C. Com., en lo no expresamente establecido en el Código de Comercio o en leyes especiales y con preferencia sobre la costumbre mercantil.
	• Si los términos son claros y no dejan duda de la intención de los contratantes, se estará al sentido literal de sus cláusulas (art. 1281, ap. 1° CC).
	• Si las palabras parecen contrarias a la intención evidente de las partes, prevalecerá ésta sobre aquéllas (art. 1281, ap. 2° CC).
	• Para juzgar la intención de los contratantes, se estará principalmente a sus actos, coetáneos y posteriores al contrato (art. 1282 CC).
	• Cualquiera que sea la generalidad de los términos del contrato, no deben entenderse comprendidos en él cosas distintas y casos diferentes de aquéllos sobre los que los interesados se propusieron contratar (art. 1283 CC).
	• Si alguna cláusula de los contratos admitiere diverso sentido, deberá entenderse en el más adecuado para que produzca efecto (art. 1284 CC). Es la interpretación finalista y el principio de conservación del contrato (*favor contractus, favor negotii*), reconocido por la jurisprudencia del Tribunal Supremo, como SSTS 4-11-2020 *(Tol 8209013)*, 3-3-2016 *(Tol 5669250)*, entre otras.

Interpretación del contrato (cont.)	• Las cláusulas de los contratos deberán interpretarse unas por otras, atribuyendo a las dudosas el sentido que resulte del conjunto de todas (art. 1285 CC). • Las palabras que puedan tener distintas acepciones serán entendidas en aquella que sea más conforme a la naturaleza y objeto del contrato (art. 1286 CC). • El uso o la costumbre del país se tendrán en cuenta para interpretar las ambigüedades de los contratos, supliendo en éstos la omisión de cláusulas que de ordinario suelen establecerse (art. 1287 CC). • La interpretación de las cláusulas oscuras de un contrato no deberá favorecer a la parte que hubiese ocasionado la oscuridad (art. 1288 CC). • Cuando absolutamente fuere imposible resolver las dudas por las reglas anteriores si aquéllas recaen sobre circunstancias accidentales del contrato y éste es gratuito, se resolverá a favor de la menor transmisión de derechos. Si el contrato es oneroso, la duda se resolverá a favor de la mayor reciprocidad de intereses (art. 1289, ap. 1º CC). • Si las dudas de imposible resolución recaen sobre el objeto principal del contrato, de suerte que no puede conocerse cuál fue la intención o voluntad de los contratantes, el contrato será nulo (art. 1289, ap. 2º CC).
Calificación del contrato	✓ Una labor anterior y necesaria para la aplicación del Derecho es la "calificación del contrato", esto es, determinar qué tipo de contrato es en realidad, sea cual sea la denominación que hayan utilizado las partes; su naturaleza jurídica civil o mercantil o de otra clase; si se encuadra en alguno de los contratos tipificados en el ordenamiento jurídico o si por el contrario es un contrato atípico. ✓ El Tribunal Supremo mantiene una jurisprudencia reiterada conforme a la cual la existencia o inexistencia de un contrato y la concurrencia o no de los requisitos esenciales del mismo es cuestión de mero hecho y, en cuanto tal, su constatación es facultad privativa de los juzgadores de la instancia, cuya apreciación, obtenida a través de la valoración de la prueba practicada, ha de ser mantenida y respetada en casación, en tanto la misma no sea desvirtuada por el cauce procesal adecuado, mediante la denuncia de error de derecho en la valoración de la prueba con invocación de la norma valorativa de la misma que se considere infringida [STS 17-11-1998 *(Tol 14928)*, citando muchas otras]. ✓ La calificación del contrato consiste en la inclusión del mismo en un tipo determinado, la averiguación de su naturaleza y de la normativa que le es aplicable, todo lo cual está por encima de las declaraciones y de la voluntad de los sujetos, ya que "los contratos son lo que son y no lo que las partes digan" [SSTS 4-10-2021 *(Tol 8614999)*; 31-10-2013 *(Tol 4015010)*; 12-2-2013 *(Tol 3782184)*], con cita de numerosas citas anteriores.

Calificación del contrato (cont.)	• La calificación de la naturaleza jurídica del contrato y la interpretación de las cláusulas del mismo es una función encomendada a la Sala de instancia, y no puede ser revisada en casación salvo que resulte ilógica, errónea o irracional [SSTS 17-2-2021 *(Tol 8331716)*; 27-5-2020 *(Tol 7952849)*, 24-2-2017 *(Tol 5979766)*, 18-6-2010 *(Tol 130754)*; 14-5-2009 *(Tol 1525360)*, entre otras]. Esto supone que si la Audiencia Provincial ha optado por interpretar un contrato o una cláusula contractual de un modo específico, aunque hubiera otras opciones, esta interpretación no será revisada en casación por el Tribunal Supremo, salvo que el tribunal de instancia haya incurrido en ilegalidad, arbitrariedad o contradicción del raciocinio lógico [STS 24-2-2017 *(Tol 5979766)*, y sentencias aquí citadas].

5. EL INCUMPLIMIENTO Y LA EXTINCIÓN DEL CONTRATO

Régimen civil de incumplimiento y resolución del contrato	✓ Cuando no exista una norma mercantil especial o un uso de comercio al respecto, rige la teoría de las obligaciones y contratos por lo que respecta al incumplimiento y a la extinción del contrato (arts. 2 y 50 C. Com.). • Quedan sujetos a la indemnización de daños y perjuicios causados los que en el cumplimiento de sus obligaciones incurrieren en dolo, negligencia o morosidad, y los que de cualquier modo contravinieren al tenor de aquéllas (art. 1101 CC). • La indemnización de daños y perjuicios comprende no sólo el valor de la pérdida que haya sufrido, sino también el de la ganancia que haya dejado de obtener el acreedor, salvas las disposiciones contenidas en los artículos siguientes (art. 1106 CC). • Los daños y perjuicios de que responde el deudor de buena fe son los previstos o que se hayan podido prever al tiempo de constituirse la obligación y que sean consecuencia necesaria de su falta de cumplimiento. En caso de dolo responderá el deudor de todos los que conocidamente se deriven de la falta de cumplimiento de la obligación (art. 1107 CC).

Momento de cumplimiento de las obligaciones mercantiles y morosidad	<ul><li>Si la obligación consistiere en el pago de una cantidad de dinero, y el deudor incurriere en mora, la indemnización de daños y perjuicios, no habiendo pacto en contrario, consistirá en el pago de los intereses convenidos, y a falta de convenio, en el interés legal (art. 1108 CC). Como hemos visto, hay varios regímenes mercantiles de aplicación preferente.</li><li>Los intereses vencidos devengan el interés legal desde que son judicialmente reclamados, aunque la obligación haya guardado silencio sobre este punto. En los negocios comerciales se estará a lo que dispone el Código de Comercio (art. 1109). La regla general en el comercio es la constitución en mora de forma automática al día siguiente del incumplimiento.</li><li>El recibo del capital por el acreedor, sin reserva alguna respecto a los intereses, extingue la obligación del deudor en cuanto a éstos (art. 1110 CC).</li><li>La facultad de resolver las obligaciones se entiende implícita en las recíprocas, para el caso de que uno de los obligados no cumpliere lo que le incumbe. El perjudicado podrá escoger entre exigir el cumplimiento o la resolución de la obligación, con el resarcimiento de daños y abono de intereses en ambos casos (art. 1124 CC).</li><li>Los gastos extrajudiciales que ocasione el pago serán de cuenta del deudor. Respecto de los judiciales, decidirá el tribunal con arreglo a la Ley de Enjuiciamiento Civil (art. 1168 CC). Son las llamadas "costas judiciales".</li></ul>✓ El momento de cumplimiento es una cuestión clave para determinar cuándo hay incumplimiento o cumplimiento tardío. ✓ La primera cuestión que resuelven las leyes es la relativa al cómputo de plazos en los contratos, cuando estos se han pactado por días (por ejemplo, una factura "pagadera a treinta días"); o por meses (como un contrato de suministro de mercancías "de seis meses"); o por años (como un seguro anual de responsabilidad civil por vehículos a motor). ✓ El Código Civil establece unas reglas generales en materia de cómputo de plazos, que son aplicables siempre que no se establezca otra cosa en el contrato (art. 5 CC): <ul><li>En los plazos señalados por días, a contar de uno determinado, quedará éste excluido del cómputo, el cual deberá empezar el día siguiente.</li><li>Si los plazos estuviesen fijados por meses o años, se computarán de fecha a fecha.</li><li>Cuando en el mes de vencimiento no hubiera día equivalente al inicial del cómputo, se entenderá que el plazo expira el último del mes.</li><li>En el cómputo civil de los plazos no se excluyen los días inhábiles.</li></ul>

Momento de cumplimiento de las obligaciones mercantiles y morosidad (cont.)	✓ El artículo 60 del Código de Comercio no altera el cómputo de plazos del Código Civil, al disponer que, en todos los cómputos de días, meses y años, se entenderá que el día es de veinticuatro horas, los meses, según están designados en el calendario gregoriano, y el año, de trescientos sesenta y cinco días. Se exceptúan las letras de cambio, cheques y pagarés, así como los préstamos, respecto de los cuales se estará a lo que especialmente para ellos establecen la Ley cambiaria y del cheque (por ejemplo, arts. 41 y 135 LCCH) y el Código de Comercio (por ejemplo, art. 313).
	✓ El artículo 60 del Código de Comercio no altera el cómputo de plazos del Código Civil, al disponer que en todos los cómputos de días, meses y años, se entenderá que el día es de veinticuatro horas, los meses, según están designados en el calendario gregoriano, y el año, de trescientos sesenta y cinco días. Se exceptúan las letras de cambio, cheques y pagarés, así como los préstamos, respecto de los cuales se estará a lo que especialmente para ellos establecen la Ley cambiaria y del cheque (por ejemplo, arts. 41 y 135 LCCH) y el Código de Comercio (por ejemplo, art. 313).
	✓ Todas las obligaciones para cuyo cumplimiento se haya señalado un día cierto, sólo serán exigibles cuando el día llegue (art. 1125 CC). Especialmente para los contratos mercantiles, no se reconocerán términos de gracia, cortesía u otros, que, bajo cualquier denominación, difieran el cumplimiento de las obligaciones mercantiles, sino los que las partes hayan fijado en el contrato o se apoyen en una disposición terminante en Derecho (art. 61 C. Com.): el "tiempo es oro" en las operaciones comerciales que exigen un régimen jurídico estricto en relación a los tiempos de cumplimiento.
	   • Es una diferencia respecto al Derecho común o civil, en donde si un contratante incumple, el Tribunal puede decretar la resolución del contrato a solicitud de la parte que haya cumplido su obligación, "a no haber causas justificadas que le autoricen para señalar plazo" (art. 1124, ap. 3 CC).
	✓ En las obligaciones mercantiles que no tuvieran un término prefijado por las partes o por las disposiciones del Código de Comercio o las leyes mercantiles, serán exigibles a los 10 días después de contraídas, si sólo produjeren acción ordinaria, y al día siguiente si llevan aparejada ejecución (art. 62 C. Com.). Los artículos 517 y 523 LEC enumeran los títulos que llevan aparejada ejecución (sentencias firmes, laudos arbitrales, escritura pública, títulos-valores, pólizas de contratos mercantiles firmadas por las partes y por corredor de comercio colegiado —hoy, notario— que las intervenga, etc.).
	   • Es otra diferencia con el Derecho civil, donde si la obligación no señala plazo, pero de su naturaleza y circunstancias se deduce que ha querido concederse al deudor, los Tribunales fijarán la duración de aquél (art. 1128 CC).

Régimen de la mora mercantil y sus efectos	✓ El art. 1100 CC regula la constitución en mora. En los contratos mercantiles, los efectos de la morosidad en el cumplimiento de las obligaciones mercantiles tienen un régimen especial (art. 63 C. Com.), comentado a continuación.
	 ✓ En los contratos que tuvieren día señalado para su cumplimiento, por voluntad de las partes o por la Ley, al día siguiente de su vencimiento.
	   • La Exposición de motivos del Proyecto del Código de Comercio explica la razón: "partiendo de la presunción fundada en la realidad de la vida mercantil, según la cual los comerciantes no tienen nunca improductivo su capital, reputándoseles siempre con la firme voluntad de cobrar lo que se les debe cuando se ha señalado día fijo para el vencimiento de la obligación".
	   • En base a la autonomía de la voluntad de los contratantes, es práctica habitual en muchos sectores comerciales percibir la prestación (el caso paradigmático es el suministro de productos para reventa) y diferir el pago al proveedor de dicha prestación. La Ley impone plazos de pago máximo, pero son superados por las estipulaciones contractuales (el proveedor no suele tener fuerza contractual para acortar el plazo de cobro diferido, so riesgo de perder al gran distribuidor como cliente). El resultado es que las grandes distribuidoras obtienen el producto que revenden, cobran el precio al consumidor y disponen de efectivo para el pago diferido al proveedor, incluso durante varios meses. Aunque los tipos de interés del dinero sean, en la actualidad, bastante bajos, la disposición temporal de este dinero constituye ya un negocio para el distribuidor. La ley de medidas de lucha contra la morosidad de las operaciones mercantiles de 2004 pretende actuar sobre este problema, fijando un plazo máximo de sesenta días para el pago, para contrarrestar los impagos, retrasos y prórrogas de pago de facturas vencidas que afecta a todos los sectores y, especialmente, a las PYMES.
	   • El Tribunal Supremo también mantiene una jurisprudencia reiterada que confirma la constitución en mora del deudor desde el día siguiente al pactado sin haber cobrado [SSTS 18-10-2007 *(Tol 1161191)*; 23-12-1996 *(Tol 1658564)*; 2-7-1996 *(Tol 1659029)*, entre otras]. No se requiere la intimación del deudor para que éste se constituya en mora, a la vista del art. 63 C. Com., y a diferencia del art. 261 C. Com. 1829 [STS 6-2-2013 *(Tol 3054591)*; 29-7-2010 *(Tol 2051543)*].
	   • Se trata de otra especialidad mercantil frente al Derecho civil, donde el "término esencial" es la excepción. Salvo que lo diga la ley, el contrato o bien que "resulte que la designación de la época en que había de entregarse la cosa o hacerse el servicio, fue motivo determinante para establecer las obligaciones", los efectos de la mora en derecho civil no comienzan sino desde la interpelación o intimación de pago que hiciere el acreedor al deudor (art. 1100 CC).

Régimen de la mora mercantil y sus efectos (cont.)	✓ En los que no tengan plazo de cumplimiento, desde el día en que el acreedor interpelare judicialmente al deudor, o le intimare la protesta de daños y perjuicios hecha contra él ante un Juez, Notario u otro oficial público autorizado para admitirla. ✓ Varias leyes establecen que el deudor moroso ha de pagar unos intereses adicionales al capital impagado, al tipo pactado en el contrato o en las leyes. ✓ Cada una de estas normas tiene su propio ámbito de aplicación, con sus propias peculiaridades (LEC, LCCC, LH, LCS, etc.). Pero todas ellas tratan, en mayor o menor medida, el problema de cómo indemnizar proporcionadamente al acreedor por el retraso en el cumplimiento del deudor, incentivando asimismo el cumplimiento en plazo, sin establecer un interés desproporcionado [STS Civil Pleno 22-4-2015 *(Tol 4952038)*]. ✓ El art. 576 LEC prevé también intereses por mora procesal. Desde que fuere dictada en primera instancia, toda sentencia o resolución que condene al pago de una cantidad de dinero líquida determinará, en favor del acreedor, el devengo de un interés anual igual al del interés legal del dinero incrementado en dos puntos o el que corresponda por pacto de las partes o por disposición especial de la ley. • En los contratos de préstamo sin garantía real concertados con consumidores, es abusiva la cláusula no negociada que fija un interés de demora que suponga un incremento de más de dos puntos porcentuales respecto del interés remuneratorio pactado, coincidente con el previsto en la LEC [STS 24-10-2018 *(Tol 6877517)* aplica doctrina de STS Civil Pleno 22-4-2015 *(Tol 4952038)*].

Régimen especial de morosidad en operaciones entre empresas o de éstas y los poderes públicos	✓ Su ámbito de aplicación son los pagos efectuados como contraprestación en las operaciones comerciales realizadas entre empresas, o entre empresas y la Administración Pública, así como las realizadas entre los contratistas principales y sus proveedores y subcontratistas (art. 3.1 Ley medidas de lucha contra la morosidad de las operaciones mercantiles, LMLCMOC).
	✓ Quedan fuera del ámbito de aplicación de esta Ley (art. 3.2 LMLCMOC):
	   • Los pagos efectuados en las operaciones comerciales en que intervengan consumidores.
	   • Los intereses relacionados con títulos cambiarios.
	   • Los pagos de indemnizaciones por daños, incluidos los pagos por entidades aseguradoras.
	   • Las deudas sometidas a procedimientos concursales incoados contra el deudor.
	✓ El texto originario de la LMLCMOC admitía que las partes podían estipular el plazo de pago que tuvieran por conveniente, aplicándose en su defecto el fijado en la Ley.

Régimen especial de morosidad en operaciones entre empresas o de éstas y los poderes públicos (cont.)	• Según dispone su Exposición de Motivos: esta Ley introduce un cambio esencial en este ámbito, como es el de desplazar a los usos del comercio que hayan venido consagrando plazos de pago excesivamente dilatados y que sean utilizados para proporcionar una liquidez adicional al deudor a expensas del acreedor, los cuales se verían sustituidos por las disposiciones de esta Ley. • Sin embargo, en realidad, el plazo de exigibilidad de la deuda y la determinación del tipo de interés de demora establecido en la Ley son de aplicación *en defecto de pacto entre las partes*. • Ahora bien, la libertad de contratar no debe amparar prácticas abusivas imponiendo cláusulas relativas a plazos de pago más amplios o tipos de interés inferiores, por lo que el juez podrá modificar estos acuerdos si, valoradas las circunstancias del caso, resultaran abusivos para el acreedor. ✓ La Ley 15/2010, de 5 de julio, introdujo novedades esenciales en la LMLCMOC y otras leyes para reforzar la lucha contra la morosidad en las operaciones comerciales, de forma que el régimen jurídico vigente es ahora de naturaleza imperativa respecto a los plazos de pago, por delante de la autonomía contractual. • El plazo de pago que debe cumplir el deudor, si no hubiera fijado fecha o plazo de pago en el contrato, será de 30 días naturales después de la fecha de recepción de las mercancías o prestación de los servicios, incluso cuando hubiera recibido la factura o solicitud de pago equivalente con anterioridad (art. 4.1 LMCMOC). • Los plazos de pago indicados en los apartados anteriores podrán ser ampliados mediante pacto de las partes sin que, en ningún caso, se pueda acordar un plazo superior a 60 días naturales. • Además del pago de intereses en caso de retraso, el art. 8 LMCMOC regula la indemnización por costes de cobro a favor del acreedor. • Será nula una cláusula contractual o una práctica relacionada con la fecha o el plazo de pago, el tipo de interés de demora o la compensación por costes de cobro cuando resulte manifiestamente abusiva en perjuicio del acreedor teniendo en cuenta todas las circunstancias del caso (art. 9.1 LMCMOC). • Esta regulación puede esquivarse, bastando no denunciar las cláusulas abusivas ante el juez, aceptar plazos más largos para el cobro de las facturas pendientes y, de esta manera, mantener el cliente. Situación que perpetúa la desigualdad y que puede ser constitutiva de un abuso de posición de dominio desde el punto de vista del derecho de la competencia.

Régimen especial de morosidad en operaciones entre empresas o de éstas y los poderes públicos (cont.)	• Podrán agruparse facturas a lo largo de un período determinado no superior a 15 días, mediante una factura comprensiva de todas las entregas realizadas en dicho período ("factura resumen periódica") o agrupándolas en un único documento a efectos de facilitar la gestión del pago ("agrupación periódica de facturas"). En estos casos, el plazo de pago tampoco superará los 60 días naturales, a contar de la mitad del período de la factura resumen periódica o de la agrupación periódica de facturas de que se trate (art. 4.4 LMLCMOC).
	✓ El deudor incurre en mora y debe pagar el interés de demora pactado en el contrato o el fijado en esta ley automáticamente por el mero incumplimiento del pago en el plazo pactado o legalmente establecido, sin necesidad de aviso de vencimiento ni intimación alguna por parte del acreedor (art. 5 LMLCMOC).
	✓ No obstante, para que el acreedor tenga derecho a intereses moratorios deben cumplirse simultáneamente los siguientes requisitos: que el acreedor haya cumplido sus obligaciones contractuales y legales, y que no haya recibido a tiempo la cantidad debida a menos que el deudor pueda probar que no es responsable del retraso (art. 6 LMLCMOC).
	✓ El tipo legal de interés de demora que el deudor estará obligado a pagar será la suma del tipo de interés aplicado por el Banco Central Europeo a su más reciente operación principal de financiación efectuada antes del primer día del semestre natural de que se trate más siete puntos porcentuales (art. 7.2 LMLCMOC). En enero de 2022, el interés legal del dinero es el 3% anual. El tipo agravado de la LMLCMOC durante el primer semestre de 2022 es de 8% anual.
Otros regímenes específicos de morosidad: comercio minorista, seguros y préstamos hipotecarios	✓ En el ámbito de la Ley de ordenación del comercio minorista, se producirá el devengo de intereses moratorios en forma automática a partir del día siguiente al señalado para el pago o, en defecto de pacto, a aquél en el cual debiera efectuarse de acuerdo con el apartado 1 de este precepto. El tipo aplicable es el de la Ley de medidas de lucha contra la morosidad de las operaciones comerciales, salvo que las partes hubieren acordado en el contrato un tipo distinto, que en ningún caso será inferior al señalado para el interés legal incrementado en un cincuenta por ciento (art. 17.5 LOCM).
	✓ El artículo 20 LCS prevé un tipo especial agravado en materia de intereses moratorios para las indemnizaciones de la aseguradora a favor del asegurado, el beneficiario del seguro de vida o el tercero perjudicado en el seguro de responsabilidad civil.
	✓ El art. 20.4 LCCC establece que, en ningún caso podrá aplicarse a los créditos que se concedan en forma de descubiertos a los que se refiere este artículo un tipo de interés que dé lugar a una tasa anual equivalente superior a 2,5 veces el interés legal del dinero.

Otros regímenes específicos de morosidad: comercio minorista, seguros y préstamos hipotecarios (cont.)	✓ El art. 114 LH señala que, salvo pacto en contrario, la hipoteca constituida a favor de un crédito que devengue interés. • No asegurará, con perjuicio de tercero, además del capital, sino los intereses de los dos últimos años transcurridos y la parte vencida de la anualidad corriente. • En ningún caso podrá pactarse que la hipoteca asegure intereses por plazo superior a cinco años. ✓ El art. 25.1 LCCI y el art. 114 párrafo 3º LH indican que, sin que quepa pacto en contrario, en el caso de préstamo o crédito concluido por una persona física que esté garantizado mediante hipoteca sobre bienes inmuebles para uso residencial: • El interés de demora será el interés remuneratorio más tres puntos porcentuales a lo largo del período en el que aquel resulte exigible. • El interés de demora sólo podrá devengarse sobre el principal vencido y pendiente de pago y no podrá ser capitalizado en ningún caso, salvo en el supuesto previsto en el artículo 579.2.a) LEC.
La capitalización de los intereses vencidos (anatocismo)	✓ En materia de préstamo mercantil, se prevé específicamente que los contratantes pueden pactar capitalizar los intereses líquidos y no satisfechos que, como aumento de capital, devengarán nuevos réditos (art. 317 C. Com.). Por ejemplo, ver STS 17-12-2020 *(Tol 8249565)*, en que se admite que la capitalización de intereses que había sido expresamente pactada. La capitalización de intereses también se denomina "anatocismo". ✓ Parece que esta cláusula puede ser estipulada en otros contratos mercantiles en base al principio de la autonomía de la voluntad (art. 57 C. Com.). ✓ El Tribunal Supremo mantiene que la capitalización de intereses no se presume nunca, hay que pactarla expresamente, tal y como exige la ley. El fundamento de esta norma es el principio *favor debitoris* [STS 27-2-1999 *(Tol 170934)*]. A su vez, no es un pacto autónomo, sino dependiente de la cláusula de intereses moratorios, de modo que declarada la nulidad de la estipulación principal, dicha declaración "arrastra" la validez de la estipulación accesoria, que no puede subsistir independientemente [STS Civil Pleno 23-12-2015 *(Tol 5615949)*, de nulidad de la "cláusula suelo" en contratos bancarios con consumidores].
La cláusula penal en el contrato mercantil	✓ La tasación de los daños y perjuicios causados por el retraso en el cumplimiento de una obligación mercantil puede realizarse de forma anticipada en el contrato. Por ejemplo, si la mercancía no es recibida antes de un día fijado, el comprador tiene derecho a una rebaja del precio o al abono a su favor de una cantidad de dinero determinada o determinable conforme a unos criterios fijados en el contrato.

La cláusula penal en el contrato mercantil (cont.)	✓ En el contrato mercantil en que se fijare pena de indemnización contra el que no lo cumpliere, la parte perjudicada podrá exigir alternativamente el cumplimiento del contrato por los medios de derecho, o la pena prescrita. Pero utilizando una de estas dos acciones quedará extinguida la otra, a no mediar pacto en contrario (art. 56 C. Com.).
	✓ En lo no previsto en el contrato, con carácter supletorio (arts. 2 y 50 C. Com.), son aplicables las normas generales sobre las obligaciones con cláusula penal recogidas en los artículos 1152 a 1555 CC:
	  • En las obligaciones con cláusula penal, la pena sustituirá a la indemnización de daños y al abono de intereses en caso de falta de cumplimiento, si otra cosa no se hubiere pactado (art. 1152 CC). El Tribunal Supremo ha reconocido la validez de la cláusula penal que sanciona el incumplimiento y que no sustituye, sino que se acumula con la indemnización de daños y perjuicios [SSTS 13-3-2020 *(Tol 7926056)*; 24-2-2017 *(Tol 5984443)*; 13-9-2016, de Pleno *(Tol 5824311)*; 30-3-2016 *(Tol 5682215)*].
	  • El deudor no podrá eximirse de cumplir la obligación pagando la cláusula penal, sino en el caso de que expresamente le hubiese sido reservado este derecho. Tampoco el acreedor podrá exigir conjuntamente el cumplimiento de la obligación y la satisfacción de la pena, sin que esta facultad le haya sido claramente otorgada (art. 1153 CC).
	  • El Juez modificará equitativamente la pena cuando la obligación principal hubiera sido en parte o irregularmente cumplida por el deudor (art. 1154 CC). Una aplicación especial es el artículo 11.2 LVPBM que atribuye facultades moderadoras de las cláusulas penales pactadas para el caso de pago anticipado o incumplimiento por parte del comprador a plazos de bienes muebles.
	  • Es doctrina constante del Tribunal Supremo que cuando la cláusula penal está establecida para un determinado incumplimiento, aunque fuera parcial o irregular, no puede aplicarse la facultad moderadora del artículo 1154 CC si se produce exactamente la infracción prevista [STS 24-2-2017 *(Tol 5984443)* y sentencias aquí recogidas].
	  • La autonomía de la voluntad para pactar cláusulas penales topa con los límites generales de la moral y el orden público cuando su cuantía es desproporcionada, en cuyo caso cabe la reducción judicial del importe preservando la validez de la cláusula. Así, STS de Pleno de 13-9-2016 *(Tol 5824311)*, aplicada en STS 23-11-2021 *(Tol 8661985)*.
	  • La nulidad de la cláusula penal no lleva consigo la de la obligación principal. En cambio, la nulidad de la obligación principal lleva consigo la de la cláusula penal (art. 1155 CC).

Acciones mercantiles de reclamación	✓ Algunas de las normas citadas abordan el problema del día de inicio del cómputo para las reclamaciones por incumplimiento (un año desde la entrega de las mercancías al porteador o al propietario, desde que el reclamante hizo el gasto, desde que la aeronave llegó o debía haber llegado, etc.). ✓ Otra especialidad mercantil es la necesidad en ciertos casos de formular protesta extrajudicial en el tiempo legal para evitar la preclusión de las acciones judiciales, singularmente para reclamar al transportista de mercancías y equipajes (por ejemplo, art. 31 CM). ✓ Con carácter supletorio, conforme al Código Civil, que es aplicable en defecto de norma mercantil (art. 944 C. Com.):
Acciones mercantiles de reclamación (cont.)	• La acción para poner todas las cosas vendidas en manos del comprador prescribe a los 6 meses desde la entrega (art. 1472 CC). • La acción de saneamiento de vicios ocultos de la cosa vendida también prescribe a los 6 meses, desde la entrega (art. 1490 CC). • La acción para abonar a los posaderos la comida y habitación, y a los mercaderes el precio de los géneros vendidos a otros que no lo sean, o que siéndolo se dediquen a distinto tráfico, prescribe a los tres años (art. 1967.4º CC). • Las acciones personales que no tengan señalado término especial prescriben a los 5 años (antes de 2015, eran 15 años) desde que pueda exigirse el cumplimiento de la obligación (art. 1964 CC). La jurisprudencia del Tribunal Supremo aplica este término a los contratos mercantiles que carecen de una regulación expresa, como el contrato de suministro [SSTS 18-6-2010 *(Tol 1889379)*; 17-2-2010 *(Tol 17893024)*, entre otras] y el arrendamiento de obra de naturaleza mercantil [STS 8-4-2010 *(Tol 1848802)*].
Interrupción del plazo mercantil de prescripción	✓ La prescripción se interrumpe por demanda u otro cualquier género de interpelación judicial hecha al deudor; por el reconocimiento de las obligaciones; o por la renovación del documento en que se funde el derecho del acreedor. Se considerará la prescripción como no interrumpida por la interpelación judicial, si el actor desistiese de ella, o caducara la instancia, o fuese desestimada la demanda. Empezará a contarse nuevamente el término de la prescripción: en caso de reconocimiento de obligaciones, desde el día en que se haga; en el de su renovación, desde la fecha del nuevo título; y si en él se hubiere prorrogado el plazo de cumplimiento de la obligación, desde que éste hubiere vencido (art. 944 C. Com.).

Interrupción del plazo mercantil de prescripción (cont.)	• Es una diferencia con el Código Civil, que admite que la prescripción de las acciones se interrumpe no sólo por la reclamación judicial y el reconocimiento de la deuda por el deudor, sino también "por reclamación extrajudicial del acreedor" (art. 1973 CC).
	✓ Por tanto, de acuerdo con el tenor literal del Código de Comercio, si el acreedor de una obligación mercantil incumplida reclama extrajudicialmente, pero no plantea la demanda judicial en plazo, perdería la acción contra el deudor. Sin embargo, en la actualidad, el Tribunal Supremo considera extensible el régimen del artículo 1973 del Código Civil a las obligaciones mercantiles y suele admitir la interrupción por la reclamación extrajudicial debidamente acreditada [SSTS 20-2-2020 *(Tol 7790359)*; 8-4-2010 *(Tol 1848802)*; 14-4-2003 *(Tol 275427)*; 31-12-1998 *(Tol 171402)*; 4-12-1995 *(Tol 1657685)*, entre otras].
	• La LCTTM se adhiere parcialmente a esta solución, al admitir que la reclamación por escrito suspende la referida prescripción una sola vez (art. 79.3).
	✓ En los casos de guerra, epidemia oficialmente declarada o revolución, el Gobierno puede suspender la acción de los plazos señalados por el Código de Comercio (y otras leyes mercantiles) para los efectos de las operaciones mercantiles, bien de forma general para toda España o sólo para determinados puntos o plazas donde estime conveniente la suspensión (art. 955 C. Com.).

Capítulo II

Regímenes especiales de contratación

1. CONTRATACIÓN MEDIANTE CONDICIONES GENERALES

<table>
<tr>
<td rowspan="2">Contratos de adhesión y negociados</td>
<td>

✓ El tráfico bancario, de seguros, de transportes, de suministros de agua, gas, electricidad, etc., se desarrolla normalmente sobre la base de contratos uniformes. Su contenido se establece de antemano en unas condiciones generales que rara vez sufren modificación por exigencias especiales de los clientes, prácticamente obligados a contratar en las condiciones impuestas por el empresario. Es un contrato de "adhesión".

✓ El contrato bajo condiciones generales se opone al contrato "negociado", donde las partes intentan hacer valer sus respectivos intereses y logran puntos de acuerdo negociados que se reflejen en cláusulas contractuales.

✓ Las "condiciones generales de contratación son compatibles con la negociación de algunas cláusulas del contrato, por ejemplo, el precio de venta, el tipo de interés del préstamo, las coberturas adicionales en un seguro, los lugares de carga y descarga en un transporte, o cualquier otra que, en efecto, haya sido negociada. La existencia o no de una negociación será tenida en cuenta si luego la parte débil pretende la anulación como cláusula abusiva, dificultando su reclamación que haya negociado la cláusula cuya nulidad reclama luego.

✓ El uso de condiciones generales de la contratación ofrece excelentes ventajas al empresario, entre otras, las siguientes:
  - El contrato-tipo supone un ahorro de tiempo y dinero en la negociación de cada contrato.
  - Diversifica las tareas de la empresa, permitiendo que un gabinete jurídico prepare el modelo de contrato y sean agentes o empleados, sin necesidad de preparación jurídica, quienes los celebren con los clientes.
  - Permite hacer un cálculo más exacto de los riesgos y responsabilidades que asume, pues ese tipo de contratos del empresario son de contenido uniforme.

✓ La persona que se adhiere a contratos mercantiles bajo condiciones generales no suele leerlas antes de prestar su consentimiento. Aunque lo hiciese, tampoco podrá cambiar normalmente su contenido. Sin embargo, si el adherente acepta, debe cumplir el contrato (arts. 1255 CC y 57 C. Com.), igual que se tratase de un contrato negociado.

</td>
</tr>
</table>

Contratos de adhesión y negociados (cont.)	✓ La diferencia con los contratos negociados es que varias leyes brindan protección al adherente a unas condiciones generales impuestas por la otra parte. El legislador dicta al efecto normas imperativas o prohibitivas dirigidas a evitar abusos, de modo que ciertas cláusulas del contrato puedan ser anuladas judicialmente o por un árbitro por ser ilegales (art. 6.3 CC).
	En el ámbito mercantil, las principales normas reguladoras de condiciones generales de contratación y de protección de los adherentes son las siguientes:
	• Texto refundido que aprueba la Ley general para la defensa de los consumidores y usuarios, si el adherente es un consumidor o usuario, así como otras leyes integrantes del Derecho del consumo.
	• La Ley del contrato de seguro, para proteger los derechos del tomador, del asegurado y del tercero perjudicado por actos del asegurado.
	• La Ley del contrato de agencia, para proteger al agente comercial frente al mayor poder del empresario que lo contrata.
	• La Ley de condiciones generales de contratación, cuando el adherente es un consumidor o usuario o un empresario o profesional en el ejercicio de su actividad económica, a la cual dedicamos el siguiente epígrafe por ser el eje central de la regulación en materia de condiciones generales de contratación.
Ámbito de aplicación de la LCGC	La Ley de condiciones generales de contratación (LCGC) es de aplicación imperativa a los contratos que cumplan las condiciones objetivas, subjetivas y territoriales siguientes:
	• Sean contratos que incluyan condiciones generales, cuya incorporación al contrato sea impuesta por una de las partes, con independencia de la autoría de las mismas, su apariencia externa, extensión y otras circunstancias, habiendo sido redactadas con la finalidad de ser incorporadas a una pluralidad de contratos (art. 1.1 LCGC).
	• El hecho de que ciertos elementos de una cláusula o que una o varias cláusulas aisladas se hayan negociado individualmente no excluirá la aplicación de esta Ley al resto del contrato si la apreciación global lleva a la conclusión de que se trata de un contrato de adhesión (art. 1.2 LCGC).
	• Sean contratos celebrados entre un profesional —predisponente— y cualquier persona física o jurídica —adherente— (art. 2 LCGC). El profesional ha de ser una persona física o jurídica, pública o privada, que actúa dentro del marco de su actividad profesional o empresarial. El adherente suele ser también un profesional. Si el adherente es un consumidor o usuario, porque actúa en un ámbito ajeno a su actividad empresarial o profesional (art. 3 TRLGDCU), simultáneamente también son de aplicación la TRLGDCU y otras leyes especiales de consumo.

Ámbito de aplicación de la LCGC (cont.)	• Sean contratos sujetos al Derecho español; o, a una legislación extranjera si el adherente emite su declaración negocial en territorio español y tenga en éste su residencia habitual, sin perjuicio de lo establecido en tratados internacionales (art. 3 LCGC). • No sean contratos excluidos del ámbito de aplicación por el artículo 4 LCGC: contratos administrativos; de trabajo; de constitución de sociedades; reguladores de relaciones familiares o sucesorios; contratos con condiciones generales que reflejen las disposiciones o principios de tratados internacionales en que España sea parte; o, contratos con condiciones generales que vengan reguladas por una disposición legal o administrativa de carácter general y que sean de aplicación obligatoria para los contratantes.

Exigencias jurídicas para el uso legal de condiciones generales de contratación	✓ Los requisitos legales para que las condiciones generales de la contratación se incorporen válidamente a un contrato y obliguen a las partes son los siguientes (arts. 5 y 7 LCGC):
	  • Que el adherente acepte su incorporación al contrato y éste sea firmado por todos los contratantes (art. 5.1, ap. 1º LCGC).
	  • Que el contrato haga referencia a las condiciones generales incorporadas (art. 5.1., ap. 1º in fine LCGC).
	  • Que el predisponente haya informado de la existencia de condiciones generales y haya suministrado un ejemplar al adherente (art. 5.1, ap. 2º LCGC).
	  • Si el contrato no se formaliza por escrito, basta que el predisponente anuncie las condiciones generales en un lugar visible del lugar del negocio, que las inserte en la documentación del contrato o que, de cualquier otra forma, garantice al adherente la posibilidad efectiva de conocer su existencia y contenido en el momento de la celebración (art. 5.3 LCGC).
	  • En todo caso, La redacción de las cláusulas generales deberá ajustarse a los criterios de transparencia, claridad, concreción y sencillez. Las condiciones incorporadas de modo no transparente en los contratos en perjuicio de los consumidores serán nulas de pleno derecho (art. 5.5 LCGC).
	  • Si el contrato se formaliza ante Notario, en el ejercicio profesional de su función pública, la Ley le obliga a velar por el cumplimiento, en los documentos que autoricen, de los requisitos de incorporación de los artículos 5 y 7 LCGC y de asegurarse que los adherentes conocen las condiciones generales y las aceptan (art. 23 LCGC).
	✓ La Sala de lo Civil (Pleno) del Tribunal Supremo, en sentencia de 3-6-2016 *(Tol 5745035)*, con cita de sentencias anteriores, niega la nulidad de la cláusula suelo de un préstamo hipotecario solicitado por un empresario para su actividad económica. Conforme a la Ley de condiciones generales de contratación, este tipo de clientes bancarios se benefician del control de incorporación, que atiende a una mera transparencia documental o gramatical (que las cláusulas sean gramaticalmente sean comprensibles y estén redactadas en caracteres legibles). Sin embargo, no rige para ellos el llamado "control de transparencia", que sólo es aplicable en los contratos con consumidores.

Exigencias jurídicas para el uso legal de condiciones generales de contratación (cont.)	✓ El incumplimiento de estos requisitos de incorporación válida de las condiciones generales al singular contrato se sanciona de varios modos: • La interpretación *contra proferentem*. • Si no hay acuerdo amistoso, el adherente puede entablar una "acción individual" para solicitar la no incorporación o anulación de las condiciones generales específicas o del contrato en su conjunto. • Como las sentencias tienen efectos *inter partes*, posibilidad de acción colectiva para adecuar las condiciones generales a la ley. • Sanciones administrativas.
Interpretación *contra proferentem*	✓ Interpretación *contra proferentem*. • Cuando exista contradicción entre las condiciones generales y las particulares específicamente previstas para ese contrato, prevalecen éstas últimas, salvo que las condiciones generales sean más beneficiosas para el adherente (art. 6.1 LCGC). • Las dudas en la interpretación de las condiciones generales oscuras se resolverán a favor del adherente, pero si se trata de consumidores esta norma sólo es aplicable cuando se ejerciten acciones individuales (arts. 6.2 LCGC y 80.2 TRLGDCU). Sigue la regla *contra proferentem*. • En lo no previsto, se aplican las normas de interpretación de los contratos del Código Civil (art. 6.6 LCGC). El artículo 1288 CC indica que la interpretación de las cláusulas oscuras no deberá favorecer a la parte que hubiese ocasionado la oscuridad. Esta norma es aplicable a cualquier cláusula contractual, forme o no parte de condiciones generales de contratación. • El Tribunal Supremo aplica la regla *contra proferentem* contenida en los arts. 1288 CC, 6.2 LCGC y 10 TRLGDCU [SSTS 13-7-2021 *(Tol 8531697)*; 21-1-2020 *(Tol 7707860)*; 22-2-2017 *(Tol 5977425)*; 20-7-2011 *(Tol 2233538)*; 7-1-2010 *(Tol 1773354)*; 20-4-2009 *(Tol 1494577)*, entre otras].
Control de incorporación	✓ No quedan incorporadas al contrato o son nulas y, por tanto, no obligan al adherente, las siguientes condiciones generales (arts. 7 y 8 LCGC): • Las que el adherente no haya tenido oportunidad real de conocer al tiempo de celebración del contrato o cuando no hayan sido firmadas, cuando sea necesario (art. 7.a LCGC).

Control de incorporación (cont.)	• Las condiciones que sean ilegibles, ambiguas, oscuras e incomprensibles, salvo, en cuanto a éstas últimas, que hubiesen sido expresamente aceptadas por escrito por el adherente y se ajusten a la normativa específica que discipline en su ámbito la necesaria transparencia de las cláusulas contenidas en el contrato (art. 7.b LCGC). • Las cláusulas que contradigan en su perjuicio lo dispuesto en esta ley u otra norma imperativa o prohibitiva, salvo que las mismas establezcan algo distinto en caso de contravención (arts. 8 LCGC y también 6.3 CC). Por ejemplo, las normas imperativas en los contratos de seguro, en los contratos de transporte, en los contratos de agencia, etc. • La no incorporación al contrato de determinadas cláusulas o la nulidad de las mismas no puede decidirla sólo el adherente, porque "la validez y el cumplimiento de los contratos no puede dejarse al arbitrio de uno de los contratantes" (art. 1256 CC). Por tanto, el adherente ha de reclamar judicialmente la nulidad o la no incorporación. O ante árbitros si hay sumisión. • La sentencia judicial decidirá y determinará, en su caso, si el contrato puede subsistir o no sin las cláusulas nulas o no incorporadas (arts. 9 y 10 LCGC). • La sentencia judicial que declare la nulidad o falta de incorporación de una condición general sólo tiene efectos y produce obligaciones entre las partes del proceso. Por tanto, a pesar de que haya más personas afectadas por una misma cláusula abusiva utilizada por un empresario o grupo de ellos, salvo que el legislador apruebe una norma que impida su utilización en el tráfico mercantil, podrían seguir utilizándola, obligando a cada afectado al recurso judicial, lo cual supone un enorme coste de tiempo y dinero para el Estado, las empresas y los particulares. El sistema actual al efecto *inter partes* de la sentencia anulatoria tiene un limitado alcance a través de los siguientes mecanismos. ✓ El Tribunal Supremo mantiene una jurisprudencia consolidada, según la cual en los contratos celebrados con quienes no sean consumidores y usuarios [SSTS 9-6-2021 *(Tol 8473310)*; 27-5-2020 *(Tol 7952798)*, 11-3-2020 *(Tol 7883102)*, 4-2-2020 *(Tol 7745654)*, entre otras]: • Procede el control de incorporación: 1) Hay que acreditar que el adherente tuvo ocasión real de conocer las condiciones generales al tiempo de la celebración, independientemente de que realmente las haya conocido y entendido; 2) El segundo de los filtros del control de incorporación hace referencia a la comprensibilidad gramatical y semántica de la cláusula. • En cambio, no se aplica el control de transparencia que atiende al conocimiento sobre la carga jurídica y económica del contrato, reservado a los contratos celebrados con consumidores.

Acciones colectivas	✓ Dado que las condiciones generales son utilizadas en una pluralidad de contratos de contenido uniforme, el problema no es sólo individual y único, sino que afecta a un colectivo más o menos amplio de adherentes. Para dar respuesta común, la LCGC admite las llamadas "acciones colectivas". Éstas no sustituyen a la acción individual de nulidad o no incorporación, cuya legitimación activa corresponde siempre al afectado. ✓ Las acciones colectivas reconocidas son las siguientes: 　• De cesación: para que se condene al demandado a eliminar de sus condiciones generales las que se reputen nulas y a abstenerse de utilizarlas en lo sucesivo. 　• De retractación: por haber recomendado el uso de condiciones generales que se consideren nulas y de abstenerse de seguir recomendándolas en el futuro. 　• Declarativa: para reconocer que una cláusula es una condición general de la contratación y se ordene su inscripción en el Registro de Condiciones Generales de la Contratación. ✓ La legitimación activa la asumen asociaciones de empresarios, profesionales, agricultores, Cámaras de Comercio, Industria y Navegación, asociaciones de consumidores y usuarios, colegios profesionales, el Ministerio Fiscal, entre otros (art. 16 LCGC). ✓ La legitimación pasiva procede contra cualquier profesional que utilice condiciones generales que se reputen nulas (art. 17 LCGC). ✓ Las acciones colectivas de cesación o retractación son imprescriptibles, salvo que se hubieran depositado en el Registro de Condiciones Generales de Contratación, en cuyo caso dichas acciones prescriben a los 5 años. Tales acciones podrán ser ejercitadas en todo caso durante los 5 años siguientes a la declaración judicial firme de nulidad o no incorporación que pueda dictarse con posterioridad como consecuencia de una acción individual (art. 19 LCGC). ✓ En lo relativo a la publicidad, el fallo de la sentencia dictada en el ejercicio de una acción colectiva, una vez firme, podrá publicarse por decisión judicial en el Boletín Oficial del Registro Mercantil o en un periódico de los de mayor circulación de la provincia del Juzgado (art. 21 LCGC). ✓ La LCGC instituye el Registro de las Condiciones de Contratación, a cargo de un Registrador de la Propiedad y Mercantil (art. 11.1 LCGC).

Registro de las Condiciones Generales de Contratación	• Procede el registro, a instancia del Letrado de la Administración de Justicia, cuando haya prosperado una acción colectiva o una acción individual de nulidad o no incorporación relativa a condiciones generales (art. 22 LCGC). • A instancia del prestamista, se depositan obligatoriamente en el Registro los formularios de los préstamos y créditos hipotecarios comprendidos en el ámbito de aplicación de la LCCI, antes de empezar su comercialización (art. 11.2 LCGC). • El Gobierno puede imponer la inscripción obligatoria en determinados sectores de la contratación (art. 11.2 LCGC). • Se anota preventivamente la interposición de las demandas ordinarias de nulidad o de declaración de no incorporación de cláusulas generales así como las acciones colectivas de cesación, de retractación y declarativa de la LCGC • Se anotan igualmente las resoluciones judiciales que acuerden la suspensión cautelar de la eficacia de una condición general (art. 11.3 LCGC). STS Sala de lo Civil, Pleno, 11-9-2019 *(Tol 7474304)*, admite que el tribunal incluya dicha orden de registro en su resolución, aunque no se haya pedido en la demanda. • También serán objeto de inscripción las ejecutorias en que se recojan sentencias firmes estimatorias de cualquiera de estas acciones (art. 11.4 LCGC). • Obligatoriamente se remitirán al Registro las sentencias firmes dictadas en acciones colectivas o individuales por las que se declare la nulidad, cesación o retractación en la utilización de condiciones generales abusivas (art. 11.4 LCGC). • El predisponente puede inscribir voluntariamente las cláusulas contractuales que tengan el carácter de condiciones generales (art. 11.2 LCGC).
Sanciones administrativas al predisponente	✓ El Ministerio de Justicia impondrá sanciones al predisponente de condiciones generales. Su cuantía varía en función del volumen de contratación, del número de personas afectadas y del tiempo transcurrido desde su utilización (art. 24 LCGC). Proceden en los siguientes casos: • Por falta de inscripción en el Registro cuando sea obligatorio, o • Cuando se persista en el uso o recomendación de condiciones generales respecto a las cuales ha prosperado una acción de cesación o retractación. • No obstante, las sanciones derivadas de la infracción de la normativa sobre consumidores y usuarios se regirán por su legislación específica (arts. 24 LCGC y 49 a 52 TRLGDCU).

Normas especiales en materia de condiciones generales del seguro	✓ Si es un contrato de seguro, las condiciones generales, que en ningún caso tendrán carácter lesivo para los asegurados, habrán de incluirse por el asegurador en la proposición de seguro, si la hubiere, y necesariamente en la póliza de contrato o en un documento complementario, que se suscribirá por el asegurado y al que se le entregará copia. Las condiciones generales y particulares se redactarán de forma clara y precisa. Se destacarán de modo especial las cláusulas limitativas de los derechos de los asegurados, que deberán ser aceptadas específicamente por escrito (art. 3, ap. 1° LCS). ✓ Además, hay una regla más eficaz para proteger al colectivo de asegurados frente a cláusulas abusivas predispuestas por los aseguradores: declarada por el Tribunal Supremo la nulidad de alguna de las cláusulas de las condiciones generales de un contrato, la Administración pública competente obligará a los aseguradores a modificar las cláusulas idénticas contenidas en sus pólizas (art. 3, ap. 3° LCS).

2. CONTRATACIÓN DEL EMPRESARIO CON CONSUMIDORES Y USUARIOS

Derecho del consumo. Principales leyes y características	✓ Los poderes públicos garantizarán la defensa de los consumidores y usuarios, protegiendo, mediante procedimientos eficaces, la seguridad, la salud y los legítimos intereses económicos de los mismos (art. 51 Constitución española). ✓ Los contratos del empresario con consumidores o usuarios no pierden por este solo hecho su naturaleza mercantil, pues los actos de comercio, sean o no comerciantes los que los ejecuten, se rigen por el Código de Comercio (art. 2 C. Com.). ✓ La norma básica de desarrollo es el texto refundido que aprueba la Ley general de defensa de los consumidores y usuarios (TRLGDCU). ✓ El aspecto común del Derecho del consumo es la finalidad tuitiva del consumidor, protegiéndole con normas prohibitivas e imperativas que equilibren su condición de parte débil cuando participe en la actividad económica y, especialmente, en los contratos con empresarios. Por ello, la renuncia previa a los derechos que esta norma reconoce a los consumidores y usuarios es nula, siendo, asimismo, nulos los actos realizados en fraude de ley de conformidad con lo previsto en el artículo 6 CC (art. 10 TRLGDCU).

Derecho del consumo. Principales leyes y características (cont.)	✓ Desde el punto de vista del empresario, contratar con consumidores y usuarios es necesario, pero entraña unos riesgos jurídicos que no concurren cuando la contraparte no tiene este estatuto jurídico. El TRLGDCU impone al empresario obligaciones de información precontractual y contractual muy detalladas, con riesgo de anulación del contrato si no se cumplen; obligación de aceptar que el contratante desista unilateralmente del contrato en ciertos casos y por un tiempo limitado; riesgo de que el contrato o algunas cláusulas del mismo sean declaradas nulas por abusivas; y, sanciones administrador para el empresario que vulnere los derechos de los consumidores y usuarios.
	✓ Son contratos con consumidores y usuarios los realizados entre un consumidor o un usuario y un empresario (art. 59.1 TRLGDCU).
	  • A efectos de esta norma y sin perjuicio de lo dispuesto expresamente en sus libros tercero y cuarto, son consumidores o usuarios las personas físicas que actúen con un propósito ajeno a su actividad comercial, empresarial, oficio o profesión (art. 3.1, pár. 1º TRLGDCU). Son también consumidores a efectos de esta norma las personas jurídicas y las entidades sin personalidad jurídica que actúen sin ánimo de lucro en un ámbito ajeno a una actividad comercial o empresarial (art. 3.1, pár. 2º TRLGDCU).
	  • La persona consumidora vulnerable, por razón de edad, sexo, origen nacional o étnico, lugar de procedencia o discapacidad, etc. (art. 3.2 TRLGDCU), dispone de una protección legal reforzada de sus derechos, especialmente de información del producto o servicio.
	  • En contrario, las normas del contrato con consumidores y usuarios del TRLGDCU no se aplican cuando el cliente del empresario es otro empresario o profesional que actúe en el ámbito propio de su actividad comercial o empresarial [entre otras SSTS 28-5-2014 *(Tol 4437949)*; 10-3-2014 *(Tol 4142469)*; y 24-9-2013 *(Tol 3983611)*].
	  • A efectos de lo dispuesto en esta norma, se considera empresario a toda persona física o jurídica, ya sea privada o pública, que actúe directamente o a través de otra persona en su nombre o siguiendo sus instrucciones, con un propósito relacionado con su actividad comercial, empresarial, oficio o profesión (art. 4 TRLGDCU).
	✓ También hay normativa del Derecho del consumo que regula cuestiones sectoriales, como la Ley del contrato de crédito al consumo (LCCC); la Ley de comercialización a distancia de servicios financieros destinados a consumidores (LCDSF); la Ley 43/2007, de 13 de diciembre, de protección de los consumidores en la contratación de bienes con oferta de restitución del precio; la Ley 2/2009, de 31 de marzo, que regula la contratación con los consumidores de préstamos o créditos hipotecarios y de servicios de intermediación para la celebración de contratos de préstamo y de crédito, entre otras.
	✓ La regulación sectorial de los contratos con consumidores y usuarios debe respetar el nivel de protección conferido por el TRLGDCU, y serán de aplicación preferente las disposiciones sectoriales que traigan causa de normas comunitarias (art. 59.2, 2º párrafo TRLGDCU).

Obligación de información precontractual y contractual del empresario	✓ Los contratos con consumidores y usuarios se regirán, en todo lo que no esté expresamente establecido en esta norma o en leyes especiales, por el derecho común aplicable a los contratos (art. 59.2, 1er párrafo TRLGDCU). Antes de la reforma operada por la Ley 3/2014 en este precepto, en vez de "derecho común", se aludía a la "legislación civil y mercantil".
	✓ Los contratos con consumidores y usuarios que incorporen condiciones generales de contratación están sometidos, además, a la Ley de condiciones generales de contratación (art. 59.3 TRLGDCU).
	✓ En el marco de sus competencias estatutarias, las Comunidades Autónomas también han aprobado leyes de consumo.
	✓ El art. 59 bis TRLGDCU (introducido por la Ley 3/2014) define qué ha entenderse, a efectos de la misma, los conceptos de "contrato de venta", "contrato de servicios"; "contrato complementario"; "establecimiento mercantil", "bienes elaborados conforme a las especificaciones del consumidor y usuario"; "soporte duradero"; "servicio financiero"; "subasta pública"; "contenido digital"; "garantía comercial"; y, "mercado en línea".
	✓ Mediante Real Decreto-ley 7/2021, se modifica el TRLGDCU para regular los contratos sobre contenidos o servicios digitales, en los que el empresario suministra o se compromete a suministrar contenidos o servicios digitales al consumidor a cambio de que éste facilite o se comprometa a facilitar sus datos personales.
	✓ Las obligaciones del empresario que contrata con consumidores y usuarios son previas, coetáneas y posteriores al contrato, según revela el TRLGDCU.
	✓ Antes de que el consumidor y usuario quede vinculado por un contrato u oferta correspondiente, el empresario deberá facilitarle de forma clara y comprensible, salvo que resulte manifiesta por el contexto, la información relevante, veraz y suficiente sobre las características principales del contrato, en particular, sobre sus condiciones jurídicas y económicas (art. 60.1 TRLGDCU). La carga de la prueba de haber cumplido estos requisitos pesa sobre el empresario (art. 60.5 TRLGDCU).
	✓ Antes de que el consumidor y usuario quede vinculado por cualquier contrato u oferta, el empresario deberá obtener su consentimiento expreso para todo pago adicional a la remuneración acordada para la obligación contractual principal del empresario (art. 60 bis TRLGDCU).
	✓ Los empresarios no podrán facturar a los consumidores y usuarios por el uso de determinados medios de pago, cargos que superen el coste soportado por el empresario por el uso de tales medios (art. 60 ter TRLGDCU).
	✓ La oferta, promoción o publicidad de bienes y servicios se integran en el contrato, aunque no consten expresamente por escrito (art. 61 TRLGDCU).
	✓ Debe entregarse recibo justificante, copia o documento acreditativo de las condiciones esenciales de la operación, incluidas, si se han usado, las condiciones generales de la contratación, aceptadas y firmadas por el consumidor y usuario (arts. 63.1 TRLGDCU y 5.1 LCGC).

Obligación de información precontractual y contractual del empresario (cont.)	✓ El consumidor y usuario también tiene derecho a recibir la factura en papel, salvo que consienta en recibir una factura electrónica (art. 63.3 TRLGDCU). ✓ Los contratos se integran en beneficio del consumidor, conforme al principio de buena fe objetiva, también en los supuestos de omisión de información precontractual relevante (art. 65 TRLGDCU). ✓ El contrato celebrado sin que se haya facilitado al consumidor y usuario la copia del contrato celebrado o la confirmación del mismo, de acuerdo con los artículos 98.7 y 99.2, podrá ser anulado a instancia del consumidor y usuario por vía de acción o excepción (art. 100.1 TRLGDCU).

Derecho de desistimiento del contrato por el consumidor y usuario	✓ El derecho de desistimiento de un contrato es una excepción al principio *pacta sunt servanda* (art. 1091 CC). También excepciona la regla general conforme a la cual la validez y el cumplimiento de los contratos no puede dejarse al arbitrio de uno de los contratantes (art. 1256 CC).
	   • Es la facultad del consumidor y usuario de dejar sin efecto el contrato celebrado, notificándoselo al empresario en el plazo legal establecido, sin necesidad de justificar su decisión y sin penalización de ninguna clase (art. 68 TRLGDCU).
	✓ El derecho de desistimiento tiene lugar única y exclusivamente en los supuestos legales o reglamentarios y también cuando así se le reconozca en la oferta, promoción, publicidad o contrato (art. 79 TRLGDCU). La oferta aclarará si existe o no derecho de desistimiento (arts. 20 y 66.2.h TRLGDCU).
	   • En el ámbito del comercio minorista, cuando el comprador tenga la facultad de desistir del contrato, se expedirá factura, recibo u otro documento en que conste los derechos y garantías especiales del comprador (art. 11.2 LOCM).
	✓ La siguiente normativa reconoce el derecho de desistimiento al consumidor y usuario del contrato válidamente celebrado:
	   • Contrato de compraventa a plazos de bienes muebles: derecho otorgado en las condiciones que dispone la Ley (art. 9 LVPBM).
	   • Si el consumidor ha ejercido su derecho de desistimiento respecto a un contrato de suministro de bienes o servicios financiado total o parcialmente mediante un contrato de crédito vinculado, dejará de estar obligado por este último contrato sin penalización alguna para el consumidor (art. 29 LCCC).
	   • Contrato celebrado fuera del establecimiento mercantil y en el contrato celebrado a distancia: derecho concedido en los términos legales para todos estos contratos con algunas excepciones, en 14 días naturales, sin indicar el motivo y sin coste alguno. El plazo es de 30 días si el contrato tiene lugar en el contexto de visita a su domicilio no solicitada por el consumidor o usuario o de excursiones (art. 102 TRLGDCU).
	   • Contrato a distancia de servicios financieros (bancarios, inversión, seguros, planes de pensiones, mediación en seguros): derecho otorgado en las condiciones legales, en 14 días o 30 días si son seguros de vida (arts. 10 y 11 LCDSF).

Derecho de desistimiento del contrato por el consumidor y usuario (cont.)	• Contrato de préstamo o crédito, o reagrupación de créditos, con personas físicas o jurídicas que no sean entidades de crédito: derecho de desistimiento concedido según dispone la Ley en 14 días (art. 6 Ley 2/2009, de 31 de marzo). ✓ El desistimiento del contrato: • No está sujeto a formalidad alguna (art. 70 TRLGDCU). • Puede ejercerse en un plazo mínimo de 14 días naturales (art. 71 TRLGDCU). • No implica gasto alguno para el consumidor y usuario (art. 73 TRLGDCU) • Supone que las partes deben restituirse recíprocamente las prestaciones (art. 74 TRLGDCU) • Si no fuese posible la restitución por causa imputable al consumidor, éste devolverá su valor de mercado, salvo que sea superior al precio de adquisición (art. 75 TRLGDCU). • El empresario devolverá las sumas abonadas, sin retención de gastos (art. 76 TRLGDCU). • Si se desiste del contrato principal, supone también desistir de los contratos complementarios (art. 76 bis TRLGDCU). • Cuando en el contrato para el que se ejercite el derecho de desistimiento el precio a abonar por el consumidor y usuario haya sido total o parcialmente financiado mediante un crédito concedido por el empresario contratante o por parte de un tercero, previo acuerdo de éste con el empresario contratante, el ejercicio del derecho de desistimiento implicará al tiempo la resolución del crédito sin penalización alguna para el consumidor y usuario (art. 77 TRLGDCU). • De no ejercerse el desistimiento en plazo, no queda afectado el derecho del consumidor al ejercicio posterior de las acciones de nulidad o resolución del contrato (art. 78 TRLGDCU). ✓ En los contratos con consumidores y usuarios que utilicen cláusulas no negociadas individualmente, incluidos los que promuevan las Administraciones públicas y las entidades y empresas de ellas dependientes, se exige concreción, claridad y sencillez en la redacción, accesibilidad y legibilidad, así como buena fe y justo equilibrio de las prestaciones, lo que en todo caso excluye el uso de cláusulas abusivas (arts. 80.1 TRLGDCU). ✓ Cuando se ejerciten acciones individuales, en caso de duda sobre el sentido de una cláusula prevalecerá la interpretación más favorable al consumidor (art. 80.2 TRLGDCU). Por tanto, no es aplicable esta regla de interpretación cuando se trata de acciones "colectivas" entabladas por ejemplo por una asociación de consumidores y usuarios para que se condene al empresario a cesar en el uso de una cláusula y a prohibir su reiteración futura (art. 54 TRLGDCU), ✓ Las normas de protección frente a cláusulas abusivas contenidas en los artículos 82 a 91 TRLGDCU, así como las normas de garantías (arts. 114 a 127 TRLGDCU, analizadas en el apartado del comercio minorista de estos Esquemas), serán aplicables a los consumidores y usuarios, cualquiera que sea la ley elegida por las partes para regir el contrato, cuando éste mantenga una estrecha relación con el territorio de un Estado miembro del Espacio Económico Europeo (art. 67 TRLGDCU).

Derecho de desistimiento del contrato por el consumidor y usuario (cont.)	✓ Las cláusulas abusivas son aquellas estipulaciones no negociadas individualmente y todas aquellas prácticas no consentidas expresamente que en contra de las exigencias de la buena fe causen, en perjuicio del consumidor y usuario, un desequilibrio importante de los derechos y obligaciones de las partes que deriven del contrato (art. 82.1 TRLGDCU). El hecho de que ciertos elementos de una cláusula o que una cláusula aislada se haya negociado individualmente no excluye la aplicación de las normas de cláusulas abusivas al resto del contrato. La carga de la prueba de esta negociación recae sobre el empresario (art. 82.2 TRLGDCU).
Nulidad de cláusulas abusivas frente a los consumidores y usuarios. Controles de incorporación y de transparencia	✓ Las cláusulas abusivas son nulas de pleno derecho y se tienen por no puestas (art. 83.1 TRLGDCU), pero la declaración de nulidad corresponde a un juez, no sólo si así lo piensa el consumidor o usuario. Por tanto, la pasividad del consumidor o usuario frente a lo que considere abusivo sólo tiene un perjudicado: él mismo. Debe intentar llegar a un acuerdo con el empresario o, en su caso, reclamar judicialmente la nulidad de una cláusula. El resto del contrato sigue vigente, salvo que el juez que declare la nulidad de una o varias cláusulas diga lo contrario (art. 83.1 TRLGDCU). ✓ La Ley establece una serie de cláusulas consideradas abusivas (arts. 85 a 90 TRLGDCU), de modo que si el consumidor o usuario advierte que en su contrato consta una de estas cláusulas, ello facilita la declaración judicial de nulidad. A continuación, se mencionan sin ánimo exhaustivo algunas de ellas. ✓ Cláusulas abusivas por vincular el contrato a la voluntad del empresario (art. 85 TRLGDCU), como: • Las que impongan una indemnización desproporcionadamente alta si el consumidor o usuario incumple. • Las que atribuyen al empresario el derecho a no quedar obligado por los acuerdos o compromisos de sus mandatarios o representantes. ✓ Cláusulas abusivas por limitar los derechos básicos del consumidor y usuario (art. 86 TRLGDCU), como: • Las que limiten el derecho del consumidor o usuario a la indemnización de daños y perjuicios ocasionados por la falta de conformidad de los bienes o servicios puestos a su disposición por el empresario. ✓ Cláusulas abusivas por falta de reciprocidad (art. 87 TRLGDCU), como: • En los contratos de prestación de servicios o suministros de productos de tracto sucesivo o continuado, se prohíben las que establezcan plazos de duración excesiva o las que excluyan u obstaculicen el derecho del consumidor o usuario a poner fin al contrato. La ley da algunos ejemplos, como la cláusula por la cual el consumidor perdería las cantidades dadas por adelantado si rescinde el contrato. ✓ Cláusulas abusivas sobre garantías contempladas (art. 88 TRLGDCU), como: • La imposición al consumidor o usuario de garantías desproporcionadas al riesgo asumido por el empresario.

Nulidad de cláusulas abusivas frente a los consumidores y usuarios. Controles de incorporación y de transparencia (cont.)	✓ Cláusulas abusivas que afectan al perfeccionamiento y ejecución del contrato (art. 89 TRLGDCU), como:
	  • La imposición al consumidor y usuario de bienes y servicios complementarios o accesorios no solicitados.
	✓ Cláusulas abusivas sobre competencia y derecho aplicable (art. 90 TRLGDCU):
	  • En general, de sumisión a arbitrajes diferentes del de consumo.
	  • La sumisión expresa a jueces diferentes de los del domicilio del consumidor, del lugar de cumplimiento de la obligación o aquél en el que se encuentra el bien si éste es inmueble.
	  • La sumisión del contrato a un derecho extranjero con respecto al lugar donde el consumidor emite su declaración negocial o donde el empresario desarrolle su actividad de promoción de contratos de igual o similar naturaleza.
	✓ Como excepción, en los contratos relativos a valores, instrumentos financieros y divisas, no se considerará abusiva la modificación unilateral de contratos, la resolución anticipada de contratos de duración indefinida y el incremento del precio de los bienes y servicios, si el precio se vincula a un índice o cotización que el empresario no controle (art. 91 TRLGDCU).
	✓ Determinar cuándo una cláusula de un contrato con consumidores y usuarios es o no abusiva es motivo de gran litigiosidad, lo que ha llevado al Tribunal Supremo, Sala de lo Civil, Sección Pleno, a pronunciarse en varias ocasiones.
	✓ El Tribunal Supremo mantiene que la finalidad tuitiva de los consumidores y usuarios, entre otros mecanismos, obliga a un control de abusividad, tanto por contenido como por transparencia, conforme al desenvolvimiento de las directrices de orden público económico, particularmente del principio de buena fe y caracteriza o residencia en los especiales deberes de configuración contractual que incumben al predisponente que contrata con consumidores y usuarios [SSTS Civil Pleno 28-4-2015 *(Tol 4952037)* y 8-9-2014 *(Tol 4529142)*].
	✓ La Sala de lo Civil (Pleno) del Tribunal Supremo, en sentencia de 3-6-2016 *(Tol 5745035)*, alude al llamado "control de transparencia", que sólo es aplicable en los contratos con consumidores. El control de transparencia es adicional al control de incorporación. Su aplicación está consolidado por muchas otras sentencias posteriores, como SSTS 27-5-2020 *(Tol 7952798)* y 11-3-2020 *(Tol 7883108)*.
	  • Consiste en que, además del control de incorporación (que están aceptadas y firmadas), hay un control de transparencia que atiende al conocimiento sobre la carga jurídica y económica del contrato.

Nulidad de cláusulas abusivas frente a los consumidores y usuarios. Controles de incorporación y de transparencia (cont.)	• Significa que no pueden utilizarse cláusulas que, pese a que gramaticalmente sean comprensibles y estén redactadas en caracteres legibles, impliquen inopinadamente una alteración del objeto del contrato o del equilibrio económico sobre el precio y la prestación, que pueda pasar inadvertida al adherente medio. • Es decir, que provocan una alteración, no del equilibrio objetivo entre precio y prestación, que con carácter general no es controlable por el juez, sino del equilibrio subjetivo de precio y prestación, es decir, tal y como se lo pudo representar el consumidor en atención a las circunstancias concurrentes en la contratación. • La STS Pleno 12-11-2020 *(Tol 8195711)* considera que la fijación del préstamo hipotecario conforme al índice IRPH, y no al Euribor u otro, vulneró, en el caso enjuiciado, el control de transparencia, pero no fue abusiva (ni nula, por ende) al no producir un desequilibrio importante ni haber faltado el empresario a la buena fe.
Sanciones por incumplimiento del Derecho del consumo	✓ El empresario y cualquier otra persona que cometa infracción en materia de defensa de consumidores y usuarios puede ser sancionado principalmente con las siguientes penas (arts. 49 y 50 TRLGDCU): • Multas. • Cierre temporal del establecimiento, instalación o servicio por un plazo máximo de 5 años. • Clausura definitiva. • Comiso de las mercancías objeto de la infracción. • Publicidad de las sanciones cuando hayan adquirido firmeza en el ámbito administrativo. ✓ Los casos más graves de ofensa a los derechos de los consumidores y usuarios pueden ser constitutivos de delito (arts. 278 a 286 CP). • La instrucción de una causa penal por los mismos hechos suspende temporalmente la tramitación del expediente administrativo sancionador (art. 46.2 TRLGDCU).

3. COMERCIO MINORISTA Y MAYORISTA

Régimen jurídico	✓ Se entiende legalmente como "comercio minorista" aquella actividad desarrollada profesionalmente con ánimo de lucro consistente en ofertar la venta de cualquier clase de artículos a los destinatarios finales de los mismos, utilizando o no un establecimiento (art. 1.2 Ley de ordenación del comercio minorista, LOCM). ✓ Además de la LOCM, en esta materia también rige el TRLGDCU, pues el destinatario final de los productos también tiene la naturaleza de consumidor. ✓ La LOCM extiende el ámbito de aplicación de sus normas relativas a la obligación de vender (art. 9), de la venta a pérdida (art. 14) y de los pagos a proveedores (art. 17) a las entidades de cualquier naturaleza que se dediquen al comercio mayorista (disp. adic. 6ª LOCM). ✓ Al fabricante y al mayorista se les aplica también las normas sobre la venta multinivel (art. 22 LOCM). Se prohíbe la oferta de venta directa a quien no sea fabricante o mayorista (arts. 35 y 65.1.m LOCM). ✓ Se impone la inscripción de comerciantes minoristas y mayoristas de un determinado tamaño económico en el Registro Mercantil, salvo que los titulares sean personas físicas (disp. adic. 4ª LOCM). ✓ La mercantilidad de la venta al público en tiendas o almacenes no casa con los términos de la compraventa mercantil del Código de Comercio (arts. 325 y 326 C. Com.) pero la interpretación no puede ser tan limitativa que excluya su naturaleza mercantil. Así lo confirma la Exposición de motivos de la LOCM, que atribuye naturaleza mercantil a la venta al público, sin perjuicio de que para evitar abusos de los adquirentes, la LOCM establezca un régimen tuitivo de carácter imperativo.
Sujetos	✓ El vendedor • El desarrollo de una actividad de empresa a través de una o varias tiendas, almacenes, negocios, fábricas u otro tipo de establecimientos mercantiles o sin necesidad de los mismos es una facultad que se ampara en el principio constitucional de libertad de empresa (art. 38 CE).

Sujetos (cont.)	• El Código de Comercio considera almacenes o tiendas abiertas al público los que establezcan los comerciantes inscritos en el Registro mercantil y los que establezcan los comerciantes no inscritos, siempre que permanezcan abiertos al público por espacio de ocho días consecutivos o se haya anunciado por medio de rótulos, muestras o títulos, en el local mismo, o por avisos repartidos al público o insertos en los diarios de la localidad (art. 85 C. Com.). Además, existe la presunción legal de ejercicio habitual del comercio desde que la persona que se proponga ejercerlo anuncie por cualquier medio la apertura de un establecimiento que tenga por objeto alguna operación mercantil (art. 3 C. Com.). Estos preceptos se completan con las disposiciones sobre los establecimientos comerciales de los artículos 2 a 6 LOCM. • No pueden ejercer el comercio al por menor quienes la normativa especial de la actividad que desarrollan les exija dedicarse exclusivamente a la misma (art. 8.1 LOCM).	
Forma	✓ Los contratos de compraventa en el comercio minorista no están como regla general sometidos a formalidad alguna, salvo que el Código Civil, el Código de Comercio, la LOCM u otra ley especial así lo exija (art. 11.1 LOCM). ✓ Cuando la perfección del contrato no sea simultánea con la entrega del objeto o cuando el comprador tenga la facultad de desistir del contrato, el comerciante debe expedir factura, recibo u otro documento análogo en el que deberán constar los derechos o garantías especiales del comprador y la parte del precio que, en su caso, haya sido satisfecha (art. 11.2 LOCM). ✓ En todo caso, el comprador podrá exigir la entrega de un documento en el que, al menos, conste el objeto, el precio y la fecha del contrato (art. 11.3 LOCM).	
Contenido del contrato	*Derechos y obligaciones del vendedor*	✓ Es irreivindicable el dinero con que se verifique el pago en tiendas o almacenes abiertos al público (art. 86 C. Com.) y, salvo pacto en contrario, la venta se presume hecha al contado (art. 87 C. Com.). ✓ La oferta pública de artículos obliga a su titular a proceder a su venta a favor de los demandantes que cumplan las condiciones de adquisición, atendiendo, si se trata de exposición de artículos, al orden temporal de las solicitudes (art. 9.1 LOCM). ✓ Los comerciantes no pueden limitar la cantidad de artículos que pueden ser adquiridos por cada comprador, ni establecer precios más elevados, ni suprimir reducciones o incentivos para las compras que superen un determinado volumen (art. 9.2 LOCM).

Contenido del contrato (cont.)	*Derechos y obligaciones del vendedor (cont.)*	✓ Los precios de venta de los artículos son libremente determinados y ofertados con carácter general de acuerdo con lo dispuesto en la legislación de defensa de la libre y leal competencia, con las excepciones establecidas en leyes especiales (art. 13.1 LOCM). • Para cumplir con la sentencia del Tribunal de Justicia de la Unión Europea de 19 de octubre de 2017 (Tol 6384712), el Real Decreto Ley 20/2018 modificó el art. 14 LOCM: no hay ya una prohibición general de venta a pérdida, ni en el comercio minorista, ni en el mayorista (disp. adic. 6ª LOCM). • Han de ser los tribunales quienes determinen en cada caso la deslealtad de la venta a pérdida, si se da alguno de los supuestos de los arts. 17 LCD y 14 LOCM (por ejemplo, si la venta a pérdida puede inducir a error a los consumidores acerca del nivel de precios de otros productos del establecimiento). ✓ Las Comunidades Autónomas suelen disponer de normas que exigen a las personas físicas o jurídicas que comercializan bienes o presten servicios directamente a los consumidores y usuarios que tengan hojas oficiales de reclamación. Éstas se destinan a facilitar a aquellos que lo soliciten la formulación por escrito de su reclamación en el mismo establecimiento y, así, dejar constancia de este hecho y también posibilitar el acuerdo o solución al conflicto.
	Derechos y obligaciones del comprador	✓ En las ventas realizadas en almacenes y tiendas abiertas al público, todo comprador puede adquirir las mercancías que el vendedor tiene en su poder para la venta, con la plena seguridad de disfrutarlas tranquilamente, sin temor a que, una vez en poder de la cosa comprada, se vea molestado por reclamaciones de un tercero que pretenda tener la propiedad o algún derecho real sobre la misma (Exposición de motivos del Proyecto C. Com. 1882). El Código de Comercio cierra el paso a esta reivindicación, quedando a salvo el derecho del propietario a ejercer las acciones civiles y penales que correspondan frente al que las vendió indebidamente (art. 85 C. Com.). ✓ Cuando en el ejercicio de un derecho de desistimiento previamente reconocido, el comprador proceda a la devolución de un producto, no tiene obligación de indemnizar al vendedor por el desgaste o deterioro del mismo debido exclusivamente a su prueba para tomar una decisión sobre la adquisición. El vendedor no puede exigir anticipo de pago o prestación de garantías (art. 10 LOCM).

Garantías y servicios postventa	✓ Los arts. 114 a 127 TRLGDCU prevén una acción específica por falta de conformidad del bien existente o a fabricar o del contenido o servicio digital adquirido (art. 114), que prescribe a los 5 años (art. 124). Es incompatible con la acción por saneamiento del Código Civil, si bien cabe, si procede, pedir daños y perjuicios al empresario adicionalmente (art. 116).
	✓ El bien, contenido o servicio digital ha de ser conforme a los requisitos objetivos y subjetivos. La falta de conformidad, incluida la instalación incorrecta (art. 115, 115 bis y 115 ter TRLGDCU), permite, según los casos, exigir la sustitución o reparación (subsanación), la reducción proporcionada del precio e, incluso, la resolución del contrato de compraventa o suministro (arts. 118, 119, 119 bis, 119 ter, 126, 126 bis).
	✓ Las faltas de conformidad deben manifestarse en un plazo de 3 años desde la entrega del bien, o 2 años desde el suministro del contenido o servicio digital y en el caso de bienes de segunda mano se podrá pactar un plazo no inferior a 1 año (art. 120 TRLGDCU). El problema suele ser en este caso la diferente interpretación del origen del defecto: como originario del producto o como causado por el mal uso del consumidor. La Ley presume, salvo prueba en contrario, que las faltas de conformidad que se manifiesten en los 2 años siguientes a la entrega del producto ya existían cuando la cosa se entregó (art. 121 TRLGDCU).
	✓ La falta de conformidad del bien adquirido debe manifestarse en un plazo de 3 años desde la entrega; en 2 años si son contenidos o servicios digitales. Si son de segunda mano, cabe pactar período inferior, no menor a 1 año (art. 120 TRLGDCU). Se presume, salvo prueba en contrario, que el defecto existía, si se manifiesta en los 2 años siguientes a la entrega (art. 121).
	✓ Cuando al consumidor o usuario le resulte imposible o le suponga una carga excesiva dirigirse al empresario por la falta de conformidad, podrá reclamar directamente al productor con el fin de conseguir que el bien o el contenido o servicio digital sea puesto en conformidad. El productor responde en los mismos términos que el empresario cuando la falta de conformidad se refiera al origen, identidad o idoneidad de los productos (art. 125 TRLGDCU).
	✓ El productor que ofrezca una garantía comercial de durabilidad con respecto a determinados bienes por un período de tiempo determinado responde directamente frente al consumidor o usuario, durante todo el período de la garantía comercial de durabilidad, de la reparación o sustitución. Cabe ofrecer incluso condiciones más favorables a las legales en la declaración de garantía comercial de durabilidad (art. 127.1 TRLGDCU).
	✓ El productor garantizará, en todo caso, la existencia de un adecuado servicio técnico, así como de repuestos durante el plazo mínimo de 10 años a partir de la fecha en que el bien deje de fabricarse (art. 127 bis TRLGDCU).

Actividades de promoción de ventas (cont.)	✓ Se entiende que existe venta en rebajas cuando los artículos objeto de la misma se ofertan, en el mismo establecimiento en el que se ejerce habitualmente la actividad comercial, a un precio inferior al fijado antes de dicha venta (art. 24.1 LOCM). En caso de rebaja, ha de constar el precio anterior también (art. 20 LOCM).
	✓ No cabe calificar como venta en rebajas la de aquellos productos no puestos a la venta en condiciones de precio ordinario con anterioridad, así como la de los productos deteriorados o adquiridos con objeto de ser vendidos a precio inferior al ordinario (art. 24.2 LOCM).
	✓ Las ventas en rebajas podrán tener lugar en los periodos estacionales de mayor interés comercial según el criterio de cada comerciante (art. 25.1 LOCM).
	✓ La duración de cada periodo de rebajas será decidida libremente por cada comerciante (art. 25.2 LOCM).
	✓ Queda prohibido ofertar, como rebajados, productos deteriorados (art. 26.2 LOCM).
	✓ Se consideran ventas en promoción o en ofertar aquellas no contempladas específicamente en otro de los capítulos del presente Título, que se realicen por precio inferior o en condiciones más favorables que las habituales, con el fin de potenciar la venta de ciertos productos o el desarrollo de uno o varios comercios o establecimientos (art. 27.1 LOCM).
	✓ La venta de saldos se refiere a productos cuyo valor de mercado aparezca manifiestamente disminuido a causa del deterioro, desperfecto, desuso u obsolescencia del mismo, y su venta debe anunciarse con esta denominación o "venta de restos" (art. 28 LOCM).
	✓ Las ventas en liquidación deben indicar la causa de ésta (art. 30.4 LOCM), que debe ser la decisión administrativa o judicial, la cesación total o parcial del comercio, el cambio en la orientación del negocio, cambio de local o realización de obras de importancia y cualquier otro supuesto de fuerza mayor que cause grave obstáculo al normal desarrollo de la actividad comercial (art. 30.1 LOCM).
	✓ Las ventas con obsequios de otro producto o servicio gratuito o precio reducido, o la participación en un sorteo, son válidas siempre y cuando no impliquen la obligación de adquirir determinados productos o servicios (art. 32 LOCM).
	• Queda prohibido ofrecer conjuntamente y como unidad de contratación dos o más clases de unidades de productos, salvo que exista una relación funcional entre los artículos ofertados, cuando la venta común sea una práctica comercial, cuando se puedan adquirir por separado y cuando se trate de lotes (art. 34 LOCM).
Venta directa del fabricante	✓ La oferta de venta directa del fabricante o mayorista es válida cuando realmente fabrique o realice sus ventas fundamentalmente a comerciantes minoristas y los precios ofertados sean los mismos que aplica a los mayoristas o minoristas (art. 35 LOCM).

Ventas especiales	✓ Se consideran ventas especiales, a efectos de la Ley de ordenación del comercio minorista, las ventas a distancia, las ventas ambulantes o no sedentarias, las ventas automáticas y las ventas en pública subasta (art. 36.1 LOCM). ✓ Las ventas de bienes muebles a plazos se regirán por su normativa específica (art 36.2 LOCM). La norma vigente es la Ley 28/1998, de 13 de julio, que regula la venta a plazos de bienes muebles (LVPBM), analizada en el capítulo dedicado a los contratos de financiación.
Venta automática	✓ Si las máquinas están instaladas en un local destinado al desarrollo de una empresa o actividad privada, los titulares de la misma responden solidariamente con el expendedor frente al comprador (art. 52 LOCM). ✓ Las reglas generales de perfeccionamiento del contrato mediante dispositivos automáticos están recogidas de forma uniforme en el Código de Comercio y el Código Civil (arts. 54 C. Com. y 1262 CC). Como, por ejemplo, las máquinas expendedoras de refrescos, tabaco, etc. Hay consentimiento desde que se manifiesta la aceptación.
Venta ambulante	✓ Corresponde a los ayuntamientos otorgar las autorizaciones para el ejercicio de la venta ambulante en sus respectivos términos municipales (art. 54 LOCM).
Ventas en pública subasta	✓ La celebración de una pública subasta consiste en ofertar, pública e irrevocablemente, la venta de un bien a favor de quien ofrezca, mediante el sistema de pujas y dentro del plazo concedido al efecto, el precio más alto por encima de un mínimo, ya se fije éste inicialmente o mediante ofertas descendentes realizadas en el curso del propio acto (art. 56 LOCM). ✓ La adquisición de bienes muebles mediante pública subasta determina su irreivindicabilidad (arts. 61 LOCM y 85 C. Com.). ✓ Las subastas de títulos, las subastas judiciales y administrativas se rigen por su normativa específica.
Ventas en ferias y mercados	✓ Las ferias y mercados son reuniones públicas en donde los comerciantes pueden dar salida a sus mercancías y los consumidores encontrar lo que busquen, como una alternativa a los comercios sedentarios. ✓ Los contratos de compraventa celebrados en ferias pueden ser al contado o a plazos; los primeros habrán de cumplirse el mismo día de su celebración, o a lo más, en las 24 horas siguientes. Pasadas éstas sin que ninguno de los contratantes haya reclamado el cumplimiento, se considerarán nulos, y los gajes, señal o arras que mediaren quedarán a favor del que los hubiese recibido (art. 83 C. Com.).

Contratos a distancia y contratos fuera del establecimiento mercantil	✓ La "venta a distancia" está incluida entre las ventas especiales de la Ley de ordenación del comercio minorista (art. 38), cuya redacción original ofrecía algunas normas al respecto (ahora derogadas, arts. 39 a 48) y que, actualmente, se encuentran en el texto refundido que aprueba la Ley general de consumidores y usuarios.
	✓ Igualmente, la derogada Ley 26/1991, de 21 de noviembre, de contratos celebrados fuera de establecimientos mercantiles (por consumidores y usuarios) ha dado paso a una regulación vigente en el texto refundido de la Ley general de consumidores y usuarios.
	✓ Los arts. 92 a 113 TRLGDCU se agrupan bajo el título III denominado "contratos celebrados a distancia y contratos celebrados fuera del establecimiento mercantil
	✓ Los "contratos a distancia" (o, en una expresión más antigua y confusa, "contratos entre ausentes") son aquellos celebrados sin la presencia física simultánea de los contratantes. Entre otras vías, el art. 92.1 TRLGDCU menciona el correo postal, Internet, el teléfono o el fax.
	✓ Las reglas generales de perfeccionamiento del contrato a distancia están recogidas de forma uniforme en el Código de Comercio y el Código Civil (arts. 54 C. Com. y 1262 CC):
	• Cuando se encuentran en lugares distintos el que hizo la oferta y el que la aceptó, hay consentimiento desde que el oferente conoce la aceptación, o desde que, habiéndosela remitido al aceptante, no pueda ignorarla sin faltar a la buena fe.
	• El contrato, en tal caso, se presume celebrado en el lugar en que se hizo la oferta.
	• El consumidor y usuario tiene derecho a la información precontractual detallada en el art. 97 y, específicamente para los contratos en mercados en línea (art. 97 bis TRLGDCU), en vigor a partir del 28 mayo de 2022.
	• Tanto en los contratos a distancia, como en los celebrados fuera del establecimiento mercantil, el consumidor tiene derecho a recibir la información precontractual según los arts. 98.1 y 99.1 TRLGDCU (en vigor la nueva redacción desde el 28 de mayo de 2022), así como a la confirmación escrita del contrato en un soporte duradero (arts. 98.7 y 99.2 TRLGDCU).
	• En ningún caso la falta de respuesta a la oferta de contratación puede considerarse como aceptación (art. 101.1 TRLGDCU).

Contratos a distancia y contratos fuera del establecimiento mercantil (cont.)	• En la contratación a distancia y en la contratación fuera del establecimiento mercantil, se reconoce un derecho legal al consumidor a desistir del contrato (art. 98.4 TRLGDCU). Dispone de un plazo de 14 días naturales, sin indicar el motivo y sin coste alguno (art. 102.1 TRLGDCU). El desistimiento no se aplica en ciertos casos excluidos, como cuando si es una prestación de servicios, ésta ya ha comenzado, se trate de una compraventa de productos personalizados, de bienes o la prestación de servicios cuyo precio dependa de fluctuaciones del mercado financiero que el empresario no pueda controlar y que puedan producirse durante el periodo de desistimiento, entre muchos otros previstos en el art. 103 TRLGDCU. ✓ La Ley de comercialización a distancia de servicios financieros (LCDSF) regula de forma específica la comercialización a distancia de servicios financieros destinados a los consumidores. En caso de contratación a distancia, el derecho de desistimiento sobre servicios bancarios, de crédito o de pago, servicios de inversión en mercados de valores, seguros privados, planes de pensiones, servicios de actividad de mediación de seguros y otros servicios financieros destinados a consumidores es también de un plazo de 14 días naturales, que alcanza los 30 días para los seguros de vida (art. 4 LCDSF). • Si el contrato es de préstamo o crédito y se celebra a distancia, las empresas deben tener a disposición de los consumidores las condiciones generales de la contratación que utilicen, en la página web, si disponen de ella, y en los establecimientos abiertos al público u oficinas en que prestan sus servicios (art. 4 Ley 2/2009). ✓ En las comunicaciones comerciales por correo electrónico u otros medios de comunicación electrónica y en la contratación a distancia de bienes o servicios por medios electrónicos, se aplicará además de lo dispuesto en el TRLGDCU, la normativa específica sobre servicios de la sociedad de la información y comercio electrónico, que será preferente en caso de contradicción. ✓ Según ejemplifica la Exposición de motivos de la LSSICE, estos servicios son los siguientes: • La contratación de bienes por vía electrónica. • El suministro de información por dicho medio (por ejemplo, periódicos en Internet). • Las actividades de intermediación relativas a la provisión de acceso a Internet, transmisión de datos por redes de telecomunicaciones, alojamiento en propios servidores de información, servicios o aplicaciones facilitados por otros, provisión de instrumentos de búsqueda o enlace a otros sitios de Internet. • Cualquier otro servicio que se preste a petición individual de los usuarios (por ejemplo, descarga de archivos de video o audio, etc.).

Contratos a distancia y contratos fuera del establecimiento mercantil (cont.)	✓ Los prestadores de servicios de la sociedad de la información no están sujetos a autorización administrativa previa. Esta libre prestación de servicios de la sociedad de la información se extiende a los prestadores establecidos en España, definido como el lugar desde el que se dirige y gestiona la actividad económica, así como a aquellos establecidos en la Unión Europea. Si están establecidos en terceros países, depende de los acuerdos internacionales que resulten de aplicación (arts. 6 y 7 LSSICE).
	✓ En caso de que un determinado servicio de la sociedad de la información atente o pueda atentar contra la salvaguarda del orden público, la investigación penal, la seguridad pública, la defensa nacional, el respeto a la dignidad de la persona, al principio de no discriminación y otros principios mencionados en la LSSICE, los órganos competentes para su protección podrán adoptar las medidas para que se interrumpa la prestación del servicio o para retirar los datos que los vulneran. En algunos casos, sólo puede actuar la autoridad judicial. Si los prestadores están establecidos en otro país de la Unión Europea, se seguirá un protocolo de cooperación intracomunitaria (art. 8 LSSICE).
	✓ El prestador de servicios está obligado a facilitar de forma fácil, directa, gratuita y permanente sus datos de identificación (art. 10 LSSICE).
	✓ El proveedor/prestador de servicios de intermediación debe, específicamente, colaborar con las autoridades (art. 11 LSSICE), informar a los usuarios sobre las técnicas para mejorar la seguridad de la información (art. 12 bis) y, si almacena datos, a petición del usuario, suministrarle el contenido de los mismos (art. 12 ter).
	✓ Está sujeto a la responsabilidad civil, penal y administrativa establecida con carácter general en el ordenamiento jurídico y, por razón especial del tipo de servicio prestado, en la propia LSSICE (arts. 13 a 17 LSSICE).
	✓ Las comunicaciones comerciales realizadas por vía electrónica deberán ser claramente identificables como tales, y la persona física o jurídica en nombre de la cual se realizan también deberá ser claramente identificable (art. 20 LSSICE).
	✓ Están prohibidas las comunicaciones comerciales no solicitadas por correo electrónico, salvo que haya una relación contractual previa (art. 21 LSSICE).
	✓ El destinatario podrá revocar en cualquier momento el consentimiento prestado a la recepción de comunicaciones comerciales con la simple notificación de su voluntad al remitente (art. 22 LSSICE).
	✓ Los contratos celebrados por vía electrónica son válidos y producen todos los efectos previstos en el ordenamiento jurídico (art. 23 LSSICE).
	✓ El soporte electrónico en que conste un contrato celebrado por vía electrónica será admisible en juicio como prueba documental (art. 24 LSSICE).

Contratos a distancia y contratos fuera del establecimiento mercantil (cont.)	✓ El prestador asume ciertas obligaciones previas a la contratación en materia de información (art. 27 LSSICE). ✓ El prestador también asume obligaciones de información posterior a la celebración del contrato, en concreto, mediante una confirmación o un acuse de recibo enviado por correo electrónico o medio equivalente al cliente (art. 28 LSSICE). ✓ En los contratos electrónicos, si una parte es consumidora, el contrato se presume celebrado en el lugar en que éste tenga su residencia habitual (art. 29 LSSICE). ✓ Los contratos electrónicos entre empresarios o profesionales, en defecto de pacto entre las partes, se presumen celebrados en el lugar en que esté establecido el prestador de servicios de la sociedad de la información (art. 29 LSSICE).

4. CONTRATACIÓN MERCANTIL INTERNACIONAL

Régimen jurídico	✓ Los contratos mercantiles "internacionales" son aquellos en que concurren uno o más elementos de extranjería. Es habitual que estos elementos sean la nacionalidad o domicilio de los contratantes, el lugar de conclusión del contrato, los lugares de ejecución del mismo, etc. ✓ No existe una normativa internacional o comunitaria aplicable a todos los contratos mercantiles, sino sólo algunos tratados internacionales y normas europeas que pueden resultar de aplicación a determinados contratos en especial. Por ejemplo, son muy numerosos los tratados internacionales en materia de transportes y de propiedad industrial. En cambio, las normas sobre contratos bancarios, seguros y de colaboración comercial son nacionales y, en algunos casos, comunitarias. ✓ Los tratados internacionales pueden tener carácter imperativo, como en materia de transportes para proteger a los usuarios; o ser de naturaleza dispositiva, como en la compraventa internacional de mercaderías, que sitúa la autonomía de la voluntad de los contratantes en una situación preferente; o bien alternar normas imperativas y dispositivas. ✓ Los contratos mercantiles internacionales disponen de una especialidad complementaria como es la llamada *lex mercatoria*, integrada por los formularios-tipo comúnmente más utilizados en ciertos contratos internacionales y los principios y reglas de interpretación creados por los operadores del tráfico y organismos públicos y privados para su empleo en el tráfico mercantil. La *lex mercatoria* no son leyes en sentido estricto, pero alguna de sus manifestaciones (como los *Incoterms* o algunas cláusulas-tipo de ciertos contratos) pueden considerarse como un uso del comercio internacional al resultar acreditada su difusión y aceptación en el tráfico internacional. Pueden citarse los siguientes:

Régimen jurídico (cont.)	• Los formularios-tipo del comercio marítimo internacional son esquemas contractuales predispuestos por el empresario o asociaciones de empresarios como la BIMCO para facilitar la contratación de futuros negocios. Las partes son libres de modificar las cláusulas predispuestas de un singular formulario-tipo, borrarlas o añadir estipulaciones *ad hoc* que se acomoden mejor a sus intereses. Un concreto formulario-tipo agiliza la negociación, pero la fuente de obligaciones y derechos es el contrato consentido por las partes. Sin embargo, la reiteración constante de determinadas cláusulas en el mismo contrato, en ciertos casos, puede dar lugar a la creación de un uso del comercio internacional. Algunos de los principales formularios-tipo son tratados en el capítulo relativo al comercio marítimo. • En el comercio aéreo, destaca la labor de la IATA, como asociación patronal de compañías aéreas, en muchos aspectos, entre ellos, la creación de documentos, formularios que son seguidos y aplicados por sus asociados en la actividad mercantil de transporte aéreo de personas y de mercancías. • Las "Reglas internacionales para la interpretación de los términos comerciales" (*Incoterms*), redactadas por la Cámara de Comercio Internacional en 1936, con ediciones revisadas posteriormente, ofrecen el significado de los términos comerciales que dan seguridad jurídica y agilizan la compraventa internacional de mercancías (por ejemplo, *Free on Board, Cost and Freight,* etc.). Se analizan en el capítulo sobre la compraventa mercantil. • También deben destacarse las "Reglas y Usos uniformes sobre créditos documentarios", también de la Cámara de Comercio Internacional, estudiadas en el capítulo sobre los contratos de financiación. • Los citados principios sobre los contratos comerciales internacionales elaborados en el marco del Instituto para la Unificación del Derecho Privado (UNIDROIT), de 1994, con una versión más moderna de 2010, pueden ser aplicables por remisión de los contratantes.
Derecho nacional aplicable al contrato	✓ Las normas y principios vigentes en un ordenamiento jurídico estatal concreto resultan de aplicación a los contratos mercantiles internacionales por voluntad de las partes con la cláusula de ley aplicable o por disposición de las normas de conflicto del derecho internacional privado del tribunal que conozca del asunto. ✓ La libertad de elegir la ley nacional del contrato está reconocida expresamente en las normas del derecho internacional privado español: "se aplicará a las obligaciones contractuales la ley a la que las partes se hayan sometido expresamente, siempre que tenga alguna conexión con el negocio de que se trate; en su defecto, la ley nacional común; a falta de ella, la de la residencia habitual común; y en, último término, la ley del lugar de celebración del contrato" y "no obstante (…), a falta de sometimiento expreso (…), en la compraventa de muebles corporales en establecimientos mercantiles, la ley del lugar en que estos radiquen" (art. 10.5 CC).

Derecho nacional aplicable al contrato (cont.)	✓ Este régimen previsto en el Código Civil continúa en vigor. Sin embargo, las normas de conflicto de más frecuente aplicación se hallan en el Reglamento (CE) n. 593/2008, de 17 de junio, sobre la ley aplicable a las obligaciones contractuales (Roma I). Sustituye también en los Estados miembros al Convenio de Roma sobre la ley aplicable a las obligaciones contractuales de 1980 (art. 24 Roma I). • El Reglamento Roma I tiene carácter universal, pues la ley nacional que resulte designada en virtud de Roma I se aplica aunque no sea la de un Estado miembro de la Unión Europea (art. 2). • El contrato se regirá por la ley elegida por las partes (art. 3 Roma I). • A falta de elección, la ley aplicable se determina, específicamente, según el tipo de contrato que sea (compraventa de mercaderías, prestación de servicios, franquicia, distribución, etc.) (art. 4.1) Roma I). • Si con arreglo a estos criterios, no es posible determinar la ley aplicable, será aquella con la que el contrato tenga vínculos más estrechos (art. 4.4 Roma I). • Roma I dispone de normas particulares para determinar la ley nacional aplicable a los contratos de transporte (art. 5 Roma I), los contratos de consumo (art. 6) y los contratos de seguro (art. 7).
Jurisdicción nacional competente	✓ Bajo la rúbrica de "cláusula de jurisdicción", generalmente vinculada a la de ley aplicable (por ejemplo, "tribunales franceses" resolverán conforme al "derecho francés"), las partes del contrato de comercio internacional identifican la jurisdicción o tribunal nacional específico al cual atribuyen competencia para conocer de los litigios contractuales que pudieran plantearse. Este pacto persigue una doble finalidad vinculada a la seguridad jurídica: • Excluir la competencia de otras jurisdicciones nacionales sobre tales asuntos. • Identificar la jurisdicción o tribunal nacional competente. ✓ Frente al anterior "imperialismo jurisdiccional", en la actualidad, en paralelo al Derecho positivo, la jurisprudencia moderna del Tribunal Supremo es favorable a admitir la validez de las cláusulas contractuales de sumisión a tribunales jurisdiccionales extranjeros y a la ejecución en España de las sentencias así emitidas. En todo caso, la validez del pacto se condiciona al cumplimiento de dos requisitos: • Disponibilidad sobre la materia, porque no exista una norma imperativa en una ley o tratado que imponga unos foros específicos, por ejemplo, en el transporte internacional por avión. • Garantía de conocimiento de la sumisión a tribunales extranjeros por parte de todos los contratantes [SSTS 28-1-1998 *(Tol 52527)*; 30-4-1991 *(Tol 12065)*; 10-7-1990 *(Tol 23195)*, entre otras].

Jurisdicción nacional competente (cont.)	✓ En contrario, el Tribunal Supremo también ha afirmado la obligación de cumplir la cláusula de ley aplicable y jurisdicción a favor de los tribunales españoles incluida en un contrato, responsabilizando a quien incumple y demanda en otro foro de los gastos incurridos por la otra parte en dicho foro incompetente [STS 12-1-2009 *(Tol 1448813)*]. ✓ Las STJCE 16-3-1999 (Tol 24045) y la STJUE 20-4-2016 (Tol 5690333) consideran que la inserción de una cláusula atributiva de competencia jurisdiccional, respectivamente, en un conocimiento de embarque marítimo o en el folleto de emisión de bonos, puede ser considerada una forma admitida por un uso del comercio internacional, que permite presumir el consentimiento de las partes a esta cláusula de jurisdicción.
Arbitraje comercial y de inversiones	✓ En los contratos mercantiles suelen ser muy comunes las cláusulas de sumisión a arbitraje. Normalmente, se remite a un organismo arbitral (como la Corte de Arbitraje de la Cámara de Comercio Internacional, el Tribunal Arbitral de Barcelona, etc.) para que administre el arbitraje, facilitando el nombramiento de un árbitro o de un colegio arbitral (normalmente son 3 árbitros). Otra opción, menos común, es un arbitraje *ad hoc*, no institucional. ✓ Las ventajas de la sumisión de las controversias en los contratos mercantiles internacionales al arbitraje de un tercero que no sea un juez o tribunal integrado en el poder jurisdiccional de un Estado son, entre otras, las siguientes: • La presumible rapidez del procedimiento arbitral respecto al que tiene lugar ante los tribunales ordinarios. • La confidencialidad en su desarrollo y resultado. • La resolución de controversias por un árbitro o árbitros expertos en el contrato y designados de común acuerdo por las partes. • El limitado régimen de recursos que puede interponerse frente al laudo arbitral, pues normalmente sólo cabe la acción judicial de nulidad sobre todo por cuestiones formales, y no un recurso de apelación, por el cual el tribunal judicial valore toda la prueba y resuelva sobre el fondo del asunto. • El deseo de evitar litigios ante jurisdicciones nacionales ajenas a ámbitos de establecimiento y actuación de las partes. • La desconfianza del contratante en el procedimiento judicial seguido ante los tribunales nacionales de la otra parte. ✓ La sumisión a arbitraje se ha visto favorecida por la paulatina eficacia mundial de la Convención de Nueva York sobre reconocimiento y ejecución de sentencias arbitrales extranjeras de 1958. Por ejemplo, la jurisprudencia tradicional del Tribunal Supremo consideraba la ejecución de laudos arbitrales extranjeros en España como contraria al orden público español. Con la entrada en vigor de la citada Convención el 10 de agosto de 1977 resultó preceptivo el cambio de opinión jurisprudencial. Así, véase Auto del Tribunal Supremo de 11-2-1981 *(Tol 5023849)*, sobre un contrato de fletamento internacional de un buque de carga para un viaje específico y, confirmando esta línea, las SSTS 13-11-2001 *(Tol 439930)*; 17-2-1998 *(Tol 439561)*; 17-1-1998 *(Tol 208853)*, entre otras.

Arbitraje comercial y de inversiones (cont.)	✓ Los tratados bilaterales entre Estados suelen prever una cláusula por la cual el Estado receptor de una inversión extranjera se someterá a un "arbitraje de inversiones" si hay algún conflicto con el inversor extranjero. Éste puede incluso quedar dispensado de acudir a los tribunales del Estado receptor. El liderazgo mundial de este tipo de arbitrajes lo mantiene el Centro Internacional de Arreglo de Diferencias de Inversiones (CIADI, ICSID, por sus siglas en inglés), con sede en Washington y creado mediante un tratado internacional ampliamente ratificado por los Estados.

Capítulo III

Los contratos de colaboración comercial

1. CONTRATO DE COMISIÓN

Concepto y distinción de figuras afines	✓ La comisión mercantil procede del tronco común del mandato civil, por el cual una persona se obliga a prestar algún servicio o encargo de otra (art. 1709 CC.).
	    • El mandato civil es gratuito si no se pacta otra cosa (art. 1711 CC). La comisión mercantil es retribuida salvo pacto en contrario (art. 277 C. Com.), es comerciante o agente mediador del comercio el comitente o el comisionista y tiene por objeto un acto u operación de comercio (art. 244 C. Com.)
	✓ El comisionista puede contratar en nombre ajeno o en su propio nombre con el tercero (art. 245 C. Com.).
	    • Cuando el comisionista contrate en nombre propio, no tendrá necesidad de declarar quién sea el comitente, y quedará obligado de un modo directo, como si el negocio fuese suyo, con las personas con quienes contrate, las cuales no tendrán acción contra el comitente, ni éste contra aquéllas, quedando a salvo siempre las que respectivamente correspondan al comitente y al comisionista entre sí (art. 246 C. Com.).
	    • Si el comisionista contrata en nombre del comitente, deberá manifestarlo, y si el contrato fuere por escrito, expresarlo en el mismo o en la antefirma, declarando el nombre, apellido y domicilio de dicho comitente. En este caso, el contrato y las acciones derivadas del mismo producirán su efecto entre el comitente y la persona o personas que contraten con el comisionista; pero quedará éste obligado con las personas con quienes contrató, mientras no pruebe la comisión, si el comitente la negare, sin perjuicio de la obligación y acciones respectivas entre el comitente y el comisionista (art. 247 C. Com.).
	✓ Para contratar en nombre ajeno, el comisionista debe estar debidamente autorizado por el comitente, por ejemplo, mediante un apoderamiento mercantil específico o en el propio contrato de comisión.

Concepto y distinción de figuras afines (cont.)	• El contrato celebrado a nombre de otro por quien no tenga su autorización o representación legal será nulo, a no ser que lo ratifique la persona a cuyo nombre se otorgue antes de ser revocado por la otra parte contratante (art. 1259 CC). • El apoderamiento mercantil es una declaración unilateral por parte del poderdante por la cual legitima al apoderado para actuar por su cuenta en el tráfico mercantil. Cuando el apoderado acepte expresamente cumplir con el encargo recibido, se trata propiamente de un contrato. El apoderamiento no tiene una forma especial requerida por Ley; puede realizarse verbalmente, por escrito o mediante declaración ante Notario. Sin embargo, deberá realizarse mediante documento público cuando el comerciante otorgue poderes generales que deban inscribirse en su hoja abierta en el Registro Mercantil (arts. 18 y 22 C. Com.). ✓ Determinados empresarios reciben la denominación de "agentes", pero cuando reciben encargos puntuales, su naturaleza jurídica más propia es la de comisionistas. Sólo si se obligan frente a su comitente de manera continuada y estable a cambio de una remuneración, se aplicará la Ley del contrato de agencia.
Régimen jurídico	✓ Según la naturaleza del encargo comercial, es de aplicación preferente la eventual normativa especial, por ejemplo, legislación bancaria, de seguros, de protección de consumidores, de propiedad industrial, de mercado de valores, de publicidad, etc. ✓ Los artículos 244 a 280 del Código de Comercio constituyen las disposiciones generales aplicables a todos los contratos de comisión mercantil. ✓ En lo no previsto en el contrato o en la legislación mercantil, son supletorias las normas generales sobre el mandato civil (arts. 1709-1739 CC y 2 y 50 C. Com.).
Sujetos	✓ El comitente • Puede ser un empresario que necesite contar con la asistencia de comisionistas no incluidos en la plantilla laboral y que le auxilian puntualmente a cambio de una retribución en operaciones de comercio. Por ejemplo, por tratarse de encargos sobre materias en las cuales el empresario prefiere contar con profesionales especializados (una agencia de publicidad, una empresa de organización de eventos) o porque no tiene otra opción pues determinadas operaciones se reservan a un cierto tipo de comisionistas (inversión en mercados de valores).

Sujetos (cont.)	• No obstante, la Ley no impone que el comitente ostente la condición de empresario o que, siéndolo, actúe en el ejercicio de la empresa a la hora de contratar al comisionista. Por ejemplo, un inversor privado en mercados de valores, el tomador de un seguro del hogar que contrata los servicios de un corredor de seguros o un particular que encarga un transporte con una agencia de viajes.
	✓ El comisionista
	  • La comisión que regula ampliamente el Código de Comercio es la de comercial de ventas, donde el encargo realizado al comisionista consiste en hallar clientes que deseen adquirir las mercancías del comitente.
	  • También se menciona la comisión de compras, donde el comisionista debe adquirir mercancías cuyo destinatario es su comitente.
	  • La comisión de expedición de transportes está también prevista expresamente en el Código de Comercio y consiste en un encargo realizado a un comisionista para que contrate en nombre del comitente a los transportistas necesarios para el envío de las mercancías (art. 275 C. Com.).
	✓ Las comisiones del Código de Comercio no es una lista cerrada, pues la comisión puede extenderse a cualquier otro acto u operación de comercio (art. 244 C. Com.). En función de las circunstancias de cada caso concreto, el mandatario operará como comisionista o como agente.
	✓ Las relaciones entre el principal y el comisionista se regirán por lo establecido en el contrato entre ellos y, en su defecto, por las normas reguladoras del contrato de agencia o de comisión mercantil, según se trate o no de una relación duradera.
	✓ La normativa mercantil regula o menciona un buen número de empresarios dedicados a asumir encargos de sus mandantes como comisionistas o agentes y, en su caso, asumir su representación frente a terceros.
	✓ Las entidades de crédito asumen entre sus funciones tipificadas las de realizar por cuenta de otras sociedades o personas toda clase de cobros o de pagos, y ejecutar cualquier otra operación por cuenta ajena (art. 175.8° C. Com.).
	✓ Para el correcto funcionamiento de los mercados y para proteger al inversor, éste no puede comprar o vender directamente en un mercado secundario oficial de valores. Requiere legalmente de la intermediación de una empresa de servicios de inversión que esté autorizadas para ejecutar órdenes de clientes o para negociar por cuenta propia o de una entidad de crédito, las cuales sean miembros del mercado respectivo (arts. 69 y 143 TRLMV).

Sujetos (cont.)	✓ Los agentes de la propiedad industrial ofrecen habitualmente sus servicios para aconsejar, asistir o representar a terceros para la obtención de las diversas modalidades de derechos de la propiedad industrial (arts. 175 y 176 LP), como marcas, patentes, etc.
	✓ Las agencias de publicidad son las personas físicas o jurídicas que se dedican profesionalmente y de manera organizada a crear, programar o ejecutar publicidad por cuenta de su anunciante (art. 8 LGP).
	✓ Las agencias de viajes ofrecen sus servicios de intermediación entre los usuarios de los transportes y los transportistas de personas. Asimismo, la agencia de viajes actúa como empresario minorista distinto del organizador que vende u oferta viajes combinados por un organizador (art. 151.1.h TRLGDCU).
	✓ Los agentes son las personas físicas o jurídicas que celebran un contrato de agencia con una aseguradora (agente exclusivo) o con varias aseguradoras (agente vinculado), comprometiéndose frente a éstas a realizar la actividad de distribución de seguro en su representación (arts. 140, 142, 143.1, 146 LDS).
	✓ Los operadores de banca-seguros son entidades de crédito, establecimientos financieros de crédito y, en su caso, y las sociedades mercantiles controladas o participadas por éstas que, cuando ejerzan la actividad como agentes de seguros utilizando sus redes de distribución (art. 135.4 LDS).
	✓ Los comisionistas que en concepto de tales han de remitir efectos a otro punto deberán contratar el transporte, cumpliendo las obligaciones que se imponen al cargador en las conducciones terrestres y marítimas. Pueden contratar el transporte en nombre propio o en el de su principal (art. 275 C. Com.).
	✓ Los agentes consignatarios de buques son las personas físicas o jurídicas que actúan en nombre y representación del naviero o del propietario del buque frente a las autoridades portuarias y otros interesados en el transporte marítimo de mercancías y personas (art. 259 TRLPEMM).
	✓ Por el contrato de gestión naval una persona se compromete, a cambio de una remuneración, a gestionar, por cuenta y en nombre del armador, todos o alguno de los aspectos implicados en la explotación del buque. Dichos aspectos pueden hacer referencia a la gestión comercial, náutica, laboral o aseguradora del buque (art. 314 LNM).
Forma	✓ El contrato de comisión es consensual, pues no exige ninguna forma especial para su perfeccionamiento. En aplicación de las disposiciones generales de los contratos de comercio, será válido con tal de que conste su existencia por alguno de los medios que el Derecho civil tenga establecidos (art. 51 C. Com.).
	✓ Como regla especial, se entenderá tácitamente aceptada la comisión siempre que el comisionista ejecute alguna gestión, en el desempeño del encargo que le hizo el comitente (art. 249 C. Com.).

Contenido del contrato	✓ Los contratos de comercio se ejecutarán y cumplirán de buena fe, según los términos en que fueron hechos y redactados, sin tergiversar con interpretaciones arbitrarias el sentido recto, propio y usual de las palabras dichas o escritas, ni restringir los efectos que naturalmente se deriven del modo con que los contratantes hubieren explicado su voluntad y contraído sus obligaciones (art. 57 C. Com.). ✓ El cumplimiento del contrato de comisión se sujeta a las siguientes normas del Código de Comercio que, salvo pacto en contrario, habrán de cumplir las partes.	
	Obligaciones y derechos del comitente	✓ Obligación de satisfacer el precio de la comisión pactada o usual al comisionista, salvo que se haya estipulado su carácter gratuito (art. 277 C. Com.). ✓ Obligación de satisfacer al contado, al comisionista, mediante cuenta justificada, el importe de todos sus gastos y desembolsos, con el interés legal desde el día en que los hubiere hecho hasta su total reintegro (art. 278 C. Com.). ✓ Derecho a revocar la comisión conferida al comisionista, en cualquier estado del negocio, poniéndolo en su noticia, pero quedando siempre obligado a las resultas de las gestiones practicadas antes de haberle hecho saber la revocación (art. 279 C. Com.).
	Obligaciones y derechos del comisionista	✓ En el caso de rehusar un comisionista el encargo que se le hiciere, el comisionista estará obligado a comunicarlo al comitente por el medio más rápido posible, debiendo confirmarlo, en todo caso, por el correo más próximo al día en que recibió la comisión (art. 248 C. Com.). Queda obligado por la aceptación del mandato y responde de los daños y perjuicios que, de no ejecutarlo, se ocasionen al mandante (art. 252 C. Com.) ✓ Si se pacta la provisión de fondos, no es obligatorio iniciar el encargo o continuarlo mientras el comitente no ponga a disposición del comisionista la suma necesaria al efecto (art. 250 C. Com.). ✓ Si se ha pactado la anticipación de fondos para el desempeño de la comisión, el comisionista está obligado a suplirlos (art. 251 C. Com.). ✓ Las mercancías y efectos a disposición del comisionista o de un almacén público están especialmente afectos al pago de los derechos de comisión, anticipaciones y gastos realizados por el comisionista. Por cuenta del producto de los mismos géneros deberá ser pagado el comisionista con preferencia a los demás acreedores del comitente (art. 276 C. Com.).

| Contenido del contrato (cont.) | Obligaciones y derechos del comisionista (cont.) | ✓ El comisionista que en el desempeño de su encargo se sujete a las instrucciones recibidas del comitente queda exento de toda responsabilidad para con él (art. 254 C. Com.).
 ✓ Obligación de rendir, con relación a sus libros, cuenta especificada y justificada de las cantidades que percibió para la comisión (arts. 257 y 263 C. Com.).
 ✓ Obligación de responder de la custodia de los efectos y mercaderías que reciba (arts. 265 y 266 C. Com.).
 ✓ Prohibición al comisionista de proceder contra disposición expresa del comitente, con malicia o abandono (art. 256 C. Com.), desviando fondos para fines distintos (art. 264), con omisión o demora en la cobranza de los créditos de su comitente (art. 273 C. Com.) o comprando a precios o condiciones más onerosas que las corrientes en la plaza a la fecha en que se hizo (art. 258 C. Com.).
 ✓ Obligación de defender los intereses del comitente, cuidando del negocio como si fuese propio (art. 255 C. Com.) y actuando conforme a las leyes y reglamentos respecto a la negociación que se le haya confiado (art. 259 C. Com.).
 ✓ Obligación de comunicar frecuentemente al comitente las noticias que interesen al buen éxito de la negociación, participándole, por el correo del mismo día, o del siguiente, en que hubieren tenido lugar, los contratos que hubiere celebrado (art. 260 C. Com.).
 ✓ Prohibición de delegar los encargos que reciba sin previo consentimiento del comitente, a no estar de antemano autorizado para hacer la delegación; pero podrá, bajo su responsabilidad, emplear sus dependientes en aquellas operaciones subalternas que, según la costumbre general del comercio, se confían a éstos (art. 261 C. Com.).
 ✓ Prohibición de la llamada "autoentrada", esto es, ningún comisionista comprará para sí ni para otro lo que se le haya mandado vender, ni venderá lo que se le haya encargado comprar, sin licencia del comitente (art. 267 C. Com.).
 ✓ Prohibición de tener efectos de una misma especie pertenecientes a distintos dueños, bajo una misma marca, sin distinguirlos por una contramarca que evite confusión y designe la propiedad respectiva de cada comitente (art. 268 C. Com.).
 ✓ Sin autorización del comitente, el comisionista no puede prestar ni vender al fiado o a plazos (art. 270 C. Com.). |

Contenido del contrato (cont.)	*Obligaciones y derechos del comisionista* (cont.)	✓ Si el comisionista percibiere sobre una venta además de la comisión ordinaria, otra, llamada de garantía, correrán de su cuenta los riesgos de la cobranza, quedando obligado a satisfacer al comitente el producto de la venta en los mismos plazos pactados por el comprador (art. 272 C. Com.).
Extinción del contrato		✓ Además de las reglas generales de extinción de los contratos en general, por muerte del comisionista o su inhabilitación se rescindirá el contrato; pero por muerte o inhabilitación del comitente no se rescindirá, aunque pueden revocarlo sus representantes (art. 280 C. Com.).

2. CONTRATO DE CORRETAJE O MEDIACIÓN

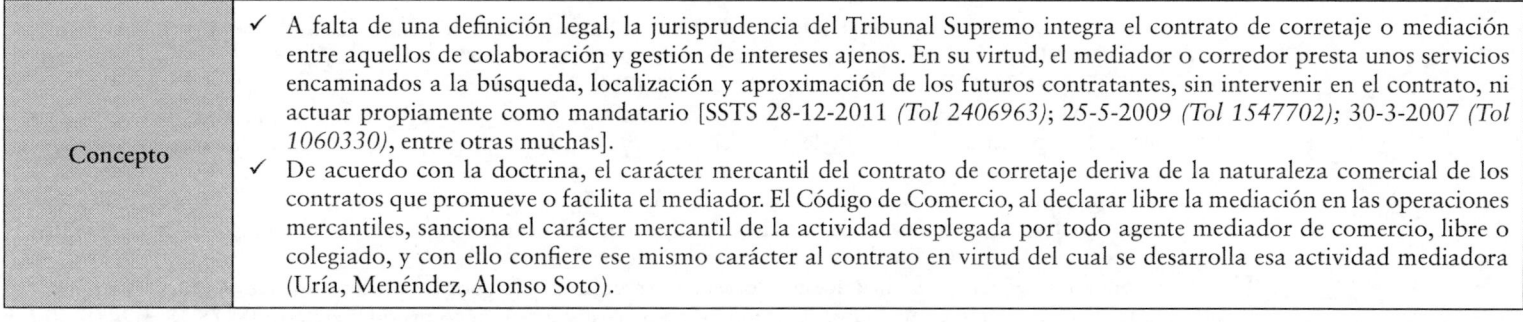

Concepto	✓ A falta de una definición legal, la jurisprudencia del Tribunal Supremo integra el contrato de corretaje o mediación entre aquellos de colaboración y gestión de intereses ajenos. En su virtud, el mediador o corredor presta unos servicios encaminados a la búsqueda, localización y aproximación de los futuros contratantes, sin intervenir en el contrato, ni actuar propiamente como mandatario [SSTS 28-12-2011 *(Tol 2406963)*; 25-5-2009 *(Tol 1547702)*; 30-3-2007 *(Tol 1060330)*, entre otras muchas]. ✓ De acuerdo con la doctrina, el carácter mercantil del contrato de corretaje deriva de la naturaleza comercial de los contratos que promueve o facilita el mediador. El Código de Comercio, al declarar libre la mediación en las operaciones mercantiles, sanciona el carácter mercantil de la actividad desplegada por todo agente mediador de comercio, libre o colegiado, y con ello confiere ese mismo carácter al contrato en virtud del cual se desarrolla esa actividad mediadora (Uría, Menéndez, Alonso Soto).

Distinción de figuras afines	✓ Las diferencias entre el mediador, el comisionista y el agente comercial pueden ser tenues, pues un mismo empresario dedicado a la gestión de intereses ajenos puede encajar en cualquiera de estas figuras atendiendo a los términos del contrato. No obstante, la distinción de figuras afines es esencial, pues afecta al régimen jurídico aplicable al contrato. • El comisionista puede desempeñar la comisión "contratando" en nombre propio o en el de su comitente (art. 245 C. Com.), mientras que la actividad de mediación consiste, ante todo, en "poner en relación" a los compradores y vendedores, facilitando la contratación (Exposición de motivos del Proyecto de Código de Comercio). • El agente comercial se obliga de "manera continuada y estable" a promover actos u operaciones de comercio por cuenta ajena, pero también a promoverlos y "concluirlos en nombre de su principal cuando tenga atribuida esta facultad" (arts. 1 y 6 LCA). En cambio, el corredor recibe uno o varios encargos puntuales, pero no hay un contrato de duración. Además, su principal no le atribuye la representación para celebrar el contrato en su nombre con terceros. • El corredor puede realizar el trabajo de mediación por encargo de uno o ambas partes (de ahí que sea frecuente la doble comisión a su favor), mientras que el comisionista y el agente actúan en interés exclusivo de su principal.
Régimen jurídico	✓ El contrato de mediación o corretaje es atípico. El Tribunal Supremo mantiene que debe atenderse, principalmente, a la autoría negocial como criterio preferente de interpretación y, en su caso, a los usos y costumbres que resulten de aplicación [SSTS 24-2-2017 *(Tol 59796259)*; y, 21-1-2015 *(Tol 4719812)*]. ✓ El contrato también debe integrarse por la eventual normativa especial que pueda resultar aplicable (si existe). Por ejemplo, legislación bancaria, de seguros, de protección de consumidores, de propiedad industrial, de mercado de valores, de publicidad, etc. ✓ Cuando la mediación sea mercantil, son de aplicación supletoria las disposiciones generales de los contratos de comercio y, en su defecto, por remisión del artículo 50 C. Com., las normas generales de las obligaciones y contratos comprendidos en los Títulos I y II del Libro Cuarto del Código Civil. ✓ El Tribunal Supremo señala que la mediación o corretaje se regula también por los preceptos correspondientes a figuras análogas (art. 4.1 CC), como el mandato, el arrendamiento de servicios o la comisión mercantil [SSTS 18-3-2010 *(Tol 1808712)*; 25-5-2009 *(Tol 1547702)*; 30-3-2007 *(Tol 1060330)*, entre otras muchas]. ✓ En cambio, en STS 30-7-2014 *(Tol 4513779)* ha descartado expresamente la aplicación de la Ley del contrato de agencia al corretaje inmobiliario, pues aunque el contrato se denominaba "agencia en exclusiva" no tenía las condiciones de permanencia y estabilidad propias del agente.

Sujetos	✓ El mandante • Puede ser cualquier persona física o jurídica, español o extranjero, comerciante o no, que necesite contar con los servicios profesionales de un corredor o mediador. • Tratándose de encargos comerciales, el mandante será normalmente un empresario que encomienda a otro la promoción de una o varias operaciones comerciales por cuenta ajena. • El mandante también puede ser un particular que solicita los servicios de mediación de un corredor de seguros, de una entidad de crédito, de un agente de la propiedad industrial, de una empresa de servicios de inversión, de una agencia de viajes y otros empresarios dedicados, entre otras funciones, a la mediación en las operaciones comerciales. ✓ El corredor o mediador • El Código de Comercio regula especialmente la figura de los agentes mediadores de comercio libres y colegiados (arts. 88 a 105 C. Com.). • La dedicación con carácter profesional a la mediación en operaciones mercantiles requiere la capacidad general para ejercer el comercio (Exposición de Motivos del Proyecto de Código de Comercio), sin perjuicio de que, por razón del tipo de actividad, sean necesarias ciertas autorizaciones administrativas para ejercer la actividad, como en el caso de las entidades de crédito, corredores de seguros, agencias de viajes o empresas de servicios de inversión, entre otras. • El corredor puede ser también un agente comercial al que el mandante no ha reconocido poder para intervenir en su nombre en la contratación (art. 6 LCA). • Antes de su integración en el Cuerpo único de Notarios por Ley 15/1999, de 29 de diciembre, los "Corredores de Comercio colegiados" desarrollaban de forma independiente un oficio público creado por el Estado en beneficio de los intereses comerciales. Mediante estos funcionarios dotados de fe pública, peritos en la industria mercantil, daban validez y autenticidad a las diversas operaciones mercantiles en las que mediaban. Ahora estas funciones las desarrollan como Notarios.
Forma	✓ El contrato de mediación o corretaje no exige ninguna forma especial para su perfeccionamiento, por lo que en aplicación de las disposiciones generales de los contratos de comercio, será válido con tal de que conste su existencia por alguno de los medios que el Derecho civil tenga establecidos (art. 51 C. Com.).

		✓ Los contratos de comercio se ejecutarán y cumplirán de buena fe, según los términos en que fueron hechos y redactados, sin tergiversar con interpretaciones arbitrarias el sentido recto, propio y usual de las palabras dichas o escritas, ni restringir los efectos que naturalmente se deriven del modo con que los contratantes hubieren explicado su voluntad y contraído sus obligaciones (art. 57 C. Com.). Pueden destacarse algunos de los principales derechos y obligaciones de las partes:
Contenido del contrato	*Obligaciones y derechos del mandante*	✓ Obligación de satisfacer el importe del corretaje. ✓ El Tribunal Supremo ha señalado que las vicisitudes contractuales acaecidas después de perfeccionado el contrato, incluidas las modificaciones del mismo, no empecen el derecho del mediador al cobro de su comisión o precio. Por tanto, el corredor no responde del buen fin de la operación, salvo que así se haya pactado expresamente [SSTS 12-5-2016 *(Tol 5728086)*; 25-11-2011 *(Tol 2302404)*; 18-3-2010 *(Tol 1808712)*; 30-4-1998 *(Tol 52501)*, entre otras].
	Obligaciones y derechos del corredor	✓ El corredor tiene derecho a la comisión en los términos y condiciones fijados en el contrato de comisión, como que el contrato con el tercero llegue a celebrarse (por ejemplo, mediación inmobiliaria que produzca la venta del inmueble a un tercero) [SSTS 21-7-2021 *(Tol 8531283)* y 14-11-2012 *(Tol 2706352)*, entre otras]. ✓ Obligación de prestar servicios de asistencia, información, asesoramiento o difusión de los servicios ofertados por su mandante, así como de localización de terceros que puedan contratar con éste. ✓ Obligación de mediar entre el mandante y el tercero, centralizando la negociación o tratos preliminares y promoviendo entre ellos el perfeccionamiento del contrato. ✓ El contrato puede prever expresamente la obligación del corredor de guardar secreto de las operaciones en las que intermedie, lo cual en su defecto podría también deducirse de la buena fe exigible a los contratantes (art. 57 C. Com.). ✓ El corredor puede no limitarse a acercar a los contratantes, sino asumir la representación de su mandante durante las negociaciones e, incluso, consentir en la perfección del contrato por cuenta y en nombre de su mandante, en cuyo caso el corredor actúa como comisionista o, si existe una relación continuada, como agente. En estos casos, resultará de aplicación la normativa sobre comisión o agencia mercantil.

3. CONTRATO DE AGENCIA

Concepto	✓ Por el contrato de agencia, una persona natural o jurídica, denominada agente, se obliga frente a otra de manera continuada o estable a cambio de una remuneración, bien a promover actos u operaciones de comercio por cuenta ajena, o bien a promoverlos y concluirlos por cuenta y en nombre ajenos. En ambos casos, el agente actúa como intermediario independiente, y no asume salvo pacto en contrario el riesgo y ventura de tales operaciones (art. 1 LCA). ✓ Naturalmente, un empresario puede tener su "agente", comisionista o corredor de confianza, pero la sucesión de encargos puntuales no implica necesariamente un contrato de duración. El contrato de agencia debe pactarse bien por "tiempo" determinado, bien por "tiempo" indefinido (art. 23 LCA).
Distinción de figuras afines	✓ A la colaboración aislada y esporádica para contratar, característica del comisionista, se opone la colaboración estable o duradera propia del agente. ✓ El comisionista puede actuar en nombre propio frente al tercero (arts. 245 y 246 C. Com.), lo que no admite la LCA. ✓ Cuando el agente es un mero negociador, esto es, una persona dedicada a promover actos y operaciones de comercio, sin intervenir en la conclusión del contrato, presenta similitudes con el corredor o mediador. Un elemento diferenciador es el carácter aislado o puntual del corretaje, frente a la colaboración continuada del agente. ✓ La diferencia fundamental entre el representante o viajante de comercio y el agente comercial radica en la independencia o autonomía que falta en el primero (Exposición de motivos LCA). Se presume que hay dependencia si la persona no puede organizar su actividad profesional ni el tiempo dedicado a la misma conforme a sus criterios (art. 2 LCA). El representante está vinculado generalmente al empresario por un contrato laboral. En cambio, el carácter mercantil del contrato de agencia está fuera de toda duda (Exposición de motivos LCA). ✓ Bajo la apariencia de libre colaboración entre empresarios, el contrato de agencia comercial oculta en ocasiones relaciones de dependencia que bien podrían canalizarse a través de contratos de trabajo cuando el agente sea una persona física. De ahí que la LCA garantice una serie de derechos contractuales mínimos al agente para evitar los abusos sobre el mismo.

Régimen jurídico	✓ En defecto de ley que les sea expresamente aplicable (agencia de seguros, de consignación de buques, de publicidad, etc.), las distintas modalidades del contrato de agencia, cualquiera que sea su denominación, se regirán por lo dispuesto en la LCA, cuyos preceptos tienen carácter imperativo a no ser que en ellos se disponga expresamente otra cosa (art. 3.1 LCA). • Se establece así un derecho común aplicable a toda clase de agencias mercantiles (Exposición de motivos LCA), alguna de las cuales se comentan a continuación al tratar la figura del agente. ✓ La LCA no es de aplicación a los agentes que actúen en mercados secundarios oficiales o reglamentados de valores (art. 3.2 LCA). ✓ Con carácter supletorio, en lo no previsto ni en la LCA ni en el contrato, podría resultar analógicamente aplicable la normativa sobre el contrato de comisión del Código de Comercio si se aprecia que hay identidad de razón con el caso concreto (art. 4.1 CC).

Sujetos	✓ El empresario
	  • La persona por cuenta de la cual actúa el agente es denominada "empresario", a fin de evitar confusión con otras modalidades de colaboración (Exposición de motivos LCA).
	✓ El agente
	  • Es un empresario individual o social cuya actividad profesional es la intermediación.
	  • El acto u operación de comercio que el agente promueve puede estar dirigido a la circulación de mercancías o, más genéricamente, a la circulación de bienes muebles y aun de servicios (Exposición de motivos LCA).
	✓ Los agentes comerciales son las personas físicas o jurídicas inscritas en el Colegio de Agentes Comerciales.
	✓ En muchos sectores de la actividad económica (seguros, transportes, financiación, propiedad industrial, etc.), es frecuente la participación de personas que asumen la representación de su principal en la actividad mercantil y con las notas de permanencia y estabilidad propia del agente.

Forma	✓ El contrato de agencia mercantil es consensual y se perfecciona por el intercambio de consentimientos de las partes en obligarse (art. 51 C. Com.). ✓ No obstante, la LCA dispone de forma expresa que cada una de las partes podrá exigir de la otra, en cualquier momento, la formalización por escrito del contrato de agencia, en el que se harán constar las modificaciones que, en su caso, se hubieran introducido en el mismo (art. 22 LCA).

Forma (cont.)		✓ Dado el carácter imperativo de la LCA, la libertad contractual que típicamente preside la determinación del contenido de los contratos mercantiles está seriamente condicionada por el respeto a la Ley. Sin perjuicio de ampliar el contrato con otras cláusulas libremente estipuladas, se hace referencia aquí al contenido legal del contrato.
Contenido del contrato	*Obligaciones y derechos del empresario*	✓ Obligación de actuar lealmente y de buena fe en sus relaciones con el agente. En particular, el empresario debe (art. 10 LCA): • Poner a disposición del agente, con antelación suficiente y en cantidad apropiada, los muestrarios, catálogos, tarifas y demás documentos necesarios para el ejercicio de la actividad profesional. • Procurar al agente todas las informaciones necesarias para la ejecución del contrato y, especialmente, advertirle, desde que tenga noticia de ello, cuando prevea que el volumen de negocios va a ser sensiblemente inferior al que el agente hubiera podido esperar. • Satisfacer la remuneración pactada. • Comunicar al agente, dentro del plazo de 15 días, la aceptación o el rechazo del acto u operación en que ha participado el agente. • Comunicar al agente, dentro del plazo más breve posible, habida cuenta de la naturaleza de la operación, la información sobre la ejecución, ejecución parcial o falta de ejecución de las operaciones en las que ha intervenido. • El contrato puede prever que el agente haya de depositar una fianza a favor del empresario como garantía del cumplimiento de sus obligaciones y a la inversa, pero la LCA no lo exige.
	Obligaciones y derechos del agente	✓ El agente no garantiza el buen fin de las operaciones, ni la solvencia de los clientes con quienes promueve o concierta contratos, salvo pacto en contrario (art. 1 LCA). ✓ Obligación de realizar por sí mismo o por medio de sus dependientes, la promoción y, en su caso, la conclusión de los actos u operaciones de comercio encomendados (art. 5.1 LCA). ✓ Prohibición de actuar por medio de subagentes sin autorización expresa del empresario. Cuando el agente designe la persona del subagente responde de su gestión (art. 5.2 LCA). ✓ El agente está facultado para promover los actos u operaciones objeto del contrato de agencia, pero sólo podrá concluirlos en nombre del empresario cuando tenga atribuida esta facultad (art. 6 LCA). ✓ Salvo pacto en contrario, el agente puede desarrollar su actividad por cuenta de varios empresarios (art. 7 al inicio LCA).

Contenido del contrato (cont.)	*Obligaciones y derechos del agente* (cont.)	✓ Prohibición de ejercer por su propia cuenta o por cuenta de otro empresario una actividad profesional relacionada con bienes o servicios que sean de igual o análoga naturaleza y concurrentes o competitivos con aquéllos cuya contratación se hubiera obligado a promover, salvo que conste el consentimiento del empresario con quien ha celebrado el contrato de agencia (art. 7 LCA).
		✓ Derecho del agente a exigir en el acto de la entrega el reconocimiento de los bienes vendidos, así como a depositarlos judicialmente si el tercero rehusara o demorase sin justa causa el recibo (art. 8 LCA).
		✓ Obligación de actuar lealmente y de buena fe, velando por los intereses del empresario o empresarios por cuya cuenta actúe. En particular, el agente deberá (art. 9 LCA):
		  • Ocuparse con la diligencia de un ordenado comerciante de la promoción y, en su caso, de la conclusión, de los actos u operaciones que se le hubieran encomendado.
		  • Comunicar al empresario toda la información de la que disponga sobre los actos y contratos cuya promoción o, en su caso, conclusión, se le ha encomendado, y en particular, la relativa a la solvencia de los terceros con los que existan operaciones pendientes de conclusión o ejecución.
		  • Desarrollar su actividad con arreglo a las instrucciones razonables recibidas del empresario, siempre que no afecten a su independencia.
		  • Recibir en nombre del empresario cualquier clase de reclamaciones de tercero sobre defectos o vicios de calidad o cantidad de los bienes vendidos y de los servicios prestados.
		  • Llevar una contabilidad independiente de los actos u operaciones relativos a cada empresario por cuya cuenta actúe.
		✓ La agencia es un contrato con remuneración que puede consistir en una cantidad fija, en una comisión o en una combinación de los dos sistemas anteriores. En defecto de pacto, se fijará de acuerdo con los usos del comercio del lugar donde el agente desarrolle su actividad y, a falta de estos, percibirá una retribución razonable de acuerdo con las circunstancias (art. 11 LCA).
		✓ Derecho a pedir una relación de las comisiones devengadas por cada acto u operación y la exhibición de la contabilidad del principal para verificar lo relativo a las comisiones (art. 15 LCA).

| Contenido del contrato (cont.) | *Obligaciones y derechos del agente (cont.)* | ✓ Mediante acuerdo de las partes, pueden incluirse restricciones o limitación de las actividades profesionales del agente una vez extinguido el contrato, pero no podrá ser superior a 2 años; sólo podrá extenderse a la zona geográfica o a ésta y al grupo de personas confiados al agente; y, afectará solamente a la clase de bienes o de servicios objeto de actos u operaciones promovidos o concluidos por el agente (arts. 20-21 LCA).
 ✓ La Ley admite el derecho del agente a una indemnización por clientela y/o por daños y perjuicios, bajo determinadas condiciones y estableciendo varios supuestos de inexistencia (arts. 28-30 LCA). Desde el punto de vista judicial, estos preceptos son los más litigiosos de la presente ley.
 ✓ La indemnización de clientela procede cuando, habiéndose extinguido el contrato de agencia indefinido o por duración indeterminada (art. 28 LCA) si:
 • El agente hubiese aportado nuevos clientes al empresario o hubiese incrementado sensiblemente las operaciones con la clientela preexistente (el Tribunal Supremo indica que esta aportación ha de ser probada para que opere la indemnización por clientela) y;
 • Si la actividad anterior puede continuar produciendo ventajas sustanciales al empresario y resulta equitativamente procedente por la existencia de pactos de limitación de la competencia, por las comisiones que pierda o por las demás circunstancias que concurran.
 • Existe también en caso de que el contrato se extinga por muerte o declaración de fallecimiento del agente.
 • La indemnización por clientela no podrá exceder, en ningún caso, del importe medio anual de las remuneraciones percibidas por el agente durante los últimos cinco años o, durante todo el periodo de duración del contrato, si éste fuese inferior (art. 28.3 LCA).
 ✓ El Tribunal Supremo ha mantenido el carácter imperativo de esta indemnización, y la nulidad de los pactos en contrario de lo dispuesto legalmente [SSTS 14-10-2020 *(Tol 8165414)*, 30-10-2019 *(Tol 7569461)*, 13-1-2016 *(Tol 5619013)*, entre otras].
 ✓ La indemnización por daños y perjuicios es acumulable con la de clientela. Opera cuando el empresario denuncie unilateralmente el contrato de agencia por duración indefinida (art. 29 LCA).
 • Ha de indemnizar los daños y perjuicios que, en su caso, la extinción anticipada ocasione al agente. |

| Contenido del contrato (cont.) | Obligaciones y derechos del agente (cont.) | • Siempre que la extinción no permita que el agente amortice los gastos realizados.
✓ La indemnización por clientela y por daños y perjuicios no procede (art. 30 LCA):
• Si ha habido incumplimiento de las obligaciones legales o contractuales del agente [SSTS 20-12-2017 *(Tol 6463397)*; 26-3-2009 *(Tol 1485186)*; 13-3-2008 *(Tol 1351264)*; y 25-10-2006 *(Tol 1006902)*].
• Si el contrato ha sido denunciado por el agente salvo que sea por causas imputables al empresario o a la edad, invalidez o enfermedad del agente o no se le pueda razonablemente exigir la continuidad.
• Si el agente hubiese cedido, con consentimiento del empresario, sus derechos y obligaciones derivados del contrato de agencia a un tercero.
✓ Derecho a que las acciones derivadas del contrato de agencia sean resueltas por el juez del domicilio del agente, sin que quepa pacto en contrario (disp. adicional LCA). |
| Extinción del contrato | | ✓ El contrato de agencia puede estipularse por tiempo determinado o indefinido. Si no se ha pactado nada, se entiende que es indefinido (art. 23 LCA).
✓ El contrato de agencia por tiempo determinado se extingue al término pactado, pero si continúa siendo ejecutado por ambas partes después de transcurrido el plazo inicialmente previsto, se considera transformado en contrato de duración indefinida (art. 24 LCA).
✓ El contrato de agencia por duración indefinida se extingue por la denuncia unilateral de cualquiera de las partes mediante aviso por escrito, que varía según la duración del contrato y no será superior a 6 meses, salvo pacto específico de un plazo mayor (art. 25 LCA).
✓ Cada una de las partes de una agencia por tiempo determinado o indefinido puede dar por finalizado el contrato en cualquier momento, sin preaviso, si la otra parte hubiere incumplido, total o parcialmente, sus obligaciones legales o contractuales o si la otra parte es declarada en concurso (art. 27 LCA).
✓ El contrato de agencia se extingue por muerte o declaración de fallecimiento del agente. No se extinguirá por muerte o declaración de fallecimiento del empresario, aunque puedan denunciar el contrato sus sucesores en la empresa con el preaviso que proceda (art. 28 LCA). |

Prescripción de acciones	✓ La LCA dispone que la acción del agente para reclamar la indemnización por clientela o la indemnización de daños y perjuicios prescribe al año a contar desde la extinción del contrato (art. 31 LCA).
	✓ El resto de acciones derivadas del contrato de agencia se rige por las reglas establecidas en el Código de Comercio o en normativa especial.
	  • La responsabilidad de los agentes de Bolsa, corredores de comercio o intérpretes de buques, en las obligaciones que intervengan por razón de su oficio, prescribirá a los tres años (art. 945 C. Com.).
	  • La acción real contra la fianza de los agentes mediadores sólo durará seis meses, contados desde la fecha del recibo de los efectos públicos, valores de comercio o fondos que se les hubieren entregado para las negociaciones, salvo los casos de interrupción o suspensión expresados en el artículo 944 (art. 946 C. Com.).
	✓ Si se trata de acciones nacidas del contrato de agencia de distinta naturaleza (por ejemplo, reclamación del empresario contra el agente por daños y perjuicios), se aplica el plazo general de 5 años fijado en el Derecho civil para las acciones que no tengan un plazo específico (art. 1964 CC).

4. CONTRATOS DE CONCESIÓN O DISTRIBUCIÓN COMERCIAL

Concepto	✓ A falta de una definición legal, el contrato de concesión o distribución comercial puede definirse como aquel contrato de duración por el que un fabricante, importador o proveedor otorga a otro empresario independiente, llamado distribuidor o concesionario, el derecho a adquirir para reventa sus productos bajo determinadas condiciones estipuladas en el contrato y asumiendo el concesionario los beneficios y riesgos vinculados a la reventa o falta de reventa. ✓ En función de los términos del contrato, aparecen varias modalidades en la práctica comercial, dando lugar a figuras como el distribuidor oficial, el distribuidor autorizado, el concesionario exclusivo, entre otros.

Distinción de figuras afines	✓ A diferencia del agente, el concesionario o distribuidor adquiere en firme los bienes suministrados por el fabricante, importador o proveedor concedente; revende estos bienes a terceros en nombre propio y no en representación del concedente; obtiene su lucro con el margen comercial resultante de la reventa y no con una remuneración pagada por el concedente; y, asume el riesgo y ventura de las operaciones con los terceros. ✓ Respecto a la compraventa mercantil, la concesión o distribución implica una serie de compraventas mercantiles durante el periodo del contrato y no con carácter aislado. ✓ Respecto al contrato de suministro mercantil, la concesión suele fijar obligaciones y derechos adicionales relativos a las condiciones de la reventa a terceros, como pactos de exclusiva por zonas, condiciones para la reventa selectiva, precios recomendados, etc. ✓ Respecto al contrato de comisión, el concesionario o distribuidor contrata siempre en nombre propio con los terceros y no en representación del concedente y está vinculado con el concedente con un contrato de duración continuada.
Régimen jurídico	✓ El contrato de concesión o distribución comercial es atípico en el Derecho español, pero ampliamente difundido en el tráfico mercantil. ✓ El contrato de concesión o distribución comercial es contrario al Derecho de la defensa de la competencia si supone fijación de precios; limitación de la producción o distribución; o, reparto de mercado o aplicación de condiciones desiguales para prestaciones equivalentes que coloquen a unos competidores en situación desventajosa respecto de otros u otras conductas colusorias (art. 1 Ley de defensa de la competencia, LDC). Sin embargo, están exentos de prohibición los contratos de concesión que cumplan los requisitos de los reglamentos comunitarios: • Reglamento (UE) 330/2010, de 20 de abril, de aplicación del artículo 101, apartado 3, del TFUE, a determinadas categorías de acuerdos verticales y prácticas concertadas. • Reglamento (UE) 461/2010, de 27 de mayo, relativo a la aplicación del artículo 101, apartado 3, del TFUE, a determinadas categorías de acuerdos verticales y prácticas concertadas en el sector de los vehículos de motor. ✓ En lo no previsto en el contrato, pueden resultar analógicamente aplicables las normas sobre la comisión y la compraventa mercantil si, a la vista del caso concreto, presentan identidad de razón (art. 4.1 CC). ✓ El Tribunal Supremo opta por reconocer el derecho del concesionario a una indemnización por clientela ganada gracias a su esfuerzo empresarial, y de la que pueda aprovecharse el concedente tras la extinción del contrato [SSTS 18-12-2019 *(Tol 7658780)*; 23-6-2010 *(Tol 1897147)*; 15-1-2008 *(Tol 1292786)*; 26-3-2008 *(Tol 1366379)*, entre otras].

Régimen jurídico (cont.)	• En todo caso, no cabe una aplicación mimética o automática del régimen jurídico del contrato de agencia al contrato de distribución [SSTS 1-3-2017 *(Tol 5984468)*; y, 9-7-2015 *(Tol 5503581)*]. Tal jurisprudencia se funda en lo injustificado del enriquecimiento o ventaja adquirida por el concedente merced a la extinción del contrato. Este fundamento se combina con la aplicación analógica del artículo 28 LCA, por la gran similitud o identidad de razón entre el contrato de agencia y el de distribución en punto a la aportación de nuevos clientes o el incremento de operaciones por el agente o al concesionario. Todo ello aplicado a las circunstancias del caso del distribuidor, puede (o no) dar lugar a la indemnización por clientela, si concurre analogía con la del agente del art. 28 LCS • Como criterio orientador de la cuantía de la indemnización por clientela, el Tribunal Supremo mantiene como criterio orientador el establecido en el art. 28 LCA, pero calculado, en vez de sobre las comisiones del agente, sobre los beneficios "netos" (no brutos) obtenidos por el distribuidor, esto es, el porcentaje de beneficio que le queda al distribuidor una vez descontados gastos e impuestos, y no sobre el margen comercial, que es la diferencia entre el precio al que compra al proveedor y el precio de venta al público. Cuyo importe tendrá el carácter de máximo [SSTS 1-3-2017 *(Tol 5984468)*; 30-5-2016 *(Tol 5739243)*; y, 21-3-2007 *(Tol 1050543)*]. • No obstante, puede no ser aplicable la indemnización por clientela cuando se haya estipulado expresamente en contra de la misma en el contrato o el concesionario incurra en incumplimiento contractual (por analogía con el artículo 30 LCA). ✓ Dado su carácter como contrato de comercio, son de aplicación las disposiciones generales sobre los contratos mercantiles (arts. 51 a 63 C. Com. y leyes especiales) y con carácter supletorio, el Derecho común (arts. 2 y 50 C. Com. y 4.3 CC).
Sujetos	✓ El concedente • Suele ser cualquier fabricante, importador o proveedor de bienes muebles que está interesado en la distribución comercial de los mismos a través de una red de distribuidores de su confianza bajo las condiciones que previamente establezca y por un período establecido en el contrato. ✓ El concesionario o distribuidor • Se trata de empresarios individuales o sociedades mercantiles que están interesados en comercializar los productos ajenos, normalmente de una marca prestigiada, asumiendo el riesgo de la distribución. • En algunos casos, obtiene el derecho de exclusiva sobre la reventa de estos productos en una zona geográfica exclusiva (por ejemplo, un concesionario de automóviles, de joyas o de una marca de ropa).

Forma	✓ El contrato de concesión es consensual, pues no exige ninguna forma especial para su perfeccionamiento, por lo que en aplicación de las disposiciones generales de los contratos de comercio, será válido con tal de que conste su existencia por alguno de los medios que el Derecho civil tenga establecidos (art. 51 C. Com.).	
Contenido del contrato	✓ Salvo en lo que prohíba el Derecho de la competencia y los límites generales a la autonomía de la voluntad (art. 1255 CC), son de gran importancia los términos del contrato para conocer los derechos y obligaciones de las partes (art. 57 C. Com.). Entre otras cláusulas, pueden incluirse las siguientes:	
	Obligaciones y derechos del concedente	✓ Obligación del fabricante o proveedor de dar licencia al distribuidor o concesionario para la utilización de derechos de la propiedad industrial, especialmente de marcas, nombres comerciales y *know how.* ✓ El contrato suele comprender el pacto de exclusiva de reventa a favor del concesionario sobre un área territorial definida en el mismo. ✓ Obligación de suministrar al concesionario las publicaciones técnicas y comerciales en las cantidades necesarias para atender su negocio. ✓ En la llamada distribución selectiva o de establecimiento autorizado, el concedente no debe suministrar sus productos a empresarios que no estén integrados previamente en su red de distribución. ✓ Se puede incluir el deber del concedente de mantener un suministro y un *stock* suficientes para garantizar la existencia de productos. ✓ Obligación de realizar las reparaciones en caso de defectos en los productos suministrados ("garantía del fabricante"). ✓ Derecho a mostrar su conformidad con las condiciones de los locales y puntos de venta de los productos de su marca, así como derecho de inspección y visita. ✓ Obligación, si se pacta, de conceder un plazo de preaviso en caso de denuncia del contrato indefinido. ✓ Obligación de pagar el precio de los bienes suministrados en las condiciones estipuladas en el contrato. ✓ Obligación de proceder a la reventa a terceros en los términos fijados contractualmente. ✓ Derecho a subcontratar con minoristas la distribución del producto si está autorizado por el concedente.

Contenido del contrato (cont.)	*Obligaciones y derechos del distribuidor o concesionario*	✓ Obligación de disponer que su personal siga los cursos formativos que pueda decidir el concedente. ✓ Prohibición de ceder o transferir los derechos derivados del contrato a terceros, sin consentimiento del concedente. ✓ Prohibición al concesionario de divulgar secretos adquiridos. ✓ Prohibición de dedicarse por su cuenta o por cuenta de otros al mismo tipo de negocio que el concedente durante la duración del contrato. ✓ Algunos contratos prevén la obligación del distribuidor de adquirir ciertos bienes únicamente al concedente o a las personas auxiliares o dependientes de éste. ✓ Obligación de respetar el pacto de reventa en la zona de concesión exclusiva. ✓ En los contratos de concesión, es común incluir la cláusula por la cual el concesionario se obliga a seguir las instrucciones de reventa dispuestas por el concedente. ✓ Solo si se pacta, el distribuidor tiene derecho a devolver al concedente los productos no vendidos.

5. CONTRATO ESTIMATORIO

Concepto y distinción de figuras afines	✓ A falta de una definición legal, puede definirse como aquel contrato por el cual una de las partes (*tradens*) entrega a otra (*accipiens*) determinadas cosas muebles, obligándose ésta a intentar venderlas dentro de un plazo, con el compromiso de devolver el valor estimado de las ventas realizadas normalmente por un precio superior y el resto de las no vendidas (Uría). La Propuesta de Código Mercantil recoge una definición similar (art. 544.1). ✓ El Tribunal Supremo ha mantenido que un contrato que contenía elementos propios de la compraventa y el depósito se asemejaba a un "contrato estimatorio, siendo de resaltar que la entrega de los artículos por la suministradora a la suministrada, confería a ésta la libre disponibilidad del género suministrado" [STS 17-1-1992 *(Tol 1661405)*]. • En todo caso, el concepto "contrato estimatorio" está en desuso en el tráfico mercantil actual a favor de una terminología más clara, como distribución o comisión. ✓ La diferencia con la compraventa es que no se produce una transmisión de la propiedad a favor del *accipiens*, que sin embargo asume el riesgo de pérdida de las cosas durante el tiempo que están en su poder y posesión.

Concepto y distinción de figuras afines (cont.)	✓ A diferencia del contrato de depósito regular, el *accipiens* tiene la libre disposición de los objetos propiedad del *tradens*, precisamente porque se acompaña de una comisión de venta a terceros de los bienes depositados, rindiendo cuentas de los bienes adquiridos en firme y de los bienes susceptibles de devolución. ✓ El contrato estimatorio presenta también una semejanza evidente con la comisión mercantil, con la especialidad de que el *accipiens* suele ser un comerciante minorista que, sin desembolsar el precio, se abastece de mercancías para la reventa, mientras que el *tradens* se aprovecha de la infraestructura de los distribuidores (Alonso Soto).
Régimen jurídico	✓ Se trata de un contrato atípico, por lo que la primera fuente de derechos y obligaciones es el propio contrato, dentro de los límites generales aplicables a la libertad contractual (arts. 57 C. Com., 1255 y 1258 CC). ✓ En lo no previsto, pueden resultar de aplicación analógica las normas sobre el depósito, la comisión o la compraventa mercantil.
Sujetos	✓ *Tradens* • Suele ser el fabricante o productor de determinadas mercancías que necesita ampliar sus canales de distribución, llegando a acuerdo con comerciantes minoristas que se comprometan a procurar la reventa, sin asumir con carácter previo la propiedad de tales bienes. Constituye una excepción general al principio general de la compraventa mercantil de la adquisición en firme de las mercancías una vez han sido puestas a disposición del comprador. ✓ *Accipiens* • El contrato estimatorio resulta de gran interés para los comerciantes minoristas por cuanto pueden disponer en la tienda de un amplio *stock* del fabricante sin que ello vaya precedido de la transmisión de la propiedad y correlativo pago. Se compromete a intentar revender el producto y, en su defecto, garantiza la adquisición en firme sólo de una parte, con devolución del resto.
Forma	✓ Es un contrato consensual, que se perfecciona por el mero consentimiento. Son de aplicación las reglas generales sobre libertad de forma de los contratos de comercio (art. 51 C. Com.). ✓ El contrato estimatorio no se presume, por lo que si las mercancías están en poder del *accipiens*, la existencia de un derecho de devolución al *tradens* por no haber podido revenderlas a terceros debería ser objeto de alguna forma escrita.
Contenido del contrato	✓ A falta de una regulación legal y un desarrollo jurisprudencial, la doctrina suele aludir a las siguientes cláusulas usuales de los contratos estimatorios:

Contenido del contrato (cont.)	*Obligaciones y derechos del tradens*	✓ Obligación de realizar las entregas o envíos en los momentos y en las condiciones pactadas. ✓ Derecho al cobro del precio estipulado y, en su caso, a exigir garantías (por ejemplo, aval personal o bancario). ✓ Obligación de responder de vicios ocultos y evicción y, en su caso, asumir sus consecuencias contractuales, como las cláusulas penales de rebaja del precio, devolución, etc. ✓ Derecho a no realizar los suministros en casos de fuerza mayor. ✓ Obligación de indemnización por terminación del contrato, si así se ha pactado. ✓ Derecho a interrumpir el suministro en caso de impagos o retrasos. ✓ Derecho a suministrar unas cantidades mínimas de mercancías a adquirir durante el período del contrato. ✓ Derecho a no aceptar la cesión del contrato (art. 1203 CC), por ejemplo, a favor del adquirente de la empresa del distribuidor.
	Obligaciones y derechos del accipiens	✓ Derecho a la libre disponibilidad de los efectos suministrados. ✓ Obligación de procurar la reventa de los efectos suministrados. ✓ Obligación de adquirir en firme desde el momento de la petición un tanto por ciento estipulado de la partida total. ✓ Obligación de adquirir en firme las cosas suministradas una vez transcurrido el plazo estipulado. ✓ Derecho a adquirir las cosas suministradas en previsión de ventas futuras o a la devolución de los productos no revendidos en la forma y cantidad pactada en el contrato. ✓ Obligación de admitir las inspecciones que contractualmente se reserve el *tradens*. ✓ Obligación de depositar fianza a favor del *tradens* como garantía del cumplimiento de sus obligaciones contractuales. ✓ Obligación de liquidar sus obligaciones pecuniarias frente al *tradens* en los plazos pactados. ✓ Obligación de asumir el riesgo de pérdida fortuita de los bienes durante su custodia.

6. CONTRATO DE FRANQUICIA

Concepto y distinción de figuras afines	✓ La actividad de venta de productos o prestación de servicios en régimen de franquicia es la que se lleva a cabo en virtud de un acuerdo o contrato por el cual un empresario, llamado franquiciador, cede a otro, llamado franquiciado, el derecho a la explotación de un sistema propio de comercialización de productos y servicios (art. 62.1 LOCM). ✓ A diferencia del contrato de concesión o distribución comercial, la franquicia suele tener como característica la dedicación exclusiva del franquiciado a comercializar los productos o servicios bajo el nombre comercial y/o marcas del franquiciador. El nombre comercial del franquiciado es relegado de cara al público, dando la apariencia a la clientela de que se trata de una sucursal o agencia del franquiciador, cuando realmente son empresarios independientes. ✓ Frente al contrato de comisión, la franquicia se caracteriza por ser un contrato de tracto sucesivo, esto es, con una duración que las partes deciden.

Régimen jurídico	✓ El contrato de franquicia es contrario al Derecho de la defensa de la competencia si supone fijación de precios; limitación de la producción o distribución; o, reparto de mercado o aplicación de condiciones desiguales para prestaciones equivalentes que coloquen a unos competidores en situación desventajosa respecto de otros (art. 1 LDC). Sin embargo, están exentos de prohibición los contratos de franquicia que cumplan los requisitos previstos en el Reglamento (UE) 330/2010, de 20 de abril, de aplicación del artículo 101, apartado 3, del TFUE, a determinadas categorías de acuerdos verticales y prácticas concertadas.
	 ✓ El contrato de franquicia está ampliamente difundido en el tráfico mercantil, pero adolece de una completa regulación de su contenido.
	   • El artículo 62.2 LOCM impone al franquiciador la obligación de información previa a la que tiene derecho el franquiciado.
	   • El art. 62 LOCM se desarrolla en el Real Decreto 201/2010, de 26 de febrero, salvo en lo relativo al registro de franquiciadores previsto en la redacción anterior del art. 62.2 LOCM, previa al Real Decreto-ley 20/2018. Tanto dicho registro como las normas del Real Decreto 201/2010 sobre su funcionamiento están derogadas.
	   • La falta de normas sobre el contenido del contrato y el carácter predispuesto de los contratos de franquicia por el franquiciador, lamentablemente, da lugar a habituales cláusulas abusivas en contra del franquiciado.
	   • La Propuesta de Código Mercantil no regula tampoco el contrato de franquicia.
	 ✓ En lo no previsto, pueden resultar analógicamente aplicables las normas sobre la comisión y la compraventa mercantil si, a la vista del caso concreto, presentan identidad de razón (art. 4.1 CC).

Régimen jurídico (cont.)	✓ Si el franquiciado es una persona física, pueden ser de aplicación las normas de la Ley 20/2007, de trabajo autónomo, ya que será considerado fácilmente como "autónomo económicamente dependiente", quien, al prestar sus servicios en exclusiva al franquiciador, sus ingresos dependen, al menos en un 75%, de un mismo cliente. ✓ Dado su carácter mercantil como contrato de comercio, rigen también las disposiciones generales sobre los contratos mercantiles (arts. 51 a 63 C. Com. y leyes especiales) y con carácter supletorio, el Derecho común (arts. 2 y 50 C. Com. y 4.3 CC). ✓ La falta de regulación legal de la franquicia deja a la autonomía de la voluntad el carácter preponderante en el contenido del contrato. Son habituales los conflictos que llegan a los tribunales judiciales (no contamos los que se resuelven mediante laudos arbitrales y que son confidenciales) por incumplimientos de alguna de las partes. Cuando el franquiciado, como es habitual, se someta a las condiciones generales del franquiciador, le es de aplicación la LCGC, pero no el Derecho del consumo. Por su importancia económica, y porque muchas veces el franquiciado, sin ser consumidor, es parte débil, podría valorarse la aprobación de una ley de franquicia, con normas imperativas, similares a la ley del contrato de agencia.

Sujetos	✓ El franquiciador
	    • El franquiciador es un empresario que se garantiza la ampliación de mercados, la colocación de sus productos o servicios y la obtención de un canon de la franquicia y otros beneficios vinculados al éxito de la actividad empresarial del franquiciado.
	✓ El franquiciado
	    • Es un empresario independiente que, en nombre propio y por su propia cuenta, comercializa los productos o servicios del franquiciador, asumiendo los gastos y las responsabilidades derivadas de su actividad empresarial. Por tanto, el franquiciado no actúa como agente, comisionista o representante del franquiciador.
	    • El franquiciado suele contar con el suministro de productos o servicios del franquiciador, con el derecho de uso de su nombre comercial y marcas, modelos, patentes o secretos industriales o empresariales que le permitirán desarrollar su propia empresa con mayores garantías de éxito.

Forma	✓ El contrato de franquicia no exige ninguna forma especial para su perfeccionamiento, por lo que, en aplicación de las disposiciones generales de los contratos de comercio, será válido con tal de que conste su existencia por alguno de los medios que el Derecho civil tenga establecidos (art. 51 C. Com.). ✓ En la práctica, se redacta por escrito a partir de las condiciones generales de contratación preparadas por el franquiciador. ✓ La forma escrita es preceptiva para la inscripción de la licencia de las marcas y nombre comercial del franquiciador en la Oficina Española de Patentes y Marcas. ✓ La LOCM impone, además, que con una antelación mínima de veinte días a la firma del contrato o precontrato de franquicia o cualquier pago hecho al franquiciador, éste deberá haber entregado al futuro franquiciado por escrito la información necesaria para que pueda decidir libremente y con conocimiento de causa su incorporación a la red de franquicias y, en especial, los datos identificadores del franquiciador, descripción del sector de la actividad, contenido y características de la franquicia y de su explotación, estructura y extensión de la red y elementos esenciales del contrato de franquicia (art. 62.2 LOCM).	
Contenido del contrato	✓ En defecto de normas especiales, son de gran importancia los términos del contrato para conocer los derechos y obligaciones de las partes, con los límites generales derivados de la libertad contractual (arts. 57 C. Com., 1255 y 1258 CC). ✓ El Tribunal Supremo se ha pronunciado en diversas ocasiones sobre el contrato de franquicia. Suelen ser litigios relacionados con el incumplimiento de las obligaciones contractuales bien del franquiciado, bien del franquiciador, o de ambos, de la resolución del contrato y de la viabilidad de daños y perjuicios para la parte perjudicada [SSTS 4-6-2020 *(Tol 7969595)*; 5-2-2020 *(Tol 7746844)*; 30-7-2012 *(Tol 2654859)*; 18-7-2012 *(Tol 2596900)*; y, 16-7-2012 *(Tol 2644882)*, entre otras]. ✓ Entre otras cláusulas, pueden incluirse las siguientes:	
	Obligaciones y derechos del franquiciador	✓ En su caso, obligación de dar licencia al franquiciado para el uso de las marcas, nombre comercial, patentes, diseños o *know how* necesarios para el desarrollo de la franquicia; de hacer lo necesario para mantener su vigencia registral y material y del valor de los signos distintivos; así como de informar al franquiciado de cualquier nuevo desarrollo de los conocimientos y métodos empresariales comunicados. ✓ Obligación de garantizar el suministro de los productos indicados durante todo el periodo del contrato. ✓ Obligación de autorizar al franquiciado a prestar idénticos servicios a los prestados por el franquiciador.

Contenido del contrato (cont.)	*Obligaciones y derechos del franquiciador* (cont.)	✓ Obligación de no conceder franquicias a terceros, dentro del territorio contractual, ni explotarla por sí mismo ni a través de otra cualquier tipo de actividad competidora del franquiciado. ✓ Obligación de sufragar las campañas publicitarias estipuladas a nivel nacional o internacional. ✓ Derecho a cobrar un canon de entrada en la red de franquicias, cánones periódicos y un porcentaje sobre los beneficios que se obtengan (*royalties*). ✓ Obligación de asistir al franquiciado en el diseño, mobiliario y demás elementos de presentación del local donde se desarrollará la franquicia y derecho a prestar su conformidad al mismo e inspeccionarlo durante la ejecución del contrato. ✓ Obligación de prestar asistencia técnica, asesoramiento empresarial y cursos de formación para el franquiciado y sus dependientes.
	Obligaciones y derechos del franquiciado	✓ Obligación de pagar por la entrega de los bienes adquiridos del franquiciador. ✓ Obligación de comercializar un servicio bajo la marca del franquiciador. ✓ Obligación de no realizar actividad alguna de captación de clientela o de venta fuera del territorio contractual. ✓ Obligación de vender en exclusiva los productos del franquiciador. ✓ Si se ha pactado, derecho a explotar y desarrollar la franquicia en el territorio determinado directamente o a través de subfranquiciados (cláusula de máster franquicia). ✓ Derecho a fijar libremente los precios de reventa, sin perjuicio de que el franquiciador puede establecer criterios orientativos. ✓ Obligación de financiar las campañas publicitarias organizadas por el franquiciador. ✓ Obligación de seguir los procedimientos descritos en el manual operativo de la franquicia suministrado por el franquiciador. ✓ Obligación de no revelar los secretos de empresa adquiridos gracias a la franquicia. ✓ Derecho a revender los productos o prestar los servicios franquiciados en exclusiva sobre una determinada área territorial. ✓ Obligación de seguir las instrucciones técnicas y comerciales impartidas por el franquiciador en el desarrollo del negocio. ✓ Obligación de realizar un número mínimo de ventas en los períodos estipulados.

7. CONTRATOS PUBLICITARIOS

Concepto	✓ La empresa y los establecimientos mercantiles pueden anunciarse por medio de rótulos expuestos al público, así como recurrir a sistemas de mayor sofisticación, como la publicidad por correo, en vallas, periódicos, radios, televisión, Internet y cualquier otro medio de difusión para promocionar la empresa y sus productos, servicios o actividades entre los potenciales clientes. ✓ Se trata de una actividad voluntaria, pues corresponde a cada comerciante o compañía decidir si invierte o no en publicidad, el medio de difusión concreto, la cuantía de la inversión y la duración de las campañas publicitarias. Jurídicamente, la publicidad comercial es un instrumento de gestión empresarial que, si se realiza de acuerdo con la normativa, es plenamente legítima como manifestación de la libertad de empresa (art. 38 CE).

Régimen jurídico y autorregulación	✓ La Ley general de publicidad (LGP) regula especialmente la publicidad ilícita y las acciones para hacerla cesar, el contrato de publicidad, el contrato de difusión publicitaria, el contrato de creación publicitaria y el contrato de patrocinio, con unas normas generales comunes y algunas normas especiales para cada uno de ellos.
	✓ Los contratos publicitarios se rigen por las normas sobre contratación publicitaria de la LGP y, en su defecto, por las reglas generales del Derecho común (art. 7 LGP). Por Derecho común debe en este caso entenderse el Derecho civil como el Derecho mercantil, tal y como resulta de lo dispuesto en la Exposición de Motivos de la LGP.
	✓ Los Códigos de autorregulación de publicidad (como el Código CCI y otros)carecen del valor vinculante y obligatorio de la norma jurídica (hard law).
	  • Se encuadra entre los instrumentos de soft law.
	  • Tiene fuerza disuasoria (deterrence tool), con el fin de evitar que se realicen por los empresarios y profesionales adheridos al mismo prácticas comerciales de tipo desleal que contravengan la buena fe en el mercado.
	  • Ello sin perjuicio de que, además de que la conducta, pueda estar tipificada como desleal o incluso como delito por las normas de Derecho positivo.

Sujetos	✓ El anunciante • Es la persona natural o jurídica, normalmente un empresario o un profesional, en cuyo interés se realiza la publicidad (art. 8 LGP). ✓ La agencia de publicidad • Es la persona física o jurídica que se dedica profesionalmente y de manera organizada a crear, programar o ejecutar publicidad por cuenta de un anunciante (art. 8 LGP). ✓ Medios de publicidad • Son las personas naturales o jurídicas, públicas o privadas que, de manera habitual y organizada, se dedican a la difusión de publicidad a través de los soportes o medios de comunicación cuya titularidad ostentan (art. 8 LGP). • Los medios de publicidad deslindarán perceptiblemente las afirmaciones efectuadas dentro de su función informativa de las que hagan como simples vehículos de publicidad (art. 9 LGP). ✓ Autocontrol S.A. • No forma parte de los contratos de publicidad, pero tiene influencia sobre el tráfico publicitario. Se trata de una sociedad formada por anunciantes, agencias de publicidad y medios de publicidad para autocontrol deontológico de la publicidad.
Normas comunes a los contratos publicitarios en general	✓ Es de aplicación a los contratos publicitarios la prohibición legal de publicidad ilícita, identificada como la siguiente: • La que atenta contra la dignidad de las personas o vulnere los valores y derechos reconocidos en la Constitución, especialmente por lo que se refiere a la protección de la mujer, de los menores o que fomente estereotipos de carácter sexista, racista, estético o de carácter homofóbico o transfóbico o por razones de discapacidad (art. 3.a LGP). • La dirigida a menores para incitarles a comprar un bien o servicio, aprovechándose de su inexperiencia o credulidad, o en la que aparezcan persuadiendo de la compra a padres o tutores (art. 3.b LGP). • La publicidad subliminal, pues actúa sobre el público destinatario sin ser conscientemente percibida (arts. 3.c y 4 LGP). • La que infrinja lo dispuesto en la normativa que regule la publicidad de determinados productos, bienes, actividades o servicios, como medicamentos, juegos de azar, bebidas alcohólicas, etc. (arts. 3.d y 5 LGP). • La publicidad engañosa, la publicidad desleal y la publicidad agresiva, que tendrán el carácter de actos de competencia desleal (art. 3.e LGP).

Normas comunes a los contratos publicitarios en general (cont.)	✓ Las acciones frente a la publicidad ilícita son las establecidas con carácter general en la Ley de competencia desleal (LCD). Además, si afectan a la dignidad de la mujer, están legitimados para el ejercicio de las acciones la Delegación del Gobierno para la Violencia de Género, el Instituto de la Mujer y equivalentes autonómicos, las asociaciones legalmente constituidas para la defensa de la mujer y el Ministerio Fiscal (art. 6 LGP). ✓ El anunciante está obligado a desvelar inequívocamente el carácter publicitario de sus anuncios (art. 9 LGP). ✓ El anunciante tiene derecho a controlar la ejecución de la campaña de publicidad. Para garantizar este derecho, las organizaciones sin fines lucrativos legalmente constituidas por anunciantes, agencias de publicidad y medios de publicidad podrán comprobar voluntariamente la difusión de los medios publicitarios y, en especial, las cifras de tirada y venta de publicaciones periódicas (art. 10 LGP). ✓ Se tendrá por no puesta cualquier cláusula por la que, directa o indirectamente, se garantice el rendimiento económico o los resultados comerciales de la publicidad (art. 12 LGP). ✓ Se prohíbe incluir cláusulas de exoneración, imputación o limitación de la responsabilidad frente a terceros en que puedan incurrir las partes como consecuencia de la publicidad (art. 22 LGP).
Normas del contrato de publicidad	✓ Es aquel por el que un anunciante encarga a una agencia de publicidad, mediante una contraprestación, la ejecución de publicidad y la creación, preparación o programación de la misma. Si la agencia realiza creaciones publicitarias, también se aplicarán las normas sobre creación publicitaria (art. 13 LGP). ✓ El anunciante y la agencia deben abstenerse de utilizar para fines distintos a los pactados cualquier idea, informe o material recíprocamente suministrado (art. 14 LGP). ✓ Si la publicidad no se ajusta en sus elementos esenciales a los términos del contrato o a las instrucciones expresas del anunciante, éste puede pedir una rebaja de la contraprestación o la repetición total o parcial de la publicidad y, en ambos casos, la indemnización de los daños y perjuicios que se le hayan causado (art. 15 LGP). ✓ Si la agencia injustificadamente no realiza la prestación o lo hace fuera de plazo, el anunciante puede resolver el contrato, exigir la devolución de lo pagado y el abono de los daños y perjuicios (art. 16, ap. 1º LGP). ✓ Si el anunciante resuelve o incumple injustificada y unilateralmente el contrato con la agencia sin que concurran causas de fuerza mayor o lo cumpliere de forma parcial o defectuosa, la agencia podrá reclamar daños y perjuicios. La extinción no afectará a los derechos de la agencia por la publicidad realizada antes del incumplimiento (art. 16, aps. 2º y 3º LGP).

Normas del contrato de difusión publicitaria	✓ Es aquel por el que, a cambio de una contraprestación fijada en tarifas preestablecidas, un medio de difusión se obliga a favor de un anunciante o agencia a permitir la utilización publicitaria de unidades de espacio o de tiempo disponible y a desarrollar la actividad técnica necesaria para lograr el resultado publicitario (art. 17 LGP). ✓ El medio de difusión debe repetir el anuncio cuando por causas imputables a él existe alteración, defecto o menoscabo de alguno de sus elementos esenciales. Si la repetición no es posible, el anunciante o la agencia pueden exigir la reducción del precio y el abono de los daños y perjuicios (art. 18 LGP). ✓ Salvo por caso de fuerza mayor, si el medio no difunde la publicidad, el anunciante o la agencia pueden exigir la difusión posterior o resolver el contrato con devolución de lo pagado y, en ambos casos, exigir daños y perjuicios (art. 19, ap. 1º LGP). ✓ Si la falta de difusión es imputable a la agencia o al anunciante, el responsable está obligado a indemnizar al medio y a pagarle íntegramente el precio, salvo que el medio haya ocupado total o parcialmente las unidades de espacio y tiempo contratadas con otro anunciante o agencia (art. 19.2º LGP).
Normas del contrato de creación publicitaria	✓ Es aquel por el que, a cambio de una contraprestación, una persona física o jurídica se obliga a favor de un anunciante o agencia a idear y elaborar un proyecto de campaña publicitaria, una parte de la misma o cualquier otro elemento publicitario (art. 20 LGP). ✓ Las creaciones publicitarias pueden ser registradas como derechos de propiedad industrial o intelectual cuando reúnan los requisitos exigidos en las respectivas leyes (art. 20, ap. 1º LGP). ✓ No obstante, los derechos de explotación de creaciones publicitarias se presumen, salvo pacto en contrario, cedidos en exclusiva al anunciante o agencia en virtud del contrato de creación publicitaria y para los fines previstos en el mismo (art. 20, ap. 2º LGP).
Normas del contrato de patrocinio	✓ Es aquel por el que el patrocinado, a cambio de una ayuda económica para la realización de una actividad deportiva, benéfica, cultural, científica o de otra índole, se compromete a colaborar en la publicidad del patrocinador. Se rige por los términos del contrato y las normas del contrato de difusión publicitaria en cuanto le sea aplicable (art. 24 LGP).

8. CONTRATOS DE ARRENDAMIENTO DE SERVICIOS Y DE OBRAS COMERCIALES

Contratos usuales en el tráfico comercial	✓ La prestación de servicios de auditoría de cuentas dispone de normas específicas en la Ley 22/2015, de 20 de julio, de auditoría de cuentas.
	   • Por ejemplo, en materia de honorarios del auditor (art. 24, 25, 41) o de independencia exigible al mismo respecto a la entidad auditada (art. 17).
	✓ El contrato de *merchandising* tradicional es aquel por el cual una empresa especializada se obliga a ejecutar las actividades necesarias para introducir mejoras y potenciar la comercialización de los productos o servicios de otra. Puede incluir cambios en la presentación de los productos y diseños, publicidad, etc.
	   • El *merchandising* de mayor relevancia actual tiene un objeto diferente: es aquel por el cual el titular de un signo distintivo notorio y atractivo para el público consiente mediante precio su uso por un tercero como reclamo de productos o servicios de índole distinta a los que el titular comercializa (Pérez de la Cruz).
	✓ El contrato de ingeniería suele incluir la realización de estudios de organización industrial y empresarial, de mercado, la elaboración de proyectos, el suministro de información, la preparación y supervisión de obras, etc.
	✓ Contratos de catering o de abastecimiento alimentario.
	✓ Contratos de *renting* de equipo.
	✓ Contratos de asistencia técnica.
	✓ Contratos de servicios de mensajería.
	✓ Contratos de certificación de calidad de producto o de servicio.
	✓ Contratos de servicios de vigilancia privada.
	✓ Contratos de impresión tipográfica.
	✓ Contratos de servicios de limpieza.
	✓ Contratos de alquiler de buques y aeronaves y otros vehículos a motor.
	✓ La Propuesta de Código Mercantil define el "contrato mercantil de prestación de servicios como aquel por el cual el prestador, el cual deberá ser empresario o profesional, se compromete a realizar, a cambio de una contraprestación en dinero, una determinada actividad destinada a satisfacer necesidades de la otra, el ordenante, organizando para ello los medios adecuados, pero sin obligarse a la obtención de un resultado (art. 531.1).

Contratos usuales en el tráfico comercial (cont.)	✓ La Propuesta de Código Mercantil incluye en esta categoría los siguientes contratos: • Contrato de servicio de comunicación electrónica. • Contrato de alojamiento de datos. Al prestador de este servicio es de aplicación el Reglamento (UE) 2021/784, de 29 de abril de 2021, sobre la lucha contra la difusión de contenidos terroristas en línea. • Contratos publicitarios. • Contrato de plazas de alojamiento en régimen de contingente. • Contrato de gestión de establecimientos de alojamiento turístico. • Contrato de alojamiento. • Contrato de cesión de bienes inmateriales. • Contrato de licencia de bienes inmateriales. ✓ El contrato de obra por empresa en general es aquel por el cual una de las partes, con organización y medios propios y a cambio de un precio, se compromete por encargo a obtener un determinado resultado (una obra material o un servicio) (Pérez de la Cruz). Por ejemplo, están previstos en la legislación mercantil el transporte de mercancías, la construcción o reparación de buques, pero puede extenderse a otros actos de comercio análogos. • La Propuesta de Código Mercantil aborda como novedad una completa regulación del contrato de obra por empresa (arts. 521.1). Abarca no únicamente la construcción, reparación o transformación de una cosa, sino también la consecución, por cualquier medio o actividad, de otro resultado convenido por las partes, comprendiéndose no sólo los resultados materiales, sino también los resultados puramente intelectuales o inmateriales, tales como, por ejemplo, proyectos, informes, dictámenes, prototipos, etc. (exposición de motivos de la Propuesta, apartado VI.60).
Naturaleza mercantil	✓ La colaboración entre empresarios por la que uno retribuye a otro la prestación de servicios tiene carácter mercantil, tal y como ha puesto de manifiesto la doctrina y algunas sentencias del Tribunal Supremo debido a: • Su naturaleza análoga a los actos de comercio regulados (art. 2 C. Com.) y/o • Porque uno o ambos contratantes tienen el estatuto jurídico de empresarios. ✓ Cuando ambas partes del contrato son empresarios individuales o sociales, los pagos efectuados como contraprestación de operaciones comerciales se sujetan en todo caso a la citada LMLCMOC.

Capítulo IV

Los contratos de depósito mercantil

1. CONTRATOS DE DEPÓSITO DE COSAS

Concepto y distinción de figuras afines	✓ Se constituye el depósito desde que uno recibe la cosa ajena con la obligación de devolverla y restituirla (art. 1758 y ss. CC).
	✓ El Código de Comercio dedica algunos preceptos al depósito en almacenes generales (arts. 193 a 198 C. Com.) y menciona también los depósitos bancarios en otras normas (arts. 175, 177 y 180 C. Com.), que en todo caso tienen naturaleza mercantil (Uría, Menéndez, Cortés).
	✓ Además, hay otros contratos de depósito que serán mercantiles si se dan las tres circunstancias siguientes (art. 303 C. Com.):
	  • Que el depositario, al menos, sea comerciante.
	  • Que las cosas depositadas sean objeto del comercio.
	  • Que el depósito constituya por sí una operación mercantil, o se haga como causa o a consecuencia de operaciones mercantiles.
	✓ En relación con el contrato de aparcamiento de vehículos en el marco de una actividad empresarial o profesional, debe también reputarse mercantil por ser un acto de comercio. Dispone de un régimen especial en la Ley 40/2002, de 14 de noviembre, que fija los requisitos que debe contener el justificante o resguardo que debe entregar el titular del aparcamiento, así como las formas admisibles de cálculo del precio que debe pagar el consumidor en los establecimientos rotatorios o a tiempo no prefijado y el régimen de responsabilidad de las empresas de aparcamiento de vehículos.
	✓ De diferente naturaleza es el depósito "judicial" o secuestro, que tiene lugar cuando se decreta el embargo o aseguramiento de bienes litigiosos, sean muebles o inmuebles (arts. 1785 y ss. CC y 626 LEC), pero también de gran utilidad en el tráfico mercantil como medida cautelar (por ejemplo, arts. 228 y 237 LNM, sobre depósito judicial de mercancías transportadas por mar).

Régimen jurídico	✓ Los depósitos mercantiles se rigen por la autonomía de la voluntad y, en lo no previsto, por los artículos 303 a 310 del Código de Comercio. ✓ Con carácter supletorio, serán de aplicación las normas generales de depósitos del Código Civil (arts. 1758 a 1784 CC y 2 y 50 C. Com.). ✓ El depósito verificado en entidades de crédito está previsto en el Código de Comercio, que afirma que se rige por los estatutos de las mismas entidades; en lo no previsto por las prescripciones de este Código; y en última instancia, por las reglas del Derecho civil, que son aplicables a todos los depósitos (art. 309 C. Com.). Se remite al capítulo sobre contratos de financiación. ✓ El Código de Comercio señala que los depositarios de títulos, valores, efectos o documentos que devenguen intereses quedan obligados a realizar el cobro de estos en las épocas de sus vencimientos, así como a practicar cuantos actos sean necesarios para que los efectos depositados conserven su valor y los derechos que les correspondan con arreglo a las disposiciones legales (art. 308 C. Com.). ✓ Si los instrumentos financieros objeto de depósito están admitidos a negociación en un mercado secundario oficial de valores conforme al texto refundido que aprueba la Ley del mercado de valores, es habitual el llamado contrato de custodia y administración de instrumentos financieros, por el que una empresa especializada guarda y gestiona aquellos que, en la fecha del contrato o en cualquier momento posterior, el cliente le deje en depósito y a cambio de una remuneración a favor de la empresa. Para evitar duplicidades, el mismo se analiza en el capítulo sobre operaciones en el mercado de valores. ✓ Si con asentimiento del depositante, el depositario puede disponer de las cosas depositadas, ya para sí o sus negocios, ya para operaciones que aquél le encomiende, cesan los derechos y obligaciones propios del depósito y se observarán las reglas y disposiciones aplicables al préstamo mercantil, a la comisión o al contrato que en sustitución de depósito hubieran celebrado (art. 309 C. Com.).
Forma	✓ El depósito mercantil, como el civil, no exige para su conclusión formalidad alguna, y basta la entrega de la cosa para quedar constituido y perfeccionado (arts. 305 C. Com. y 1758 CC), por lo que tiene el carácter de contrato real. ✓ Los almacenes generales de depósito, tal y como están regulados en el Código de Comercio, asumen la emisión de resguardos nominativos o al portador, los cuales son negociables, se transfieren por endoso, cesión u otro título traslativo de dominio, según sean nominativos o al portador, y tienen la fuerza y el valor del conocimiento mercantil (art. 194 C. Com.). Los resguardos de depósito:

Forma (cont.)	• Conceden a su poseedor el pleno dominio sobre los efectos depositados. Queda exento de responsabilidad por las reclamaciones que se dirijan contra el depositante, los endosantes o poseedores anteriores, salvo si procedieren del transporte, almacenaje y conservación de las mercancías (art. 195 C. Com.).
	• Si los resguardos están en prenda a favor de un acreedor, éste podrá requerir a la compañía para que enajene los efectos depositados en cantidad bastante para el pago y tendrá preferencia sobre los demás débitos del depositante, excepto los expresados en el artículo anterior, que gozarán de prelación (art. 196 C. Com.).
	• Estas ventas se harán en el depósito de la compañía, sin necesidad de decreto judicial, en subasta pública anunciada previamente y con intervención de Notario (art. 197 C. Com., que se refiere a la extinguida figura del Corredor de Comercio).
	✓ En todo caso, es obligatorio la entrega de un resguardo si el depositante es un consumidor o usuario (art. 63.1 TRLGDCU).
	✓ La jurisprudencia del Tribunal Supremo mantiene que el depósito no se presume; hay que probar que el depositario ha asumido la custodia del bien y la obligación de devolverlo [SSTS 20-2-1999 *(Tol 2455)*; 19-12-1998 *(Tol 75672)*; 20-2-1991 *(Tol 1727567)*, entre otras].
	✓ La obligación de custodia de un bien ajeno surge a veces de un contrato de depósito independiente y otras es una prestación más de un contrato más amplio, entre otros:
	• De un contrato de agencia o comisión, por ejemplo, el almacenamiento de los productos del principal destinados a la venta. Se trata de un depósito mercantil que se acompaña de una comisión de venta, por la cual el depositante encomienda al depositario la venta a terceros de los bienes depositados, rindiendo cuentas periódicamente y liquidando las comisiones a favor del depositario-comisionista.
	• De un contrato de transporte de cosas.
Sujetos	✓ El depositante
	• Se trata normalmente de un comerciante que acude al depósito de sus mercancías por razón de su actividad profesional, por ejemplo, en los almacenes portuarios.
	• También suele ser un particular o un empresario que realiza un depósito de dinero en una entidad de crédito.
	✓ El depositario
	• Las entidades de crédito tienen el monopolio legal sobre los depósitos de dinero. También prestan servicios de depósito de cosas de valor en cajas de seguridad, si bien ya no en régimen de monopolio.

Sujetos (cont.)		• Las empresas de servicios de inversión y las entidades de crédito autorizadas pueden ser depositarias de valores negociables de sus clientes, como acciones de una sociedad anónima cotizada. • Los transportistas asumen la custodia de las mercancías transportadas. • Las compañías de almacenes generales de depósito se ocupan principalmente del depósito, conservación y custodia de los frutos y mercaderías que se les encomienden, así como la emisión de los citados resguardos. Asimismo, las compañías de depósitos son en todo caso responsables de la identidad y conservación de los efectos depositados, a ley de depósito retribuido (arts. 193 y 198 C. Com.). ✓ A continuación, se relacionan los derechos y obligaciones de las partes a la vista de la legislación, sin perjuicio de que en ejercicio de su autonomía de la voluntad, cuando sea posible, puedan estipular lo que estimen por conveniente (art. 57 C. Com.).
Contenido del contrato	*Obligaciones y derechos del depositante*	✓ Obligación de pagar la retribución por el depósito, salvo pacto en contrario. Si las partes no hubieran fijado la cuota de retribución, se regulará según los usos de la plaza en que el depósito se hubiese constituido (art. 307 C. Com.). • La regla general es distinta en el Derecho civil, donde, salvo pacto en contrario, el depósito es gratuito (art. 1760 CC.). ✓ Tratándose de un depositario con el carácter de comerciante, normalmente ya hará públicas en general sus tarifas. Si ofrece servicios a consumidores y usuarios, esta información previa es preceptiva (art. 60 TRLGDCU).
	Obligaciones y derechos del depositario	✓ El depositario está obligado a conservar la cosa objeto de depósito según la reciba, y a devolverla con sus aumentos, si los tuviere, cuando del depositante se la pida (arts. 198 y 306, ap. 1° C. Com.). ✓ En la conservación del depósito responderá el depositario de los menoscabos, daños y perjuicios que la cosas depositadas sufrieren por su malicia o negligencia, y también de los que provengan de la naturaleza o vicio de las cosas, si en estos casos no hizo por su parte lo necesario para evitarlos o remediarlos, dando aviso de ellos al depositante inmediatamente se manifestaren (art. 306, ap. 2° C. Com.).

Contenido del contrato (cont.)	*Obligaciones y derechos del depositario* (cont.)	✓ Si el depósito es de numerario, con especificación de las monedas en que se constituyan, o cuando se entreguen en sobres sellados o cerrados, los aumentos o bajas que su valor experimente serán de cuenta del depositante (art. 307, ap. 1º C. Com.). Los riesgos de dichos depósitos correrán a cargo del depositario, siendo de cuenta del mismo los daños que sufrieren, a no probar que ocurrieron por fuerza mayor o caso fortuito insuperable (art. 307, ap. 2º C. Com.). ✓ Cuando los depósitos de numerario se constituyeren sin especificación de monedas o sin cerrar o sellar, el depositario responderá de la conservación y riesgos en los términos establecidos en el párrafo 2º del artículo 306 del Código de Comercio (art. 307, ap. 3º C. Com.). ✓ El depositario puede estar cubierto por un seguro de responsabilidad civil para el supuesto de pérdida o averías en los bienes depositados, pero el Código de Comercio no lo impone. ✓ El depositante puede estar interesado en contratar un seguro de daños contra las cosas que le cubra también en el caso de que los daños no sean imputables al depositario, como por ejemplo un caso de fuerza mayor o culpa de un tercero. Puede contratar directamente este seguro. Algunos depositarios también ofrecen este servicio a sus clientes, siendo tomadores de una póliza de seguro. ✓ El depositario no puede disponer para sí o sus negocios o para operaciones que el depositante le encomiende de los objetos depositados, pues en otro caso se aplicarán las normas del préstamo mercantil, la comisión o el contrato que en sustitución del depósito hubiesen celebrado (art. 309 C. Com.). Por tanto, no puede haber confusión entre los bienes del depositario y los bienes que el depositante ha dejado bajo su custodia. • La jurisprudencia y la doctrina utilizan el término depósito "irregular" para referirse a aquel caso en que el contrato, la ley o los usos del comercio permiten al depositario utilizar el bien depositado. El depósito bancario de dinero es el depósito irregular por antonomasia.

Derecho de retención del objeto a favor del depositario	✓ El Código de Comercio no menciona el derecho de retención del depositario como garantía de pago de su remuneración, pero tal derecho, en defecto de pacto en contrario, deriva de la aplicación supletoria del artículo 1780 CC, que reconoce al depositario el derecho de prenda sobre la cosa depositada hasta el completo pago. • En caso de concurso del depositante, el depositario que retiene en prenda el bien goza de preferencia de cobro sobre la cosa empeñada y hasta donde alcance su valor (art. 1922.4 CC). • El comisionista mercantil también tiene reconocido el derecho legal a retener los efectos que el principal le encargó vender si no se le paga su remuneración, incluyendo el derecho a cobrar con preferencia en caso de venta sobre los demás acreedores de su comitente (art. 276 C. Com.). • En materia de transporte marítimo, el porteador tiene derecho a instar la venta judicial de los efectos depositados para asegurarse el cobro (art. 237 LNM).

Capítulo V

El contrato de compraventa mercantil y contratos afines

1. CONTRATO DE COMPRAVENTA MERCANTIL

Concepto y distinción de figuras afines	✓ El Código de Comercio califica de mercantil la compraventa de cosas muebles para revenderlas, bien en la misma forma que se compraron, o bien en otra diferente, con ánimo de lucro (art. 325 C. Com.). • El Tribunal Supremo ha calificado expresamente como mercantil, por ejemplo, la venta de ropa de marca a tienda para su distribución; la venta de cemento a una empresa hormigonera; la venta de áridos a una empresa que produce asfalto; la venta de vigas a una constructora; la venta de piensos animales a una fábrica agropecuaria; la venta de ovejas para explotación quesera; la venta de piezas destinadas a ser colocadas en el suelo de viviendas que la compradora edificaba para ser vendidas o la venta de piel para la elaboración de zapatos que la compradora iba a vender, entre muchas otras. ✓ A continuación, el artículo 326 Código de Comercio enumera las compraventas que no reputa mercantiles. En primer lugar, las compras de efectos destinados al consumo del comprador o de la persona por cuyo encargo se adquieren (art. 326.1º C. Com.). • El Tribunal Supremo ha negado tradicionalmente el carácter mercantil cuando el bien objeto de la compraventa es para uso o consumo empresarial sin transformación de la cosa ni posterior reventa, sino que el bien sirve al funcionamiento y desarrollo de la industria. • No obstante, la deficiente redacción de los artículos 325 y 326 C. Com. no puede ser tan limitativa que excluya del campo mercantil el acto de comercio en que un empresario compra bienes destinados a su propia empresa (Uría, Menéndez y Vergez).

Concepto y distinción de figuras afines (cont.)	✓ En segundo lugar, no son mercantiles las ventas que hicieren los propietarios y los labradores o ganaderos de los frutos o productos de sus cosechas o ganados, ni las ventas que de los objetos construidos o fabricados por los artesanos hicieran estos en sus talleres (art. 326.2º y 3º C. Com.).
	    • El legislador justifica esta excepción en que a diferencia del comerciante/empresario, que compra con ánimo especulativo, el artesano, ganadero o agricultor es innegable que sólo aspira a vivir del producto de su trabajo (Exposición de motivos del Proyecto de 1882 de Código de Comercio). Este planteamiento era apropiado a fines del siglo XIX, pero actualmente la artesanía, agricultura y ganadería se realiza normalmente a través de sociedades mercantiles con ánimo de lucro, por lo que la exclusión queda desfasada.
	✓ En tercer lugar, no es mercantil tampoco la reventa que cualquier persona no comerciante haga del resto de acopios que hizo para su consumo (art. 326.4º C. Com.).
	    • Aunque hay reventa y ánimo de lucro, no había inicialmente el elemento especulativo.
	✓ En relación a la compraventa de inmuebles, la Exposición de motivos del Proyecto de Código de Comercio se refiere a la posibilidad de que los inmuebles sean materia de una actividad mercantil, por la importancia que tiene la empresa consistente en comprar terrenos con objeto de revenderlos en pisos u oficinas. No obstante, de poco vale considerar estas ventas como mercantiles si el Código de Comercio carece de una regulación adecuada de ellas, ya que está pensando constantemente en la venta de bienes muebles y, en particular, de mercancías, de modo que aunque las considerásemos mercantiles, habríamos de remitirnos al Código Civil para su regulación (Sánchez Calero).

Régimen Jurídico	✓ La principal fuente de derechos y obligaciones de las partes de un contrato de compraventa mercantil es el propio contrato, es decir, lo estipulado libremente entre ellas, dentro de los límites impuestos a esa libertad contractual (arts. 57 C. Com., 1091, 1255 y 1258 CC). ✓ Los artículos 325 a 345 del Código de Comercio establecen unos derechos y obligaciones mínimas de las partes que deben ser respetadas, si bien en principio es preferente la autonomía de la voluntad si se pacta algo en especial. Como excepción, la jurisprudencia del Tribunal Supremo ha calificado los plazos legales para protestar por los vicios de la cosa vendida, comentados a continuación, como "fijos e imperativos". ✓ Muchas de las compraventas mercantiles encajan dentro del concepto de suministros de proveedores al comercio minorista. Los arts. 16 y 17 LOCM prevén normas específicas de aplicación a las "adquisiciones de los comerciantes". ✓ En lo no previsto en el contrato o en la ley mercantil, es aplicable la teoría general de los contratos del Código Civil (art. 50 C. Com.) y, especialmente, sus normas sobre la compraventa civil (arts. 2 C. Com. y 1445 a 1525 CC).

Sujetos		✓ Es habitual que el comprador y el vendedor sean empresarios industriales y mercantiles. Se trata de fabricantes, productores, importadores, comerciantes mayoristas o minoristas. Los mayoristas son intermediarios entre unos y otros, especializados en un producto concreto, como alimentación, textil, calzado, material de la construcción, minerales, metales, maquinaria, etc. ✓ Sin embargo, el Código de Comercio no condiciona su aplicación a la condición de empresario de las partes en el contrato. Por tanto, aunque lo habitual sea que se trate de empresarios, cualquier persona puede comprar bienes muebles para revender con lucro, en cuyo caso también se aplicarán las normas sobre la compraventa mercantil.
Forma		✓ El contrato de compraventa mercantil es consensual (art. 51 C. Com.), sin perjuicio de que si se celebra en país extranjero en que la Ley exija escrituras, formas o solemnidades determinadas para su validez, es preceptivo cumplir estas formalidades (art. 52 C. Com.).
Contenido del contrato		✓ A continuación se detallan las normas jurídicas de la compraventa mercantil del Código de Comercio, tal y como ha sido interpretada por el Tribunal Supremo.

	Obligaciones y derechos del vendedor	✓ El vendedor está obligado a poner la cosa vendida en poder y disposición del comprador (arts. 1445, 1461 y 1462 CC). La entrega puede ser real o material o simplemente simbólica (por ejemplo, la entrega de documentos representativos de las mercancías).
		  • La entrega suele probarse mediante un albarán o recibo que acredita la recepción de las mercancías con la firma del comprador o persona autorizada.
		✓ Cuando exista pacto sobre el día de entrega y el vendedor lo incumpla, el comprador puede pedir el cumplimiento o la rescisión del contrato, con indemnización, en uno y otro caso, de los perjuicios que se le hayan irrogado por la tardanza (art. 329 C. Com.).
		  • No obstante, si una vez entregada la mercancía por el vendedor fuera de plazo, el comprador no se niega a recibirla o, después de recibirla, en un plazo prudencial no la devuelve, dando por resuelta la relación contractual, ha de entenderse que opta por el cumplimiento. Ello impide que con posterioridad pueda decidir optar por la resolución. Tampoco podrá oponer, al verse demandado para el pago del precio, la excepción de incumplimiento de la obligación del vendedor.

Contenido del contrato (cont.)	Obligaciones y derechos del vendedor (cont.)	
		✓ Si no se estipula el plazo para la entrega de las mercaderías vendidas, el vendedor deberá tenerlas a disposición del comprador dentro de las 24 horas siguientes al contrato (art. 337 C. Com.). ✓ En los contratos en que se pacte la entrega de una cantidad determinada de mercaderías en un plazo fijo, no estará obligado el comprador a recibir una parte ni aun bajo promesa de entregar el resto; pero si acepta la entrega parcial, quedará consumada la venta en cuanto a los géneros recibidos, salvo el derecho del comprador a pedir por el resto el cumplimiento del contrato o su rescisión (art. 330 C. Com.). ✓ En toda venta mercantil, el vendedor quedará obligado a la evicción y saneamiento de vicios ocultos en favor del comprador, salvo pacto en contrario (art. 345 C. Com.). ✓ El Código de Comercio contiene unos breves plazos para presentar protesta contra el vendedor en razón de vicios, defectos de cantidad o calidad en las mercancías vendidas y entregadas: • El comprador que, al tiempo de recibir las mercaderías las examine a su contento, no tendrá acción de repetir contra el vendedor alegando vicio o defecto de cantidad o calidad en las mercaderías y el vendedor podrá evitar esta reclamación exigiendo en el acto de la entrega que se haga el reconocimiento, en cuanto a cantidad y calidad, a contento del comprador. El comprador dispone del plazo de 4 días siguientes al recibo de los géneros enfardados o embalados cuando se trata de defectos de cantidad y calidad (art. 336 C. Com.). • Si los defectos son más intensos y profundos, susceptibles de ser acogidos en lo que el Código de Comercio denomina vicios internos (art. 342 C. Com.), es inexcusable presupuesto que la reclamación se efectúe dentro de los 30 días siguientes a la recepción de las mercaderías y el ejercicio de la acción en el plazo de los 6 meses fijados en el art. 1490 CC [SSTS 6-6-2006 *(Tol 952749)*; 26-2-2004 *(Tol 352227)*; 14-4-1992 *(Tol 1659670)*; 20-11-1991 *(Tol 1727985)*, entre otras]. ✓ Sin embargo, es reiterada la jurisprudencia del Tribunal Supremo en el sentido de negar la aplicación de estos breves plazos de los vicios ocultos cuando se acredita la entrega de una cosa distinta a la pactada *(aliud pro alio)* [SSTS 5-3-2018 *(Tol 6531090)*; 8-1-2013 *(Tol 3419707)*; 20-10-2010 *(Tol 1987556)*; 17-2-2010 *(Tol 1793024)*; 21-10-2005 *(Tol 731299)*, entre muchas otras].

| Contenido del contrato (cont.) | *Obligaciones y derechos del vendedor* (cont.) | <ul><li>Son algunos ejemplos extraídos de la jurisprudencia del Tribunal Supremo los siguientes: compra de establecimiento en funcionamiento que se derrumba a los siguientes cuatro meses del contrato; compra de aceite de oliva destinado a la exportación con un contenido químico distinto que impide considerarlo como tal; entrega de carbón con un porcentaje de cenizas superior al máximo fijado en el contrato para su recepción y pago; entrega de papel de clase distinta a la pactada que resultó inservible para la finalidad de transformarlo en etiquetas de las botellas de vino al carecer de resistencia a la humedad; contaminación de las bandejas alveoladas para portar huevos de gallina para su venta; falta de entrega del certificado de homologación de puertas contrafuegos; tabletas de chocolate infectadas de artrópodos; tejido inhábil para el fin pretendido; venta de manteles a un restaurante, inservibles para su uso debido al desprendimiento de pelusas, entre otros.</li></ul>✓ Si el comprador rehúsa sin justa causa el recibo de los efectos comprados, el vendedor puede pedir el cumplimiento o la rescisión del contrato, depositando judicialmente en el primer caso las mercaderías. El mismo depósito judicial podrá constituir el vendedor siempre que el comprador demore hacerse cargo de las mercaderías. Los gastos que origine el depósito serán de cuenta de quien hubiere dado motivo para constituirlo (art. 332 C. Com.).<ul><li>El vendedor de los efectos vendidos se constituye en depositario y quedará obligado a su custodia y conservación según las leyes del depósito (art. 339 C. Com.).</li><li>En tanto que los géneros vendidos estén en poder del vendedor, aunque sea en calidad de depósito, tendrá éste preferencia sobre ellos frente a cualquier otro acreedor, para obtener el pago del precio con los intereses ocasionados por la demora (art. 340 C. Com.).</li></ul>✓ Los daños y menoscabos que sobrevengan a las mercaderías, perfecto el contrato y teniendo el vendedor los efectos a disposición del comprador en el lugar y tiempo convenidos, serán de cuenta del comprador, excepto en los casos de dolo o negligencia del vendedor (art. 333 C. Com.),
✓ También responde de daños o menoscabos en las mercancías, aun por caso fortuito:<ul><li>Si la venta se hizo por número, peso o medida, o la cosa vendida no fuere cierta y determinada con marcas y señales que la identifiquen; si por pacto expreso o por uso del comercio, atendida la naturaleza de la cosa vendida, tuviera el comprador la facultad de reconocerla y examinarla previamente; y, si el contrato tiene la condición de no hacer la entrega hasta que la cosa vendida adquiera las condiciones estipuladas (art. 334 C. Com.).</li></ul> |

Contenido del contrato (cont.)	*Obligaciones y derechos del vendedor* (cont.)	• En estos casos, si los efectos vendidos perecieren o se deterioraren a cargo del vendedor, devolverá al comprador la parte del precio que hubiere recibido (art. 335 C. Com.).

✓ Los gastos de la entrega de los géneros en las ventas mercantiles serán de cargo del vendedor hasta ponerlos, pesados o medidos, a disposición del comprador, a no mediar pacto expreso en contrario. Los de su recibo y extracción fuera del lugar de la entrega serán de cuenta del comprador (art. 338 C. Com.).

✓ El régimen de la compraventa mercantil se completa con las normas de la LOCM, sobre adquisiciones a proveedores:

- A falta de plazo expreso, se entenderá que los comerciantes deben efectuar el pago del precio de las mercancías que compren antes de 30 días a partir de la fecha de entrega (art. 17.1 LOCM).
- Los aplazamientos de pago de productos de alimentación frescos y perecederos no excederán en ningún caso de 30 días. Los aplazamientos de pago para los demás productos de alimentación y gran consumo no excederán del plazo de 60 días, salvo pacto expreso en el que se prevean compensaciones económicas equivalentes al mayor aplazamiento a favor del proveedor, sin que en ningún caso pueda exceder el plazo de 90 días (art. 17.3 LOCM).
- En relación a los productos que no sean frescos o perecederos ni de alimentación y gran consumo (art. 17.4 LOCM), si el aplazamiento excede los 60 días desde la entrega y recepción de las mercancías, hay normas especiales sobre el pago. Debe quedar instrumentado en un documento que lleve aparejada acción cambiaria, con mención expresa de la fecha de pago indicada en la factura. En el caso de un aplazamiento superior a 90 días, este documento será endosable a la orden. Para la concesión de aplazamientos de pago superiores a 120 días, el vendedor podrá exigir aval bancario o seguro de crédito o caución.
- En el ámbito de la Ley de ordenación del comercio minorista, se producirá el devengo de intereses moratorios en forma automática a partir del día siguiente al señalado para el pago o, en defecto de pacto, a aquél en el cual debiera efectuarse de acuerdo con el apartado 1 de este precepto. El tipo aplicable es el de la Ley de medidas de lucha contra la morosidad de las operaciones comerciales, salvo que las partes hubieren acordado en el contrato un tipo distinto, que en ningún caso será inferior al señalado para el interés legal incrementado en un cincuenta por ciento (art. 17.5 LOCM).

	Obligaciones y derechos del vendedor (cont.)	Los pagos a los proveedores de los comerciantes minoristas se rigen primero por la LOCM, quedando de aplicación supletoria la LMLCMOC (disp. adicional 1ª LMLCMOC).
Contenido del contrato (cont.)	*Obligaciones y derechos del comprador*	✓ Puestas las mercaderías vendidas a disposición del comprador, y dándose éste por satisfecho, o depositándose aquéllas judicialmente, empezará para el comprador la obligación de pagar el precio al contado o en los plazos convenidos con el vendedor (art. 339 C. Com.). • Las cantidades que, por vía de señal, se entreguen en las ventas mercantiles se reputarán siempre dadas a cuenta del precio y en prueba de la ratificación del contrato, salvo pacto en contrario (art. 343 C. Com.). • La demora en el pago del precio de la cosa comprada constituirá al comprador en la obligación de pagar el interés legal de la cantidad que adeude al vendedor (art. 341 C. Com.). • Por tratarse de una operación comercial entre empresas, el comprador moroso está sometido al tipo de interés agravado de la LMLCMOC. ✓ La *exceptio non adimpleti contractus* o excepción de contrato no cumplido, conforme a la doctrina del Tribunal Supremo [SSTS 11-4-2013 *(Tol 3744249)*; 4-3-2013 *(Tol 3266993)*; 18-5-2012 *(Tol 2546596)*; 20-12-2006 *(Tol 1025764)*, entre otras]. • Es un medio de defensa que supone una negativa provisional al pago que suspende, o paraliza a su vez, la ejecución de la prestación a su cargo mientras la otra parte no cumpla con exactitud. • Requiere que se trate del incumplimiento de una obligación básica, no bastando el cumplimiento defectuoso de la prestación, ni el mero incumplimiento de prestaciones accesorias o complementarias. • La *exceptio* para no abonar el precio sólo puede prosperar cuando el defecto en la cosa vendida es tal que la hace impropia para satisfacer el interés del comprador. La carga de la prueba del grave defecto corresponde al comprador.

| Contenido del contrato (cont.) | *Obligaciones y derechos del comprador* (cont.) | ✓ Si la venta se hace sobre muestras o determinando calidad conocida en el comercio, el comprador no podrá rehusar el recibo de los géneros contratados si son conformes a las muestras o a la calidad prefijada en el contrato. En el caso de que el comprador se niegue a recibirlos, se nombrarán peritos por ambas partes, que decidirán si los géneros son o no de recibo. Si los peritos declarasen ser de recibo, se estimará consumada la venta, y en el caso contrario, se rescindirá el contrato sin perjuicio de la indemnización a que tenga derecho el comprador (art. 327 C. Com.).
✓ En las compras de géneros que no se tengan a la vista ni puedan clasificarse por una calidad determinada y conocida en el comercio, se entenderá que el comprador se reserva la facultad de examinarlos y de rescindir libremente el contrato si los géneros no le convinieren. También tendrá el comprador el derecho de rescisión si por pacto expreso se hubiere reservado ensayar el género contratado (art. 328 C. Com.).
✓ Cuando exista pacto sobre el día de entrega, el comprador puede pedir el cumplimiento o la rescisión del contrato, con indemnización, en uno y otro caso, de los perjuicios que se le hayan irrogado por la tardanza (art. 329 C. Com.).
✓ El comprador que no haya hecho reclamación alguna fundada en los vicios internos de la cosa vendida, dentro de los treinta días siguientes a su entrega, perderá toda acción y derecho a repetir por esta causa contra el vendedor (art. 342 C. Com.).
✓ No se rescindirán las ventas mercantiles por causa de lesión; pero indemnizará daños y perjuicios el contratante que hubiere procedido con malicia o fraude en el contrato o en su cumplimiento, sin perjuicio de la acción criminal (art. 344 C. Com.). |

2. CONTRATO DE COMPRAVENTA INTERNACIONAL DE MERCANCÍAS

Régimen jurídico	✓ La principal norma es la Convención de las Naciones Unidas sobre los contratos de compraventa internacional de mercaderías, hecha en Viena el 11 de abril de 1980, con adhesión de España mediante instrumento de 17 de julio de 1990 (en adelante, "Convención de Viena"). ✓ La Convención de Viena es claramente dispositiva, pues las partes de la compraventa pueden excluir la aplicación de la Convención, establecer excepciones a cualquiera de sus disposiciones o modificar sus efectos (art. 6 Convención de Viena). ✓ La Convención de Viena reconoce que las partes quedarán obligadas por cualquier uso y práctica que hayan convenido y, salvo pacto en contrario, se considerará que las partes han hecho tácitamente aplicable al contrato o a su formación un uso del que tenían o debían haber tenido conocimiento y que, en el comercio internacional, sea ampliamente conocido y regularmente observado por las partes en contratos del mismo tipo en el tráfico mercantil de que se trate (art. 9 Convención de Viena). Aunque no los mencione, los usos por antonomasia en esta materia son los *Incoterms*. • Los citados *Incoterms* ofrecen el significado de los términos comerciales que agilizan extraordinariamente la contratación (EXW, C&F, CIF, FOB, DDU, etc.). • Por ejemplo, si en el presupuesto enviado por fax o correo electrónico, el vendedor tunecino hace una oferta de tabiques de yeso para viviendas a condiciones *Ex Works/EXW* a un precio concreto, significa que el comprador español debe recibir la mercancía en el local designado del vendedor, que no asume ningún gasto y riesgo de transporte. En cambio, si la oferta es a condiciones *Delivered duty paid/DDP*, el vendedor asume todos los gastos y riesgos hasta llevar la mercancía al lugar de destino convenido. • El Tribunal Supremo mantiene una reiterada jurisprudencia a favor de interpretar la compraventa internacional de conformidad con los *Incoterms*, si las partes así lo han estipulado [SSTS 30-3-2006 *(Tol 880442)*; 31-3-1997 *(Tol 215025)*; 3-3-1997 *(Tol 215192)*; 20-7-1988 *(Tol 1733794)*; 2-6-1984 *(Tol 1737742)*; 11-2-1981 *(Tol 1740194)*, entre otras].

Ámbito de aplicación de la Convención de Viena	✓ La Convención de Viena se aplica a los contratos de compraventa de mercaderías entre partes que tengan sus establecimientos en Estados diferentes (art. 1 Convención de Viena), cuando esos Estados sean Estados contratantes; o, cuando las normas de derecho internacional privado prevean la aplicación de la Ley de un Estado contratante. ✓ En cambio, la Convención de Viena no se aplica a las compraventas de mercaderías compradas para su uso personal, familiar o doméstico, salvo que el vendedor antes de la celebración del contrato o en el momento de celebrarlo, no hubiera tenido conocimiento de que las mercancías se compraban para ese uso; en subastas; en ventas judiciales; de valores mobiliarios, títulos o efectos de comercio y dinero; de buques, embarcaciones, aerodeslizadores y aeronaves y de electricidad (art. 2 Convención de Viena).
Forma	✓ El contrato de compraventa no tendrá que celebrarse ni probarse por escrito, ni está sujeto a ningún otro requisito de forma. Podrá probarse por cualquier medio, incluso por testigos (art. 11 Convención de Viena). ✓ El contrato puede modificarse o extinguirse por mero acuerdo entre las partes, salvo que las partes hubiesen estipulado que se haga por escrito (art. 29 Convención de Viena). ✓ Sin embargo, será necesario que conste por escrito cuando cualquiera de las partes tenga su establecimiento en un Estado contratante cuya legislación exija que los contratos de compraventa se celebren o acuerden por escrito y este Estado haya hecho en cualquier momento una declaración exigiendo esta formalidad para negociar, celebrar el contrato o modificarse (art. 96 Convención de Viena). A los efectos de esta Convención, la expresión "por escrito" comprende el telegrama y el telex (art. 13 Convención de Viena).
Perfeccionamiento del contrato	✓ La oferta, aun cuando sea irrevocable, podrá ser retirada si su retiro llega al destinatario antes o al mismo tiempo que la oferta (art. 15.2 Convención de Viena). ✓ La oferta puede ser revocada luego si la revocación llega al destinatario antes de que éste haya enviado la aceptación, salvo que la misma indique que es "irrevocable" o si el destinatario podía razonablemente atribuir este carácter a la oferta (art. 16 Convención de Viena). ✓ Toda declaración u otro acto del destinatario de la oferta que indique asentimiento a una oferta constituye aceptación. El silencio o la inacción, por sí solos, no constituyen aceptación (art. 18.1 Convención de Viena). ✓ La aceptación de la oferta surte efecto desde que el asentimiento llega al oferente (art. 18.2 Convención de Viena). ✓ La aceptación puede ser tácita ejecutando un acto relativo, por ejemplo, a la expedición de las mercancías o al pago del precio, si conforme a las prácticas entre los contratantes o los usos el destinatario de la oferta muestra así asentimiento a la oferta (art. 18.3 Convención de Viena).

Perfeccionamiento del contrato (cont.)	✓ La respuesta a una oferta que pretende ser una aceptación y contenga adiciones, limitaciones y otras modificaciones se considera un rechazo al contrato y constituye una contraoferta (art. 19.1 Convención de Viena), salvo que la respuesta contenga los elementos esenciales y no altere sustancialmente la oferta, en cuyo caso constituye una aceptación (art. 19.2 Convención de Viena). ✓ La aceptación podrá ser retirada si su retiro llega al oferente antes que la aceptación haya surtido efecto o en ese momento (art. 22 Convención de Viena). ✓ El contrato se perfecciona en el momento de surtir efecto la aceptación de la oferta (art. 23 Convención de Viena). A los efectos de esta Convención, la oferta, la declaración de aceptación o cualquier otra manifestación de intención "llega" al destinatario cuando se le comunica verbalmente o se entrega por cualquier otro medio al destinatario personalmente, o en su establecimiento o dirección postal, o si no tiene establecimiento ni dirección postal, en su residencia habitual (art. 24 Convención de Viena).
Obligaciones y derechos del vendedor	✓ Obligación de entregar las mercancías, transmitir su propiedad y entregar cualesquiera documentos relacionados con ellas en las condiciones establecidas en el contrato y en la presente Convención (art. 30 Convención de Viena). ✓ Obligación de entregar las mercancías en el lugar estipulado (entrega al porteador, en el establecimiento del comprador, etc.) (arts. 31, 33 y 34 Convención de Viena). ✓ Obligación, si así se ha pactado, de concertar los transportes necesarios de las mercancías para la entrega (art. 32.2 Convención de Viena). ✓ Obligación, si así se ha pactado, de concertar un seguro de mercancías o, en su defecto, a petición del comprador, de proporcionar a éste la información necesaria para contratar este seguro (art. 32.3 Convención de Viena). ✓ Obligación de entregar las mercancías envasadas o embaladas en la forma fijada en el contrato (art. 35 Convención de Viena). ✓ Obligación de responder de toda falta de conformidad que exista en el momento de la transmisión del riesgo al comprador (art. 36 Convención de Viena). ✓ Obligación de entregar las mercancías libres de cualesquiera derechos o pretensiones de terceros, particularmente basadas en la propiedad industrial u otros tipos de propiedad intelectual (arts. 41 y 42 Convención de Viena). ✓ Derecho a exigir al comprador que pague el precio, que reciba las mercancías o que cumpla las demás obligaciones que le incumban (art. 62 Convención de Viena), con posibilidad de fijar un plazo suplementario para el cumplimiento (art. 63 Convención de Viena).

Obligaciones y derechos del vendedor (cont.)	✓ Derecho a declarar resuelto el contrato si el comprador incurre en algún incumplimiento "esencial" de sus obligaciones, no paga el precio o no recibe las mercancías en el plazo suplementario otorgado por el vendedor. Si el comprador ha pagado el precio, el vendedor pierde este derecho si no resuelve en un plazo razonable y en los términos de la propia Convención (art. 64 Convención de Viena).
	✓ El vendedor tiene la obligación de conservar las mercancías si el comprador se demora en la recepción de las mismas o cuando el pago del precio y la entrega deba realizarse simultáneamente. También tiene derecho a retener las mercancías hasta que haya obtenido del comprador el reembolso de los gastos razonables que haya realizado (art. 85 Convención de Viena).
	  • Podrá depositarlas en los almacenes de un tercero a costa de la otra parte, siempre que los gastos no sean excesivos (art. 87 Convención de Viena).
	  • También tiene derecho a venderlas y retener del producto de la venta una suma igual a los gastos razonables de su conservación y venta (art. 88 Convención de Viena).

Obligaciones y derechos del comprador	✓ Obligación de pagar el precio de las mercaderías que se haya estipulado o resulte de la costumbre, en la forma y lugar pactados (arts. 53, 55 a 59 Convención de Viena). ✓ La obligación de pago subsiste en caso de pérdida o deterioro de las mercancías sobrevenido después de la transmisión del riesgo al comprador, a menos que se deba a un acto u omisión del vendedor (art. 66 Convención de Viena). El momento de la transmisión del riesgo lo especifica el contrato, normalmente en base al *Incoterm* utilizado o a la propia Convención de Viena (arts. 67 a 70 Convención de Viena). ✓ Obligación de recibir las mercaderías en las condiciones establecidas en el contrato y en la presente Convención (art. 53 Convención de Viena) y realizar todos los actos que razonablemente quepa esperar de él para que el vendedor pueda efectuar la entrega (art. 60 Convención de Viena). ✓ Obligación de adoptar las medidas pertinentes y cumplir los requisitos contractuales y normativos para que sea posible el pago (art. 54 Convención de Viena). ✓ Derecho a especificar la forma, las dimensiones u otras características de las mercancías si así se ha estipulado en el contrato. Si no lo hiciese, la especificación la hará el propio vendedor de acuerdo con las necesidades del comprador que le sean conocidas, informando de sus detalles al comprador y fijando un plazo razonable para que éste pueda hacer una especificación diferente (art. 65 Convención de Viena).

Obligaciones y derechos del comprador (cont.)	✓ Obligación de examinar o hacer examinar las mercancías en el plazo más breve posible atendidas las circunstancias. Si el contrato implica el transporte, el examen podrá aplazarse hasta que éstas hayan llegado a destino (art. 38 Convención de Viena).
	   • Pierde su derecho a invocar la falta de conformidad si no lo comunica al vendedor dentro de un plazo razonable y, en todo caso, en un plazo máximo de 2 años desde la entrega (art. 39 Convención de Viena).
	   • El vendedor no podrá invocar la falta de protesta si la no conformidad se refiere a hechos que conocía o no podía ignorarlos y que no reveló al comprador (art. 40 Convención de Viena).
	✓ Obligación de comunicar al vendedor la existencia de un derecho o pretensión de un tercero sobre las mercancías (arts. 43 y 44 Convención de Viena).
	✓ Derecho a exigir al vendedor el cumplimiento de sus obligaciones (art. 46 Convención de Viena) y, si lo considera oportuno, puede fijar un plazo suplementario de duración razonable a este efecto (art. 47 Convención de Viena).
	✓ Derecho a declarar resuelto el contrato si el vendedor incurre en un incumplimiento "esencial" del contrato o, en caso de falta de entrega, si el vendedor tampoco cumple en el plazo suplementario que haya podido otorgar el comprador. Si el vendedor ha entregado las mercancías y el comprador pretende resolver el contrato, deberá hacerlo en un plazo razonable conforme a los términos de la Convención (art. 49 Convención de Viena).
	✓ Derecho a rebajar el precio proporcionalmente, aunque se haya pagado, si las mercancías no son conformes al contrato, salvo que el vendedor lo subsane (art. 50 Convención de Viena).
	✓ Derecho a declarar resuelto el contrato en su totalidad si la entrega parcial constituye un incumplimiento esencial de éste (art. 51 Convención de Viena).
	✓ Derecho a decidir si acepta o rehúsa las mercancías entregadas por el vendedor antes de la fecha fijada (art. 52 Convención de Viena).
	✓ Derecho a exigir la indemnización de daños y perjuicios por incumplimiento conforme a los artículos 74 a 77 de la Convención de Viena (art. 45 Convención de Viena).
	✓ Obligación de tomar posesión de las mercancías por cuenta del vendedor, siempre que ello pueda hacerse sin pago del precio y sin inconvenientes ni gastos excesivos, si pretende ejercer su derecho a rehusarlas (art. 86 Convención de Viena).
	✓ Derecho a depositar las mercancías en un almacén de tercero a costa del vendedor si el gasto no es excesivo (art. 87 Convención de Viena) y derecho a venderlas para el pago de los gastos de conservación (art. 88 Convención de Viena).

Disposiciones comunes para ambos contratantes	✓ Derecho de una parte a diferir el cumplimiento de sus obligaciones si, después de la celebración del contrato, resulta manifiesto que la otra parte no cumplirá una parte sustancial de sus obligaciones debido a un grave menoscabo de su capacidad para cumplirlas o de su solvencia o su comportamiento al disponerse a cumplir o al cumplir el contrato. El vendedor podrá, en estos casos, oponerse a la entrega al comprador, aun cuando éste sea tenedor del documento que permita obtenerlas. Si una parte pretende diferir el cumplimiento de sus obligaciones por estas causas, debe comunicarlo inmediatamente al comprador. Si éste da seguridades suficientes de que cumplirá sus obligaciones, el vendedor debe proceder al cumplimiento (art. 71 Convención de Viena). ✓ Derecho de una parte a declarar resuelto el contrato si antes de la fecha de cumplimiento fuera patente que la otra incurrirá en incumplimiento. La parte que ejerza este derecho debe comunicárselo con antelación razonable a la otra para que ésta pueda dar seguridades suficientes de que cumplirá sus obligaciones (art. 72 Convención de Viena). ✓ Si se trata de un contrato con entregas sucesivas y el vendedor incumple alguna, el comprador sólo podrá declarar resuelto el contrato respecto a las entregas ya efectuadas o de futuras entregas si, por razón de su interdependencia, tales entregas no pueden destinarse al uso previsto al contratar (art. 73.3 Convención de Viena). ✓ Derecho a ser resarcido con una indemnización de daños y perjuicios, que comprende el valor de la pérdida sufrida y el de la ganancia dejada de obtener a causa del incumplimiento. La indemnización no podrá exceder de la pérdida que la parte incumplidora hubiera previsto o podido prever al contratar (art. 74 Convención de Viena). ✓ Si se resuelve el contrato y, de manera y en un plazo razonable, el comprador procede a una compra de reemplazo o el vendedor a una venta de reemplazo, la parte que exija la indemnización podrá obtener la diferencia entre el precio del contrato y el precio estipulado por la operación de reemplazo, así como los daños y perjuicios sufridos (art. 75 Convención de Viena). ✓ La parte que invoque el incumplimiento debe adoptar las medidas razonables para reducir la pérdida, incluido el lucro cesante. En su defecto, la otra parte podrá pedir la reducción de la indemnización (art. 77 Convención de Viena). ✓ Una parte no será responsable de su incumplimiento si puede probar un impedimento ajeno a su voluntad, siempre y cuando ello no fuese previsible (art. 79 Convención de Viena). ✓ Una parte no podrá invocar el incumplimiento de la otra en la medida en que tal incumplimiento haya sido causado por acción u omisión de aquella (art. 80 Convención de Viena). ✓ La parte que ha cumplido total o parcialmente el contrato, puede reclamar a la otra la restitución de lo suministrado o pagado, conforme a las normas especiales de la propia Convención de Viena (arts. 81 a 84 Convención de Viena).

3. CONTRATO DE SUMINISTRO

Concepto y distinción de figuras afines	✓ Es un contrato de duración que tiene por objeto la realización de varias prestaciones vinculadas por un contrato marco de suministro periódico o continuado de una determinada cosa [sobre el mismo, véase SSTS 18-6-2010 *(Tol 1889379)*; y, 17-2-2010 *(Tol 17893024)*, entre otras].
	✓ La compraventa consiste en una única prestación, mientras que el suministro supone una prestación continuada o varias prestaciones durante el período de duración del contrato. Este contrato permite al suministrador la colocación de sus productos durante el tiempo estipulado y, al suministrado, asegurarse el abastecimiento, evitando estipular un contrato para cada singular suministro.
	✓ El suministro es un acto de comercio, pues la acción de suministro requiere de una adecuada actividad empresarial (Alonso Soto), sin perjuicio de que, si el cliente es un consumidor o usuario, será de aplicación la normativa de consumo complementaria al Código de Comercio.
	✓ A efectos de la aplicación de la Convención de Viena, se consideran compraventas los contratos de suministro de mercaderías que hayan de ser manufacturadas o producidas, a menos que la parte que las encargue asuma la obligación de proporcionar una parte sustancial de los materiales necesarios para esa manufactura o producción (art. 3.1 Convención de Viena). En cambio, esta Convención no se aplicará a los contratos en los que la parte principal de las obligaciones que proporcione las mercancías consista en suministrar mano de obra o prestar otros servicios (art. 3.2 Convención de Viena).
Régimen jurídico	✓ Como contrato atípico, la primera fuente de derechos y obligaciones de las partes es el contrato mismo (art. 1091 CC), con las limitaciones generales a la libertad contractual (arts. 57 C. Com. y 1255 y 1258 CC).
	✓ La LOCM prevé algunas normas especiales para el pago a los proveedores de los comerciantes minoristas (art. 17 LOCM).
	✓ La obligación contractual de suministro de materias primas, mercancías y bienes de primera necesidad también es un pacto esencial dentro de los contratos de concesión, de franquicia, entre otros. El contrato de agencia también suele contemplar la obligación de suministro, pero sin trasvase de propiedad a favor del agente, que se encarga de promover su venta a terceros.

Régimen jurídico (cont.)	✓ En lo no previsto en el contrato de suministro, la jurisprudencia del Tribunal Supremo mantiene la aplicación de la normativa con el contrato de compraventa civil (arts. 1445 y ss. CC) y, en su caso, si es mercantil, la de la compraventa mercantil (arts. 325 y ss. C. Com.) [SSTS 8-6-2011 *(Tol 2.151.439)*; 17-2-2010 *(Tol 1793024)*; 3-1-2009 *(Tol 1438943)*; 13-6-2002 *(Tol 202937)*; 2-12-1996 *(Tol 217)*, entre otras].
Sujetos	✓ El suministrador • Es la persona física o jurídica que se compromete contractualmente a proveer de las cosas pactadas al suministrado. Normalmente, se trata de un empresario con una empresa capaz de hacer frente a las prestaciones periódicas a que se ha comprometido con el suministrado. • La STS Sala de lo Civil Sección Pleno 24-10-2016 *(Tol 5859518)* responsabiliza a las comercializadoras de energía eléctrica por daños y perjuicios ocasionados a los clientes por incumplimiento del contrato de suministro. Las distribuidoras de la energía, que no son parte del contrato, no fueron demandadas, pero el Tribunal Supremo indica que este recurso, limitado a la legitimación pasiva de las comercializadoras, deba interpretarse como una exoneración de las empresas distribuidoras frente a las posibles reclamaciones de los consumidores. ✓ El suministrado • Es el sujeto que necesita las mercancías, productos o materias primas objeto del suministro y se compromete a su retribución en los términos estipulados en el contrato. Dada la duración inherente del contrato de suministro frente a la compraventa aislada, el suministrado suele ser un empresario dedicado habitualmente a la industria o comercio. • En cambio, en el suministro de bienes de consumo (gas, electricidad, agua, telefonía, etc.), el suministrado puede ser un consumidor o usuario, en cuyo caso se aplica la TRLGDCU. Si el suministrado también es un empresario, no se aplica la TRLGDCU, pero sí la LCGC pues suelen ser contratos celebrados bajo condiciones generales.
Forma	✓ Es un contrato consensual, pues se perfecciona por el mero consentimiento. Son de aplicación las reglas generales sobre libertad de forma de los contratos de comercio (art. 50 C. Com.), sin perjuicio de que por razón del lugar de celebración del contrato en el extranjero (art. 51 C. Com.) o por la aplicación de la Convención de Viena (arts. 3.1 y 96 Convención de Viena) resulte preceptivo cumplir alguna formalidad. ✓ No obstante, el contrato de suministro de mercancías suele documentarse por escrito, ya que las partes quieren dejar constancia de los términos y condiciones que van a regular su relación jurídica durante todo el período del contrato.

Forma (cont.)		✓ Las prestaciones periódicas previas acreditan compraventas ya realizadas, pero no necesariamente un contrato de suministro. ✓ Los contratos de suministro de productos de tracto sucesivo o continuado con consumidores exigen confirmación documental de la contratación realizada (art. 63.1 TRLGDCU).
Contenido del contrato		✓ A falta de una regulación legal, el contrato puede incluir todas las cláusulas que las partes estimen por conveniente, que no sean contrarias a la moral y al orden público (art. 1255 CC). En todo caso, las partes se obligan no sólo al cumplimiento de lo expresamente pactado, sino también a todas las consecuencias que, según su naturaleza, sean conformes a la buena fe, al uso y a la Ley (arts. 57 C. Com. y 1258 CC). Hay unas cláusulas usuales, tales como:
	Obligaciones y derechos del suministrador	✓ Obligación de realizar las entregas o envíos en los momentos y en las condiciones pactadas. ✓ Obligación de responder de vicios ocultos y evicción y, en su caso, de sus consecuencias contractuales, como cláusulas penales de rebaja del precio, devolución, etc.
	Obligaciones y derechos del suministrado	✓ Obligación de indemnización por terminación del contrato, si así se ha pactado. ✓ Obligación de presentar factura de cobro al suministrado. El contrato puede especificar la emisión de una factura para cada entrega o una factura global para el conjunto de prestaciones realizadas durante un período de tiempo. ✓ Derecho a recompra de los bienes suministrados no revendidos, si está expresamente pactado en el contrato de suministro [un ejemplo en STS 16-3-2011 *(Tol 2079435)*]. ✓ Derecho al cobro del precio estipulado y, en su caso, a exigir garantías (por ejemplo, aval personal o bancario). ✓ Derecho a no realizar los suministros en casos de fuerza mayor. ✓ Derecho a interrumpir el suministro en caso de impagos o retrasos. ✓ Derecho a suministrar unas cantidades mínimas de mercancías a adquirir durante el período del contrato. ✓ Si se pacta, derecho de exclusiva a favor del proveedor, por el cual el suministrado se compromete a no adquirir las mismas cosas durante el tiempo pactado a otro proveedor. ✓ Derecho a no aceptar la cesión del contrato de suministro (art. 1203 CC), por ejemplo, a favor del adquirente de la empresa del suministrado.

Contenido del contrato (cont.)	*Obligaciones y derechos del suministrado* (cont.)	✓ Derecho a beneficiarse del denominado pacto de preferencia incluido en el contrato. En su virtud, una vez extinguido el contrato, el proveedor tiene preferencia frente a terceros que ofrezcan las mismas condiciones al suministrado. ✓ Obligación del pago del precio y, si se incluyen cláusulas de revisión de precios, respetar sus términos. El pago puede ser en dinero o signo que lo represente (art. 1445 CC), como títulos cambiarios (letras, pagares, cheques). ✓ Obligación de hacer los pedidos al proveedor en la forma prevista en el contrato. ✓ Derecho de exclusiva a favor del suministrado, por ejemplo, en una zona geográfica concreta. ✓ Derecho a fijar los precios y condiciones de reventa o de elegir a sus clientes.
Duración y extinción del contrato		✓ Puede ser de duración determinada, con posible transformación en contrato indefinido si continúan siendo ejecutados por ambas partes una vez transcurrido el plazo previsto. ✓ También puede ser un contrato de duración indefinida, normalmente con cláusulas de plazos de preaviso para la denuncia del contrato indefinido. ✓ Las causas usuales de extinción del contrato son por transcurso del plazo, por denuncia o desistimiento del contrato indefinido y por resolución por incumplimiento contractual (el más común es por impago de los suministros). ✓ Los contratos de suministro con consumidores y usuarios deberán contemplar expresamente el procedimiento a través del cual el consumidor y usuario podrá ejercer su derecho a poner fin al contrato (art. 62.4 TRLGDCU).

4. CONTRATOS DE CESIÓN DE CRÉDITOS MERCANTILES

Concepto	✓ Todos los derechos adquiridos en virtud de una obligación son transmisibles con sujeción a las leyes, si no se hubiere pactado lo contrario (art. 1112 CC). ✓ Más específicamente, una persona puede transmitir a un tercero los créditos pendientes de cobro que tenga frente a otra persona (art. 1526 CC) y, si este crédito deriva de una relación mercantil y no está incorporado a un título valor, puede ser cedido por cualquier medio que el derecho reconozca (arts. 347 y 348 C. Com.). ✓ A falta de una definición legal, el Tribunal Supremo lo ha conceptuado como un negocio *inter vivos*, consensual y típicamente traslativo, que se perfecciona por el acuerdo de voluntades de cedente —antiguo acreedor— y cesionario —nuevo acreedor—, sin necesidad de que preste su consentimiento el deudor cedido o, incluso, de que tenga conocimiento del cambio subjetivo operado en el lado activo de la relación de obligación, con lo que el crédito se hace circular [SSTS 03-11-2009 *(Tol 1649744)*; 17-12-1994 *(Tol 1666405)*].
Distinción de figuras afines	✓ Cuando el derecho de crédito esté incorporado a una letra de cambio, un pagaré o un cheque, el crédito se transmite por la simple entrega del documento a un tercero de conformidad con las normas especiales previstas en la LCCH. 　• Estos títulos cambiarios no contienen referencia alguna al negocio en virtud del cual se emitieron (por ejemplo, la venta previa de mercancías cuyo pago se intenta garantizar con estos documentos), por lo que el deudor no puede oponer al pago excepciones personales nacidas del contrato originario si el tenedor del documento no fue parte del mismo, como el mal estado de las mercancías o el pago ya realizado (art. 67 LCCH *a sensu contrario*). 　• En este sentido, la doctrina indica que el derecho incorporado al título es autónomo y abstracto para cada nuevo poseedor del documento.
Régimen jurídico	✓ Los artículos 347 y 348 del Código de Comercio se refieren específicamente a la cesión de créditos de naturaleza mercantil que no sean endosables ni al portador. Serán de aplicación con preferencia al Código Civil cuando este derecho de crédito tenga su origen en una relación mercantil. ✓ En lo no previsto en el contrato, pueden resultar de aplicación las normas generales sobre transmisión de créditos del Código Civil de los artículos 1526 a 1536 CC (art. 2 C. Com.).

Sujetos	✓ El cedente y el cesionario del crédito • La cesión de créditos se produce normalmente por industriales y comerciantes a favor de entidades de créditos o establecimientos financieros autorizados, pero estas entidades no tienen el monopolio legal. • La cesión de créditos también puede operar en el marco de una aportación a una sociedad de capital (art. 65 TRLSC). ✓ El deudor • Un mismo contrato de cesión de créditos puede tener por objeto las deudas pendientes de un solo deudor o de una pluralidad de deudores con el cesionario. • El deudor del crédito mercantil cedido no es necesariamente parte del contrato de cesión ni debe consentir como requisito de eficacia, basta que se le notifique (art. 347 ap. 1º C. Com.). • No obstante, por razones de seguridad jurídica para el adquirente, en el mismo contrato, el deudor podría también expresar que se considera suficientemente notificado a todos los efectos legales de la cesión del crédito. • El deudor quedará obligado para con el nuevo acreedor en virtud de la notificación, y desde que tenga lugar no se reputará pago legítimo sino el que se hiciere a éste (art. 347 ap. 2º C. Com.). • El deudor de créditos mercantiles litigiosos no tiene derecho de tanteo, que sí mantiene el Código Civil para las cesiones de créditos de ventas comunes (art. 1535 CC).
Forma	✓ Es un contrato consensual, que se perfecciona por el mero consentimiento. Son de aplicación las reglas generales sobre libertad de forma de los contratos de comercio (art. 51 C. Com.). ✓ No obstante, como la subrogación de un tercero en los derechos del acreedor no puede presumirse fuera de los casos previstos en el Código Civil, será preciso establecerla con claridad para que produzca efecto (art. 1209 CC). ✓ Como la subrogación del adquirente en los derechos del cedente debe ser notificada al deudor (art. 347 ap. 1º C. Com.), es recomendable documentar por escrito la cesión y la notificación. ✓ La cesión de créditos mercantiles puede ser objeto de un contrato especial o incluirse como obligación específica dentro de un contrato marco más amplio, como el *factoring* o el *confirming* bancario o de operaciones financieras [entre otras, SSTS 9-10-2019 *(Tol 7531442)*; 2-9-2015 *(Tol 5534922)*; 15-7-2015 *(Tol 5214757)*; y 6-11-2013 *(Tol 4053294)*].

Contenido		✓ A falta de una regulación legal, el contrato puede incluir todas las cláusulas que las partes estimen por conveniente, que no sean contrarias a la moral y al orden público (art. 1255 CC). En todo caso, las partes se obligan no sólo al cumplimiento de lo expresamente pactado, sino también a todas las consecuencias que, según su naturaleza, sean conformes a la buena fe, al uso y a la Ley (art. 1258 CC). Hay unas cláusulas usuales, tales como:
	Obligaciones y derechos del cedente	✓ Obligación de cesión de todos o algunos de los créditos y derechos de que sea titular frente a las personas físicas o jurídicas identificadas en el contrato. ✓ Obligación de entrega de contratos, recibos y facturas pendientes de cobro y que son objeto de la cesión. ✓ Obligación de responder de la legitimidad del crédito y de la personalidad con que hizo la cesión; pero no de la solvencia del deudor, a no mediar pacto expreso que así lo declare (art. 348 C. Com.). ✓ Obligación de facilitar al adquirente toda la información de la que disponga para que el cesionario haga valer el derecho de crédito adquirido.
	Obligaciones y derechos del cesionario	✓ En su caso, obligación de pago del precio estipulado. ✓ La subrogación transfiere al subrogado el crédito con los derechos a él anexos, ya contra el deudor, ya contra terceros, sean fiadores o poseedores de hipotecas (art. 1212 CC). Expresamente la Ley indica que la venta o cesión de un crédito comprende la de todos sus derechos accesorios, como la hipoteca, prenda o privilegio (art. 1528 CC).

5. CONTRATO DE COMPRAVENTA DE EMPRESA

Concepto y distinción de figuras afines	✓ El patrimonio de una empresa o un singular establecimiento en funcionamiento puede ser objeto de negocios jurídicos, procediendo a su venta como conjunto por quien sea su titular. ✓ El "fondo de comercio" es un concepto vinculado a la existencia de determinados activos inmateriales (clientela, nombre comercial y marcas conocidas, buen equipo de dirección y capital humano, sector protegido, localización de la empresa, etc.) que permiten aventurar que la empresa adquirida obtendrá unos "superbeneficios" futuros que serán superiores a la rentabilidad usual del sector de su actividad económica. Por ello, además del valor del patrimonio adquirido, el contrato puede fijar un precio adicional para este activo inmaterial. ✓ Se diferencia de la compraventa de acciones o participaciones sociales de una sociedad mercantil en el objeto del contrato. ✓ En contraste con la fusión de sociedades o la fusión por absorción, el adquirente no necesariamente se subroga en todas las relaciones jurídicas activas y pasivas del cedente, salvo que haya una estipulación expresa al respecto. ✓ El texto refundido que aprueba la Ley de sociedades de capital prevé expresamente, entre las aportaciones no dinerarias, la posibilidad de que un socio aporte al capital social "una empresa o establecimiento". El aportante quedará obligado al saneamiento de su conjunto, si el vicio o evicción afectasen a la totalidad o a alguno de los elementos esenciales para su normal explotación. También procederá el saneamiento individualizado de aquellos elementos de la empresa aportada que sean de importancia para su valor patrimonial (art. 66 TRLSC).
Régimen jurídico	✓ El Código de Comercio no regula la compraventa de una empresa en su totalidad ni de alguno de sus establecimientos industriales o mercantiles. Sólo el artículo 291 C. Com. regula los poderes del factor en caso de "enajenación del establecimiento". El derogado artículo 928 C. Com. permitía a las sociedades anónimas concertar con sus acreedores convenios de "continuación o traspaso de la empresa". ✓ Varias leyes modernas, comentadas a continuación, contienen preceptos especiales que son de aplicación a las partes de este contrato.

Sujetos	✓ El vendedor
	  • Puede ser una persona natural o jurídica, siempre que sea la titular de la empresa o establecimiento en venta.
	  • El Código Civil establece algunas condiciones especiales para que los hijos menores de edad, los tutelados, los emancipados, los menores casados y los cónyuges en sociedad de gananciales puedan "enajenar establecimientos mercantiles o industriales" (arts. 166, 271, 323, 324 y 1389.2 CC).
	✓ El comprador
	  • Puede ser cualquier persona física o jurídica que desee adquirir la empresa o establecimiento para continuar con la actividad que en el mismo se desarrollaba o venía desarrollando.

Forma	✓ Es un contrato consensual, que se perfecciona por el mero consentimiento. Son de aplicación las reglas generales sobre libertad de forma de los contratos de comercio (art. 51 C. Com.), salvo que la cesión de algún bien concreto requiera alguna formalidad especial (por ejemplo, un local mediante escritura pública). ✓ No obstante, es recomendable por razones de seguridad jurídica documentar por escrito las condiciones esenciales del contrato, pues es una transmisión de propiedad a la cual van anudados importantes efectos jurídicos laborales, tributarios, civiles y mercantiles. ✓ El contrato puede realizarse sobre la totalidad de la empresa o del establecimiento (maquinaria, locales y establecimientos, mercancías, etc.) o mediante contratos singulares para la cesión de cada uno de los elementos materiales integrantes de la empresa o por lotes de los mismos.
Efectos de la compraventa sobre la propiedad industrial	✓ Si existen marcas de productos y servicios propiedad del comerciante o compañía vendedora, puede ser precisamente uno de los factores determinantes en la adquisición de la empresa y la fijación del precio. ✓ La transmisión de la empresa en su totalidad implica la cesión de la marca, a no ser que exista acuerdo en contrario o que las circunstancias determinen claramente lo contrario (art. 47.1 LM). ✓ Como novedad frente al régimen jurídico anterior, el nombre comercial de la empresa también puede ser vendido o no al traspasar la empresa (Exposición de motivos y art. 87.3 LM). ✓ Para la cesión de una licencia obligatoria para la explotación de patentes, es preciso que la licencia se transmita junto con la empresa o parte de la empresa que la explote (art. 101.1 LP).

Efectos de la compraventa sobre los contratos del vendedor con terceros	✓ Los contratos en vigor celebrados previamente por el comerciante o compañía vendedora corresponden a ésta como sujeto de derecho.
	✓ En principio no se transmiten al comprador de la empresa o establecimiento si no media el consentimiento del otro contratante. Como excepción, las leyes imponen la cesión del contrato en algunos casos:
	  • Salvo pacto en contrario, cuando la finca en que se ejerza la actividad empresarial se encuentre arrendada, el empresario vendedor podrá ceder el contrato de arrendamiento sin necesidad de consentimiento del arrendador, si bien se le debe notificar en un plazo de un mes. La Ley de arrendamientos urbanos reconoce el derecho del arrendador a elevar la renta un 20% en caso de cesión del contrato, incluyendo supuestos de fusión, transformación o escisión de la sociedad arrendataria (art. 32 LAU).
	  • El cambio de titularidad de una empresa no extingue por sí mismo la relación laboral, quedando el nuevo empresario subrogado en los derechos y obligaciones laborales y de seguridad social del anterior (art. 44 TRET).
	  • Los contratos de seguro contratados sobre el establecimiento se mantienen con el nuevo comprador, salvo que sean resueltos expresamente (art. 34 LCS).

Licencias y autorizaciones	✓ En cuanto a las licencias y autorizaciones administrativas necesarias para el ejercicio de la empresa, en tanto que sean esenciales para la continuación de la actividad, resulta conveniente conocer previamente si la Administración Pública emisora reconoce o no la subrogación del adquirente.

Efectos de la compraventa sobre las deudas del vendedor con terceros	✓ Como regla general, las obligaciones previas contraídas por el vendedor no se transmiten al comprador, salvo que medie un acuerdo expreso y el acreedor consienta (art. 1205 CC), o que exista una ley especial que así lo imponga. Éste es precisamente el caso de varias normas destinadas a proteger la continuidad de la actividad empresarial, los derechos de los trabajadores o de la Hacienda Pública.
	  • En el ámbito laboral, el comprador y el vendedor asumen una responsabilidad solidaria por las obligaciones laborales y de Seguridad Social nacidas con anterioridad a la transmisión y que no hubieran sido satisfechas (arts. 44 TRET y 168.2 TRLGSS).
	  • También las deudas y responsabilidades tributarias derivadas del ejercicio de explotaciones económicas por personas físicas, sociedades o entidades jurídicas serán exigibles a quienes les sucedan por cualquier concepto en la titularidad (art. 42.1 LGT).
	  • La misma solución parece aplicable en los alquileres pendientes, en cuanto se produce una cesión de contrato a favor del comprador (art. 32 LAU).

Créditos del vendedor frente a terceros	✓ Los créditos del vendedor frente a terceros no se transmiten al adquirente que compra la empresa o el establecimiento, salvo que medie acuerdo expreso y se notifique al deudor (art. 347 C. Com.).
Bienes con garantía real	✓ El contrato puede prever la subsistencia y transmisión o la purga de cargas. En caso de silencio, rige el principio de reipersecutoriedad de los bienes inscritos en el Registro de la Propiedad Inmobiliaria o en el Registro de Bienes Muebles del Registro Mercantil.

6. ADQUISICIÓN DE EMPRESA EN CONCURSO

Concepto	✓ La venta de empresa o de su unidad productiva tiene lugar normalmente en la fase común del concurso, en vez de producirse en la fase de convenio o de liquidación concursal. El juez dispone de flexibilidad y discrecionalidad para adaptar la autorización del modo más conveniente para satisfacer principalmente a los acreedores, pero también conservar la actividad empresarial y mantener el empleo. Se ha realizado judicialmente en base al art. 206 LC (antes art. 43.2) [por ejemplo, auto Juzgado de lo Mercantil núm. 8 de Madrid, de 20 de diciembre de 2013 *(Tol 4391478)*]. ✓ La enajenación global del conjunto de establecimientos del empresario concursado o de alguno de ellos es una forma de liquidación que goza de prioridad en la Ley concursal como medio de asegurar, en lo posible, la continuidad de la empresa y, al mismo tiempo, quizás conseguir un mayor valor en la venta y así favorecer también a los acreedores. ✓ Sin embargo, cuadrar el interés público en que los acreedores sean satisfechos con el interés público en la conservación de la empresa en crisis y otros derivados, como el mantenimiento del empleo, puede ser una ecuación muy compleja, en cuanto que hacer realidad cada interés puede llevar a soluciones contradictorias. ✓ La maximización de los intereses de los acreedores del concursado es la finalidad esencial del concurso en general y de la fase de liquidación en particular, por lo que si la enajenación global no es una forma factible para satisfacer a los acreedores deberá optarse por la liquidación fragmentaria, aunque ponga fin a la actividad de empresa.

Régimen jurídico	✓ La LC algunas normas aplicables a este tipo de enajenación, pero son insuficientes, por lo que es esencial conocer los términos de la compraventa, generalmente a partir del plan de liquidación aprobado por el juez del concurso. ✓ La LC también recoge otras normas de aplicación imperativa, por ejemplo, la subrogación del adquirente en los contratos afectos a la continuidad de la actividad profesional o empresarial que se desarrolle en la unidad o unidades productivas objeto de transmisión, sin necesidad de consentimiento de la otra parte (art. 222.1).

Sujetos	✓ El comprador
	  • El comprador puede tener interés en pagar un precio quizá menor al que tendría la empresa si no estuviera en concurso. Si no se hallase en esta situación, no estaría en venta y es así una oportunidad de negocio. Además, si hay actividad de empresa, el comprador puede beneficiarse de un activo añadido, que carece de valor si hay liquidación fragmentaria.
	  • Los compradores suelen ser personas vinculadas a la propia empresa concursada. Por ejemplo, sus trabajadores, en el caso de que no se hayan extinguido los contratos o aun extinguidos si creen que hay posibilidad de reactivación. Interesados en aprovechar sus conocimientos en una actividad, pueden constituir una sociedad, como una laboral o una cooperativa, que adquiera los activos y derechos de la concursada.
	  • Si la sociedad concursada se integra en un grupo de sociedades, los interesados pueden ser la sociedad dominante o una filial del grupo de sociedades en la que se integre la concursada.
	  • Por la especialización de la actividad mercantil de la concursada (por ejemplo, la fabricación de muebles), lo habitual es que la adquisición global de los activos y derechos de una sociedad concursada corresponda a un empresario del mismo sector. Por su experiencia en el ramo quizá sea capaz de gestionar mejor el negocio que el empresario concursado y extraer el mayor rendimiento a la empresa o unidad productiva.
	✓ El vendedor
	  • Desde la apertura de la liquidación —o desde la declaración del concurso (art. 28 LC), según decida el juez—, la administración concursal asume la administración y disposición sobre el patrimonio del concursado (art. 413.1 LC) y está legitimada en su representación para llevar a cabo los actos de enajenación que sean necesarios para la liquidación de los derechos y bienes que integran la masa activa del concurso, conforme a un plan de liquidación aprobado por el juez.

Forma	✓ En cuanto a la documentación, la administración concursal tiene plena legitimación para obrar en representación del concursado y emitir la documentación oportuna. ✓ No obstante, el frecuente recurso a procedimientos judiciales de enajenación, como la subasta o la venta directa, determina que sean habituales los documentos públicos de compraventa.

Forma y efectos legales de transmisión de unidad productiva	✓ Siempre que sea posible, en el plan de liquidación deberá proyectarse la enajenación unitaria del conjunto de los establecimientos, explotaciones y cualesquiera otras unidades productivas de la masa activa o de algunos de ellos (art. 417.2 LC).
	✓ La enajenación en cualquier estado del concurso del conjunto de la empresa o de una o varias unidades productivas se hará en subasta, judicial o extrajudicial, incluida la electrónica, salvo que el juez autorice otro modo de realización de entre los previstos en la LC (art. 215 LC).
	✓ También puede autorizarse judicialmente la venta directa o mediante persona o entidad especializada (art. 216 LC).
	   • En caso de enajenación de una unidad productiva, se considerará, a los efectos laborales y de seguridad social, que existe sucesión de empresa (art. 221 LC)
	   • El adquirente quedará subrogado en los contratos afectos a la continuidad de la actividad profesional o empresarial que se desarrolle en la unidad o unidades productivas objeto de transmisión, sin necesidad de consentimiento de la otra parte (art. 222.1), salvo los administrativos que siguen lo dispuesto en los contratos del sector público (art. 222.2 LC).
	   • La subrogación incluye, salvo que no lo desee el adquirente (art. 223 LC).
	   • Las licencias o autorizaciones administrativas afectas a la continuidad de la actividad empresarial o profesional que formen parte de la unidad productiva (art. 222.3 LC).
	   • Con excepciones tasadas, la transmisión de una unidad productiva no llevará aparejada obligación de pago de los créditos no satisfechos por el concursado antes de la transmisión, ya sean concursales o contra la masa (art. 224 LC).
	✓ Se acordará judicialmente la cancelación de todas las cargas anteriores al concurso constituidas a favor de créditos concursales (art. 225.1 LC).
	   • No hay cancelación de cargas que recaigan sobre bienes o derechos afectos a la satisfacción de créditos con privilegio especial, si la transmisión se hubiera realizado con subsistencia del gravamen (art. 225.2). En este caso, hay subrogación del adquirente en la obligación del deudor. y 212.1 LC).
	   • Como excepción, no tendrá lugar la subrogación del adquirente, a pesar de que subsista la garantía, cuando se trate de créditos tributarios y de Seguridad Social (art. 212.2 LC).

Capítulo VI

Los contratos sobre derechos de la propiedad industrial e intelectual y secretos empresariales

1. CONTRATOS DE TRANSMISIÓN DE INVENTOS, DE SOLICITUDES DE PATENTES Y DE PATENTES YA CONCEDIDAS

Concepto	✓ El derecho a obtener la patente pertenece al inventor o a sus causahabientes y es transmisible por todos los medios que el derecho reconoce (art. 10.1 LP). • Significa que la propiedad sobre la invención puede venderse a un tercero, antes incluso de que se haya formalizado la solicitud de patente o que ésta haya sido concedida. • El derecho a la protección del modelo de utilidad también es transmisible (art. 138 LP). • No hay obligación legal de patentar un producto o procedimiento industrial novedoso. Patentar supone publicar las condiciones en que el producto puede fabricarse o los términos en qué funciona el procedimiento. La publicidad es la contrapartida al derecho de uso exclusivo y excluyente durante el período de 20 años de duración de la patente. • Por ello, el titular de la patente puede optar por mantener el secreto industrial, descartando patentarlo. El secreto industrial no está desprovisto de protección jurídica , como secreto empresarial (art. 1.1 LSE). Su violación es un acto de competencia desleal (art. 13 LCD) y puede constituir delito si se dan las condiciones prevista en los arts. 278 a 280 CP. ✓ El titular también puede transmitir la solicitud de patente o la patente ya concedida, darla en garantía o ser objeto de derechos reales, licencias, opciones de compra, embargos, otro negocios jurídicos o medidas que resulten de un procedimiento de ejecución. También puede ser objeto de hipoteca mobiliaria (art. 82.1 LP).

Concepto (cont.)	• Son patentables en todos los campos de la tecnología los inventos consistentes en productos o procedimientos que sean nuevos, impliquen actividad inventiva y sean susceptibles de aplicación industrial (art. 4 LP). • Si es un modelo de utilidad, la invención ha de consistir en dar a un objeto una configuración, estructura o constitución de la que resulte alguna ventaja prácticamente apreciable para su uso o fabricación (art. 137.1 LP). • La solicitud de patente contiene una descripción del invento y su inventor (arts. 26 a 28 LP) y, si éste no es el solicitante, se acompaña de una declaración justificativa de cómo ha adquirido el solicitante el derecho a la patente (art. 25 LP). ✓ La patente confiere a su titular el derecho de uso exclusivo y excluyente sobre la invención patentada durante 20 años improrrogables, contados a partir de la fecha de presentación de la solicitud, produciendo efectos desde la publicación de la concesión (art. 58.1 LP). Este tiempo se considera suficiente para compensar el esfuerzo creativo y/o económico del titular. Pasado este plazo, la patente caduca, el invento es de dominio público y la imitación del invento antes patentado es libre. • Obtener la patente no garantiza ni el correcto funcionamiento del producto o procedimiento, ni la rentabilidad de la invención patentada. ✓ Distinto de la transmisión es la expropiación de la solicitud de patente o de la patente ya concedida por causa de utilidad pública o de interés social, mediante la justa indemnización (art. 81.1 LP). El Estado adquiere la titularidad de la patente (art. 81.2 LP). ✓ Una alternativa a la compraventa es la aportación del invento, solicitud o patente a una sociedad mercantil. Por ejemplo, el inventor aporta al capital social su derecho a la patente, la solicitud o la patente ya concedida (art. 63 TRLSC), mientras que el socio capitalista (llamado comúnmente socio industrial) realiza la principal aportación dineraria para su explotación. ✓ A diferencia de la licencia de patente, la compraventa transmite la propiedad de la invención patentada a favor del adquirente.
Régimen jurídico	✓ La venta del derecho a la patente, de la solicitud de patente o de la patente ya concedida se rigen, respectivamente, por el principio de libertad contractual y sus límites legales (arts. 57 C. Com. y 1255 CC). La Ley de patentes se limita a reconocer la libre transmisibilidad de estos derechos, con unas normas sobre responsabilidad entre las partes y frente a terceros. ✓ Las disposiciones sobre el contenido y límites del contrato de cesión sobre bienes inmateriales de la Ley de patentes se entienden sin perjuicio de otras leyes nacionales o normas comunitarias que resulten aplicables (art. 82.4 LP).

Régimen jurídico (cont.)	✓ El Convenio de Munich sobre concesión de patentes europeas de 1973 es de aplicación cuando el interesado quiere obtener la patente europea concedida por la Oficina Europea de Patentes, situada en Múnich. Indica que la solicitud de patente europea podrá ser transmitida o dar lugar a derechos para uno o varios de los Estados contratantes designados (art. 71 Convenio de Munich). • Tras la concesión de la patente europea, el propietario industrial tiene los derechos y obligaciones del régimen jurídico de la patente nacional concedida en cada uno de los Estados contratantes designados. En este sentido, el art. 153 LP señala que, en las condiciones conforme al Convenio de Munich, la patente europea tiene el valor de una patente nacional.
Sujetos	✓ El inventor o inventores, el solicitante o el titular de la patente • Por ejemplo, el inventor de un prototipo que no tenga dinero ni organización suficiente para su producción masiva puede vender su derecho a obtener la patente a un empresario industrial. Como inventor tiene, frente al titular de la solicitud de la patente o de la patente ya concedida, el derecho a ser mencionado como inventor (art. 14 LP). • Transcurridos dieciocho meses desde la solicitud o desde la fecha de prioridad que se hubiera reivindicado y superado el examen de oficio, se publica la solicitud y el informe del estado de la técnica, mediante anuncio en el Boletín Oficial de la Propiedad Industrial (art. 37 LP). Durante este tiempo, el inventor puede buscar un socio industrial o una persona interesada en comprar la solicitud de patente. • La propiedad de una patente ya concedida añade seguridad jurídica adicional al posible adquirente pues el invento adquirido cumple los requisitos legales de patentabilidad. Una importante novedad de la Ley de patentes de 2015 es que la Oficina Española de Patentes y Marcas verifica de oficio si el objeto de patente no está manifiestamente excluido de patentabilidad, así como si la solicitud cumple los requisitos formales (art. 35 LP). Se emite un informe del estado de la técnica en la etapa del examen formal (art. 23.4 LP). • Las invenciones creadas por personas actuando en el marco de una relación de empleo o de servicios con el empresario pertenecen generalmente a este último (art. 15 LP). ✓ A efectos de cesión, la solicitud de patente o la patente ya concedida son indivisibles, aunque pertenezcan en común a varias personas (art. 82.2 LP). Si la solicitud de patente o la patente ya concedida, pertenecen a varias personas, cada uno de los partícipes podrá disponer de la parte que le corresponda, notificándolo a los demás que podrán ejercitar los derechos de tanteo y retracto (art. 80.2 LP).

Sujetos (cont.)	✓ El adquirente del invento, de la solicitud de la patente o de la patente ya concedida
	   • Puede ser cualquiera, si bien suele tratarse de empresarios. De hecho, hay industrias muy dependientes de las nuevas invenciones por razón de su actividad, por ejemplo, las empresas de última tecnología o las farmacéuticas.
	   • En las invenciones realizadas por el personal investigador de las universidades públicas y de los entes públicos de investigación, estas entidades pueden ceder la titularidad de dichas invenciones al autor de las mismas, reservándose una licencia no exclusiva, intransferible y gratuita de explotación o una participación en beneficios (art. 21.4 LP).

Forma	✓ El derecho a la patente es transmisible por todos los medios que el derecho reconoce (art. 10 LP) y la ley no condiciona su transmisión al cumplimiento de ninguna formalidad específica para su validez. No obstante, si se pretende patentar, es recomendable que la cesión se documente por escrito para cumplir el requisito legal de justificar cómo el solicitante ha adquirido el derecho a la patente (arts. 25 LP). ✓ Como se ha adelantado, la transmisión de la solicitud de patente o de la patente ya concedida, cuando se realice entre vivos, sí deberá constar por escrito, para que sean válidas (art. 82.2 LP). • Por Ley 25/2009, se suprimió la exigencia de documento público en la formalización de las transferencias (Exp. motivos LP). ✓ La transmisión de las solicitudes de patentes y de patentes nacionales debe inscribirse en la Oficina Española de Patentes y Marcas (art. 79.2 LP). No podrán invocarse frente a terceros de buena fe derechos sobre solicitudes de patente o sobre patentes que no estén debidamente inscritos en este Registro (art. 79.3 LP). ✓ Además de la compraventa, la cesión en la titularidad de una patente procede también de otras formas, como la aportación al capital social de una sociedad, la donación, la dación en pago, la permuta o la transmisión *mortis causa*. ✓ La cesión de la solicitud de una patente europea deberá formalizarse por escrito y requerirá la firma de las partes contratantes (art. 72 Convenio de Munich) y salvo que se disponga lo contrario en el propio Convenio, la solicitud de patente europea como objeto de propiedad estará sometida, en cada Estado contratante designado y con efectos en ese Estado, a la legislación aplicable en dicho Estado a las solicitudes de patentes nacionales (art. 74 Convenio de Munich).

	✓ La Ley impone un régimen mínimo de derechos y obligaciones de las partes que intervienen en la transmisión de la solicitud de patente o de la patente ya concedida. Aparte de estas normas, el contrato puede incluir todas las cláusulas que las partes estimen por conveniente, que no sean contrarias a la moral y al orden público (art. 1255 CC). En todo caso, las partes se obligan no sólo al cumplimiento de lo expresamente pactado, sino también a todas las consecuencias que, según su naturaleza, sean conformes a la buena fe, al uso y a la Ley (art. 1258 CC). A continuación se detalla el contenido legal y otras cláusulas que pueden constar en el contrato:	
Contenido del contrato	*Obligaciones y derechos del transmitente*	✓ Salvo pacto en contrario, el transmitente está obligado a poner a disposición del adquirente los conocimientos técnicos que posea y que resulten necesarios para poder proceder a una adecuada explotación de la invención (art. 84.1 LP). ✓ El transmitente de una patente o solicitud de patente a título oneroso responde, salvo pacto en contrario, si posteriormente se declarara que carecía de titularidad o de las facultades necesarias para la realización del negocio de que se trate o la nulidad de la patente (art. 85.1 LP). ✓ El transmitente responderá siempre cuando hubiera actuado de mala fe. Ésta se presume *iuris tantum* cuando no hubiere dado a conocer al otro contratante, haciéndolo constar en el contrato con mención individualizada de tales documentos, los informes o resoluciones, españoles o extranjeros, de que disponga o le conste su existencia, referente a la patentabilidad de la invención objeto de la solicitud o de la patente (art. 85.2 LP). ✓ Las acciones a que se refieren los apartados anteriores prescribirán a los seis meses, contados desde la fecha de la resolución definitiva o de la sentencia firme que les sirva de fundamento. Serán de aplicación a las mismas las normas del Código Civil sobre saneamiento por evicción (art. 85.3 LP). ✓ El transmitente responde solidariamente con el adquirente de los daños y perjuicios ocasionados a terceros por defectos inherentes a la invención. Si el transmitente hace frente a estas indemnizaciones en primer lugar, podrá reclamar al adquirente, a no ser que se hubiere pactado lo contrario, que hubiere procedido de mala fe o que, dadas las circunstancias del caso y por razones de equidad, deba ser él quien soporte en todo o en parte la indemnización a favor de terceros (art. 86 LP). ✓ Obligación de abstenerse de utilizar la invención cedida y de hacer la competencia al adquirente.

| Contenido del contrato (cont.) | *Obligaciones y derechos del adquirente* | ✓ Obligación de pagar el precio convenido por la idea cedida, la solicitud de patente o la patente ya concedida, salvo que se haya pactado su carácter gratuito.
✓ Obligación del adquirente a quien se comunique conocimientos secretos de adoptar medidas para evitar su divulgación (art. 84.2 LP).
✓ En caso de transmisión a título oneroso, el adquirente tiene derecho a exigir la indemnización de daños y perjuicios en caso de declaración judicial de nulidad del invento o patente; y de la indemnización y del saneamiento por evicción si se declara que la titularidad pertenecía a un tercero (arts. 85 LP y 1478 y 1479 CC).
 • El adquirente dispone de 6 meses desde la fecha de la resolución o de la sentencia que le sirva de fundamento para interponer la acción de daños y perjuicios contra el transmitente (art. 85.3 LP).
✓ Cuando se produzca un cambio de titularidad de una patente como consecuencia de una sentencia firme que reconozca el derecho a la patente a favor de una persona distinta del adquirente, sus derechos sobre la patente se extinguirán por la inscripción en el Registro de Patentes de la persona legitimada (art. 13.1 LP).
 • Salvo que se trate de un adquirente de mala fe, éste podrá pedir al nuevo titular una licencia no exclusiva. La licencia ha de ser concedida por un período adecuado y en unas condiciones razonables (art. 13.2 y 3 LP). |

2. CONTRATO DE LICENCIA DE PATENTE

| Concepto | ✓ La licencia de patente supone la autorización para la explotación, en exclusiva o no, del procedimiento o producto patentado, sin transmisión de la titularidad, y durante un tiempo estipulado en el contrato.
✓ La solicitud de patente también puede ser objeto de licencia específica, como forma de permitir el uso del invento por una persona distinta del titular sin esperar a la concesión de la patente.
✓ A diferencia del arrendamiento de cosas, recae sobre un bien inmaterial tutelado con un derecho de la propiedad industrial. |

Régimen jurídico	✓ La Ley de patentes presta especial atención a las licencias, llamadas contractuales, mediante las cuales se autoriza a un tercero a explotar temporalmente el producto o procedimiento patentado (arts. 83 a 86 LP).
	• La Ley de patentes regula también un tipo de licencias contractuales, denominadas de pleno derecho. Son aquellas que resultan de un ofrecimiento público de licencias contractuales no exclusivas, realizado por el titular de la patente (art. 87 LP) y a través de la Oficina Española de Patentes y Marcas, conforme al procedimiento y obtención de los arts 88 y 89 LP.
	✓ De forma más excepcional, pero también previsto legalmente, la licencia a favor de un tercero puede tener su origen en una decisión de la Administración Pública, por falta o insuficiencia de la explotación, por desabastecimiento, por abusos derivados de prácticas anticompetitivas o posiciones de dominio, o, en general, por razones de interés público. Son las licencias obligatorias (arts. 91 a 101 LP).
	✓ Las disposiciones sobre el contenido y límites del contrato de licencia sobre bienes inmateriales de la Ley de patentes se entienden sin perjuicio de otras leyes nacionales o normas comunitarias que resulten aplicables (art. 82.4 LP).
	• El Reglamento (UE) 316/2014, de 21 de marzo, de aplicación del apartado 3 del artículo 101 del Tratado de Funcionamiento de la Unión Europea a determinadas categorías de acuerdos de transferencia de tecnología, sólo debe abarcar los acuerdos de transferencia de tecnología entre un licenciante y un licenciatario.
	✓ El artículo 5 del Convenio de París para la protección de la propiedad industrial de 1883 contiene algunas normas relativas a las licencias obligatorias de patentes.
	✓ El artículo 73 del Convenio de Munich sobre concesión de patentes europeas de 1973 señala que una solicitud de patente europea podrá ser, total o parcialmente, objeto de licencias para la totalidad o parte de los territorios de los Estados contratantes designados.
Sujetos	✓ El licenciante
	• Puede ser el inventor o el titular distinto del inventor, si éste ha cedido el derecho a la patente o la titularidad de la solicitud de la patente o de la patente ya concedida (arts. 10 y 82 LP).
	• La licencia le permite optimizar económicamente la invención.
	• • Si la solicitud de patente o la patente ya concedida pertenecen *pro indiviso* a varias personas, la concesión de licencia a un tercero para explotar la invención debe ser otorgada conjuntamente por todos ellos, salvo que el órgano jurisdiccional por razones de equidad, a la vista del caso, faculte a alguno de ellos para la concesión (art. 80.3 LP).

Sujetos (cont.)	✓ El licenciatario • Suele tratarse de una industria que quiere beneficiarse durante el período de la licencia de una invención ajena, sin haber realizado la inversión destinada a su obtención y sin ser exclusivamente dependiente de sus propias invenciones. • Cada licencia deberá ser objeto de un contrato específico, pero se entiende, salvo pacto en contrario, que la licencia no es exclusiva y que el licenciante puede conceder licencias a otras personas y explotar por sí mismo la invención (art. 83.5 LP).
Forma	✓ La licencia de la solicitud de patente o de la patente ya concedida, cuando se realicen entre vivos, deberá constar por escrito para que sea válida (art. 82.2 LP). • Por Ley 25/2009, se suprimió la exigencia de documento público en la formalización de las transferencias (Exp. motivos LP). ✓ Las licencias de las solicitudes de patentes y de patentes nacionales deben inscribirse en la Oficina Española de Patentes y Marcas (art. 79.2 LP). No podrán invocarse frente a terceros derechos sobre solicitudes de patente o sobre patentes que no estén debidamente inscritas en el Registro (art. 79.3 LP). Un ejemplo de esta inoponibilidad en STS 17-1-2001 *(Tol 71817)*, sobre cesión de modelos de utilidad.

Contenido del contrato		✓ La Ley impone un régimen mínimo de derechos y obligaciones de las partes que intervienen en la transmisión de la solicitud de patente o de la patente ya concedida. A continuación se detalla el contenido legal y otras cláusulas que pueden constar en el contrato en virtud del principio de libertad contractual:
	Obligaciones y derechos del licenciante	✓ Podrán ejercerse los derechos conferidos por la patente o por la solicitud de patente frente un licenciatario que viole alguno de los límites de su licencia (exclusiva o no, ámbito geográfico, facultades incluidas en la licencia) (art. 83.1 y 2 LP). ✓ La licencia contractual puede ser exclusiva o no exclusiva (art. 83.1 LP), pero se presume no exclusiva y que el licenciante podrá conceder otras licencias y explotar por sí mismo la invención (art. 83.5 LP). • La licencia exclusiva impide el otorgamiento de otras licencias (art. 83.6 LP). • La licencia exclusiva impide al licenciante la explotación de la invención, salvo que se haya reservado expresamente este derecho (art. 83.6 LP). Un ejemplo de este incumplimiento es la STS 28-9-2001 *(Tol 66555)*.

Contenido del contrato (cont.)	*Obligaciones y derechos del licenciante* (cont.)	✓ Salvo pacto en contrario, el licenciante está obligado a poner a disposición del licenciatario los conocimientos técnicos que posea y que resulten necesarios para poder proceder a una adecuada explotación de la invención (art. 84.1 LP).
		✓ El licenciante de una patente o solicitud de patente a título oneroso responde (art. 85 LP):
		  • Salvo pacto en contrario, si posteriormente se declarara que carecía de la titularidad o de las facultades necesarias para la realización del negocio de que se trate o si se declara la nulidad de la patente (art. 85.1 LP).
		  • El licenciante responderá siempre cuando hubiera actuado de mala fe. Ésta se presume *iuris tantum* cuando no hubiere dado a conocer al otro contratante, haciéndolo constar en el contrato con mención individualizada de tales documentos, los informes o resoluciones, españoles o extranjeros, de que disponga o le conste su existencia, referente a la patentabilidad de la invención objeto de la solicitud o de la patente (art. 85.2 LP).
		  • Las acciones arriba mencionadas prescriben a los seis meses, contados desde la fecha de la resolución definitiva o de la sentencia firme que les sirva de fundamento (art. 85.3 LP).
		✓ El licenciante responde solidariamente con el licenciatario de los daños y perjuicios ocasionados a terceros por defectos inherentes a la invención (art. 86.1 LP). La parte que efectúe el pago de la indemnización podrá repetir del declarado responsable las cantidades abonadas, a no ser que se hubiere pactado lo contrario, que hubiere procedido de mala fe o que, dadas la circunstancias del caso y por razones de equidad, deba ser él quien soporte en todo o en parte la indemnización a favor de terceros (art. 86.2 LP).

	Obligaciones y derechos del licenciatario	✓ Tanto la solicitud de patente como la patente ya concedida pueden ser objeto de licencias contractuales en su totalidad o en alguna de sus facultades que integran el derecho de exclusiva, para todo el territorio nacional o para una parte del mismo (art. 83.1 LP). ✓ Salvo pacto en contrario, se presume que el titular de la licencia contractual tiene derecho a realizar todos los actos que integran la explotación de la invención patentada, en todas sus aplicaciones, en todo el territorio nacional y durante toda la duración de la patente (art. 83.4 LP). ✓ El licenciatario a quien se comuniquen conocimientos secretos estará obligado a adoptar las medidas necesarias para evitar su divulgación (art. 84.2 LP).

| Contenido del contrato (cont.) | Obligaciones y derechos del licenciatario (cont.) | ✓ Salvo pacto en contrario, el titular de una licencia exclusiva podrá ejercitar en su propio nombre todas las acciones que en la presente Ley se reconocen al titular de la patente frente a los terceros que infrinjan su derecho, pero no podrá ejercitarlas el concesionario de una licencia no exclusiva (art 117.2 LP).
    • El licenciatario que no pueda ejercitar estas acciones podrá requerir notarialmente al titular para que emprenda estas acciones y si éste se negase o no las entabla en un plazo de tres meses, el licenciatario podrá entablar la acción en su propio nombre (art. 117.3 LP). Un ejemplo de esta defensa judicial por parte del licenciatario es la [STS 5-12-2012 *(Tol 2714641)*].
✓ Obligación de pagar el precio convenido por la solicitud de patente o la patente ya concedida, salvo que se haya pactado su carácter gratuito. El precio se configura libremente (por ejemplo, una cantidad a tanto alzado, cantidades periódicas y/o estipularse en términos variables, dependiente de los beneficios).
✓ Obligación de cesar en la explotación de la invención cedida una vez concluido el período contractual de la licencia, que no podrá superar el período máximo de veinte años concedido a la patente (art. 49 LP).
✓ Si se ha pactado expresamente, obligación de explotar la invención objeto del contrato de licencia, por ejemplo, a efecto de evitar la caducidad de la patente. |
| Extinción | | ✓ Cuando se produzca un cambio de titularidad de una patente como consecuencia de una sentencia firme que reconozca el derecho a la patente a favor de una persona distinta del licenciante, las licencias y demás derechos de terceros sobre la patente se extinguirán por la inscripción en el Registro de Patentes de la persona legitimada (art. 13.1 LP).
    • Salvo que se trate de un licenciatario de mala fe, éste podrá pedir al nuevo titular una licencia no exclusiva. La licencia ha de ser concedida por un período adecuado y en unas condiciones razonables (art. 13.2 y 3 LP). |

3. CONTRATOS DE TRANSMISIÓN Y DE LICENCIA DE OBTENCIONES VEGETALES

Concepto	✓ La Ley 3/2000, de 7 de enero, aprueba el régimen jurídico de la protección de las obtenciones vegetales y concede derechos de propiedad sobre las variedades vegetales. Se pretende proteger los recientes avances en materia de biotecnología e ingeniería genética. ✓ Esta Ley se aplica a todos los géneros y especies vegetales, incluidos los híbridos de géneros o de especies (art. 4 Ley 3/2000). ✓ Las solicitudes de protección, las resoluciones de concesión del título de obtención vegetal y las licencias de explotación, se inscriben en el Registro Oficial de Variedades Vegetales Protegidas, gestionado por el Ministerio de Agricultura, Pesca y Alimentación (art. 33 Ley 3/2000). ✓ La duración del derecho de exclusiva y excluyente del obtentor (arts. 12, 21 y 22 Ley 3/2000) se extiende hasta el final del vigésimo quinto año natural o, en caso de variedades de vid y de especies arbóreas, hasta el final del trigésimo año natural a contar desde el año de concesión de los derechos del obtentor (art. 18.1 Ley 3/2000). ✓ Los derechos derivados de una solicitud debidamente presentada y el derecho del obtentor son transmisibles por cualquiera de los medios admitidos en derecho, sin perjuicio de las limitaciones establecidas en la Ley (art. 20 Ley 3/2000). ✓ El derecho del obtentor puede también ser objeto de licencias a favor de terceros, las cuales no implican transmisión de la propiedad.
Régimen jurídico	✓ Artículos 19 a 26 Ley 3/2000. ✓ En defecto de norma expresamente aplicable a los derechos del obtentor, se aplicarán supletoriamente las normas que regulan la protección legal de las invenciones (disp. final segunda Ley 3/2000).

Sujetos	✓ El obtentor transmitente o licenciante
	  • Se entiende por obtentor la persona que haya creado o descubierto y desarrollado una variedad, o sus causahabientes (art. 3.1 Ley 3/2000).
	  • Puede ser cualquier persona física o jurídica que cumpla los requisitos de nacionalidad o domicilio exigidos legalmente u otros extranjeros en base al criterio de reciprocidad (art. 11 Ley 3/2000). Por ejemplo, una empresa extranjera especializada en la modificación genética de alimentos puede proteger sus derechos de propiedad sobre estas invenciones en España.

Sujetos (cont.)	• Salvo prueba en contrario, el solicitante será considerado como el titular del derecho a la obtención. En el caso de que varias personas hayan creado o descubierto y desarrollado conjuntamente una variedad, el derecho al título de obtentor corresponderá en común a todas ellas (art. 10.3 Ley 3/2000). • El derecho a obtener el título de obtención puede corresponder de forma conjunta al obtentor y a cualquier otra persona, en caso de que el obtentor y la otra persona hayan acordado compartir este derecho (art. 10.4 Ley 3/2000). • Las obtenciones vegetales creadas por personas actuando en el marco de una relación de empleo o de servicios con el empresario pertenecen generalmente a este último (por la remisión a la LP que realiza el artículo 10.5 Ley 3/2000). ✓ El adquirente o el licenciatario • Suele ser un empresario que dispone de la capacidad y estructura necesaria para explotar la variedad vegetal con eficacia durante el tiempo legal de protección. Por ejemplo, las sociedades matrices extranjeras titulares de la obtención vegetal pueden conceder licencias a favor de sus sociedades filiales constituidas en España.
Forma	✓ Los actos por los que se transmitan o modifiquen los derechos derivados de una solicitud debidamente presentada o el derecho de obtentor no afectarán a los derechos adquiridos por terceros antes de la fecha de dichos actos. Todos estos actos deberán constar por escrito para que tengan validez (art. 20 Ley 3/2000). ✓ Los contratos de licencia también se realizarán por escrito y no surtirán efectos frente a terceros mientras no estén debidamente inscritos en el libro registro de licencias (art. 23 Ley 3/2000).
Contenido del contrato	✓ El contrato puede incluir todas las cláusulas que las partes estimen por conveniente, que no sean contrarias a la ley, la moral y al orden público (arts. 57 C. Com. y 1255 CC). En todo caso, las partes se obligan no sólo al cumplimiento de lo expresamente pactado, sino también a todas las consecuencias que, según su naturaleza, sean conformes a la buena fe, al uso y a la Ley (art. 1258 CC).

4. CONTRATOS DE TRANSMISIÓN Y DE LICENCIA DE DISEÑOS INDUSTRIALES

Concepto	✓ La Ley 20/2003, de 7 de julio, de diseño industrial, concede derechos de propiedad sobre la forma bidimensional (dibujos) o tridimensional (modelos) que sea proyectada para los objetos al uso que serán fabricados en serie (Exposición de motivos). ✓ El diseño industrial se define como la apariencia de la totalidad o de una parte de un producto, que se derive de las características de las líneas, contornos, colores, forma, textura o materiales del producto en sí o de su ornamentación (art. 1 Ley 20/2003). ✓ La solicitud, la concesión y los demás actos o negocios jurídicos, incluyendo la transmisión y las licencias, así como gravámenes, que afecten al derecho sobre el diseño solicitado o registrado se inscribirán en el Registro de Diseños de la Oficina Española de Patentes y Marcas (arts. 3 y 59 Ley 20/2003). ✓ La duración del derecho de exclusiva y excluyente del titular del diseño (art. 45 a 57 Ley 20/2003) se otorga por 5 años desde la fecha de presentación de la solicitud de registro, y podrá renovarse por uno o más períodos sucesivos de 5 años hasta un máximo de 25 años computados desde dicha fecha (art. 43 Ley 20/2003). ✓ Los derechos derivados de una solicitud debidamente presentada o del registro del diseño pueden ser transmitidos y ser objeto de licencias (art. 59 Ley 20/2003). ✓ La licencia no implica transmisión de la propiedad del diseño registrado al tercero licenciatario.
Régimen jurídico	✓ Los artículos 59 a 62 Ley 20/2003 regulan específicamente las transferencias, licencias y gravámenes de diseños industriales. ✓ La disposición adicional primera contiene una remisión restringida a algunas de las normas sobre jurisdicción y normas procesales de la Ley de patentes. ✓ Los artículos 75 y 76 Ley 22/2003 aluden al Arreglo de La Haya de 1925 relativo al depósito internacional de dibujos y modelos industriales (y su Acta de Ginebra de 1999), del que España es parte. En su virtud, se crea un sistema de registro internacional destinado a obtener la tutela en los Estados parte mediante una sola solicitud ante la Oficina Internacional de la Organización Mundial de la Propiedad Intelectual (OMPI). También puede presentarse a través de las oficinas nacionales. En España, ante la Oficina Española de Patentes Y Marcas, que podría denegar en España los efectos del registro internacional si incurre en alguna de las causas de denegación del registro del diseño del art. 13 (art. 76.1 Ley 20/2003).

Sujetos	✓ El transmitente o el licenciante
	   • El derecho a registrar el diseño pertenece al autor o a su causahabiente (art. 14.1 Ley 20/2003).
	   • Si el diseño ha sido realizado por varias personas conjuntamente, el derecho a registrar el diseño pertenece en común a todas ellas, en la proporción pactada y, en defecto de pacto, se aplican las normas del Código Civil sobre comunidad de bienes (art. 14.2 Ley 20/2003).
	   • Cualquier persona que elabore un nuevo diseño para los objetos al uso puede explotarlo por su cuenta, pero si carece de los medios o de la organización adecuada, puede vender el diseño o licenciarlo, en exclusiva o no, normalmente a favor de empresarios industriales.
	✓ El adquirente o el licenciatario
	   • Los diseños elaborados por las personas actuando en el marco de una relación de empleo o de servicios con el empresario industrial pertenecen generalmente a este último (art. 15 Ley 20/2003). La adquisición en firme o la licencia de diseños de terceros puede resultar esencial para mantener o ampliar las ventajas competitivas en el mercado.

Forma	✓ La transmisión o licencia de los derechos derivados de la solicitud o del registro del diseño y las licencias, cuando se realicen *inter vivos*, deberán constar por escrito para que sean válidos, y sólo podrán oponerse frente a terceros de buena fe una vez inscritos en el Registro de Diseños de la Oficina Española de Patentes y Marcas (art. 59.2 Ley 20/2003).

Contenido del contrato		✓ Se mencionan a continuación las normas legales de la Ley 20/2003 y se remite al apartado sobre cesión y licencia de patentes, pues muchas de sus posibles cláusulas pueden ser también aplicables a la cesión o licencia de diseño industrial:

	Obligaciones y derechos del transmitente o del licenciante	✓ El transmitente a título oneroso o el licenciante responde, salvo pacto en contrario, si luego se declara que carecía de la titularidad o de las facultades necesarias para el negocio.
		   • Será nulo todo pacto de exclusión o limitación de responsabilidad si el transmitente u otorgante actuó de mala fe (art. 62.1 Ley 20/2003).
		   • También responderá de daños y perjuicios cuando se declare la nulidad y el transmitente u otorgante obró de mala fe (arts. 62.2 y 68 Ley 20/2003).
		   • El adquirente y el licenciatario disponen de 6 meses desde la fecha de la resolución que declare la falta de titularidad o la nulidad para entablar la acción judicial.

Esquemas de Derecho de los contratos mercantiles

Contenido del contrato (cont.)	*Obligaciones y derechos del transmitente o del licenciante* (cont.)	• Se aplican las normas sobre saneamiento por evicción del Código Civil (art. 62.3 Ley 20/2003). ✓ Se entenderá, salvo pacto en contrario, que la licencia no es exclusiva y que el otorgante podrá conceder otras licencias y explotar por sí mismo el diseño (art. 60.2 Ley 20/2003). ✓ Los derechos conferidos por el diseño registrado podrán ser ejercitados frente a cualquier titular de la licencia que viole alguna de las limitaciones establecidas en el contrato relativas a la duración, la forma del diseño, la modalidad de explotación o la naturaleza o calidad de los productos a los que se aplique el diseño (art. 60.4 Ley 20/2003). ✓ Derecho a ejercitar acciones de defensa frente a terceros, notificándolo al titular de la licencia (arts. 61.1 y 2 Ley 20/2003).
	Obligaciones y derechos del adquirente o del licenciatario	✓ La licencia exclusiva impide el otorgamiento de otras licencias y el otorgante de la licencia sólo podrá explotar el diseño si en el contrato se hubiere reservado expresamente este derecho (art. 60.3 Ley 20/2003). ✓ Salvo pacto en contrario, el licenciatario tendrá derecho a explotar el diseño durante toda la duración del registro, incluidas las renovaciones, en todo el territorio español y para todas sus aplicaciones (art. 60.5 Ley 20/2003). ✓ El licenciatario no podrá cederla a terceros ni conceder sublicencias, a no ser que se hubiere convenido lo contrario (art. 60.6 Ley 20/2003). ✓ Salvo que el contrato de licencia disponga otra cosa, el licenciatario sólo podrá ejercitar en su propio nombre las acciones que se reconocen al titular del diseño frente a terceros con autorización expresa de dicho titular. Sin embargo, el licenciatario podrá requerir fehacientemente al titular del diseño para que entable la acción judicial y, en su defecto, podrá interponerla en nombre propio (art. 61.1 Ley 20/2003), notificándolo al titular del diseño (art. 61.2 Ley 20/2003).

5. CONTRATOS DE TRANSMISIÓN Y DE LICENCIA DE SECRETO EMPRESARIAL

Concepto de *know how* y de secreto empresarial	✓ El Tribunal Supremo ha dictado muchas sentencias relativas a la transmisión y licencia de *know how*, si bien dando por descontado su concepto, sin ofrecer una definición uniforme [véase SSTS 23-2-2021 *(Tol 8337426)*; 4-6-2020 *(Tol 7969595)*; 14-6-2019 *(Tol 7300906)*; 21-2-2012 *(Tol 2481147)*; 16-2-2011 *(Tol 2051414)*, entre otras]. • La definición más completa puede ser la STS 30-5-2002 de la Sala de lo contencioso-administrativo *(Tol 20466)*, que toma como referencia los Comentarios oficiales al "Modelo de Convenio de Doble Imposición sobre Renta y Patrimonio", según los cuales, el *know how* es el conjunto no divulgado de informaciones técnicas, patentables o no, que son necesarias para la reproducción industrial, directamente y en las mismas condiciones, de un producto o de un procedimiento; procediendo de la experiencia, el *know how* es el complemento de lo que el industrial no puede saber por el solo examen del producto y el mero conocimiento del progreso de la técnica. ✓ En 2019, el legislador ha preferido regular una categoría más amplia, denominada secreto empresarial. • Se define como la información o conocimiento, incluido el tecnológico, científico, industrial, comercial, organizativo o financiero, que sea secreto, tenga un valor empresarial, ya sea real o potencial, precisamente por ser secreto, y haya sido objeto de medidas razonables por parte de su titular para mantenerlo en secreto (art. 1.1 LSE). ✓ Habrá que ir determinando qué puede constituir secreto empresarial, pues también podrá ser objeto de transmisión en contratos de cesión o licencia. Por ejemplo, el know how y el secreto contable, reconocido en el art. 32.1 C. Com. ✓ Los datos personales de los clientes o proveedores pueden ser un secreto empresarial. • La empresa tiene sobre los mismos un deber de confidencialidad (arts. 5.1 LOPDGDD). • Los datos pueden ser objeto de tratamiento (incluida la cesión) en caso de compraventa de empresa o modificación estructural de la compañía (art. 21 LOPDGDD). ✓ La LSE excluye que cualquier dato confidencial sea susceptible de reputarse legalmente un secreto empresarial. • No se considera secreto empresarial la información de escasa importancia (Exp. motivos LSE). • Tampoco es secreto empresarial la experiencia y las competencias adquiridas por los trabajadores durante el normal transcurso de su carrera profesional (art. 1.3 LSE) • No es tampoco secreto a efecto legales la información que es de conocimiento general o fácilmente accesible en los círculos en que normalmente se utilice el tipo de información en cuestión (art. 1.1.a LSE). ✓ La violación del secreto empresarial se considera un acto de competencia desleal (art. 15 LCD). ✓ Si se dan las condiciones legales, la vulneración del secreto empresarial puede ser constitutivo también de un delito (arts. 278 a 280 CP).

Régimen jurídico	✓ Se reconoce expresamente al titular un derecho subjetivo sobre el secreto empresarial de naturaleza patrimonial, con posibilidad de cesión definitiva o temporal (arts. 4 y 7 LSE).
	✓ Puede resultar aplicable el Derecho de la competencia y los reglamentos de exención por categorías de acuerdos, como el Reglamento (UE) 316/2014, de 21 de marzo, , que abarca los acuerdos de transferencia de tecnología entre un licenciante y un licenciatario.
	✓ La cesión o licencia del *know how* supone una transferencia de tecnología y/o secretos empresariales o industriales entre empresas.
	   • Puede resultar aplicable el Derecho de la competencia y los reglamentos de exención por categorías de acuerdos, como el Reglamento (UE) 316/2014, de 21 de marzo, de aplicación del apartado 3 del artículo 101 del Tratado de Funcionamiento de la Unión Europea a determinadas categorías de acuerdos de transferencia de tecnología, que abarca los acuerdos de transferencia de tecnología entre un licenciante y un licenciatario.
	✓ Si el secreto pertenece *pro indiviso* a varias personas, la cesión o licencia deberá ser otorgada por todos, salvo que el juez faculte a alguno de ellos para llevar a cabo la cesión o licencia (art. 5.3 LSE).
	✓ El secreto empresarial puede ser objeto de licencia con el alcance objetivo, material, territorial y temporal que en cada caso se pacte (art. 5.1 LSE).
	   • La licencia puede ser exclusiva o no exclusiva. Se presumirá que la licencia es no exclusiva y que el licenciante puede otorgar otras licencias o utilizar por sí mismo el secreto empresarial (art. 5.2 LSE).
	   • El titular de una licencia contractual no podrá cederla a terceros, ni conceder sublicencias, a no ser que se hubiere convenido lo contrario (art. 5.3 LSE).
	✓ Quien transmita a título oneroso o licencie un secreto, responde, salvo pacto en contrario, de los daños que cause al adquierente, si luego se declara su falta de legitimación. Responderá siempre cuando hubiera actuado de mala fe (art. 6 LSE).
	✓ Los datos personales, a los efectos de la LOPDGDD, pueden ser objeto de tratamiento lícito en el marco de una operación de modificación estructural de sociedades o de aportación o transmisión de negocio o de rama de actividad empresarial (art. 21.1 LOPDGDD).

Sujetos	✓ El transmitente o el licenciante • La cesión puede tener como único objeto el secreto empresarial. • Sin embargo, la licencia forma parte usualmente de un contrato mixto como la concesión o la franquicia, en donde el uso del secreto empresarial por el licenciatario acompaña o no a la cesión o licencia de derechos de la propiedad industrial, como las marcas, patentes o diseños. ✓ El adquirente o el licenciatario • La utilización del secreto empresarial otorga una posición favorable en el mercado a su titular o a las personas a las que ceda definitiva o temporalmente este conocimiento.

6. CONTRATOS DE TRANSMISIÓN Y DE LICENCIA DE MARCA O NOMBRE COMERCIAL

Concepto	✓ Pueden constituir marca todos los signos, especialmente las palabras, incluidos los nombres de personas, los dibujos, las letras, las cifras, los colores, la forma del producto o su embalaje, o los sonidos, que cumplan dos condiciones (art. 4 LM): • Que sean signos apropiados para distinguir los productos o servicios de una empresa de los de otra; y • Que puedan ser representados en el Registro de Marcas, de modo que las autoridades y el público en general pueda determinar el objeto claro y preciso de la protección otorgada al titular. ✓ El nombre comercial se define como todo signo susceptible de representación gráfica que identifica a una empresa en el tráfico mercantil y que sirve para distinguirla de las demás empresas que desarrollan actividades idénticas o similares (art. 87.1 LM). ✓ El derecho de propiedad sobre la marca y el nombre comercial se adquiere por el registro válidamente efectuado (arts. 2 y 87.3 LM). • La marca puede pertenecer a una persona o *pro indiviso* a varias personas (art. 46 LM). ✓ Como especialidad de la propiedad industrial, la protección de la marca y del nombre comercial se otorga por un plazo de diez años, aunque son renovables por períodos sucesivos de diez años (art. 31 LM). ✓ Como objeto de derecho de la propiedad, el titular de la marca registrada tiene derecho:

Concepto (cont.)	• A venderla a otro, de forma independiente o conjuntamente con la empresa que se transmita (art. 47.1 LM). • Muy habitual también es la licencia de marca, por la cual el titular cede su uso a un tercero, pero no la propiedad del signo registrado (art. 48.1 LM), como en los contratos de distribución o de franquicia. • Asimismo, la marca y su solicitud puede también darse en garantía o ser objeto de derechos reales como la hipoteca mobiliaria o ser objeto de embargo u otras medidas que resulten de un proceso de ejecución (art. 46.2 LM). ✓ Como excepción, la marca colectiva y la marca de garantía solo podrán cederse, respectivamente, a una persona que cumpla los requisitos del art. 62.2 LM o 68.2 LM. • La marca colectiva puede cederse solo a asociaciones de fabricantes, productores, prestadores de servicios, así como a personas jurídicas de Derecho público (art. 62.2 LM). • La marca de garantía solo puede cederse a una persona física o jurídica, incluidas instituciones de Derecho público, siempre que no desarrollen una actividad empresarial en bienes o servicios del tipo que se certifica (art. 68.2 LM). ✓ Salvo disposición contraria, son aplicables al nombre comercial, en la medida en que no sean incompatibles con su propia naturaleza, las normas de la LM relativas a las marcas (art. 87.3 LM).
Régimen jurídico	✓ Los artículos 47 a 50 LM regulan específicamente la transmisión de marcas, la licencia, la solicitud de inscripción de derechos y el procedimiento de inscripción de los mismos. ✓ Las normas sobre jurisdicción y normas procesales de la Ley de patentes son aplicables a las distintas modalidades de signos distintivos regulados en la Ley de marcas, en todo aquello que no sea incompatible con su propia naturaleza (disp. adic. primera LM). ✓ Los artículos 19 a 20 del Reglamento (UE) 2017/1001, de 14 de junio, de la marca de la Unión Europea, regulan específicamente normas sobre esta marca como objeto de propiedad, su cesión y licencia, o ejecución forzosa, entre otros aspectos. contemplan normas especiales sobre la cesión y la licencia de marcas. ✓ El artículo 6 *quater* del Convenio de París para la protección de la propiedad industrial de 1883 también hace referencia a la transferencia de marcas, así como el artículo 9 bis del Arreglo de Madrid relativo al registro internacional de marcas de 1891 y su Protocolo de 1989. ✓ Los artículos 11, 17 a 20 del Tratado de Singapur sobre el Derecho de Marcas de 2006 mencionan los cambios en la titularidad de la marca y a las licencias.

Sujetos	✓ El transmitente o el licenciante • El registro de un signo distintivo como marca o nombre comercial no exige la acreditación previa de la condición de empresario o de la existencia o explotación de una empresa. Sin embargo, existe una obligación legal de usar la marca registrada. La marca ha de usarse en el plazo ininterrumpido de cinco años desde la fecha del registro. El uso de ha de ser efectivo en España y para los productos o servicios para los cuales esté registrada (art. 39.1 LM). El nombre comercial también caduca por falta de uso (art. 91.2 LM). • El uso puede ser por su titular o por un tercero con consentimiento del titular (art. 39.4). Por ejemplo, por un franquiciado o un distribuidor. ✓ La marca o su solicitud pueden pertenecer *pro indiviso* a varias personas. La comunidad resultante se regirá por lo acordado entre las partes, en su defecto por lo previsto en este apartado de la LM (art. 46.1 LM) y en último término por las normas del Derecho común sobre la comunidad de bienes. En concreto, de conformidad con el artículo 46.1 LM: • La concesión de licencias y el uso independiente de la marca por cada partícipe deberán ser acordados conforme a lo dispuesto en el artículo 398 CC. • En caso de cesión de marca o de una participación, los partícipes podrán ejercitar el derecho de tanteo en el plazo de un mes a contar desde el momento en que fueran notificados del propósito y condiciones en que se llevaría a cabo la cesión. • A falta de aviso previo o si la cesión se hubiera realizado de forma distinta a lo prevenido en aquél, los partícipes podrán ejercitar el derecho de retracto, en igual plazo, desde la publicación de la inscripción en el Registro de Marcas. • La oposición absoluta e injustificada de un partícipe al uso de la marca de forma que pueda dar lugar a su declaración de caducidad se considerará, a todos los efectos, como renuncia a su derecho. ✓ El adquirente o el licenciatario • La cesión de las marcas de los productos o servicios y del nombre comercial es tradicionalmente una de las cláusulas esenciales de los contratos de compraventa de empresas o establecimientos mercantiles, pero puede ser objeto de una compraventa especial (art. 47.1 LM). • La misma regla de la libre cesión es aplicable al nombre comercial por la remisión al derecho de marcas que realiza el artículo 87.3 LM y por la declaración expresa de la Exposición de motivos de la LM. • La licencia de marcas y nombres comerciales, más que un contrato *ad hoc*, suele ser una estipulación habitual en contratos más amplios, como la franquicia, la concesión, la agencia mercantil y otros de distribución.

Forma	✓ La LM no establece ninguna formalidad especial para la transmisión o licencia de marcas o nombres comerciales. • Puede tratarse de una cesión de marca que conste de su propio contrato o sea una cláusula de un contrato más amplio, como el de franquicia (un ejemplo en STS 31-7-2007 *(Tol 1146756)*]. ✓ Sin embargo, dado que la transmisión o la licencia se ha de inscribir en la Oficina Española de Patentes y Marcas para que surta efectos frente a terceros (art. 46.3 LM), la forma escrita es recomendable a efectos de prueba, de eficacia administrativa y de seguridad jurídica de los contratantes. ✓ Si la transmisión resulta de un contrato, la instancia deberá expresarlo y acompañar alguno de los siguientes documentos, a elección del solicitante: copia auténtica del contrato o bien copia simple del mismo con legitimación de firmas efectuada por Notario o por otra autoridad competente; extracto del contrato en que conste por testimonio notarial o de otra autoridad pública competente que el extracto es conforme con el contrato original; o, certificado o documento de transferencia firmado tanto por el titular como por el nuevo propietario, ajustado al modelo que se establezca reglamentariamente (art. 49.2 LM). ✓ Si el cambio en la titularidad se produce por fusión, por imperativo de la ley, por resolución administrativa o por decisión judicial, deberá acompañarse a la instancia testimonio emanado de la autoridad pública que emita el documento, o bien copia del documento que pruebe el cambio autenticada o legitimada por Notario o por otra autoridad competente (art. 49.3 LM). ✓ La inscripción de la transmisión o licencia u otros actos o negocios jurídicos sobre los signos registrados podrá solicitarse por el cedente o por el cesionario (art. 50.1 LM). La Oficina Española de Patentes y Marcas examinará la documentación, en particular, la instancia de solicitud conforme al modelo oficial, conteniendo el número de registro de marca afectado, los datos de identificación del nuevo titular y la indicación de los productos o servicios a los que afecte la cesión o licencia, si no fueran totales; así como el documento acreditativo de la cesión o licencia, de conformidad con los apartados 2, 3 y 4 del artículo 49 LM. Si la Oficina tiene dudas sobre la veracidad de cualquier indicación, podrá exigir al solicitante la aportación de pruebas adicionales (art. 49.6 LM).
Contenido del contrato	✓ La mayoría de las normas de la LM dejan claro su carácter dispositivo, por lo que el contrato puede incluir todas las cláusulas que las partes estimen por conveniente, que no sean contrarias a la moral y al orden público (art. 1255 CC). Se detallan a continuación el régimen de derechos y obligaciones de los contratantes de acuerdo con las normas previstas en la LM:

	Obligaciones y derechos del transmitente o del licenciante	✓ Se presume legalmente que transmisión de la empresa en su totalidad implica la cesión de la marca, salvo que haya acuerdo en contrario o las circunstancias determinen claramente lo contrario (art. 47.1 LM).

Contenido del contrato (cont.)	*Obligaciones y derechos del transmitente o del licenciante* (cont.)	✓ Si de los documentos que establecen la transmisión se dedujera de forma manifiesta que debido a esa transmisión la marca podría inducir al público a error, en particular sobre la naturaleza, la calidad o la procedencia geográfica de los productos o de los servicios para los cuales esté solicitada o registrada, la Oficina Española de Patentes y Marcas denegará la inscripción, a no ser que el adquirente acepte limitar la solicitud o el registro de marca a productos o servicios para los cuales no resulte engañosa (art. 47.2 LM). ✓ Cuando la licencia sea exclusiva, el licenciante sólo podrá utilizar la marca si en el contrato se hubiera reservado expresamente este derecho (art. 48.6 LM). ✓ Los derechos conferidos por el registro de la marca o su solicitud podrán ser ejercitados frente a cualquier licenciatario que viole alguna de las disposiciones del contrato de licencia relativas a su duración, a la forma protegida por el registro, a la naturaleza de los productos o servicios, al territorio en el cual puede ponerse la marca o a la calidad de los productos fabricados o los servicios prestados por el licenciatario (art. 48.2 LM). ✓ Salvo que otra cosa diga el contrato de licencia, el licenciatario solo puede ejercitar las acciones relativas a la violación de la marca con consentimiento del titular de la misma (art. 48.7 LM). ✓ Sin embargo, en el procedimiento de violación de la marca que entable el titular, el licenciatario tiene derecho a intervenir para obtener reparación del daño causado (art. 48.8 LM).
	Obligaciones y derechos del adquirente o del licenciatario	✓ Salvo pacto en contrario, el licenciatario la podrá utilizar en toda España y para todos los productos y servicios para los cuales la marca esté registrada y por toda la duración del registro, incluidas las renovaciones (art. 48.3 LM). ✓ Salvo pacto en contrario, se entiende que la licencia no es exclusiva y el licenciante puede conceder otras licencias y utilizar por sí mismo la marca (art. 48.4 LM). ✓ El titular de una licencia no puede cederla a terceros, ni conceder sublicencias, a no ser que se hubiera convenido lo contrario (art. 48.3 LM).

7. CONTRATOS DE TRANSMISIÓN DE LOS DERECHOS DE EXPLOTACIÓN DE LA PROPIEDAD INTELECTUAL

Derechos de explotación de la propiedad intelectual	✓ El autor de una obra literaria, científica o artística, tiene el derecho de explotarla y disponer de ella a su voluntad (art. 428 CC). ✓ Pueden ser objeto de inscripción en el Registro de la Propiedad Intelectual los derechos de propiedad intelectual relativos a las obras y demás producciones protegidas en el Texto refundido que aprueba la Ley de propiedad intelectual (en adelante, TRLPI), tal y como señala su art. 145.1. Sin embargo, el hecho generador de la protección legal es el solo hecho de la creación de una obra literaria, artística o científica (art. 1 TRLPI). • Los programas de ordenador también pueden inscribirse en el citado Registro (art. 101 TRLPI). ✓ Corresponde al autor el ejercicio exclusivo de los derechos de explotación de su obra en cualquier forma y, en especial: • Derecho de reproducción, entendida como fijación directa o indirecta, provisional o permanente, por cualquier medio y forma, de toda la obra o parte de ella, que permita su comunicación o la obtención de copias (art. 18 TRLPI). • Derecho de distribución, esto es, la puesta a disposición del público del original o de las copias de una obra, en un soporte tangible, mediante su venta, alquiler, préstamo o de cualquier otra forma (art. 19 TRLPI). • Derecho de comunicación pública, entendida como acto por el cual una pluralidad de personas pueda tener acceso a la obra sin previa distribución de ejemplares a cada una de ellas. Especialmente son actos de comunicación pública las representaciones escénicas, ejecuciones públicas de obras dramáticas, literarias y musicales; la proyección pública de obras cinematográficas; la emisión de obras por radiodifusión o por cualquier otro medio que sirva para la difusión inalámbrica de signos, sonidos o imágenes; así como por vía satélite, cable, fibra óptica u otro procedimiento análogo; la radiodifusión o por televisión; la emisión o transmisión, en lugar accesible al público, mediante cualquier medio idóneo, de la obra radiodifundida, etc. (art. 20 TRLPI). • Derecho de transformación, que comprende su traducción, adaptación y cualquier otra modificación en su forma de la que se derive una obra diferente (art. 21 TRLPI). ✓ Los derechos de explotación de la obra intelectual no podrán ser ejercitados por otra persona sin la autorización del autor, salvo en los casos previstos en el TRLPI (art. 17 TRLPI). ✓ Estos derechos de explotación son independientes entre sí (art. 23 TRLPI).

Régimen jurídico	✓ Los derechos de explotación de la obra intelectual pueden transmitirse por actos "inter vivos". La falta de mención del tiempo limita la transmisión a 5 años y la del ámbito territorial al país en que se realice la cesión. Si no se expresan con detalle las modalidades de explotación de una obra, la cesión se limita a aquella que se deduzca necesariamente del mismo contrato y sea indispensable para cumplir la finalidad del mismo. Es nula la cesión de derechos de explotación que el autor pueda crear en el futuro, así como la prohibición de que el autor cree alguna obra en el futuro. La transmisión de derechos de explotación no alcanza a las modalidades de utilización o medios de difusión inexistentes o desconocidos al tiempo de la cesión (art. 43 TRLPI). ✓ La cesión otorgada por el autor a título oneroso le confiere una participación proporcional en los ingresos de explotación, en la cuantía convenida con el cesionario, si bien en ciertos casos puede fijarse una remuneración a tanto alzado a favor del autor (art. 46 TRLPI). ✓ La cesión, salvo que expresamente así se declare, no es exclusiva a favor del cesionario (arts. 48 a 50 TRLPI). ✓ El Real Decreto-ley 24/2021 regula algunos aspectos del mercado de los derechos de propiedad intelectual, en particular, las medidas que facilitan la liquidación de derechos de autor para las actividades de transmisión y retransmisión de contenidos a través de la radio y de la televisión en línea.
Sujetos	✓ Aunque es un tema discutido, los contratos de transmisión de derechos de explotación de la misma deben reputarse mercantiles cuando una o ambas partes sean comerciantes. • El adquirente suele ser un empresario que dispone de la capacidad y organización adecuada para la explotación de los derechos adquiridos, por ejemplo, una editorial, una discográfica, una productora cinematográfica, etc. • El transmitente puede ser también un empresario, como ocurre en el caso habitual en que el autor de la obra intelectual constituye una sociedad mercantil a través de la cual transmite y rentabiliza los derechos de explotación.
Forma	✓ Toda cesión debe formalizarse por escrito. Si, previo requerimiento fehaciente, el cesionario incumpliere esta exigencia, el autor podrá optar por la resolución del contrato (art. 45 TRLPI).
El contrato de edición	✓ El contrato de edición es aquel por el cual el autor o sus derechohabientes ceden al editor, mediante compensación económica, el derecho de reproducir su obra y el de distribuirla. El editor se obliga a realizar estas operaciones por su cuenta y riesgo en las condiciones pactadas. Esta cesión constituye fundamento jurídico suficiente para que el editor tenga derecho a una parte de la compensación equitativa.

El contrato de edición (cont.)	✓ El contrato de edición deberá formalizarse por escrito, con las menciones exigidas por la ley (cesión exclusiva o no, número máximo y mínimo de ejemplares, ámbito territorial, forma de distribución, remuneración del autor, etc.) (art. 60 TRLPI). ✓ El contrato de edición de obras musicales o dramático-musicales es aquel por el que se conceden además al editor derechos de comunicación pública (art. 71 TRLPI).
El contrato de representación teatral y ejecución musical	✓ Por el contrato de representación teatral y ejecución musical, el autor o sus derechohabientes ceden a una persona natural o jurídica el derecho de representar o ejecutar públicamente una obra literaria, dramática, musical, dramático-musical, pantomímica o coreográfica, mediante compensación económica. El cesionario se obliga a llevar a cabo la comunicación pública de la obra en las condiciones convenidas y con sujeción a lo dispuesto en el texto refundido que aprueba la Ley de propiedad intelectual (art. 74 TRLPI). ✓ En el contrato deberá estipularse el plazo dentro del cual debe llevarse a efecto la comunicación única o primera de la obra. Dicho plazo no podrá ser superior a 2 años desde que el autor puso al empresario en condiciones de realizar la comunicación. Si el plazo no estuviese fijado, se entenderá otorgado por 1 año (art. 75 TRLPI).
El contrato de producción de obra audiovisual	✓ Por el contrato de producción de una obra audiovisual se presumen cedidos en exclusiva al productor, con las limitaciones establecidas en el TRLPI, los derechos de reproducción, distribución y comunicación pública, así como los de doblaje o subtitulado de la obra. No obstante, en las obras cinematográficas será necesaria siempre la autorización expresa de los autores, que son el director-realizador, los autores del argumento, la adaptación y los del guion o los diálogos, así como los autores de composiciones musicales creados especialmente para esa obra (art. 87 TRLPI). La autorización es para su explotación, para su utilización en el ámbito doméstico o mediante su comunicación pública a través de la radiodifusión (art. 88 TRLPI). ✓ La remuneración de los autores de la obra audiovisual por la cesión de los derechos mencionados en el artículo 88 TRLPI deberá determinarse para cada una de las modalidades de explotación concedidas (art. 90 TRLPI). ✓ Los empresarios de salas públicas o de locales de exhibición deberán poner periódicamente a disposición de los autores las cantidades recaudadas en concepto de dicha remuneración (art. 90.3 TRLPI). ✓ Estas disposiciones de este título serán aplicables, en lo pertinente, a las obras radiofónicas (art. 94 TRLPI).

La cesión de programas de ordenador	✓ Se considera autor del programa de ordenador la persona o grupo de personas naturales que lo hayan creado, o la persona que sea contemplada como titular de los derechos de autor en los casos expresamente previstos en el TRLPI (art. 97.1 TRLPI). Los derechos de explotación incluyen la realización o autorización de reproducciones totales o parciales, la traducción o adaptación y cualquier otra forma de distribución pública, incluido el alquiler del programa original o de sus copias (art. 99 TRLPI). ✓ A tales efectos, cuando se produzca cesión del derecho de uso de un programa de ordenador, se entenderá, salvo pacto en contrario, que dicha cesión tiene carácter no exclusivo e intransferible, presumiéndose, asimismo, que lo es para satisfacer únicamente las necesidades del usuario (art. 99 TRLPI). ✓ El autor no podrá oponerse, salvo pacto en contrario, a que el cesionario titular de los derechos de explotación realice o autorice la realización de versiones sucesivas de su programa ni de programas derivados del mismo (art. 100.4 TRLPI).
La contratación de artistas e intérpretes	✓ Los artistas e intérpretes de una obra contratados para su interpretación o ejecución en cumplimiento de un contrato de trabajo o de arrendamiento de servicios ceden al empresario o arrendatario, salvo pacto en contrario, los derechos exclusivos de autorizar la reproducción y la comunicación pública previstos en el TRLPI (art. 110 TRLPI).

Capítulo VII

Las operaciones de los mercados de valores

1. PRINCIPIOS GENERALES

Los mercados de valores	✓ En el ámbito bursátil, se utiliza el vocablo "operaciones", de uso tradicional, como equivalente a contratos (Exp. motivos Propuesta de Código Mercantil, ap. VI-129).
	✓ Con el término genérico "operaciones de los mercados de valores" se incluye una amplia variedad de contratos de compraventa, préstamo, comisión mercantil, afianzamiento, en una lista no cerrada y abierta a nuevas combinaciones contractuales. Su denominador común es realizarse en el marco de los "mercados de valores" y tener por objeto instrumentos financieros, esto es:
	  • Un valor negociable, como acciones u obligaciones emitidas por una sociedad "cotizada".
	  • Un derivado o contrato a plazo.
	✓ Los contratos y operaciones en los mercados de valores están regidos por la autonomía de la voluntad, con los límites generales derivados de la ley, la moral y el orden público (art. 1255 CC).
	✓ El Derecho de los mercados de valores abarca dos grupos de normas: uno de carácter predominantemente jurídico-administrativo y otro de Derecho privado mercantil, que rige los contratos que en la Bolsa se conciertan (ap. VI-131 Propuesta de Código Mercantil).
	✓ Precisamente, es la ley jurídico-administrativa (integrada por el texto refundido de la Ley del mercado de valores, en adelante TRLMV, y abundante normativa de desarrollo) la que pone límites a la libertad contractual. También otra normativa (como el TRLGDCU, cuando se trata de un inversor minorista o no profesional). La vulneración de las obligaciones (por ejemplo, de información) que recaen sobre el emisor de valores o de la empresa de servicios de inversión puede ser causa de nulidad del contrato celebrado por el inversor.

Los mercados de valores (cont.)	• El TRLMV y la actuación de la Comisión Nacional del Mercado de Valores (CNMV) se han ido adaptando a la legislación europea, en particular al paquete MIFID II (Directiva 2014/65/UE y otras). ✓ Ventajas principales de los mercados de valores: • Financiación de empresas y entes públicos a través de la canalización del ahorro privado. • Rentabilidad para los inversores. • Toma de control de sociedades anónimas cotizadas. • Fijación oficial del precio de las acciones de las sociedades anónimas cotizadas. ✓ Ubicación • Las Bolsas de Valores mantienen su sede física en Madrid, Barcelona, Bilbao y Valencia. • Sin embargo, los principales mercados de valores son virtuales y la contratación tiene lugar mayoritariamente por transacciones informáticas. ✓ Existe un evidente interés público en la correcta organización y funcionamiento de los mercados de valores, para lo cual el Estado crea la CNMV. Es un Ente de derecho público, con personalidad y patrimonio propio (art. 16 LMV). En el Mercado de Deuda Pública en Anotaciones, el órgano de supervisión es el Banco de España. ✓ La CNMV tiene como principal función la de velar por la transparencia de los mercados de valores, la correcta formación de los precios, la protección de los inversores, promoviendo la difusión de cuanta información sea necesaria (art. 17.2 TRLMV). • Tiene capacidad normativa, mediante Circulares en desarrollo de Reales Decretos y Órdenes Ministeriales (art. 21 TRLMV). • Puede dictar resoluciones en materia sancionadora y en materia de intervención y sustitución de administradores (art. 22 TRLMV).
La Comisión Nacional del Mercado de Valores y entidades sujetas a supervisión, inspección y sanción	✓ Entre otros, quedan sujetos a la supervisión, inspección y sanción de la CNMV (art. 233 TRLMV), entre otros, los siguientes: • Las sociedades rectoras de los mercados secundarios oficiales, las entidades rectoras de los sistemas multilaterales de negociación (SMN) y de los sistemas organizados de contratación (SOC), las entidades de contrapartida central y los depositarios centrales de valores, con exclusión del Banco de España. • La Sociedad de Bolsas y las entidades que tengan la totalidad de las acciones o el control directo o indirecto de las entidades del apartado anterior.

La Comisión Nacional del Mercado de Valores y entidades sujetas a supervisión, inspección y sanción (cont.)	• Las empresas de servicios de inversión españolas y no comunitarias que operen en España.
	• Los agentes de las entidades que presten servicios de inversión.
	• Los emisores de valores en cuanto a sus actuaciones relacionadas con el mercado de valores.
	• La sociedad gestora del fondo de garantía de inversiones.
	• Quienes, no estando incluidos en las letras precedentes, ostenten la condición de miembro de algún mercado secundario oficial o de los sistemas de compensación y liquidación de sus operaciones.
	• Las agencias de calificación crediticia, establecidas en España y registradas.
	• Los proveedores de servicios de suministro de datos.
	• Los asesores de voto, regulados en el art. 137 bis a quinquies TRLMV.
	✓ Las siguientes personas y entidades, en cuanto a sus actuaciones relacionadas con el Mercado de Valores:
	  • Los emisores de valores.
	  • Las entidades de crédito y sus agentes.
	  • Las empresas de servicios de inversión autorizadas en otro Estado miembro de la Unión Europea que operen en España.
	  • Las Sociedades Gestoras de Instituciones de Inversión Colectiva en cuanto presten servicios de inversión.
	  • Las restantes personas físicas o jurídicas, en cuanto puedan verse afectadas por las normas de esta ley y sus disposiciones de desarrollo.
	  • Las agencias de calificación crediticia de otro país de la Unión Europea o de un país tercero con certificado de equivalencia, así como las otras personas o entidades mencionadas en el TRLMV.
	✓ En el mercado primario de valores, la emisión de valores es libre, si bien como regla general hay obligación del emisor de registrar y publicar un folleto informativo para los inversores, aprobado por la CNMV (art. 33 y 34 TRLMV).
	✓ La CNMV tiene la tarea de verificar que se cumplen los requisitos legales de admisión de valores a negociación en un mercado secundario oficial. En el caso de las Bolsas de Valores, la verificación de la CNMV será única y válida para todas ellas. La admisión a negociación en cada mercado secundario oficial requiere, además, el acuerdo de su organismo rector (art. 76.1 TRLMV).
	  • Como excepción, los valores emitidos por el Estado y por el Instituto de Crédito Oficial se consideran admitidos de oficio en el Mercado de Deuda Pública en Anotaciones o en los demás mercados secundarios oficiales según determine la emisión. Los valores emitidos por las Comunidades Autónomas se entienden admitidos a negociación por la mera solicitud (art. 76.3 TRLMV).

La Comisión Nacional del Mercado de Valores	• Para facilitar la transparencia en los mercados, los emisores de valores han de remitir la información dispuesta en el TRLMV. Es el caso de los informes financieros anual (art. 118 TRLMV) y semestrales (art. 119 TRLMV). Esta información ha de remitirse a la CNMV para su incorporación en un registro oficial, al que el público tendrá libre acceso (arts. 122.2 y 238 TRLMV).
La Comisión Nacional del Mercado de Valores (cont.)	✓ La CNMV también dispone de un servicio de reclamaciones de los usuarios de los mercados de valores • Las entidades de crédito y las empresas de servicios de inversión deben disponer de un servicio de atención al cliente (art. 29 Ley 44/2002). • El usuario puede también acudir al servicio de reclamaciones de la CNMV, si acredita haberlo hecho previamente ante la entidad de crédito o empresa de servicio de inversión. Si la CNMV fuera desfavorable a la entidad, la entidad infomará a la CNMV si ha hecho la rectificación voluntariamente (art. 30 Ley 44/2002, según redacción dada por la disp. final undécima Ley 21/2011, de 26 de julio, de economía sostenible).

2. LOS INSTRUMENTOS FINANCIEROS (VALORES NEGOCIABLES Y DERIVADOS) Y SU REPRESENTACIÓN EN TÍTULOS O EN ANOTACIONES EN CUENTA

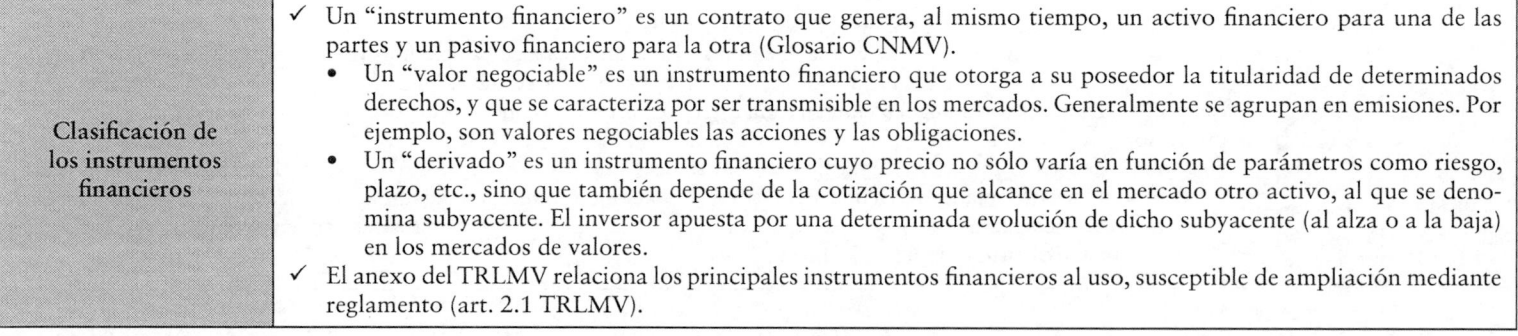

Clasificación de los instrumentos financieros	✓ Un "instrumento financiero" es un contrato que genera, al mismo tiempo, un activo financiero para una de las partes y un pasivo financiero para la otra (Glosario CNMV). • Un "valor negociable" es un instrumento financiero que otorga a su poseedor la titularidad de determinados derechos, y que se caracteriza por ser transmisible en los mercados. Generalmente se agrupan en emisiones. Por ejemplo, son valores negociables las acciones y las obligaciones. • Un "derivado" es un instrumento financiero cuyo precio no sólo varía en función de parámetros como riesgo, plazo, etc., sino que también depende de la cotización que alcance en el mercado otro activo, al que se denomina subyacente. El inversor apuesta por una determinada evolución de dicho subyacente (al alza o a la baja) en los mercados de valores. ✓ El anexo del TRLMV relaciona los principales instrumentos financieros al uso, susceptible de ampliación mediante reglamento (art. 2.1 TRLMV).

Los valores negociables	✓ Los valores negociables son definidos como cualquier derecho de contenido patrimonial, cualquiera que sea su denominación, y que, por su configuración jurídica propia y régimen de transmisión, sea susceptible de tráfico generalizado e impersonal en un mercado financiero, incluyendo las siguientes categorías, con excepción de los instrumentos de pago:
	✓ Las acciones de sociedades y otros valores equiparables, y recibos de depositario.
	  • La acción de la sociedad cotizada "valor de renta variable" por antonomasia.
	  • La finalidad de la sociedad anónima "cotizada" en un mercado de valores es realizar ampliaciones en capital en masa, mediante la agrupación de nuevas acciones en emisiones.
	  • La Ley 5/2021, de 12 de abril, modifica el TRLSC y otras normas, en lo que respecta al fomento de la implicación a largo plazo de los accionistas en las sociedades cotizadas. Las estrategias de inversión cortoplacistas tienden a afectar negativamente al potencial desarrollo sostenible de las sociedades cotizadas, pues la presión por generar y distribuir beneficios financieros en el corto o incluso muy corto plazo, presiona a las direcciones de las empresas cotizadas a centrarse en exceso en los resultados financieros trimestrales, que se suprimen también por efecto de la Ley 5/2021 (derogado art. 120 TRLMV).
	  • Se pretende captar dinero a cambio de hacer socio o de la posibilidad de ser socio en el futuro. Normalmente sin arriesgar a perder la mayoría del capital social, en base al carácter minoritario de los múltiples inversores y su falta de participación en la junta. Sin embargo, hay riesgo de perder el control de la sociedad si un tercero lanza una oferta pública de adquisición de acciones (OPA). Para evitarlo, no hay obligación de que todas las acciones de una sociedad coticen en un mercado de valores.
	  • El comprador espera obtener un beneficio bien con los dividendos que distribuya la sociedad, bien con la plusvalía obtenida con la reventa, bien influyendo en el funcionamiento interior de la empresa si su participación es de suficiente importancia.
	  • El llamado "capital flotante" es la parte del capital de una sociedad cotizada que se encuentra en manos de pequeños inversores, y que por lo tanto es objeto de libre negociación en Bolsa (es decir, la parte que no controlan los accionistas de referencia, el "núcleo duro" de la sociedad) (Glosario CNMV).
	✓ Bonos y obligaciones u otras formas de deuda titulizada, incluidos los recibos de depositario representativos de tales valores.
	  • Son los "valores de renta fija". Tras la reforma del art. 2 TRLMV por el Real Decreto-ley 14/2018, no hay una enumeración tan exhaustiva de los tipos de valores negociables de renta fija como en la redacción anterior.

Los valores negociables (cont.)	• La finalidad de la emisión de obligaciones es lograr dinero de terceros que pasan a ser acreedores de la sociedad —no socios—, pues reciben el compromiso de la sociedad emisora de pagar los intereses estipulados y devolver el capital en el tiempo pactado. • El acreedor puede esperar al vencimiento o ceder su derecho de crédito con anterioridad. • La emisión de valores de renta fija más comunes son las obligaciones simples, convertibles en acciones nuevas o canjeables por acciones viejas (por ejemplo, las que la sociedad tenga en autocartera); pagarés de empresa, obligaciones subordinadas, cédulas, bonos y participaciones hipotecarias, cédulas territoriales, bonos de titulización, participaciones preferentes, entre otros. • Las sociedades anónimas y las sociedades comanditarias por acciones pueden emitir obligaciones agrupadas en emisiones, a efectos de ser negociados en los mercados de valores (art. 401 TRLSC). ✓ Los demás valores que dan derecho a adquirir o a vender tales valores negociables o que dan lugar a una liquidación en efectivo, determinada por referencia a valores negociables, divisas, tipos de interés o rendimientos, materias primas u otros índices o medidas. ✓ Los instrumentos del mercado monetario, entendiendo por tales las categorías de instrumentos que se negocian habitualmente en el mercado monetario como las letras del Tesoro, y efectos comerciales, excluidos los instrumentos de pago. • El Estado, las Comunidades Autónomas, los Ayuntamientos y otros organismos públicos, como RTVE, RENFE, el Instituto de Crédito Oficial, también pueden emitir deuda pública o renta fija pública. La de mayor importancia es la emitida por el Estado. Las Letras del tesoro, los Bonos, y a largo plazo, las Obligaciones del Estado. ✓ Participaciones y acciones de instituciones de inversión colectiva, así como de las entidades de capital-riesgo y de las entidades de inversión colectiva de tipo cerrado.

Los instrumentos financieros	✓ Conforme al anexo TRLMV, tienen la condición de "instrumentos financieros" los contratos de opciones, futuros, permutas, acuerdos de interés a plazo y otros contratos de instrumentos financieros "derivados", así llamados porque el precio toma como punto de referencia otro activo subyacente, elegido por las partes del contrato, como:
	  • El precio de las acciones de una determinada compañía.
	  • Una moneda nacional.
	  • Tipos de interés.

Los instrumentos financieros (cont.)	• Una materia prima. • Un índice financiero (por ejemplo, el IBEX 35). • Variables climáticas. • Gastos de transporte. • Tipos de inflación, etc. ✓ Los derivados son productos de inversión complejos (a diferencia, por ejemplo, de la compra de acciones de una sociedad cotizada o de letras del tesoro, por ejemplo). ✓ Los contratos a plazo no son nuevos en España, a pesar de la terminología inglesa que da nombre a muchos contratos de derivados de la actualidad. Estuvieron prohibidos durante parte del siglo XIX, pues "en sustancia se resuelven en un verdadero juego de azar"; "pero hay que confesar que las operaciones a plazo han continuado realizándose, sin cumplir con el requisito de la previa existencia de la cosa vendida en poder del vendedor", "hasta el punto de constituir el principal alimento de las negociaciones bursátiles" (Exposición de Motivos del Proyecto de Código de Comercio de 1885) y de los actuales mercados de valores.
Representación de los valores e instrumentos financieros	✓ Los instrumentos financieros sometidos al TRLMV han de revestir una formalidad específica. Pueden documentarse en papel (títulos) o mediante un registro informático (anotaciones en cuenta). Esto da seguridad jurídica a los mercados de valores de la existencia del contrato, de las posiciones activa y pasiva del instrumento financiero, de los titulares de los derechos y obligaciones y facilita la transmisión a terceros. No hay, pues, libertad de forma del contrato; es preceptivo usar un título o una anotación en cuenta. ✓ Los valores negociables (también para los derivados) podrán representarse por medio de "anotaciones en cuenta" informáticas o por medio de títulos. La modalidad de representación elegida habrá de aplicarse a todos los valores integrados en una misma emisión. Sin embargo, si están admitidos a negociación en mercados secundarios oficiales o en sistemas multilaterales de negociación deberán representarse mediante anotaciones en cuenta. En ambas formas, la representación es reversible (art. 6 TRLMV). ✓ El Registro informático de valores anotados en cuenta lo lleva una entidad que elija el emisor de los valores, entre las empresas de servicios de inversión y entidades de crédito autorizadas o el depositario central de valores, que actualmente es una sociedad anónima llamada "Sociedad de Gestión de los Sistemas de Registro, Compensación y Liquidación de Valores" (la "Sociedad de Sistemas" o "IBERCLEAR") (disp. adic. 6ª TRLMV), pero será siempre ésta si se trata de valores admitidos a cotización en un mercado secundario oficial (art. 8 TRLMV).

Representación mediante títulos o mediante anotaciones en cuenta	✓ Las funciones principales de la Sociedad de Sistemas son las siguientes:
	  • Llevar el registro contable de los valores representados en anotaciones en cuenta, admitidos a negociación en las Bolsas de Valores o en el Mercado de Deuda Pública en Anotaciones, así como en otros mercados cuando sus órganos rectores así lo soliciten.
	  • Gestionar la liquidación, y, en su caso, la compensación de valores y efectivo derivada de las operaciones realizadas sobre valores.
	  • Prestar servicios técnicos y operativos relativos al funcionamiento del registro.
	✓ La forma de transmisión de los valores anotados en cuenta es por transferencia contable, esto es, por inscripción de la transmisión en el programa informático (art. 11 TRLMV).
	✓ Pueden constituirse derechos reales o gravámenes sobre valores negociables, debiendo inscribirse en la cuenta correspondiente (art. 12 TRLMV).
	✓ Se presume titular del valor negociable quien conste como tal en el registro contable y tiene derecho a que la entidad encargada de la llevanza le entregue un certificado (art. 14 TRLMV).

3. LAS OPERACIONES EN EL MERCADO PRIMARIO DE VALORES

La emisión de valores y el folleto informativo	✓ El TRLMV distingue entre el mercado primario de valores (arts. 33 a 42) y los mercados secundarios de valores (arts. 43 a 137). ✓ A falta de un concepto legal, el mercado primario puede definirse como aquel en el que hay una adquisición originaria de valores que acceden al mercado organizado (Sánchez Calero). Por ejemplo, cédulas hipotecarias emitidas por un banco, nuevas acciones de una sociedad anónima, bonos de una Comunidad Autónoma, etc. ✓ Para captar a los interesados, no es necesario hacer una oferta pública, pues puede realizarse a través de la "colocación privada", siendo de aplicación las reglas generales de las obligaciones y contratos y la normativa sectorial que regule el procedimiento, por ejemplo, el derecho societario en un caso de ampliación del capital social (Cortés).

La emisión de valores y el folleto informativo (cont.)	✓ Sin embargo, la colocación privada será normalmente insuficiente con un sistema de emisión masiva y reiterada de valores en busca de financiación, para la cual los mercados de valores cumplen una función básica.
	
	✓ La realización de una "oferta pública" en el mercado primario está sometida al TRLMV, de naturaleza imperativa y cuya finalidad es asegurar que el inversor pueda hacerse un juicio fundado sobre los valores que el emisor le ofrece:
	  • La emisión de valores nuevos en el mercado primario es libre.
	  • Sólo podrán ofertarse al público o admitirse a cotización en un mercado regulado tras la previa publicación de un folleto de conformidad con el Reglamento (UE) 2017/1129, con algunas excepciones legales.
	  • En las excepciones legales en que no se debe publicar folleto, sí deberá intervenir una entidad autorizada para prestar servicios de inversión.
	  • Para la colocación de las emisiones, podrá recurrirse a cualquier técnica adecuada a elección del emisor (art. 33.1 TRLMV). Para llegar al gran público, generalmente se suele contratar los servicios de una empresa de servicios de inversión a efectos de comercialización de los valores emitidos.
	  • El aceptante no puede alterar los términos de la oferta, pues es una aceptación adhesiva. Si hay más aceptantes que valores ofertados se dividen los valores a prorrata o por orden cronológico, según determine el folleto.
	  • Pueden asumir responsabilidad civil y penal el emisor y sus administradores y cualquier otra persona responsable del folleto con falsedades (art. 38 TRLMV y 282 bis CP). La STS Sala de lo Civil Sección Pleno 3-2-2016 *(Tol 5630373)*, condena a Bankia a la devolución del importe de compra de acciones de esta entidad por parte de un inversor al estimar la existencia de grandes inexactitudes en el folleto informativo en relación a la situación patrimonial del emisor. También STS 21-12-2021 *(Tol 8702087)*.
	  • Mediante Ley 5/2021 se suprime la anterior mención a que los valores adquiridos serán libremente transmisibles (derogado art. 33.3 TRLMV). A la hora de comprar valores nuevos, suele ser importante para el adquirente conocer si los valores van a poder negociarse en un mercado secundario para que luego pueda venderlos más fácilmente. Con la supresión, será posible introducir cláusulas de restricción de la transmisión de los valores.
	
	✓ La LMV prevé también la opción del emisor de realizar una oferta pública de venta de valores ya negociados previamente (no de nueva suscripción), siendo obligado publicar un folleto (art. 35 TRLMV)

4. LAS OPERACIONES EN LOS MERCADOS SECUNDARIOS DE VALORES

Mercados regulados y mercados no regulados	✓ Un "mercado regulado" es un sistema multilateral, operado o gestionado por un organismo rector del mercado, que reúne o brinda la posibilidad de reunir, dentro del sistema y según sus normas no discrecionales, los diversos intereses de compra y venta sobre instrumentos financieros de múltiples terceros para dar lugar a contratos con respecto a los instrumentos financieros admitidos a negociación conforme a sus normas o sistemas, y que está autorizado y funciona de forma regular de conformidad con la Directiva (UE) 2014/65/UE (MiFID II). • Bolsas y Mercados Españoles SA. (BME) ostenta, directa o indirectamente, a través de sus filiales, la condición de gestor de los mercados regulados (a través de sus filiales, las sociedades rectoras de las bolsas de Madrid, Barcelona, Valencia y Bilbao) y de depositario central de valores en España (a través de su filial, la citada Iberclear), entre otras funciones esenciales. La Ley 41/1999, de 12 de noviembre, regula los sistemas de pagos y de liquidación de valores. • Funcionan también Sistemas Multilaterales de Negociación (SME), como el Mercado Alternativo Bursátil (MAB), el Mercado Alternativo de Renta Fija (MARF), también bajo control de BME, o Latibex o Senaf. • Como novedad del paquete MIFID II, se regulan en España también los Sistemas Organizados de Contratación (SOC), en donde a diferencia de lo que ocurre en los mercados regulados y los SMN, la negociación se podrá efectuar a través de reglas discrecionales (art. 46.6 Real Decreto Ley 21/2017). • En cambio, un mercado *over the counter* (OTC) es aquél que no está sujeto a regulación ni supervisión externa. Los mercados OTC no suelen tener una sede física, y la negociación se realiza por teléfono u ordenador. A diferencia de lo que ocurre en los mercados organizados, las operaciones no están estandarizadas, sino que las condiciones de las mismas son fijadas de forma libre y directa por las partes (aunque pueden existir acuerdos generales sobre procedimientos). No existe ningún órgano de compensación y liquidación que garantice el cumplimiento de los compromisos adquiridos por los contratantes; por ello, en estos mercados suelen operar entidades de gran solvencia (Glosario CNMV). ✓ Cada mercado regulado está autorizado y funciona de forma supervisada, con sujeción a las condiciones de acceso, admisión a negociación, procedimientos operativos, información y publicidad (art. 43.1 TRLMV).

Los mercados secundarios oficiales españoles	✓ Los mercados regulados españoles reciben el nombre de mercados secundarios oficiales (art. 43.2 TRLMV). Son las Bolsas de Valores, el Mercado de Deuda Pública en Anotaciones, el Mercado de Futuros y Opciones y el Mercado de Renta Fija, AIAF.
	    • Además de los mercados oficiales, en el mercado español operan otros en los que se negocian instrumentos financieros. Destacan el Mercado Alternativo Bursátil (MAB) para valores emitidos por empresas de reducida capitalización y Latibex, para valores latinoamericanos.
	    • El MAB está dirigido y gestionado por Bolsas y Mercados Españoles (BME) y supervisado por la Comisión Nacional del Mercado de Valores (CNMV).
	    • Latibex está autorizado por el Gobierno español y organizado por la Bolsa de Madrid.
	✓ Los mercados secundarios de valores son aquellos en que los valores son negociados por segunda o más veces, pues se produce una adquisición derivativa de valores que ya han accedido previamente al mercado (Sánchez Calero).
	✓ Los mercados secundarios o de negociación permiten a los inversores obtener liquidez inmediata revendiendo los valores de los que sean propietarios.
	✓ Las obligaciones de transparencia del emisor se extienden al mercado secundario, pues las acciones, por ejemplo, son participaciones del capital de una sociedad anónima y su valor real depende de las variaciones del patrimonio social y de sus expectativas de negocio.
	✓ Entre los mercados secundarios, reciben el calificativo de "oficiales" aquellos a los que el Estado reconoce como oficial al precio ponderado de todas las compraventas de un mismo tipo de valor.
	    • En un mercado secundario oficial, los inversores pueden confiar en que el precio equivale al precio real y objetivo del valor específico (García-Pita).
	    • No es de extrañar, así, que el legislador prevea sanciones administrativas y penales por la difusión voluntaria, de forma maliciosa, de informaciones o recomendaciones que puedan inducir a error al público en cuanto a la apreciación que merezca determinado valor o la ocultación de circunstancias relevantes que puedan afectar a la imparcialidad de dichas informaciones o recomendaciones (arts. 271 TRLMV y 284 a 286 CP).
	✓ Los mercados secundarios oficiales de valores, de ámbito estatal, son los siguientes (art. 43.2 TRLMV):
	    • Las Bolsas de Valores.
	    • El Mercado de Deuda Pública en Anotaciones.

Los mercados secundarios oficiales españoles (cont.)	• Los Mercados de Futuros y Opciones representados en anotaciones en cuenta. • El Mercado de renta fija, AIAF. ✓ En cada uno de estos mercados, se negocian los valores e instrumentos financieros que por sus características sean aptos para ello (art. 43.3 TRLMV). ✓ Para dar comienzo a su actividad los mercados secundarios oficiales requieren autorización previa de la CNMV (art. 1.1 Real Decreto-ley 21/2017) o de la autoridad autonómica competente en mercados de ámbito exclusivamente autonómico (art. 45 TRLMV).

Las Bolsas de Valores	✓ En la actualidad, las Bolsas de Valores autorizadas en el ámbito estatal son las de Madrid, Barcelona, Valencia y Bilbao.
	✓ Pueden ser miembros de la Bolsa respectiva las empresas de servicios de inversión y entidades de crédito españolas (arts. 55 y 69 TRLMV).
	✓ El organismo rector de cada Bolsa es una sociedad rectora, una sociedad anónima cuyo objeto social es la organización y funcionamiento de su Bolsa respectiva (art. 54 TRLMV).
	✓ Las Bolsas de Valores han establecido, de acuerdo con la ley del mercado de valores, un sistema de interconexión bursátil (SIBE) o mercado continuo, de ámbito estatal, integrado a través de una red informática, en el que se negocian los valores admitidos a negociación en, al menos, dos Bolsas, a solicitud de la entidad y previo informe de la citada llamada "Sociedad de Bolsas" (art. 56 TRLMV).
	  • La Sociedad de Bolsas se constituye por las sociedades rectoras de las bolsas existentes en cada momento (art. 57 TRLMV).
	  • Cuando un valor se negocia en el mercado continuo, la CNMV puede establecer su negociación exclusiva a través del mismo y que, por tanto, deje de negociarse en las Bolsas respectivas (art. 56.2 TRLMV).

El Mercado de Deuda Pública en Anotaciones	✓ El Mercado de Deuda Pública en Anotaciones tiene por objeto la negociación de valores de renta fija emitida por el Estado y el Instituto de Crédito Oficial, así como del Banco Central Europeo y de las Comunidades Autónomas, si así lo solicitan. • A pesar de esta exclusiva, los mismos valores se pueden negociar en otros mercados secundarios oficiales (art. 59.2 TRLMV).

El Mercado de Deuda Pública en Anotaciones (cont.)	• El Mercado de Deuda Pública en Anotaciones tiene como organismo rector al Banco de España (art. 60.1 TRLMV). • Pueden ser miembros, además del Banco de España, a efectos de intermediación, las empresas de servicios de inversión y las entidades de crédito que cumplan lo dispuesto en el artículo 69 TRLMV (art. 61 TRLMV).
El Mercado de Futuros y Opciones	✓ En los Mercados de Futuros y Opciones representados por anotaciones en cuenta se negocian los contratos de derivados, cualquiera que sea el tipo de activo subyacente, financiero o no financiero (arts. 64 a 68 TRLMV). • La operación tradicional del mercado de futuros y opciones es el contrato a plazo, como futuro u opción.
El Mercado de Renta Fija, AIAF	✓ El Mercado de Renta Fija, AIAF, es una opción para la negociación de obligaciones y otros valores de renta fija de sociedades emisoras que no cumplen los requisitos legales y reglamentarios (sobre todo, del gran tamaño de la empresa) para acceder a las Bolsas de Valores.

5. LAS OPERACIONES AL CONTADO Y A PLAZO

Operaciones al contado	✓ La compraventa de valores al contado es aquella orden de compra o venta al intermediario por un precio concreto, con intercambio inmediato de precio por valores. ✓ El contrato de doble es aquella compraventa de un valor en la que el vendedor se reserva el derecho de recompra en un plazo pactado. ✓ Cada compraventa tiene un precio libremente estipulado entre el comprador y el vendedor (se denomina "cambio"), pero ha de ser hecho público. ✓ La cotización es una media ponderada de todas las compraventas de ese valor en un día concreto. ✓ El índice resulta del valor medio de las transacciones en una bolsa o en el mercado continuo (por ejemplo, el IBEX con las 35 empresas con mayor liquidez de las bolsas españolas).

Operaciones a plazo	✓ La compraventa a plazo es aquella en que las partes fijan las prestaciones que asume cada una, pero el intercambio no tendrá lugar hasta un momento predeterminado en el futuro.
	✓ Un futuro es un contrato a plazo y en firme en el que las partes han determinado, conforme a modelos normalizados, el precio y la contraprestación que, como especialidad, no debe cumplirse en el mismo momento, sino en un momento futuro determinado por las partes.
	   • Cada contratante ocupa así una posición acreedora de la prestación de la otra y a la vez deudora de la prestación a la que se han comprometido por contrato firme.
	   • Hasta la fecha de liquidación o de la transacción, la posición se revalúa al final de cada sesión, liquidándose diariamente las pérdidas o ganancias resultantes de la diferencia habida en los precios diarios del activo subyacente.
	✓ Una opción es también un contrato a plazo, pero condicional:
	   • Una de las partes abona una prima a la otra para tener el derecho u opción de cumplir con su parte del contrato al llegar la fecha del vencimiento o de abandonarlo sin incurrir en incumplimiento del contrato.
	   • Estas opciones pueden ser de venta *put* o de compra *call* y ejercitarse en una fecha única predeterminada (opción europea) o en cualquier momento antes de la fecha elegida (opción americana).
	✓ Los contratos a plazo no son nuevos en España, a pesar de la terminología inglesa que da nombre a muchos contratos de derivados de la actualidad.
	   • Estuvieron prohibidos durante parte del siglo XIX, pues "en sustancia se resuelven en un verdadero juego de azar"; "pero hay que confesar que las operaciones a plazo han continuado realizándose, sin cumplir con el requisito de la previa existencia de la cosa vendida en poder del vendedor", "hasta el punto de constituir el principal alimento de las negociaciones bursátiles" (Exposición de Motivos del Proyecto de Código de Comercio de 1885).
	✓ El Reglamento (UE) 236/2012, de 14 de marzo, endurece las condiciones exigibles a las ventas en corto y determinados aspectos de las permutas de cobertura por impago (*credit default swaps*, CDS). Por ejemplo, con algunas excepciones:
	   • Exige la notificación a las autoridades competentes cuando alguien tenga posiciones cortas netas significativas en acciones o deuda soberana para su venta, sin ser propietario pero tomadas previamente en préstamo (venta en corto) (arts. 5 y 7).
	   • Prohíbe la venta de acciones o deuda soberana sin tener la propiedad ni haberlas tomado en préstamo (venta al descubierto) (arts. 12 y 13 Regl. 236/2012).

Oferta pública de adquisición de acciones y otros valores	✓ De acuerdo con el Glosario de la Comisión Nacional del Mercado de Valores, la oferta pública de adquisición (OPA) es una operación mediante la cual una persona física o jurídica ofrece públicamente a los accionistas de una sociedad cotizada la adquisición de sus acciones, con el fin de obtener una participación significativa del capital o aumentar su participación en unos porcentajes determinados. • La OPA siempre puede lanzarse con carácter voluntario, pero además la normativa establece en qué supuestos es obligatoria su presentación. • El precio que se propone a los accionistas suele ser superior al de mercado, para facilitar la aceptación de la oferta. • La contraprestación puede ser en dinero, en acciones o mixta (dinero y acciones). • Los accionistas tienen un plazo para estudiarla y decidir si están interesados en aceptar el precio ofrecido. ✓ Queda obligado a formular una oferta pública de adquisición (OPA) por la totalidad de las acciones u otros valores que directa o indirectamente puedan dar derecho a su suscripción o adquisición y dirigida a todos sus titulares a un precio equitativo quien alcance el control de una sociedad cotizada, ya lo consiga (art. 128 TRLMV): • bien por tener en propiedad acciones u otros valores o derechos de adquisición o suscripción de acciones con derecho de voto en dicha sociedad, • bien por pactos parasociales de voto con otros titulares de valores o • Como consecuencia de los demás supuestos de naturaleza análoga que se fijen reglamentariamente. ✓ Esta obligación se entiende referida a sociedades cotizadas cuyas acciones estén, en todo o en parte, admitidas a negociación en un mercado secundario oficial español y tengan su domicilio en España, así como a otras sociedades incluidas en los supuestos del art. 129 TRLMV. ✓ Se entiende que el precio es equitativo cuando, como mínimo, sea igual al precio más elevado que haya pagado el obligado a formular la oferta o las personas que actúen en concierto con él (art. 130 TRLMV). ✓ A efectos de la OPA, se entiende que se adquiere el control de la sociedad cuando alcance, directa o indirectamente un porcentaje de derechos de voto igual o superior al 30%, o bien un porcentaje inferior pero pueda nombrar más de la mitad de los consejeros del órgano de administración (art. 131 TRLMV). ✓ Quien no la presente, lo haga fuera de plazo o con irregularidades, no podrá ejercer los derechos políticos derivados de los valores (art. 132.1 TRLMV). La Comisión Nacional del Mercado de Valores podrá impugnar las compras realizadas (art. 132.4 TRLMV).

Oferta pública de adquisición de acciones y otros valores (cont.)	✓ La Ley no establece un deber de pasividad de la sociedad afectada frente a la OPA de un tercero. Cuando ésta la considere hostil, los órganos de dirección y administración podrán alentar la presentación de otras ofertas competidoras (un "caballo blanco"), pero no podrán emprender actuaciones que puedan impedir el éxito de la oferta, salvo si obtienen autorización en la Junta General de socios (art. 134 TRLMV).
	✓ Para proteger los intereses de los accionistas que desean aceptar la OPA, la Junta General de socios puede acordar la suspensión o eliminación de las cláusulas estatutarias o pactos parasociales que limiten la libre transmisibilidad o restrinjan el derecho de voto de las acciones (art. 135 TRLMV).
	✓ Cuando como resultado de una OPA total, ya sea voluntaria u obligatoria, el oferente posea valores que confieran el 90% de los derechos de voto, puede exigir al resto de socios que le vendan las acciones a un precio equitativo (art. 136 TRLMV).
	✓ La OPA voluntaria debe dirigirse a todos los accionistas de la sociedad cotizada y titulares de otros valores, pero podrá realizarse por un número de valores inferior al total.
	✓ La OPA obligatoria no será exigible cuando el control se haya adquirido tras una oferta voluntaria por la totalidad de los valores, dirigida a todos los titulares y que haya cumplido todos los requisitos mencionados (art. 137.1 TRLMV).

6. EL PRÉSTAMO CON GARANTÍA DE VALORES NEGOCIABLES Y EL PRÉSTAMO DE VALORES NEGOCIABLES

El préstamo con garantía de valores negociables	✓ Al recibir un préstamo, es normal que el prestamista exija del prestatario garantías de devolución de lo prestado, normalmente una suma económica. Estos préstamos mercantiles con garantía de valores cotizados en Bolsa o en otro mercado secundario oficial facilitan la realización de la garantía a través de su venta en Bolsa u otro mercado. La liquidez puede ser así inmediata para el prestamista.
	✓ El Código de Comercio dispone que el préstamo con garantía de valores admitidos en un mercado secundario oficial, hecho en escritura pública, tiene naturaleza mercantil (art. 320, ap. 1º C. Com.) y contiene algunas normas relativas a la prenda que se constituye a favor del prestador:

El préstamo con garantía de valores negociables (cont.)	• El prestador tiene sobre los efectos pignorados derecho a cobrar su crédito con preferencia sobre los demás acreedores, quienes no podrán disponer de los mismos a no ser satisfaciendo el crédito constituido sobre ellos (art. 320, ap. 2º C. Com.). • En la póliza del préstamo deberán expresarse los datos y circunstancias necesarias para la adecuada identificación de los valores dados en garantía (art. 321 C. Com.). • Vencido el plazo del préstamo, el acreedor, salvo pacto en contrario y sin necesidad de requerir al deudor, está autorizado para la enajenación de los valores dados en garantía, a cuyo fin entregará a los organismos rectores del correspondiente mercado la póliza o escritura de préstamo, acompañada de los títulos pignorados o del certificado acreditativo de la inscripción de la garantía, expedido por la entidad encargada del correspondiente registro contable. El organismo rector adoptará las medidas necesarias para enajenar los valores pignorados (art. 322 C. Com.). ✓ Los valores pignorados no están sujetos a reivindicación mientras no sea reembolsado el prestador, sin perjuicio de los derechos y acciones del titular desposeído contra las personas responsables según las leyes, por los actos en virtud de los cuales haya sido privado de los valores dados en garantía (art. 324 C. Com.).

Los contratos de préstamo de valores negociables	✓ Los contratos de préstamos de valores permiten que el prestatario disponga temporalmente de unos valores pertenecientes al prestamista, a cambio de un precio y/o unas garantías de devolución. El objeto del contrato son los propios valores negociables en un mercado. Es una operación esencial de los mercados, especialmente, de las compraventas a plazo.
	✓ Sin perjuicio de otras modalidades de préstamo, se podrá llevar a cabo el préstamo de valores negociados en un mercado secundario oficial cuya finalidad sea (art. 84.1 TRLMV):
	  • la disposición de los mismos para su enajenación posterior,
	  • para ser objeto de préstamo o
	  • para servir como garantía en una operación financiera.
	✓ El prestatario deberá asegurar la devolución del préstamo mediante la constitución de las garantías suficientes. En su caso, la Comisión Nacional del Mercado de Valores determinará cuáles deberán de ser dichas garantías (art. 84.2 TRLMV).
	✓ La regla de exigencia de garantías no resultará aplicable a los préstamos de valores resultantes de operaciones de política monetaria, ni a los que se hagan con ocasión de una oferta pública de venta de valores (art. 84.3 TRLMV).
	✓ El Ministro de Economía y Hacienda y, con su habilitación expresa, la CNMV, podrá fijar límites al volumen de operaciones de préstamo o a las condiciones de los mismos, atendiendo a las circunstancias del mercado y establecer obligaciones específicas de información sobre las operaciones (art. 84.4 TRLMV).

Los contratos de préstamo de valores negociables (cont.)	✓ En desarrollo de la LMV, la Orden del Ministerio de Economía y Hacienda 764/2004, de 11 de marzo, sobre determinados aspectos de los préstamos de valores a los que se refiere el artículo 36.7 LMV (con modificaciones corresponde al vigente art. 84 TRLMV), la cual no ha sido derogada. La Orden dispone: • Que el préstamo de valores se formaliza en un contrato por el cual su propietario los cede durante un tiempo limitado a un tercero, a cambio de una remuneración. • Identifica los valores aptos para el préstamo, las obligaciones de información, registro, publicidad y otros aspectos relativos al préstamo de valores. ✓ El contrato se rige por la autonomía de la voluntad de las partes (arts. 57 C. Com. y 1255 CC). Entre las cláusulas habituales del contrato de préstamo de valores, pueden destacarse las siguientes: • Compromiso del prestamista de que los valores se encuentran libres de cargas y gravámenes, así como que sus derechos políticos y económicos no están sometidos a ninguna restricción, limitación o suspensión de ninguna clase. • El contrato puede prever, además de la duración concreta, la prórroga automática del contrato. El prestamista tiene derecho del prestamista a instar la resolución del contrato antes de que tenga lugar la prórroga. • La operación de préstamo registrada en la cuenta de valores del prestamista es comunicada al organismo rector del mercado secundario donde estén admitidos a negociación. • La remuneración del préstamo se calcula diariamente, aplicando el tipo de interés que en cada momento se encuentre establecido por la entidad prestataria sobre la cotización media de los valores en la sesión anterior y el abono de la remuneración tendrá lugar mensualmente a través de la cuenta de efectivo vinculada con la cuenta de valores del prestamista en una empresa de servicios de inversión. • El prestamista también recibirá el importe de los derechos económicos devengados por los valores durante la vigencia del préstamo. • Al término de cada día quedarán cancelados los préstamos constituidos en esa fecha. Los valores objeto de dichos préstamos estarán en situación de prestables al inicio del día siguiente, salvo que con anterioridad el prestamista haya solicitado la restitución de los mismos. • Si la entidad prestataria no pudiese recomprar los valores objeto de la operación liquidada mediante el sistema de préstamo centralizado por haber quedado amortizada o extinguida la emisión, entregará a la empresa de servicios de inversión del prestamista el precio de los valores según su última cotización de mercado u otro pactado.

7. LOS SERVICIOS DE INVERSIÓN Y NORMAS DE CONDUCTA

La intermediación de las empresas de servicios de inversión y entidades de crédito	✓ Para el buen funcionamiento de los mercados y para proteger al inversor, éste no puede comprar o vender directamente en un mercado secundario oficial de valores, pues necesita la intermediación de una empresa de servicio de inversión o de una entidad de crédito que sea miembro del mercado respectivo.
	
	✓ Las empresas de servicios de inversión son aquellas cuya actividad principal consiste en prestar servicios de inversión, con carácter profesional, a terceros sobre los instrumentos financieros señalados en el artículo 2 TRLMV (art. 138.1 TRLMV). Se desarrolla su régimen jurídico en el Real Decreto 217/2008.
	
	✓ Corresponde a la Comisión Nacional del Mercado de Valores autorizar la creación de empresas de servicios de inversión (art. 149.1 TRLMV).
	
	✓ En particular, las empresas de servicios de inversión son las siguientes (arts. 143 TRLMV):
	  • Las sociedades de valores ("SV"), que pueden prestar múltiples servicios de inversión, operando profesionalmente, tanto por cuenta ajena como por cuenta propia.
	  • Las agencias de valores ("AV"), que pueden prestar múltiples servicios de inversión, operando profesionalmente sólo por cuenta ajena, con representación o sin ella.
	  • Las sociedades gestoras de carteras ("SGC"), que son aquellas empresas de servicios de inversión que exclusivamente pueden gestionar carteras de inversión y prestar servicios de asesoramiento en materia de inversión.
	  • Las empresas de asesoramiento financiero (EAFI), que son aquellas personas físicas o jurídicas que exclusivamente pueden prestar este servicio de inversión.
	
	✓ Las entidades de crédito, aunque no sean empresas de servicios de inversión según el TRLMV, pueden realizar habitualmente los servicios de inversión, siempre que su régimen jurídico, sus estatutos y su autorización específica les habiliten para ello (art. 145.1 TRLMV).
	
	✓ Para ser miembro de un concreto mercado secundario oficial se requiere que estas empresas de servicios de inversión y entidades de crédito obtengan la admisión expresa del organismo rector de cada mercado (art. 69.1 TRLMV).

Normas de conducta	✓ Los miembros de un mercado secundario oficial están obligados a ejecutar por cuenta de sus clientes las órdenes de los mismos relativos a la negociación de valores en el correspondiente mercado, pero podrán subordinar el cumplimiento de la referida obligación (art. 71.2 TRLMV):
	    • En relación con operaciones de contado, a que se acredite por el ordenante la titularidad de los valores o a que el mismo haga entrega de los fondos destinados a pagar su importe.
	    • En relación con las operaciones a plazo, a la aportación por el ordenante de las garantías o coberturas que estime convenientes, que, como mínimo, habrán de ser las que, en su caso, se establezcan reglamentariamente.
	✓ Con la denominada comisión de garantía, se alude al hecho de que los miembros de los mercados secundarios oficiales responden ante sus comitentes de la entrega de valores y del pago de su precio (art. 71.3 TRLMV).
	✓ Quien ostente la condición de miembro de un mercado secundario oficial no podrá operar por cuenta propia con quien no tenga esa condición sin que quede constancia explícita, por escrito, de que este último ha conocido tal circunstancia antes de concluir la correspondiente operación (art. 72 TRLMV).
	✓ Quien ostente la condición de miembro de un mercado secundario oficial deberá manifestar ante la Comisión Nacional del Mercado de Valores aquellas vinculaciones económicas y relaciones contractuales con terceros que, en su actuación por cuenta propia o ajena, pudieran suscitar conflictos de interés con otros clientes (art. 73 TRLMV).
	✓ Los miembros de un mercado secundario oficial fijarán libremente las retribuciones que perciban por su participación en la negociación de valores, aunque el Gobierno podría fijar máximos (art. 74 TRLMV).
	✓ Existe un fondo de garantía de inversiones para asegurar la devolución de una cantidad mínima a los inversores en caso de concurso de la empresa de servicios de inversión o de la entidad de crédito en la que confiaron (arts. 198-199 TRLMV).
	✓ El encargo puede recibirse oralmente, por teléfono, por fax o por ordenador (siempre sistemas que permitan su archivo).
	✓ Las órdenes de compraventa suelen ser por precio limitado (precio máximo de compra o mínimo de venta), por precio de mercado (sin límite de precio, a subasta), por un volumen mínimo de valores a vender o a todo o nada (o se venden todos o no hay trato).

8. (SIGUE) LA GESTIÓN DE CARTERAS

Protección del cliente minorista y libertad con el cliente profesional	✓ La denominada gestión de carteras es un servicio de inversión en los mercados de valores (art. 140.1.d TRLMV). Antes de la reforma del TRLMV mediante Real Decreto-ley 14/2018, este servicio de inversión se denominaba en este precepto como "gestión discrecional e individualizada de carteras de inversión", que se mantiene en la práctica. Las entidades de servicios de inversión y las entidades de crédito disponen de sus propios contratos-tipo de "gestión discrecional e individualizadas de carteras de inversión".
	✓ La Circular 7/2011, de 12 de diciembre, de la CNMV, regula el contenido y control por la CNMV de los folletos informativos de tarifas que establezcan las empresas de servicios de inversión y entidades de crédito y el contenido mínimo de los contratos tipo que elaboren para regular las relaciones con sus "clientes minoristas" o no profesionales (art. 204 TRLMV). Estos son aquellos con menos conocimientos y experiencia en los mercados de valores. Como cliente minorista, recibirá el mayor grado de protección.
	✓ La Circular 7/2011 no regula las tarifas que se apliquen a clientes no minoristas ni los folletos informativos de tarifas que las entidades puedan elaborar, ni los contratos que se puedan firmar, que se regirán por lo establecido entre las partes. Los clientes "profesionales" son las entidades financieras, las Administraciones Públicas y organismos internacionales y supranacionales, los grandes empresarios identificados por un determinado volumen de negocio que detalla la Circular y otros inversores institucionales.
	✓ El contrato establece los criterios generales que la empresa de servicios de inversión o la entidad de crédito autorizada va a aplicar al gestionar el patrimonio que su cliente pone a su disposición.
	✓ Las entidades que presten servicios y actividades de inversión deberán mantener en todo momento adecuadamente informados a sus clientes en los términos que fija el TRLMV y otra normativa a la que remite (art. 209.1 TRLMV).
	✓ La empresa o entidad que preste el servicio de inversión ha de evaluador la idoneidad de su cliente (art. 213 TRLMV) y darle la información necesaria, incluso en formato estándar, sobre las condiciones, costes y gastos de la inversión (art. 209.3 TRLMV).
	✓ El incumplimiento de las entidades de crédito y de las empresas de inversión de sus obligaciones de información (derogado art. 79 bis LMV, ahora art. 209 TRLMV), ha sido la causa de anulación de operaciones sobre productos de alto riesgo financiero:

Protección del cliente minorista y libertad con el cliente profesional (cont.)	• La base de la anulación es el error vicio del consentimiento del inversor [así, SSTS 21-12-2021 *(Tol 8702087)*; 3-2-2020 *(Tol 7831821)*; 2-7-2019 (Pleno) *(Tol 7373096)*; 19-2-2018 (Tol 6513901);13-3-2017 *(Tol 6001505)*; 2-2-2017 *(Tol 5960114)*; 1-12-2016 *(Tol 5903630)*; 20-11-2015 *(Tol 5579986)*, entre muchas otras]. • Debe observarse que se trata de "productos de inversión complejos", no lo sería, en principio, la compraventa de acciones en una sociedad cotizada. • Que la entidad que ha ofrecido el servicio de inversión financiera que ha ofrecido este producto de inversión ha incurrido en dolo, como vicio del consentimiento, es alegado en ocasiones por el inversor (por ejemplo, STS 2-3-2020 *(Tol 7857087)*. ✓ Cuando el contrato sobre productos de inversión es anulado judicialmente, la nulidad produce efectos retroactivos como si el contrato no se hubiera celebrado nunca; el art. 1303 CC ordena la restitución recíproca de lo entregado por cada una de las partes [SSTS 3-2-2020 *(Tol 7831822)* y 5-2-2019 *(Tol 7059238)*, entre otras].
Régimen jurídico	✓ Las partes deben cumplir los términos del contrato (art. 57 C. Com.). ✓ La Orden 1665/2010, del Ministerio de Economía y Hacienda, de 11 de junio, que desarrolla los artículos 71 y 76 del Real Decreto 217/2008, de 15 de febrero, sobre el régimen jurídico de las empresas de servicios de inversión y de las demás entidades que prestan servicios de inversión, en materia de tarifas y contratos-tipo, establece que es necesaria la utilización de un contrato-tipo para prestar los servicios de "gestión de cartera" a clientes minoristas. La CNMV aprobará el modelo normalizado de contrato-tipo de gestión discrecional e individualizada de carteras de inversión adecuado a la citada Orden Ministerial. ✓ En lo no previsto en el contrato y en la legislación especial, son aplicables las normas sobre la comisión y el depósito mercantil. ✓ La LCA no se aplica a este tipo de agencia, pues está expresamente excluida de su ámbito de aplicación (art. 3.2 LCA).
Sujetos	✓ El agente: • Empresa de servicios de inversión, entidades de crédito autorizadas o, para este tipo de contrato, también las Sociedades Gestoras de Instituciones de Inversión Colectiva. ✓ El inversor: • Salvo que pueda haber limitaciones a inversores extranjeros, en principio, cualquier persona física o jurídica, empresario, profesional o consumidor, público o privado.

Sujetos (cont.)	• Si es un inversor profesional rige la libertad contractual. Si es un inversor minorista, está protegido con las normas imperativas incluidas en la Orden ministerial 1665/2010 y la Circular 7/2011. Específicamente, la comercialización o colocación entre clientes o inversores minoristas de emisiones de instrumentos financieros de deuda está sujeta a las condiciones de la Disposición adicional 4ª TRLMV.
Forma	✓ Es necesaria la utilización de un contrato-tipo para la prestación de los servicios de gestión de carteras de clientes minoristas (art. 5 Orden Ministerial 1665/2010). ✓ En la redacción de los contratos-tipo con clientes minoristas, se atenderá a la TRLGDCU y a los artículos 78 y ss. LMV (normas de conducta aplicable a quienes presten servicios de inversión, que se corresponden con los vigentes arts. 202 y ss. TRLMV) y sus normas de desarrollo (art. 6 Orden Ministerial 1665/2010). ✓ Las entidades integrarán los contratos-tipo en los registros previstos en el artículo 32 del Real Decreto 217/2008, de 15 de febrero. ✓ Para considerar que el modelo de contrato-tipo empleado por la entidad se ajusta al modelo aprobado por la CNMV no se podrán suprimir ni sustituir palabras del texto autorizado, ni alterar el orden propuesto. ✓ Como excepción, las partes pueden someterse a arbitraje, en cuyo caso también el texto de la cláusula de arbitraje debe remitirse a la CNMV. ✓ Las comunicaciones entre las partes también deben realizarse por escrito por cualquier medio cuya seguridad y confidencialidad esté probada y permita reproducir la información en soporte papel.
Contenido del contrato-tipo con inversores minoristas	✓ Con respecto a inversores minoristas, el contrato ha de respetar lo dispuesto en la Orden ministerial 1665/2010, la Circular 7/2011 y otra normativa que resulte aplicable a la empresa de servicio de inversión u otra entidad que preste el servicio de gestión discrecional e individualizada de carteras de inversión. Con los inversores profesionales, rige la autonomía de la voluntad de las partes. ✓ A continuación, se detalla el contenido que, al menos, ha de contener el contrato-tipo para la prestación del servicio de gestión discrecional e individualizada de carteras de inversión celebrado con el inversor minorista. ✓ Conforme al art. 7 Orden 1665/2010: • Descripción pormenorizada de los criterios generales de inversión acordados entre el cliente y la entidad, así como la forma de modificarlos.

Contenido del contrato-tipo con inversores minoristas (cont.)	• Relación concreta y detallada de los diferentes tipos de operaciones y categorías de los valores o instrumentos financieros sobre los que recaerá la gestión y de los tipos de operaciones que se podrán realizar, en la que se distinguirán, al menos, las de valores de renta variable, de renta fija, otros instrumentos financieros de contado, instrumentos derivados, productos estructurados y financiados. Deberá constar la autorización del cliente en forma separada sobre cada uno de dichos valores, instrumentos o tipos de operación. • También se requiere la autorización específica cuando se trata de valores emitidos por el gestor u otras entidades de su grupo en las que puedan concurrir conflictos de intereses. • El compromiso del gestor de carteras de realizar una gestión discrecional e individualizada del patrimonio aportado por el cliente. Si se delegara toda o parte de la gestión de la cartera en otra entidad, se informará de ello al cliente, señalando que la delegación no disminuirá la responsabilidad del gestor de carteras ni supondrá alterar las obligaciones y relaciones del gestor de carteras con sus clientes. • Identificación concreta de las cuentas de valores y de efectivo afectas a la gestión. • La gestión recaerá exclusivamente y no podrá superar en ningún momento, la suma del patrimonio aportado inicialmente o en sucesivas ocasiones por el cliente y el importe de créditos obtenidos del gestor, si estuviera habilitado para ello, o de un tercero igualmente habilitado con esta finalidad. • Forma de puesta a disposición del patrimonio de los clientes a la finalización del contrato. • Información y descripción del método de evaluación y comparación que la entidad proponga para que el cliente pueda evaluar el resultado obtenido por la entidad. • Con independencia de las demás causas que, legal o convencionalmente, puedan dar lugar a la finalización del contrato de gestión de carteras, los clientes conservarán en todo momento la facultad de resolverlo unilateralmente, sin perjuicio del derecho de la entidad a percibir las comisiones por las operaciones realizadas pendientes de liquidar en el momento de la resolución del contrato y otros gastos pactados contractualmente. • Una vez resuelto el contrato, los gestores de carteras dispondrán de un plazo máximo de quince días para rendir y dar razón de las cuentas de la gestión. • A la finalización del contrato, los gestores de carteras pondrán el patrimonio a disposición de sus clientes en la forma que haya sido prevista en él, previa deducción de las cantidades debidas. ✓ Conforme a la norma 7 Circular 7/2011: • La información que la entidad debe poner a disposición y remitir a los clientes, su periodicidad y forma de transmisión.

Contenido del contrato-tipo con inversores minoristas (cont.)	• Cuando el servicio conllevara la recepción de incentivos, descripción del procedimiento para revelar al cliente su existencia, naturaleza y cuantía o, si no es posible, su forma de cálculo, con carácter previo, así como la forma en que el cliente puede solicitar información más detallada. • Los conceptos, periodicidad e importes de la retribución, entregando el folleto informativo de tarifas u otra información cuando sean menores de los establecidos en el folleto informativo de tarifas. Además, se deberá establecer la obligación de informar previamente al cliente de la modificación al alza de las comisiones y gastos aplicables al servicio prestado y que se hubieran pactado previamente con el cliente. • Las cláusulas específicas con respecto a la modificación y rescisión por las partes. • Identificación del sistema de garantía de depósitos o inversiones. • El procedimiento para la actualización de la información del cliente sobre sus conocimientos, situación financiera y objetivos de inversión, a efectos de la mejor prestación del servicio por parte de la entidad, cuando proceda. • Mención de la existencia de un departamento de atención al cliente al que necesariamente habrá que dirigir las quejas o reclamaciones con carácter previo a la reclamación ante la Comisión Nacional del Mercado de Valores. • Los contratos tipo atenderán en su redacción al TRLMV y otras leyes complementarias, así como a las normas de conducta y requisitos de información establecidos en la normativa del mercado de valores y otras normas que resulten de aplicación, tales como las relativas la prevención del blanqueo de capitales, comercialización a distancia de servicios financieros destinados a consumidores y similares. ✓ Conforme a la norma 9 Circular 7/2011: • Concreción de los objetivos de gestión, así como cualquier limitación específica a la facultad de gestión discrecional que afecte al cliente. • Los tipos de instrumentos financieros que pueden incluirse en la cartera y los tipos de transacciones que pueden realizarse con ellos, se concretará el ámbito geográfico de ambos y se incluirá cualquier límite aplicable. Si se fueran a incluir activos híbridos o de baja liquidez se incluirá una advertencia sobre ello. Asimismo, si se fueran a utilizar derivados se indicará si su finalidad es de cobertura o de inversión. Deberá constar la autorización del cliente en forma diferenciada sobre cada uno de dichos valores, instrumentos o tipos de operación. • Soporte y periodicidad de los envíos de información al cliente y detalle. • El umbral de pérdidas acordado entre las partes que no podrá ser superior al 25% del patrimonio gestionado, a partir del cual la entidad deberá informar inmediatamente al cliente.

Contenido del contrato-tipo con inversores minoristas (cont.)	• Si la entidad recibiera la delegación de los derechos políticos derivados de las acciones pertenecientes a la cartera del cliente deberá informarle expresamente de la existencia de cualquier conflicto de interés entre la entidad y su grupo con alguna de las sociedades a las que se refiere la representación. • La posibilidad de que el cliente solicite información sobre cada transacción realizada en el ámbito del mandato recibido. La forma en que dicha información se debe solicitar por el cliente y facilitarse por la entidad y en su caso, el coste que ello conlleva para el cliente. • El límite de los compromisos de la cartera gestionada. Dicho importe no podrá suponer que el gestor exija aportaciones adicionales para cubrir pérdidas, salvo que se trate de aportaciones voluntarias del cliente o créditos obtenidos del gestor, con los requisitos del art 7.1.e Orden 1665/2010. • Las entidades podrán establecer distintos contratos tipo de gestión de cartera cuyo objetivo de gestión recaiga sobre distintos tipos de instrumentos financieros y siempre que dichos contratos sean excluyentes entre sí.

9. (SIGUE) LA CUSTODIA Y ADMINISTRACIÓN DE VALORES NEGOCIABLES

Concepto	✓ Para comprar valores es necesario abrir una cuenta de valores y firmar un contrato de custodia y administración de valores con una entidad financiera o una empresa de servicio de inversión. A través de esta cuenta de valores, la entidad realiza la administración de la cartera del inversor (suscripciones, cobro de dividendos, etc.). Dicha cuenta llevará asociadas las salidas y entradas de efectivo correspondientes a la operativa con valores que efectúe el cliente (Glosario CNMV). ✓ El Código de Comercio señala que los depositarios de títulos, valores, efectos o documentos que devenguen intereses quedan obligados a realizar el cobro de estos en las épocas de sus vencimientos, así como a practicar cuantos actos sean necesarios para que los efectos depositados conserven su valor y los derechos que les correspondan con arreglo a las disposiciones legales (art. 308 C. Com.).

Concepto (cont.)	✓ Si los valores negociables objeto de depósito están admitidos a negociación en un mercado secundario oficial de valores conforme a la ley de mercado de valores, es habitual el llamado contrato de custodia y administración de instrumentos financieros, por el que una empresa especializada guarda y gestiona aquellos que, en la fecha del contrato o en cualquier momento posterior, el cliente le deje en depósito y a cambio de una remuneración a favor de la empresa. • El cliente suele dar órdenes sobre la ejecución de operaciones relativas a los títulos, valores, efectos o documentos bajo la administración del depositario. En defecto de las mismas, el depositario debe llevar a cabo los actos necesarios para que los bienes depositados conserven su valor. • El contrato puede incluir un servicio de cumplimiento de órdenes dadas mediante la interconexión electrónica a través de Internet (por ejemplo, en el mercado continuo bursátil). Es un canal de comunicación entre el cliente y la entidad que permite transmitir y recibir, recíprocamente, diversa información y ordenar la ejecución de operaciones de diferente naturaleza. Su funcionamiento se basa en un sistema de claves de acceso.
Régimen jurídico	✓ Las partes deben cumplir los términos del contrato (art. 57 C. Com.). ✓ En lo no previsto en el contrato y en la legislación especial sobre mercados de valores (LMV y normativa reglamentaria), son aplicables las normas sobre la comisión y el depósito mercantil.
Sujetos	✓ Depositante • Salvo que haya alguna limitación por razón de la nacionalidad del depositante, en principio, puede ser cualquier persona física o jurídica, empresario o consumidor, pública o privada. ✓ Depositario • Los servicios de depósito de valores, títulos e instrumentos financieros en general son una actividad habitual de las entidades de crédito y de las empresas de servicios de inversión que son miembros de los mercados secundarios de valores.
Forma	✓ La Orden Ministerial 1665/2010 dispone que será necesaria la utilización de un contrato-tipo para prestar los servicios de "custodia y administración de instrumentos financieros" a clientes minoristas. ✓ La Circular 7/2011 establecen el contenido mínimo del contrato para clientes minoristas. ✓ En los contratos con clientes profesionales rige la libertad de contratación.

Contenido del contrato	*Obligaciones y derechos de los contratantes*	✓ Conforme a la norma 7 Circular 7/2011: • La información que la entidad debe poner a disposición y remitir a los clientes, su periodicidad y forma de transmisión. • Cuando el servicio conllevara la recepción de incentivos, descripción del procedimiento para revelar al cliente su existencia, naturaleza y cuantía o, si no es posible, su forma de cálculo, con carácter previo, así como la forma en que el cliente puede solicitar información más detallada. • Los conceptos, periodicidad e importes de la retribución, entregando el folleto informativo de tarifas u otra información cuando sean menores de los establecidos en el folleto informativo de tarifas. Además, se deberá establecer la obligación de informar previamente al cliente de la modificación al alza de las comisiones y gastos aplicables al servicio prestado y que se hubieran pactado previamente con el cliente. • Las cláusulas específicas con respecto a la modificación y rescisión por las partes. • Identificación del sistema de garantía de depósitos o inversiones. • El procedimiento para la actualización de la información del cliente sobre sus conocimientos, situación financiera y objetivos de inversión, a efectos de la mejor prestación del servicio por parte de la entidad, cuando proceda. • Mención de la existencia de un departamento de atención al cliente al que necesariamente habrá que dirigir las quejas o reclamaciones con carácter previo a la reclamación ante la Comisión Nacional del Mercado de Valores. • Los contratos tipo atenderán en su redacción al TRLMV y otras leyes complementarias, así como a las normas de conducta y requisitos de información establecidos en la normativa del mercado de valores y otras normas que resulten de aplicación, tales como las relativas a la prevención del blanqueo de capitales, comercialización a distancia de servicios financieros destinados a consumidores y similares. ✓ Conforme a la norma 9 Circular 7/2011, hay un contenido específico del contrato de custodia y administración de instrumentos financieros: • Identificación de la cuenta de valores y de la de efectivo en la que se efectuarán las liquidaciones correspondientes al servicio.

Contenido del contrato (cont.)	*Obligaciones y derechos de los contratantes* (cont.)	• La forma y plazos en que la entidad pondrá a disposición de los clientes los instrumentos financieros depositados o anotados, así como en su caso, sus fondos y el procedimiento para que pueda traspasarlos cuando se rescinda el contrato. • Si la entidad puede o no delegar en un tercero el registro individualizado de los valores e instrumentos financieros del cliente. • Si por razones de práctica habitual o porque lo permite la normativa aplicable, los instrumentos financieros del cliente fueran a estar depositados en una cuenta global en un tercero se incluirá en el contrato tal posibilidad, así como la información preceptiva de acuerdo con lo establecido en el RD 217/2008. • El compromiso de informar al cliente de la existencia y las condiciones de cualquier derecho de garantía o gravamen que la entidad tenga o pueda tener sobre los instrumentos financieros de los clientes, o de cualquier derecho de compensación que posea en relación con esos instrumentos. • El procedimiento para que el cliente sea informado previamente y se recabe su consentimiento expreso por escrito para que la entidad que custodia sus instrumentos financieros pueda utilizarlos tanto por cuenta propia como por cuenta de otro cliente o para establecer acuerdos para operaciones de financiación de valores sobre dichos instrumentos y las condiciones para ello. • Detalle de las principales actuaciones que conlleva la administración de los instrumentos financieros custodiados por la entidad y de la forma de recabar sus instrucciones en aquellos casos que resulte necesario. En particular, se concretará el proceder de la entidad ante la falta de instrucciones en relación con los derechos de suscripción que puedan generar los valores custodiados que, en todo caso, deberá ser en el mejor interés del cliente.

Capítulo VIII

Los contratos financieros

1. CONCEPTO Y CLASIFICACIÓN

Concepto y clasificación	✓ El sector financiero y, en especial, el bancario cumplen una tarea esencial, al ser el canal más importante para transformar el ahorro en la financiación de empresas, familias y administraciones públicas (Exp. motivos Ley 10/2014, de 26 de junio, de ordenación, supervisión y solvencia de entidades de crédito, LOSSEC).
	
	✓ Tradicionalmente, los contratos bancarios se han venido clasificando diferenciando entre operaciones activas o pasivas, según si las obligaciones contractuales resultantes para la entidad de crédito han de figurar en el "activo" o "pasivo" del balance de la entidad, de ahí su nombre, al que se añaden las operaciones neutras.
	
	  • Las operaciones de pasivo están vinculadas con la captación de dinero y valores por parte de las entidades de crédito, con obligación de devolución. Por ello, la operación típica de pasivo es recibir en depósito toda clase de valores en papel y metálico, así como emitir obligaciones (arts. 175.9, 177 y 199 C. Com.).
	
	  • Las operaciones de activo están ligadas a los contratos por los cuales la entidad de crédito resulta acreedora de un derecho de crédito frente a otro. Por ello, deben constar en el "activo" del balance de la entidad. Puede realizar préstamos y créditos a favor del Estado, las Comunidades Autónomas, entes locales y cualesquiera otros organismos públicos; adquirir acciones u obligaciones de toda clase de empresas privadas, prestar dinero a empresarios y particulares, así como abrir líneas de crédito (arts. 175.1 y 7, 177 y 199 C. Com.).
	
	  • Las operaciones neutras se relacionan con la prestación de servicios de gestión a sus clientes.
	
	✓ Las entidades de crédito también pueden emitir obligaciones (art. 176 C. Com.). Es una forma de financiarse, recibiendo dinero de inversores con la promesa de la entidad de pagar intereses y la devolución del capital en el tiempo pactado. Los inversores en pagarés, cédulas hipotecarias y otros valores de renta fija se convierten en acreedores de la entidad de crédito.

Concepto y clasificación (cont.)	✓ El contenido de este capítulo, dedicado a los contratos financieros, comprende la materia que se denomina habitualmente contratos bancarios, esto es, los contratos que realizan usualmente las entidades de crédito en el ejercicio de la actividad que le es propia (ap. VI-112 Exposición de motivos de la Propuesta de Código Mercantil). ✓ Sin embargo, la mayor parte de los contratos que realizan las entidades de crédito pueden ser concertados por empresarios en general. Sólo la captación de depósitos de dinero del público es la única actividad reservada a las entidades de crédito. De ahí que, siguiendo la Propuesta de Código Mercantil, se ha optado por refundir bajo la categoría de "contratos financieros": los que tienen como objeto el dinero, no como medio de pago, sino como objeto directo del contrato (ap. VI-114 Exposición de motivos): • El contrato de depósito de dinero y servicios de cuenta corriente y tarjetas. • El contrato de préstamo mercantil. • El contrato de apertura de crédito. • El contrato de crédito documentario. • El contrato de arrendamiento financiero. • Los contratos de cesiones financieras de créditos. Incluye el descuento, el *factoring* y el *confirming*. • Los contratos de garantía. Aunque propiamente no conceden financiación, son instrumentos esenciales para su concesión. Incluye la fianza mercantil y la prenda mercantil e hipoteca mobiliaria (ap. XI-124 Exp. motivos Propuesta Código Mercantil). • El contrato de cuenta corriente, por cuanto los empresarios participantes se conceden recíprocamente crédito, como señala el Tribunal Supremo.
Régimen jurídico	✓ Salvo el préstamo, la fianza, el depósito de valores y algún otro, los contratos bancarios no están expresamente regulados en el Código de Comercio de 1885. Sólo los más tradicionales están comprendidos en la lista de actos de comercio que principalmente corresponde a los Bancos y compañías de crédito (arts. 175 a 177 y 199 Código de Comercio). ✓ El régimen de Derecho privado se completa con un conjunto de normas con rango de Ley que, normalmente con carácter imperativo, fijan los términos y condiciones de los contratos y servicios que las entidades de crédito y otras que entren dentro de su respectivo ámbito de aplicación ofrecen a sus clientes, en especial pero no únicamente, si son consumidores y usuarios: • Ley 16/2011, de 24 de junio, de contratos de crédito al consumo (LCCC).

Régimen jurídico (cont.)	• Ley 2/2009, de 31 de marzo, que regula la contratación con los consumidores de préstamos o créditos hipotecarios y de servicios de intermediación para la celebración de contratos de préstamo o crédito.
	• Ley 5/2019, de 15 de marzo, reguladora de los contratos de crédito inmobiliario (LCCI).
	• Ley 28/1998, de 13 de julio, que regula la venta a plazos de bienes muebles (LVPBM).
	• Ley 22/2007, de 11 de julio, de comercialización a distancia de servicios financieros destinados a los consumidores (LCDSF).
	• Además, son de aplicación a estos contratos financieros las normas generales de protección de los consumidores y usuarios (TRLGDCU) y de regulación de las condiciones generales de la contratación (LCGC).
	✓ Es abundante, en cambio, la normativa administrativa sobre las entidades de crédito para ser autorizadas a operar y no incurrir en sanciones. Este régimen administrativo tiene como norma principal la citada Ley 10/2014, de 26 de junio, de ordenación, supervisión y solvencia de entidades de crédito.
	  • La LOSSEC sustituye a la normativa de ordenación bancaria anterior y se adapta a la regulación financiera internacional que lidera el Comité de Basilea de Supervisión Bancaria (Exp. motivos).
	  • La LOSSEC coexiste con otras normas reguladoras de un tipo específico de entidades de crédito, como son las cooperativas de crédito (LCOOP y Ley 13/1989) y las cajas de ahorro (Ley 26/2013, de 27 de diciembre).
	  • La LOSSEC ha sido desarrollada por el Real Decreto 84/2015, de 13 de febrero.
	  • El Banco de España también dicta Circulares de desarrollo, como la Circular 4/2021, de 25 de noviembre, a entidades de crédito y otras entidades supervisadas, sobre modelos de estados reservados en materia de conducta de mercado, transparencia y protección de la clientela, y sobre el registro de reclamaciones.
	✓ En materia de solvencia, rige el Reglamento (UE) 575/2013, de 26 de junio, la LOSSEC y sus disposiciones de desarrollo (art. 39 LOSSEC).
	✓ La Ley 3/1994, de 14 de abril, por la que se adapta la legislación española en materia de entidades de crédito a la Segunda Directiva de Coordinación Bancaria y se introducen otras modificaciones relativas al sistema financiero.
	✓ Hay normas específicas para entidades como:
	  • Las entidades de pago (EP), en el Real Decreto-ley 19/2018, de 23 de noviembre. En el Registro del Banco de España constan como tales Diners, Mastercard o Solred.

Régimen jurídico (cont.)	• Las entidades de dinero electrónico (EDE), en la Ley 21/2011, de 26 de julio. En el Registro del Banco de España figuran, como entidades autorizadas a emitir dinero electrónico, Finpay, Sefide o Caixabank EDE. Este dinero electrónico, conversión del real, se usa para transacciones en línea con otras entidades diferentes a la emisora, que lo aceptan como medio de pago. ✓ El Real Decreto-ley 19/2018, de 23 de noviembre, de servicios de pago y otras medidas urgentes en materia financiera. ✓ El Banco de España dispone de un servicio de reclamaciones de los usuarios de los servicios financiero. • Las entidades de crédito deben atender y resolver las quejas y reclamaciones de los usuarios de servicios financieros a través de un servicio de atención al cliente (art. 29 Ley 44/2002). • El usuario puede también acudir al servicio de reclamaciones del Banco de España, si acredita haberlo hecho previamente ante la entidad de crédito. Si el Banco de España fuera desfavorable a la entidad, ésta debe informar al Banco de España si ha hecho la rectificación voluntariamente (art. 30 Ley 44/2002, según redacción dada por la disp.final undécima Ley 21/2011, de 26 de julio, de economía sostenible). ✓ El Ministerio de Economía y Empresa, con el fin de proteger los legítimos intereses de los clientes de servicios o productos bancarios, distintos de los de inversión, prestados por las entidades de crédito, puede dictar disposiciones relativas a la información precontractual, contractual y comunicaciones posteriores con los clientes. La norma vigente de referencia es: • La Orden del Ministerio de Economía y Hacienda 2899/2011, de 28 de octubre de 2011, que regula los deberes de información sobre intereses y comisiones, así como específicamente para con los clientes de depósitos bancarios, créditos y préstamos, con especial referencia a los préstamos hipotecarios. • La Circular 5/2012, de 27 de junio, del Banco de España, sobre entidades de crédito y proveedores de servicios de pago, sobre transparencia de servicios bancarios y responsabilidad en la concesión de préstamos. ✓ Los usos bancarios son otra fuente destacada del Derecho contractual bancario. El Servicio de Reclamaciones del Banco de España indica que: • Se entiende por usos financieros aquellos usos mercantiles y bancarios comúnmente aceptados en las plazas de que se trate. • Las buenas prácticas bancarias son aquellas que, sin venir impuestas por la normativa contractual o de supervisión ni constituir un uso financiero, son razonablemente exigibles para la gestión responsable, diligente y respetuosa con la clientela de los negocios financieros.

Las entidades de crédito	✓ Son entidades de crédito las empresas autorizadas cuya actividad consiste en recibir del público depósitos u otros fondos reembolsables en conceder créditos por cuenta propia (art. 1.1 LOSSEC). ✓ Se prohíbe a toda persona, física o jurídica, no autorizada ni registrada como entidad de crédito el ejercicio de las actividades legalmente reservadas a éstas (art. 3.3 LOSSEC). ✓ Además, la actividad ordinaria de las entidades de crédito incluye otras muchas posibles funciones, como adquirir acciones u obligaciones de toda clase de empresas privadas (art. 175 C. Com.). ✓ Tienen la consideración de entidades de crédito las siguientes: • Los bancos. Han de revestir la forma de sociedad anónima, con un capital social mínimo de 18 millones de euros, entre otros requisitos exigidos por el art. 4 y ss. Real Decreto 84/2015. • Las cajas de ahorros. Son entidades de crédito de carácter fundacional y finalidad social, cuya actividad financiera se orienta principalmente a la captación de fondos reembolsables y a la prestación de servicios bancarios y de inversión para clientes minoristas y pequeñas y medianas empresas. Como regla general, su ámbito de actuación no excederá de una Comunidad Autónoma o de diez provincias limítrofes entre sí (art. 2.1 Ley 26/2013). Se regulan por esta ley, la normativa autonómica que les sea de aplicación y por la Ley de sociedades de capital (art. 2.3). • Las cooperativas de crédito tienen por objeto social atender las necesidades de financiación de sus socios o de terceros y, cuando se desarrollan en el medio rural puede utilizarse la expresión "Caja rural" (art. 1 Ley 13/1989, de cooperativas); y, • El Instituto de Crédito Oficial. ✓ Corresponde al Banco de España autorizar la creación de entidades de crédito, la ordenación y disciplina sobre las mismas, la revocación de la autorización, la llevanza de un registro de entidades de crédito, entre otras competencias (arts. 4, 6 y 15 LOSSEC). ✓ El Ministerio de Economía y Competitividad podrá dictar normas a fin de proteger los legítimos intereses de los clientes de servicios y productos bancarios (art. 5 LOSSEC). ✓ Las entidades de crédito autorizadas en otro Estado miembro de la Unión Europea: • Podrán realizar en España, bien mediante la apertura de una sucursal, bien en régimen de libre prestación de servicios, las actividades que gocen de reconocimiento mutuo dentro de la Unión Europea. Todos los centros de actividad establecidos en territorio español por una misma entidad de crédito cuya administración central se encuentre en otro Estado miembro se considerarán una única sucursal (art. 12.1 LOSSEC).

Las entidades de crédito (cont.)	• Reglamentariamente se establecerán las reglas de procedimiento y requisitos necesarios para la inscripción de la sucursal en el correspondiente Registro del Banco de España, o para el inicio en España de su actividad en régimen de libre prestación de servicios (art. 12.3 LOSSEC). ✓ Las entidades de crédito autorizadas en Estados que no sean miembros de la Unión Europea (art. 13 LOSSEC): • Si quieren abrir sucursales en España, se requerirá autorización del Banco de España en la forma que reglamentariamente se determine. La falta de resolución en el plazo establecido supondrá denegación de la solicitud. • La libre prestación de servicios sin sucursal abierta en España por entidades de crédito de un Estado no miembro de la Unión Europea quedará sujeta a autorización previa del Banco de España en la forma que reglamentariamente se determine.
Las empresas de financiación o intermediación financiera con consumidores	✓ La autorización de las entidades de crédito les reserva la actividad de depósito público de fondos, pero la realización de préstamos y apertura de créditos pueden ejercerse por cualquier persona, física o jurídica, que de manera profesional, realicen cualquiera de las actividades que consistan en (art. 1.1 Ley 2/2009): • La concesión de préstamos o créditos hipotecarios bajo la forma de pago aplazado, apertura de crédito o cualquier otro medio equivalente de financiación; • La intermediación para la celebración de un contrato de préstamo o crédito con cualquier finalidad, a un consumidor. ✓ Con carácter previo al inicio del ejercicio de su actividad, las empresas deberán inscribirse en los registros de las Comunidades Autónomas correspondientes a su domicilio social (art. 3.1 Ley 2/2009).
Las empresas de financiación del consumo	✓ En un Registro estatal, accesible por medios electrónicos, figurarán los datos identificativos de la empresa, el ámbito territorial en el que desarrolla su actividad, la actividad desarrollada y los demás extremos que reglamentariamente se establezcan (desarrollado por el Real Decreto 106/2011). También figurarán los datos identificativos de la entidad aseguradora o bancaria con la que se haya contratado el seguro de responsabilidad civil o el aval bancario exigido en el art. 7 (art. 3 Ley 2/2009).

Prestamistas e intermediarios inmobiliarios	✓ La LCCI ha establecido un régimen específico respecto al general de la Ley 2/2009, particular para los préstamos y créditos respaldados por una garantía hipotecaria. La Ley 2/2009 se ha cambiado así para excluir a las entidades que se dedican a este tipo de operaciones, que se rigen por la LCCI: • Los prestamistas e intermediarios de crédito inmobiliario que operen en toda España deben inscribirse en un registro llevado por el Banco de España (arts. 28.2 y 42.1 LCCI). Si tienen la sede y sólo desarrollan la actividad una Comunidad Autónoma, el registro será el que disponga ésta (art. 28.3 y 42.1. LCCI). • No será preciso disponer de dicho registro para ejercer esa actividad por parte de una entidad de crédito, un establecimiento financiero de crédito o una sucursal en España de una entidad de crédito (art. 42.2 LCCI).
Los establecimientos financieros de crédito	✓ La Ley 5/2015, de 27 de abril, de fomento de la financiación empresarial, pretende avanzar en el desarrollo de medios alternativos de financiación, sentando las bases regulatorias necesarias para fortalecer las fuentes de financiación corporativa directa o financiación no bancaria en España (Exposición de motivos), mediante la regulación de una distinta de las entidades de crédito. ✓ Los establecimientos financieros de crédito (EFC) son aquellas empresas que, sin tener la consideración de entidad de crédito y previa autorización del Ministro de Economía y Competitividad, se dediquen con carácter profesional a ejercer una o varias de las siguientes actividades (art. 6.1 Ley 5/2015): • La concesión de préstamos y créditos, incluyendo crédito al consumo, crédito hipotecario y financiación de transacciones comerciales. • El *factoring*, con recurso o sin recurso. • El arrendamiento financiero o no financiero. • Concesión de avales. • Concesión de hipotecas inversas. • Prestación de servicios de pago. • Emisión de dinero electrónico. • En cambio, los EFC no *pueden captar fondos* reembolsables del público en forma de depósito, préstamo, cesión temporal de activos financieros u otros análogos (art. 6.4.) • El Ministro de Economía y Competitividad, previo informe del Banco de España y del servicio ejecutivo de la Comisión de Prevención del Blanqueo de Capitales e Infracciones Monetarias en los aspectos de su competencia, autorizará la creación de EFC de conformidad con el procedimiento que se prevea reglamentariamente (art. 9 Ley 5/2015).

Las entidades de pago	✓ La Ley 16/2009, de 13 de noviembre, de servicios de pago creó un nuevo operador no bancario, denominado "entidad de pago" (EP), que compite con las entidades de crédito. Esta ley ha sido derogada y sustituida por el Real Decreto-ley 19/2018, de 23 de noviembre, de servicios de pago y otras medidas urgentes en materia financiera (LSP), de incorporación de la Directiva 2007/64/CE, de 13 de noviembre. • Los servicios de pago pueden generar una "cuenta de pago" a favor del usuario para realizar pagos, transferencias, aceptar crédito, pagar con tarjetas, etc., entre otros servicios de pago previstos legalmente (art. 1.2 LSP). • Los servicios de pago son prestados tradicionalmente por las entidades de crédito. Sin embargo, no tienen el monopolio legal. También los pueden prestar una EP, una entidad de dinero electrónico o Correos (art. 5.1). Para las demás personas físicas o jurídicas, está prohibido la prestación de servicios de pago (art. 5.3 LSP). • La prestación de servicios de pago entre una EP y su cliente (por ejemplo, un comerciante) suele ser objeto de un contrato marco, definido como un contrato de servicio de pago que rige la ejecución futura de operaciones de pago individuales y sucesivas, y que puede estipular la obligación de abrir una cuenta de pago y las correspondientes condiciones para ello (art. 3.9 LSP). • Las EP han de estar autorizadas para operar como tales por el Banco de España que lleva un Registro al efecto (art. 11 LSP). Le permite operar en toda la Unión Europea (art. 3.15 LSP). • Se mantiene el monopolio legal de las entidades de crédito. El dinero que reciban las EP de sus clientes para prestar servicios de pago no se consideran depósitos u otros fondos reembolsables del público a los efectos del art. 31 LOSSEC (art. 10.2 LSP). • Las EP tampoco pueden emitir dinero electrónico (art. 10.2 LSP). • Las EP autorizadas, entre otros requisitos para ello, han de disponer de un seguro de responsabilidad civil (art. 16 LSP). • Están exentas de autorización, basta el registro, las entidades de tamaño reducido (art. 14 LSP) y las que prestan servicio de información de cuentas (art. 15 LSP).
Plataformas de financiación participativa	✓ Otro competidor de las entidades de crédito es el fenómeno del *crowdfunding*, que la Ley 5/2015, de 27 de abril, de fomento de la financiación empresarial, denomina plataforma de financiación participativa (PFP). • Son tales las empresas autorizadas cuya actividad consiste en poner en contacto, de manera profesional y a través de páginas web u otros medios electrónicos, a una pluralidad de personas físicas o jurídicas que ofrecen financiación a cambio de un rendimiento dinerario, denominados inversores, con personas físicas o jurídicas que solicitan financiación en nombre propio para destinarlo a un proyecto de financiación participativa, denominados promotores (art. 46.1 Ley 5/2015).

Plataformas de financiación participativa (cont.)	• Esta ley regula y reserva su actividad a las entidades autorizadas, en aras de fortalecer el desarrollo de este sector y, al tiempo, salvaguardar la necesaria estabilidad financiera (Exp. motivos). • La autorización como PFP compete a la Comisión Nacional del Mercado de Valores (art. 48.1). • Entre otros requisitos para ser autorizado como PFP, ha de revestir la forma de sociedad de capital, constituida por tiempo indefinido (art. 55), con un capital social mínimo de 60.000 euros y un seguro de responsabilidad civil profesional, un aval u otra garantía equivalente que permita hacer frente a la responsabilidad por negligencia en el ejercicio de su actividad profesional, con una cobertura mínima de 300.000 euros por reclamación de daños, y un total de 400.000 euros anuales para todas las reclamaciones (art. 56).

2. CONTRATO DE DEPÓSITO DE BANCARIO DE DINERO

Concepto	✓ El depósito del ahorro privado es el tipo contractual que tradicionalmente permite a las entidades de crédito disponer del dinero que, luego, utilizan en sus operaciones de concesión de créditos y de préstamos.
	✓ A cambio, la entidad de crédito se compromete a reembolsar el dinero depositado, con el pago de un interés que se liquida periódicamente.
	✓ La cuantía del interés a favor del depositario de dinero en una entidad de crédito depende del tipo de depósito contratado, generalmente a la vista o a plazo fijo.
	✓ Cuando la entidad de crédito recibe un sobre de dinero que no puede utilizar, el contrato no es esencialmente distinto a un depósito de bienes (art. 307 C. Com.).
	✓ Los fondos de garantía de depósitos se han caracterizado, tradicionalmente, por su doble finalidad de asegurar los depósitos, así como el saneamiento y reflotamiento de entidades de crédito en dificultades.
	   • Los fondos se nutren a través de las aportaciones anuales de las entidades de crédito integradas en cada uno de ellos y, excepcionalmente, se prevén contribuciones del Banco de España.
	   • El importe garantizado de los depósitos tendrá como límite la cuantía de 100.000 euros (art. 10 Real Decreto Ley 16/2011, de 14 de octubre, por el que se crea el Fondo de Garantía de Depósitos de Entidades de Crédito).

Régimen jurídico	✓ Los depósitos verificados en los Bancos se rigen en primer lugar por los estatutos de las mismas; en segundo, por las prescripciones del Código de Comercio; y, últimamente, por las reglas del Derecho común, que son aplicables a todos los depósitos (art. 310 C. Com.).
Depósito a la vista	✓ El contrato de depósito a la vista impone a la entidad de crédito la obligación de reembolsar la cantidad depositada cuando el depositante la solicite. El depósito a la vista genera a favor de los titulares unos intereses, de escasa cuantía, que se liquidan periódicamente. ✓ La entidad de crédito, además, suele prestar un servicio de caja al cliente, efectuando por cuenta de su cliente toda clase de cobros o de pagos y ejecutando cualquier otra operación por cuenta ajena (art. 175.8 C. Com.) y anotando en la cuenta los ingresos realizados. De ahí que generalmente el depósito a la vista reciba el nombre de cuenta corriente o de ahorro.
Depósito a plazo fijo	✓ El depósito a plazo fijo o imposición condiciona la retirada de los fondos depositados al transcurso del tiempo pactado en el contrato. A cambio, la entidad de crédito ofrece una tasa de interés de mayor cuantía. ✓ La especialidad de este tipo de depósitos es la posibilidad de recibir del banco un certificado de depósito que permita la transmisión del derecho de crédito a un tercero para retirar los fondos mediante endoso del documento.
Depósito de custodia	✓ Los depósitos de custodia recaen sobre cosas que pueden tener un valor en sí mismas (alhajas, metales preciosos, etc.) o un simple aprecio sentimental, contenidas en cajas o en pliegos cerrados. Lo esencial es el deber de vigilancia que asume la entidad depositaria a cambio de una comisión (art. 307 C. Com.).
El servicio de cuenta corriente	✓ La prestación del servicio de cuenta corriente es una de las funciones tradicionales asumidas por las entidades de crédito, por la cual, en virtud de un contrato de depósito a la vista con cuenta corriente o de la apertura de crédito con cuenta corriente, se obligan a prestar un "servicio de caja" al cliente, efectuando por cuenta de éste toda clase de cobros o de pagos y anotando en la cuenta las operaciones realizadas y el saldo (arts. 175.8 y 9 C. Com.). ✓ La jurisprudencia del Tribunal Supremo identifica el contrato de cuenta corriente como aquella figura atípica que encuentra su singularidad en el citado servicio de caja, encuadrable en nuestro derecho dentro del marco general de la comisión, pues la entidad de crédito en cuanto mandatario ejecuta las instrucciones del cliente (abonos, cargos, etc.) y como contraprestación recibe unas determinadas comisiones. La cuenta corriente bancaria va adquiriendo cada vez más autonomía contractual, despegándose del depósito bancario que le servía de base y que sólo actúa como soporte contable [SSTS 9-10-2007 (*Tol 1161193*); 9-3-2006 (*Tol 856117*); 24-3-2006 (*Tol 871855*); 19-12-1995 (*Tol 1658423*); 15-7-93 (*Tol 1663257*), entre otras].

El servicio de cuenta corriente (cont.)	✓ Según jurisprudencia del Tribunal Supremo, la cuenta corriente bancaria expresa una disponibilidad de fondos a favor de los titulares de la misma contra el banco que los retiene, por todas, en STS 28-9-2021 *(Tol 8611438)*. ✓ La apertura de la cuenta de pago lleva consigo la asignación del llamado Código Cuenta Cliente (CCC), identificativo de la concreta cuenta, pero también de la entidad de crédito y de la sucursal donde está abierta. ✓ En el servicio de caja que realizan las entidades de crédito por cuenta de sus clientes, es muy importante la llamada compensación bancaria, de carácter multilateral o colectivo. Se lleva a cabo a través de una red de comunicación electrónica del Sistema Nacional de Compensación Electrónica (SNCE), gestionado por el Banco de España, que facilita el tratamiento masivo de los documentos compensables al sustituirse su presentación física por el intercambio electrónico de información. La Ley 41/1999, de 12 de noviembre, regula los sistemas de pagos y de liquidación de valores.
Régimen jurídico	✓ El conjunto de los derechos y deberes de las partes resulta en su mayor parte del principio de la libertad contractual. En concreto, el contrato de cuenta corriente se rige por las condiciones generales y particulares convenidas entre la entidad de crédito y el cliente (arts. 57 C. Com. y 1255 CC), si bien la LSP, los reglamentos de desarrollo y demás normativa bancaria en general es de aplicación imperativa. ✓ Cuando el cliente sea un consumidor o usuario (art. 3 TRLGDCU), son aplicables la normas sobre consumo, como la TRLGDCU. • Las condiciones generales de los contratos ya suelen prever cláusulas diferentes según el titular de la cuenta corriente sea o no un consumidor. ✓ Al tratarse de contratos de adhesión, también ha de tenerse en cuenta la LCGC. ✓ Igualmente pueden resultar de aplicación el Código de Comercio y otras leyes mercantiles (art. 50 C. Com.), por ejemplo, la LCCH si el cliente emite cheques, pagarés o letras de cambio, o si el propio banco emite cheques bancarios.

Sujetos	✓ Entidades de crédito.
	   • Queda reservada a las entidades de crédito autorizadas e inscritas la captación de fondos reembolsables del público, cualquiera que sea su destino, en forma de depósito, préstamo, cesión temporal de activos financieros u otras análogas (art. 3.1 LOSSEC).
	   • Las entidades de pago no pueden captar depósitos u otros fondos reembolsables del público y lo recibido para la prestación de servicios de pago no crea depósito o fondo reembolsables (art. 10 Real Decreto-ley 19/2018).

Sujetos (cont.)	✓ El titular o titulares.
	• La apertura de la cuenta se suele formalizar a nombre individual, a nombre de dos o más personas conjuntamente o indistintamente, a nombre de entidades o sociedades legalmente constituidas o a nombre de las personas de las cuales se posea la legítima representación, como menores de edad, incapacitados o ausentes.
	• Entre las de titularidad colectiva o múltiple: se denominan indistintas o solidarias cuando varias personas disponen de un derecho de disposición individual, de modo que cada titular puede retirar íntegramente los fondos depositados ("depósito solidario", "disponibilidad indistinta"). La entidad de crédito tiene la obligación de atender las órdenes de reintegro que cualquiera de aquellos pueda darle.
	• Una cuenta indistinta no determina por sí sola la existencia de una situación de copropiedad sobre dicho saldo, ya que esto ha de quedar determinado por las relaciones internas entre los titulares y, aún más, por la procedencia de los fondos de los que se abastecía la cuenta. Este criterio es el que maneja nuestra jurisprudencia en relación al caso en que fallece un cotitular del cual provienen todos o parte de los fondos. A veces se presume *iuris tantum* la copropiedad. Para evitar que lo retiren los otros cotitulares indistintos, las entidades de crédito suelen imponer que se les notifique el fallecimiento.
	• Se denominan conjuntas o mancomunadas aquellas cuentas colectivas, abiertas a nombre de dos o más personas, cuyas firmas son indispensables para realizar cualquier disposición de fondos. Sin embargo, los bancos suelen incluir una cláusula de responsabilidad solidaria para cualquier situación de descubierto (lo permite el art. 1137 CC).
	• También es usual que, además del titular del depósito, se identifiquen las personas autorizadas para disponer de los fondos, por ejemplo, los administradores y gerentes de una cuenta abierta a nombre de una sociedad mercantil.
Forma	✓ Los usos y las prácticas bancaria determinan que el contrato de depósito bancario se formaliza por escrito, normalmente sobre las condiciones generales dispuesta por la entidad de crédito.
	✓ En las cuentas corrientes que dispongan de una libreta como soporte, los contratos al uso suelen aclarar que la libreta tiene el carácter de nominativa e intransferible, y sirve como documento de control e información de las operaciones hechas en la cuenta.

	✓ A continuación, se detalla el contenido estándar de un contrato de depósito y cuenta corriente bancaria, ya adecuado a la normativa bancaria, especialmente a la Ley de servicios de pago. Naturalmente, todas las cláusulas están sometidas al control de legalidad por los tribunales (cláusulas abusivas, no aceptadas o ilógicas en contratos de adhesión, cláusulas contrarias a los derechos del consumidor, contrarias a la moral o al orden público, etc.).	

Contenido del contrato	*Obligaciones y derechos de la entidad de crédito*	✓ Derecho a cargar las comisiones estipuladas por los productos y servicios contratados en la cuenta vinculada.
		✓ Derecho a modificar los precios, introducir nuevos y variar la periodicidad del pago, siempre y cuando sean comunicados personalmente al cliente, mediante publicación en el Boletín Oficial del Estado o en el tablón de anuncios de la entidad de crédito con antelación suficiente de dos meses.
		✓ Obligación de ejecutar las órdenes de pago derivadas de cargos de recibos que sean consecuencia de la utilización de la tarjeta de crédito, operaciones de cajero automático y cheques; de la entrega por los titulares de letras de cambio y otros documentos de giro contra su propia cuenta; o, de la domiciliación de recibos, nóminas y operaciones que el titular crea conveniente.
		✓ Obligación de abonar a favor del titular los intereses fijados en las condiciones particulares del contrato.
		✓ Derecho a no aceptar órdenes de pago en descubierto. En todo caso, el titular se obliga a cubrir los descubiertos que, además, devengarán diariamente a favor de la entidad de crédito el interés de descubierto establecido en el contrato.
		   • Si el titular es un consumidor, en ningún caso se podrá aplicar a los créditos que se concedan, en forma de descubiertos tácitos, un tipo de interés que dé lugar a una tasa anual equivalente superior a 2,5 veces el interés legal del dinero (art. 20.4 LCCC).
		✓ Derecho a que los saldos acreedores de la cuenta del titular sean considerados como garantía de los saldos deudores que pueda mantener con la entidad de crédito. Por tanto, se entiende que el titular autoriza y la entidad de crédito se reserva la facultad de cargar en la cuenta:
		   • Los saldos deudores que tenga a su favor.
		   • El importe nominal y los gastos de las letras de cambio que los titulares hayan librado o endosado.

| Contenido del contrato (cont.) | *Obligaciones y derechos de la entidad de crédito (cont.)* | • Los importes resultantes a favor suyo de operaciones avaladas por el titular o titulares.
• Los importes, así como gastos, intereses, comisiones o conceptos similares, resultantes de operaciones que la entidad de crédito haya ejecutado por orden del titular.
• Para la compensación de saldos y cuentas, el titular también autoriza a la entidad de crédito a solicitar el rescate de cualquier seguro contratado con cualquier aseguradora de la que sea tomador o beneficiario y cuyos derechos económicos sean susceptibles de ser compensados.
• La entidad de crédito también se reserva la facultad de vender los valores, acciones o participaciones de fondos de inversión depositados en la entidad de crédito para proceder a la compensación con su resultado.
✓ Derecho a suspender la efectividad de la cuenta corriente cuando surgen dudas sobre la identidad y la validez de una firma que autoriza un documento a cargo de la cuenta y, si es así, a exigir pruebas convincentes, a su plena satisfacción. |
| | *Obligaciones y derechos del titular o titulares de la cuenta corriente* | ✓ Si el titular entrega o cede a la entidad de crédito documentos en gestión de cobro o al descuento, para ser abonados en cuenta, el titular le autoriza para que, actuando por su cuenta e interés, requiera de pago a los obligados que resulten por razón de los citados documentos, para el caso en que resulten impagados.
✓ Derecho a autorizar, si lo estima oportuno, a otras personas, mediante poder notarial o por escrito firmado por el titular y los autorizados ante el personal de la entidad de crédito, a operar en la cuenta y disponer de los saldos.
✓ Derecho a utilizar la libreta o las tarjetas de crédito o débito como medio para disponer de los fondos a través de los cajeros automáticos de la entidad de crédito, así como de otras redes de cajeros adheridos al sistema, siempre y cuando el titular obtenga previamente un número secreto personal suministrado por la entidad de crédito.
✓ Obligación del titular de conservar y custodiar la libreta debidamente y tomar las precauciones para garantizar la seguridad del número secreto personal. No deben escribirlo en la propia libreta ni en otro documento que se lleve con la misma. |

Contenido del contrato (cont.)	*Obligaciones y derechos del titular o titulares de la cuenta corriente* (cont.)	✓ Derecho a solicitar un talonario de cheques, que custodiará bajo su responsabilidad. • El daño que resulte del pago de un cheque falso o falsificado será imputado a la entidad de crédito librada, a no ser que el titular librador haya sido negligente en la custodia del talonario de cheques o hubiera procedido con culpa (art. 156 LCCH)
Duración y extinción del contrato		✓ La duración del contrato suele ser indefinida, de modo que se extinguirá por la voluntad unilateral de cualquiera de las partes, salvo que no se haya fijado de manera especial y expresa un vencimiento determinado.

Tarjetas de crédito, débito y prepago	✓ A falta de una regulación legal, las tarjetas pueden definirse como los instrumentos de pago emitidos por la entidad de crédito y de su propiedad al amparo de un contrato estipulado con su cliente por los cuales pueden iniciarse órdenes de pago cuando son utilizadas por su titular en las condiciones contractuales. Pueden ser de débito, a crédito o de prepago. Una misma tarjeta puede incluir varias modalidades. • Operaciones a débito son órdenes de pago objeto de débito inmediato en el depósito asociado. • Operaciones a crédito son órdenes de pago que se ejecutan con cargo al límite de crédito disponible, se registran en la cuenta de la tarjeta y se liquidan con la periodicidad que se haya acordado. • Operaciones de prepago son órdenes de pago que se ejecutan contra el saldo disponible de la tarjeta que proviene de fondos ingresados o cargados previamente por el contratante. ✓ Las tarjetas permiten a su titular obtener todos o algunos de los servicios siguientes: adquirir bienes y obtener servicios en establecimientos nacionales o extranjeros en que sean aceptadas, disponer de efectivo en los cajeros automáticos de la propia entidad de crédito o en los de otras entidades con las cuales haya acuerdos en relación a este servicio, así como disfrutar de otros servicios que puedan ponerse a su disposición (por ejemplo, compra de entradas por cajero). ✓ El titular de la tarjeta puede coincidir o no con el contratante y es la persona física a nombre de la cual se expide la tarjeta, con carácter personal e intransferible.

Concepto	✓ La duración del contrato de tarjeta suele ser indefinido.
	✓ El precio de los servicios prestados se establece en las condiciones particulares del contrato. Generalmente tiene mejores condiciones si se trata de un cliente "vinculado" con la entidad, por tener domiciliada la nómina, un saldo mínimo, depósitos, etc. y otras condiciones fijadas por la entidad de crédito.
	✓ La entidad de crédito suele establecer límites operativos y de seguridad en cada tarjeta. No está obligada a ejecutar ninguna orden de pago iniciada desde la tarjeta cuando su importe sea superior al saldo del depósito asociado o al límite de crédito disponible.
	✓ En caso de impago de las obligaciones vencidas por parte del contratante, la entidad de crédito se reserva en el contrato el derecho a hacer el cargo en el depósito asociado a la tarjeta o en cualquier otro en el que el contratante sea titular o cotitular, incluso cuando ello genere un descubierto a su favor; o a cargar las cantidades pendientes en una cuenta especial por el saldo debido, con devengo de intereses moratorios estipulados en el contrato (muy altos en comparación con los intereses habituales de préstamos y créditos) que, además, podrían ser capitalizables, esto es, se suman al capital para generar nuevos réditos (art. 317 C. Com.).

3. CONTRATO DE SERVICIOS DE PAGO

Concepto	✓ La cuenta de pago se puede contratar con una entidad de crédito, pero también con otras proveedoras de servicios de pago (PSP).
	✓ La cuenta de pago no devenga interés, ni se puede prever depósitos a plazo sobre la mismas, planes de pensiones, fondos de inversión, o cuentas de valores.
	✓ Son servicios de pago los siguientes (art. 1.2 LSP):
	• Los servicios que permiten el ingreso y retirada de efectivo en una cuenta de pago
	• Todas las operaciones necesarias para la gestión de una cuenta de pago.
	• La ejecución de operaciones de pago (art. 3.26 LSP), incluida la transferencia de fondos.
	• Ejecución de adeudos domiciliados (3.1 LSP).
	• Ejecución de operaciones de pago mediante tarjeta de pago.

Concepto (cont.)	• Ejecución de transferencias, incluidas las órdenes permanentes (art. 3.45 LSP). • Ejecución de operaciones de pago cuando los fondos estén cubiertos por una línea de crédito abierta para un usuario. • La emisión de instrumentos de pago o adquisición de operaciones de pago (art. 3.23 LSP). • El envío de dinero (art. 3.36 LSP). • Los servicios de iniciación de pagos (art. 3.39 LSP). • Los servicios de información sobre cuentas (art. 3.38 LSP). ✓ El contrato de servicios de pagos se traduce normalmente en la apertura de una cuenta de pago que sea utilizada para la ejecución de operaciones de pago (art. 3.11 LSP).
Régimen jurídico	✓ La LSP constituye la norma específica aplicable a los servicios de pago en ella regulados y prestados dentro de España (art. 2 LSP). ✓ La LSP sustituye a la derogada Ley 16/2009, de servicios de pago Dicha ley incorporó la Directiva 2007/64/CE, de 13 de noviembre y facilitó considerablemente la aplicación operativa de los instrumentos de pago en euros dentro de la zona única de pagos, la Single Euro Payments Area o SEPA (Exp. motivos LSP). ✓ La LSP transpone la Directiva (UE) 2015/2366, sobre servicios de pago en el mercado interior. La zona SEPA ya está consolidada, pero la regulación debe adaptarse los nuevos cambios tecnológicos que permiten a los usuarios disponer de forma más fiable de nuevos servicios de pago (Exp. motivos LSP).
Forma	✓ El servicio de pago puede ser objeto de operaciones singulares. ✓ Sin embargo, se documenta normalmente en un contrato marco de servicios de pagos que rige la ejecución futura de operaciones de pago individuales y sucesivas, y que puede estipular la obligación de abrir una cuenta de pago (art. 3.9 LSP).
Sujetos	✓ El proveedor de servicios de pago (PSP) es el único que puede prestar, con carácter profesional, los servicios de pago (art. 5.1 y 5.3 LSP). Puede ser: • Una entidad de crédito (art. 1 LOSSEC). • Una entidad de dinero electrónico (art. 2.1.b Ley 21/2011, de 26 de julio, de dinero electrónico). • Una entidad de pago (EP), autorizada como tal por el Banco de España (art. 11.2 LSP). • La Sociedad Estatal de Correos y Telégrafos, S.A., respecto de los servicios de pago para cuya prestación se encuentra facultada en virtud de su normativa específica.

Sujetos (cont.)	• También se considerarán proveedores de servicios de pago, cuando no actúen en su condición de autoridades públicas, el Banco Central Europeo, el Banco de España y los demás bancos centrales nacionales; la Administración General del Estado, las Comunidades Autónomas y las Entidades Locales. ✓ Usuario de servicios de pago • Es la persona física o jurídica que hace uso de un servicio de pago, ya sea como ordenante, beneficiario o ambos (art. 3.46 LSP).
Contenido	✓ La LSP regula en detalle el contenido de las obligaciones y derechos del proveedor de servicios de pago y el usuario de dichos servicios. ✓ Las normas de la LSP tienen carácter imperativo, si bien cuando el usuario no sea un consumidor o una microempresa, las partes pueden convenir que algunas de las normas que la propia LSP identifica no se apliquen (art. 34 LSP). ✓ Sin ánimo exhaustivo, se detallan a continuación algunos de los derechos y obligaciones de las partes del contrato de servicio de pagos.
Derechos y obligaciones del proveedor de servicios de pago	✓ Las entidades de pago tendrán acceso a los servicios de cuentas de pago de las entidades de crédito de forma objetiva, no discriminatoria y proporcionada (art. 9 LSP). ✓ Las entidades de pago protegerán los fondos recibidos de los usuarios de servicios de pago (art. 21 LSP). ✓ Las entidades de pago conservarán todos los documentos necesarios durante, al menos, seis años (art. 24 LSP). ✓ El proveedor de servicios de pago facilitará al usuario de servicios de pago toda la información y condiciones relativas a la prestación de los servicios de pago (art. 29.1 LSP). ✓ Obligación de suministro de instrumentos de pago al usuario, si se ha pactado, como las tarjetas de crédito o débito. ✓ Obligación de confirmarár inmediatamente la disponibilidad de fondos en la cuenta de pago del ordenante para la ejecución de una operación de pago basada en una tarjeta (art. 37 LSP). ✓ Si el proveedor de servicios de pago rechaza ejecutar una orden de pago o iniciar una operación de pago, deberá notificarlo al usuario (art. 51 LSP). ✓ Obligación de transferir la totalidad del importe de la operación de pago absteniéndose de deducir gasto alguno del importe transferido (art. 53.1 LSP). ✓ Los usuarios de servicios de pago tendrán derecho a recurrir a servicios que permitan acceder a la información sobre cuentas, salvo que no se pueda acceder en línea a la correspondiente cuenta de pago (art. 7 LSP).

Derechos y obligaciones del proveedor de servicios de pago (cont.)	✓ El usuario del servicio de pago podrá resolver el contrato marco en cualquier momento, sin necesidad de preaviso alguno (art. 32.1 LSP). ✓ Las operaciones de pago se considerarán autorizadas cuando el ordenante haya dado el consentimiento para su ejecución (art. 36 LSP). ✓ Cuando se emplee un instrumento de pago específico a fin de notificar el consentimiento, el ordenante y el proveedor de servicios de pago podrán acordar un límite de gasto aplicable a las operaciones de pago ejecutadas mediante dicho instrumento de pago (art. 40 LSP). ✓ En caso de extravío, sustracción o apropiación indebida del instrumento de pago o de su utilización no autorizada, lo notificará al proveedor de servicios de pago o a la entidad que este designe, sin demora indebida en cuanto tenga conocimiento de ello (art. 41 LSP). ✓ El usuario de servicios de pago no podrá revocar una orden de pago después de ser recibida por el proveedor de servicios de pago del ordenante (art. 52 LSP).

4. CONTRATO DE PRÉSTAMO MERCANTIL

Concepto	✓ El que recibe en préstamo dinero u otra cosa fungible adquiere su propiedad, y está obligado a devolver al acreedor otro tanto de la misma especie y calidad (art. 1753 CC).
	✓ Se reputa mercantil el préstamo concurriendo las circunstancias siguientes (art. 311 C. Com.):
	  • Si alguno de los contratantes fuere comerciante.
	  • Si las cosas prestadas se destinaren a actos de comercio.
	✓ La doctrina mercantilista mayoritaria mantiene que los préstamos bancarios destinados al consumo personal son también mercantiles por las siguientes razones:
	  • El préstamo de dinero realizado por Bancos y otras entidades de crédito, sea cual sea el destino del dinero recibido, tiene carácter mercantil, dada la naturaleza de comerciante de la entidad de crédito.

Concepto (cont.)	• No es posible realizar una interpretación tan restrictiva que excluya del carácter mercantil uno de los negocios esenciales del comercio de la banca: los artículos 175.7 y 199 del Código de Comercio mencionan expresamente el préstamo como una de las operaciones principales de las entidades de crédito. • No obstante, esta posición ha recibido críticas porque trasciende de la literalidad del artículo 311 C. Com. ✓ Sin embargo, hoy puede plantearse de forma distinta dado que, sin perder su naturaleza mercantil, el derecho del consumo viene a remediar el problema de tutela y protección de estos prestatarios (Cortés). ✓ También la normativa administrativa bancaria distingue según la naturaleza del prestatario: impone con carácter imperativo cláusulas en los contratos con consumidores TRLGDCU, LCCC, por ejemplo, que en cambio somete a la libertad de contratación cuando el cliente no reviste esta condición.

Régimen jurídico	✓ Los artículos 311 a 319 del Código de Comercio regulan de forma específica el préstamo mercantil y los artículos 320 a 324 del mismo Código, los préstamos con garantía de valores.
	✓ Habitualmente, el prestamista es una entidad de crédito, por lo que también resulta de aplicación la normativa bancaria.
	✓ Cuando el prestatario es un consumidor, se aplica la TRLGDCU y la normativa sectorial de servicios financieros.
	✓ La Ley de contratos de crédito al consumo ha sido ideada para proteger a los consumidores que necesiten satisfacer necesidades personales.
	✓ La Ley de venta a plazos de bienes muebles (LVPBM) establece un sistema de aplazamiento de pago y de préstamos destinados a facilitar la adquisición de bienes muebles, regulando una serie de operaciones que hagan posible el acceso a los mismos concediendo también unas importantes garantías al vendedor:
	  • Como garantía de cobro, el vendedor puede acudir a préstamos de financiación a vendedor por los cuales el vendedor cede o subroga a un financiador en su crédito frente al comprador.
	  • El comprador puede concertar un contrato de financiación a comprador por el cual un tercero facilite al comprador el coste de adquisición del bien (art. 4 LVPBM).
	  • Esta ley no se aplica a las compraventas a plazos de bienes muebles destinados a la reventa, ni a los préstamos para su financiación (art. 5 LVPBM).
	✓ La Ley 22/2007, de 11 de julio, de comercialización a distancia de servicios financieros, sea o no el prestamista una entidad de crédito.

Régimen jurídico (cont.)	✓ La Ley 2/2009, de 3 de marzo, que regula la contratación con los consumidores de préstamos o créditos hipotecarios y de servicios de intermediación para la celebración de contratos de préstamo o crédito. Se aplica a estas operaciones, salvo a los que tengan garantía hipotecaria inmobiliaria, que se regulan por la LCCI, comentada a continuación. ✓ Con carácter general, es de aplicación la Ley de Represión de la Usura de 23 de julio de 1908 (Ley Azcárate). 　• La STS (Sala de lo Civil Sección Pleno) 25-11-2015 (*Tol 5571265*) considera usurario el crédito *revolving* en el que se estipuló un interés notablemente superior al normal del dinero en la fecha en que fue concertado el contrato, sin que concurra ninguna circunstancia jurídicamente atendible que justifique un interés tan notablemente elevado. Las consecuencias de dicha nulidad son las previstas en el art. 3 de la Ley de represión de la usura, esto es, el prestatario estará obligado a entregar tan sólo la suma recibida. También STS 4-3-2020 (*Tol 7804109*). ✓ La LCCI se aplica a los contratos de préstamo con consumidores para adquirir terrenos o inmuebles, construidos o por construir (art. 2) ✓ La LCCI también rige cuando el prestatario sea persona física (por ejemplo, un consumidor, pero también un autónomo) y solicite un préstamo con garantía hipotecaria sobre un inmueble de uso residencial (art. 2 LCCI).
Sujetos	✓ El prestamista 　• Cuando los préstamos son concedidos por las entidades de crédito, sujetas a la supervisión del Banco de España, se cuenta con la regulación específica de los contratos bancarios. 　• Las ingentes cantidades de dinero prestado o a crédito que pueden necesitar las empresas han hecho surgir los acuerdos de colaboración entre entidades de crédito. Generalmente dan lugar a lo que se ha denominado créditos sindicados o consorciales (Sánchez Calero), donde una pluralidad de bancos comparte los beneficios y los riesgos inherentes a una operación de crédito. ✓ El prestatario: 　• Puede ser cualquier persona física o jurídica, sea empresario, profesional, consumidor o entidad pública. 　• En caso de ser dos o más los prestatarios, puede convenirse en el contrato de forma expresa que todas las obligaciones se contraen de forma solidaria. En defecto de pacto expreso, rige la mancomunidad, de modo que la concurrencia de dos o más deudores en una sola obligación no implica que cada uno de ellos deba devolver íntegramente el dinero recibido (art. 1137 CC).

Sujetos (cont.)	• El prestatario puede haberse obligado cambiariamente mediante la firma de letras de cambio o pagarés a la devolución del préstamo. • Los préstamos mercantiles pueden estipularse con alguna otra forma de garantía a favor del prestamista, como la garantía personal o la real sobre un inmueble o sobre otros bienes susceptibles de valoración económica.
Forma	• Sin embargo, las entidades de crédito no tienen un monopolio legal en materia de préstamos de dinero a quien lo necesite. Cuando tiene lugar con carácter profesional, la abundante normativa impone el control administrativo sobre los prestamistas distintos de las entidades de crédito: A) Establecimientos financieros de crédito, conforme a la Ley 5/2015; B) Entidades de pago, de acuerdo con el Real Decreto-ley 11/2018. C) Empresas dedicadas a prestar o intermediar en contratos y créditos, con consumidores y usuarios de la Ley 2/2009. D) Empresas dedicada al préstamo y crédito inmobiliario conforme a la LCCI. E) Plataformas de financiación participativa, según la Ley 5/2015. • Los préstamos que no entren en el ámbito de aplicación de esta abundante normativa, arriba citada, pueden ser concedidos libremente por cualquier persona a otra, conforme a la libertad contractual (arts. 57 C. Com. y 1255 CC). No hay una prohibición legal al respecto. ✓ Si el prestamista es una entidad de crédito, se aplica la normativa bancaria que impone la forma escrita, sin perjuicio de que la práctica bancaria ya se caracterice por documentar por escrito las operaciones realizadas. • La Circular 5/2012, de 27 de junio, del Banco de España, sobre entidades de crédito y proveedores de servicios de pago, sobre transparencia de servicios bancarios y responsabilidad en la concesión de préstamos, será obligatoria la entrega al cliente del documento contractual en el que se formalice la prestación de los servicios bancarios comprendidos en el ámbito de aplicación de la Orden EHA 2899/2011 (norma novena). • La entrega y el contenido de los contratos correspondientes a la prestación de servicios bancarios de crédito al consumo seguirán lo dispuesto en la LCCC (norma octava Circular 5/2012). • La entrega y el contenido de los contratos relativos a la prestación de servicios bancarios de crédito y préstamo hipotecario se realiza conforme a la Orden EHA 2899/2011 (norma octava 5/2012). ✓ Los préstamos o créditos concedidos por empresas que no tienen la naturaleza de entidad de crédito están sometidos a exigencias de transparencia en relación con los contratos y las condiciones generales utilizadas (art. 4 Ley 2/2009) y, por aplicación de la TRLGDCU, el consumidor tiene derecho a la confirmación documental de la contratación realizada (art. 63 TRLGDCU).

Forma (cont.)		✓ Sea o no entidad de crédito el prestamista, los contratos de crédito al consumo deben constar por escrito en papel o en otro soporte duradero y se redactarán con una letra que resulte legible y con un contraste de impresión adecuado. Incluirá necesariamente las menciones exigidas por la ley (art. 16 LCCC).
		✓ Los contratos de préstamo destinados a facilitar la compra a plazos de bienes muebles corporales no consumibles e identificables, para su validez, deben constar por escrito (art. 6.1 LVPBM).
		• Los contratos deben incluir, además de los pactos y condiciones que las partes convengan, las menciones legales obligatorias (arts. 7-8 LVPBM).
		• En la publicidad relativa al precio de los bienes ofrecidos en venta a plazos deberá expresar el precio de adquisición al contado y el precio total a plazos (art. 13 LVPBM).
		✓ Los servicios financieros prestados a distancia, incluido el préstamo, exigen al proveedor, sea o no entidad de crédito, que comunique al consumidor todas las condiciones contractuales en soporte de papel u otro soporte duradero (art. 9.1 Ley 22/2007).
Contenido del contrato		✓ A continuación, se detallan las normas del Código de Comercio y otras del Derecho bancario relativas al préstamo mercantil, junto con las cláusulas habituales de un préstamo bancario:
	Obligaciones y derechos del prestamista. Jurisprudencia sobre la cláusula suelo	✓ Derecho a la devolución de una cantidad igual a la entregada (art. 312 C. Com.).
		✓ Derecho a cobrar intereses si se ha pactado por escrito (art. 314 C. Com.). Se considera interés toda prestación pactada a favor del acreedor y se podrá pactar el interés del préstamo, sin tasa ni limitación (art. 315 C. Com.).
		• La razón de esta regulación era eliminar el anterior límite del 6% establecido en el artículo 398 del Código de Comercio de 1829.
		• La Orden del Ministerio de Economía y Hacienda 2899/2010, de 28 de octubre de 2011, reconoce la libertad de las entidades de créditos y sus clientes para acordar el importe de las comisiones y de los intereses, si bien con abundantes obligaciones de información que debe cumplir la entidad de crédito (arts. 3 y ss.).
		• Cuando el prestamista no es una entidad de crédito, la LCCC y la Ley 2/2009 (art. 5) tampoco fijan unos tipos de intereses máximos o mínimos.

| Contenido del contrato (cont.) | *Obligaciones y derechos del prestamista. Jurisprudencia sobre la cláusula suelo (cont.)* | • El pago del interés es una obligación accesoria a la principal de recibir una cantidad igual a la prestada, por lo que si el acreedor recibe el capital, sin reservarse expresamente el derecho a los intereses pactados o debidos, extinguirá la obligación del deudor respecto de los mismos (art. 318 C. Com.).
• Es aplicable a las entidades de crédito y cualquier otro prestamista la Ley de Represión de la Usura. En su virtud, se considera nulo todo préstamo usurario, siendo aquél en que se estipule un interés notablemente superior al normal del dinero y manifiestamente desproporcionado con las circunstancias del caso (art. 1).
• Los intereses vencidos y no pagados no devengan interés, salvo que se haya pactado expresamente la capitalización (art. 317 C. Com.). El Tribunal Supremo reitera que la capitalización no se presume en virtud del principio *favor debitoris*.
• En todo caso, interpuesta una demanda, no podrá hacerse la acumulación de intereses al capital para exigir mayores réditos (art. 319 C. Com.), sin perjuicio de que los intereses vencidos devengan el interés legal desde que son judicialmente reclamados (art. 1109, ap. 1º CC).
• La sentencia del Tribunal de Justicia (Gran Sala) de 21 de diciembre de 2016 *(Eurlex 62015CJ0154)* se opone a la limitación de la eficacia retroactiva de la nulidad de las cláusulas suelo en préstamos hipotecarios con consumidores, que había sido fijado por la STS 9-5-2013 *(Tol 3671048)*. El tribunal europeo afirma que la cláusula contractual declarada abusiva nunca ha existido, de modo que ha de restaurarse la situación de hecho y de Derecho en que se encontraría el consumidor en esta situación.
• El Real Decreto-Ley 1/2017, de 20 de enero, de medidas urgentes de protección de los consumidores en materia de cláusula suelo, establece un cauce que les facilite la posibilidad de llegar a acuerdos con las entidades de crédito con las que tienen suscrito un contrato de préstamo o crédito con garantía hipotecaria que solucionen las controversias que se pudieran suscitar como consecuencia de los últimos pronunciamientos judiciales. |

Contenido del contrato (cont.)	*Obligaciones y derechos del prestamista. Jurisprudencia sobre la cláusula suelo* (cont.)	• La negociación individualizada de la cláusula suelo es en principio válida y vinculante. La Sala de lo Civil (Pleno) del Tribunal Supremo, en sentencia de 9-3-2017 *(Tol 5985734)*, desestima la acción individual de nulidad de una cláusula suelo incluida en un préstamo hipotecario con un consumidor. Aunque el contrato se celebró sobre condiciones generales de contratación, al tratarse de una acción individual y no una acción colectiva, se pudieron tener en cuenta otros medios de prueba del consentimiento por el cliente a dicha cláusula. En concreto, se estima probado que esta cláusula suelo fue negociada individualmente con el cliente. La sentencia recoge también que la notaria que autorizó la escritura advirtió expresamente a los contratantes del contenido de la cláusula. También SSTS 13-9-2018 *(Tol 6976984)* y 11-4-2018 (Pleno de la Sala de lo Civil) (Tol 6565628), que no anulan la cláusula suelo resultante de una negociación posterior entre el cliente para dejar sin efecto la anterior cláusula suelo que no pasó o había incertidumbre sobre si pasó el control de transparencia. • Conforme a la doctrina sentada por la STJUE de 9 de julio de 2020, es posible que una cláusula potencialmente nula, como la cláusula suelo, pueda ser modificada por las partes con posterioridad, pero si esta modificación no ha sido negociada individualmente, sino que la cláusula ha sido predispuesta por el empresario, en ese caso debería cumplir, entre otras exigencias, con las de transparencia [STS 23-12-2021 *(Tol 8719995)*].
	Obligaciones y derechos del prestamista	✓ Obligación de entrega del dinero, normalmente mediante ingreso en la cuenta corriente que el prestatario mantiene abierta en la entidad de crédito. ✓ Derecho a cobrar una comisión en concepto de apertura de préstamo fijada en el contrato y abonada de una sola vez. ✓ Derecho al reintegro del préstamo en el plazo de duración convenido y conforme al plan periódico de amortizaciones y abono de intereses descrito en el contrato. ✓ Derecho a percibir la comisión en concepto de gastos de estudio que sea fijada en el contrato. ✓ Derecho a percibir una comisión sobre el importe total del préstamo si, a instancia del prestatario, se procede a una modificación de las condiciones del contrato (modalidad de interés, del plazo de vencimiento, períodos de carencia, sistemas de pago o cambio de fiadores, etc.).

| Contenido del contrato (cont.) | Obligaciones y derechos del prestamista (cont.) | ✓ Derecho a considerar vencido de pleno derecho el préstamo y exigible la totalidad de las obligaciones de pago del prestatario, por ejemplo, en caso de incumplimiento de éste, declaración en concurso, enajenación grave de bienes, o comprobación del falseamiento de los datos suministrados por el prestatario.

✓ En caso de vencimiento del préstamo por cualquier causa o motivo, derecho a interponer las acciones oportunas, incluso ejecutivas si se ha formalizado el contrato en documento público (art. 517 LEC), con el fin de reintegrarse del principal, intereses, comisiones y gastos, así como de los gastos y costas que se originen en el procedimiento.

✓ Derecho a alterar las comisiones y gastos contractualmente señalados durante el período del contrato, obligándose a comunicarlo previamente al prestatario.
  • Si es un crédito al consumo, el coste total del préstamo no podrá ser modificado en perjuicio del prestatario, a no ser que esté previsto en acuerdo mutuo de las partes formalizado por escrito y la variación del coste del crédito se deberá ajustar, al alza o a la baja, a la de un índice de referencia objetivo (art. 22 LCCC).

✓ Derecho a ceder, transmitir o enajenar, total o parcialmente, el contrato o cualquiera de los derechos derivados del mismo.
  • Si es aplicable la LCC, el prestatario tiene derecho a oponer al nuevo acreedor las mismas excepciones que tenía frente al cedente, incluida, en su caso, la compensación (art. 31.1 LCC).

✓ Derecho a compensar cuanto se adeude al prestamista con los derechos que le correspondan sobre cualesquiera saldos acreedores que puedan presentar otras cuentas del prestatario en la misma entidad de crédito.

✓ Si se aplica la Ley de venta a plazos de bienes muebles:
  • El contrato de venta a plazos puede incluir una cláusula de reserva de dominio a favor del comprador en caso de impago, pero sólo será oponible a un tercero cuando conste en el Registro de Venta a Plazos de Bienes Muebles del Registro de Bienes Muebles (arts. 7.10 y 15 y disp. adic. 3ª LVPBM). En las operaciones comerciales a las que sea de aplicación la LMLCMOC, la cláusula de reserva de dominio tiene que haber sido convenida expresamente entre el comprador y el vendedor antes de la entrega (art. 10 LMLCMOC). |

| Contenido del contrato (cont.) | *Obligaciones y derechos del prestamista* (cont.) | <ul><li>Si el comprador demora el pago de dos plazos o del último de los plazos, el vendedor puede bien resolver el contrato y restituirse las prestaciones o bien exigir el pago de todas las cuotas pendientes de una sola vez o la resolución del contrato (art. 10.1 LVPBM). En el primer caso, el vendedor puede retener un 10%, en concepto de indemnización y por la depreciación comercial (art. 10.1 LVPBM). En el segundo caso, si el vendedor reclama judicialmente, el Juez puede, con carácter excepcional, señalar nuevos plazos o alterar los convenidos, fijando un recargo, siempre que haya justa causa en el impago (paro, desgracias familiares, larga enfermedad) (art. 11 LVPBM).</li><li>Finalmente, en caso de procedimientos concursales del deudor, el acreedor goza de una posición de privilegio si el contrato figura en un documento público (art. 16.5 LVPBM).</li></ul>✓ Si se aplica la LCCI, hay que atender a la misma, de carácter imperativo, como la relativa a la obligación de suministro de información precontractual:<ul><li>Antes de suscribir el contrato de préstamo, los prestamistas o, en su caso, los intermediarios financieros (brókers) han de facilitar al posible cliente la información general dispuesta en el art. 9 LCCI (por ejemplo, duración, importe total del crédito, de la TAE).</li><li>También debe acompañar información personalizada que necesite el cliente para comparar préstamos disponibles en el mercado, a través de la llamada Ficha Europea de Información Normalizada (FEIN) según modelo anexo (art. 10 LCCI).</li><li>El notario también tiene la función de asesorar imparcialmente al prestatario (art. 15.2 LCCI).</li><li>Esta información precontractual constituye prueba en beneficio de ambas partes de que el prestamista ha cumplido con la información precontractual.</li></ul>✓ Si se aplica la LCCI, el prestamista está obligado a evaluar la solvencia del potencial prestatario, fiador o garante antes de celebrar el contrato de préstamo (art. 11 LCCI).<ul><li>Sólo se concederá el préstamo si el resultado de la evaluación indica que es probable que las condiciones del contrato de préstamo se cumplan (art. 11.5).</li><li>Se impone al prestamista la obligación de consultar la Central de Información de Riesgos del Banco de España y con alguna de las entidades privadas de información crediticia (art. 12.1 LCCI). El art. 20 LOPDGDG regula el funcionamiento de los "sistemas de información crediticia".</li></ul> |

Contenido del contrato (cont.)	Obligaciones y derechos del prestamista (cont.)	✓ El prestamista asume el coste de los aranceles notariales de la escritura de préstamo hipotecario y los gastos de inscripción en el registro de la propiedad, si bien los gastos de tasación del inmueble los asume el prestatario y los de la gestoría el prestamista (art. 14.1.e LCCI). • La jurisprudencia también se ha manifestado al respecto: varias SSTS Sala de lo Civil (Pleno) de 23-1-2019 *(Tol 7009183, 7009165, 7009167)* consideraron como cláusula abusiva en un contrato de préstamo hipotecario la atribución de forma indiscriminada al consumidor de los gastos e impuestos derivados de su contratación.
	Obligaciones y derechos del prestatario	✓ Consistiendo el préstamo en dinero, pagará el deudor devolviendo una cantidad igual a la recibida con arreglo al valor legal que tuviere la moneda al tiempo de la devolución, salvo si se hubiera pactado la especie de moneda en que había de hacerse el pago, en cuyo caso la alteración que hubiese experimentado su valor será en daño o en beneficio del prestador (art. 312, ap. 1º C. Com.). ✓ Derecho al reembolso o amortización anticipada, total o parcial, del préstamo en los términos y condiciones del contrato. ✓ El contrato usual suele señalar que las cantidades anticipadas serán aplicadas, en primer lugar, a la satisfacción de intereses, gastos y comisiones devengados y, en segundo lugar, a la amortización del principal. ✓ En caso de amortización anticipada, el prestatario debe pagar la comisión pactada en el contrato. Si es de aplicación la LCC, la ley fija su importe máximo (art. 30 LCCC). ✓ Las obligaciones dinerarias del prestatario dimanantes del préstamo, vencidas y no satisfechas, devengarán desde el día siguiente de su vencimiento un interés moratorio fijado en el contrato (art. 316 C. Com.). ✓ Obligación de constituir, a requerimiento de la entidad de crédito, garantías reales sobre bienes muebles, inmuebles o derechos que por ésta se le exijan, si durante la vigencia del préstamo concurren circunstancias que afecten negativamente a la solvencia del prestatario o a las garantías de la operación. ✓ Obligación de satisfacer los gastos registrales y notariales y de otra naturaleza que pudieran producirse en relación con el préstamo, así como los tributos imputables al prestatario.

| Contenido del contrato (cont.) | *Obligaciones y derechos del prestatario* (cont.) | ✓ Si rige la LVPBM, el consumidor podrá desistir del contrato dentro de los 7 días hábiles siguientes a la entrega del bien, comunicándolo al vendedor y, en su caso, al financiador, siempre y cuando:
• No haya usado el bien vendido más que a efectos de simple examen o prueba; lo devuelva en el lugar, forma y estado en que lo recibió; y, en su caso, indemnice al vendedor por la depreciación comercial (art. 9.1 LVPBM).
• Este derecho es irrenunciable (art. 9.2 LVPBM), aunque en caso de adquisición de vehículos a motor susceptibles de matriculación podrá excluirse mediante pacto o modalizarse su ejercicio de forma distinta a lo previsto en esta Ley (art. 9.4 LVPBM).
✓ Si se aplica la LCCI, el cliente tiene reconocidos imperativamente ciertos derechos, siendo nula cualquier renuncia previa a los mismos (art. 3 LCCI), algunos de los cuales se comentan a continuación.
✓ Se prohíben los contratos vinculados, pero el prestamista podría exigir la contratación por el prestatario de un seguro en garantía de cumplimiento de las obligaciones del contrato de préstamo, así como de un contrato de seguro de daños respecto al inmueble objeto de la hipoteca.
• No obstante, a diferencia de la práctica anterior, el prestamista deberá aceptar pólizas alternativas de estos seguros (art. 17.3 LCCI).
• La STS, Sala de lo Civil, Pleno, 11-9-2019 *(Tol 7474304)*, consideró abusiva la cláusula que reserva a la entidad prestamista el derecho a aceptar a la aseguradora propuesta por el prestatario.
✓ Se reconoce el derecho del prestatario a reembolsar, con carácter general, todo o parte del préstamo sin tener que soportar comisiones o compensaciones para el prestamista, con alguna excepción (art. 23 LCCI).
✓ También destaca la opción del cliente de favorecer la subrogación y la novación modificativa de préstamos cuando tengan por objeto la modificación del tipo de interés variable a uno fijo (art. 26.6 LCCI).
✓ En caso de impago del préstamo, se produce el vencimiento anticipado del contrato de préstamo sólo cuando el incumplimiento del deudor es suficientemente significativo en atención al préstamo contratado (art. 24 LCCI). |

Contenido del contrato (cont.)	*Obligaciones y derechos del prestatario* (cont.)	• La STS Sala de lo Civil, Sección Pleno, 11-9-2019 *(Tol 7474304)* asume la doctrina establecida por la STJUE 26-3-2019 *(Tol 7119455)* y otras resoluciones, según la cual se admite la sustitución de una cláusula viciada de nulidad por una disposición imperativa de Derecho nacional aprobada con posterioridad. El TS señala que puede ser un elemento de primer orden lo dispuesto en el art. 24 LCCI, arriba citado. ✓ Para evitar las cláusulas abusivas respecto a los intereses de demora a abonar en caso de vencimiento anticipado, la Ley pretender fijar un criterio más claro y fijo para su cuantificación (art. 25 LCCI). • En el préstamo concluido por una persona física que esté garantizado mediante hipoteca sobre bienes inmuebles para uso residencial, el interés de demora será el interés remuneratorio más tres puntos porcentuales a lo largo del período en el que aquel resulte exigible.

5. CONTRATO DE APERTURA DE CRÉDITO

Concepto	✓ El contrato de apertura de crédito es aquel por el que el acreditante admite conceder un crédito a su cliente, llamado acreditado, por una cuantía máxima y por un plazo determinado, a cambio de percibir comisiones e intereses por razón de las cantidades obtenidas. ✓ La apertura de crédito simple es aquella que da derecho a retirar el dinero de una vez. ✓ Sin embargo, lo habitual es que el crédito concedido se refleje en una cuenta corriente de crédito abierta por el cliente en la entidad de crédito (art. 175.7 C. Com.). También se cargarán o abonarán en dicha cuenta el importe de las operaciones del acreditado. • Se trata de una forma de financiación empresarial menos rígida que el préstamo, pues permite adaptarse mejor a las necesidades reales de dinero del cliente, normalmente otro empresario que lo necesita para invertirlo en su actividad mercantil.

Régimen jurídico	✓ La apertura de crédito en cuenta corriente está mencionada en el citado artículo 175.7 C. Com., pero carece de una regulación legal detallada. ✓ En la práctica, los contratos de crédito suelen identificar expresamente su naturaleza mercantil. ✓ Por analogía podrían resultar de aplicación las normas sobre el préstamo mercantil (art. 4.1 CC). De hecho, la abundante normativa tratada en el apartado anterior, sobre el préstamo, aluden conjuntamente al "préstamo" y al "crédito".
Forma	✓ Se remite al apartado de "forma" en el contrato de préstamo mercantil.

Sujetos	✓ El acreditante
	  • Suelen ser entidades de crédito, sujetas a la normativa bancaria y la supervisión del Banco de España: bancos, cajas de ahorro, la Confederación Española de Cajas de Ahorro, las cooperativas de crédito, las sucursales de entidades de crédito extranjeras en España; así como los establecimientos financieros de crédito.
	  • Si no es una entidad de crédito, deberán cumplir la normativa específica los establecimientos financieros de crédito, las entidades de pago, las empresas de financiación al consumo, las empresas de crédito inmobiliario y las plataformas de financiación participativa. En los casos que no encajen en estas normas, el acreditante lleva a cabo libremente su actividad.
	✓ El acreditado
	  • Puede ser cualquier persona física o jurídica, consumidor, profesional o empresario, si bien suele tener esta última condición.
	  • En caso de ser dos o más los acreditados, puede convenirse en el contrato de forma expresa que todas las obligaciones se contraen de forma solidaria. En defecto de pacto expreso, rige la mancomunidad, de modo que la concurrencia de dos o más deudores en una sola obligación no implica que cada uno de ellos deba devolver íntegramente el dinero recibido (art. 1137 CC).

Contenido del contrato	✓ A continuación, se detalla el contenido estándar de un contrato de apertura de crédito. Cuando exista una ley de aplicación imperativa, se hará constar expresamente. Naturalmente, todas las cláusulas están sometidas al control de legalidad por los tribunales (cláusulas abusivas, desconocidas o ilógicas en contratos de adhesión, cláusulas contrarias a los derechos del consumidor, contrarias a la moral o al orden público, etc.):

Contenido del contrato (cont.)	*Obligaciones y derechos del acreditante*	✓ Derecho a percibir una comisión de apertura del crédito de una sola vez de conformidad con el contrato. ✓ Derecho a que el saldo deudor que, en su caso, registre la cuenta corriente del acreditado no exceda en ningún momento del límite de disponibilidad que corresponda a cada período estipulado ✓ Derecho a percibir una comisión sobre el importe total del crédito si, a instancia del prestatario, se procede a una modificación de las condiciones del contrato, como la modalidad de interés, el plazo de vencimiento, los períodos de carencia, los sistemas de pago o por cambio de fiadores. ✓ En caso de amortización anticipada del crédito a solicitud del acreditado, el acreditante tiene derecho a percibir una comisión fijada en el contrato sobre el importe a cancelar. ✓ Derecho a considerar vencido de pleno derecho el crédito y exigible la totalidad de las obligaciones de pago del acreditado, por ejemplo, en caso de incumplimiento de éste, declaración en concurso, enajenación grave de bienes, o comprobación del falseamiento de los datos suministrados por el prestatario. ✓ Derecho a percibir una comisión en concepto de gastos de estudio fijada en el contrato. ✓ Obligación de reflejar la concesión del crédito en la cuenta corriente de crédito abierta a favor del cliente. También se cargará o abonará en dicha cuenta el importe de las operaciones del acreditado. ✓ Obligación de facilitar periódicamente al titular un extracto de la cuenta, salvo que éste haya optado por la expedición de libreta, así como el detalle de las liquidaciones. ✓ Derecho a cobrar una comisión fijada en concepto de gastos de administración. ✓ Derecho a percibir los intereses pactados sobre el saldo a favor del acreditante que resulte de la cuenta durante el plazo de duración convenido. Los intereses pactados se devengarán por días y se satisfarán en las fechas pactadas en el contrato. ✓ Las obligaciones dinerarias del acreditado, vencidas y no satisfechas, devengarán desde el día siguiente de su vencimiento un interés moratorio fijado en el contrato. ✓ Derecho a cobrar la comisión pactada por la no disponibilidad del dinero. Compensa al acreditante por el mantenimiento de los recursos inmovilizados para el cliente.

| Contenido del contrato (cont.) | *Obligaciones y derechos del acreditante* (cont.) | ✓ En caso de vencimiento del crédito por cualquier causa o motivo, derecho a interponer las acciones oportunas, incluso ejecutivas si se ha formalizado el contrato en documento público (art. 517 LEC), con el fin de reintegrarse del principal, intereses, comisiones y gastos, así como de los gastos y costas que se originen en el procedimiento.
  • Si es un crédito al consumo, el coste total no podrá ser modificado en perjuicio del prestatario, a no ser que esté previsto en acuerdo mutuo de las partes formalizado por escrito y la variación del coste del crédito se deberá ajustar, al alza o a la baja, a la de un índice de referencia objetivo (art. 22 LCCC).
✓ Derecho a ceder, transmitir o enajenar, total o parcialmente, el contrato o cualquiera de los derechos derivados del mismo.
  • Si es aplicable la LCCC, el prestatario tiene derecho a oponer al nuevo acreedor las mismas excepciones que tenía frente al cedente, incluida en su caso, la de compensación (art. 31.1).
✓ En caso de falta de pago de las cantidades adeudadas, derecho a la cancelación anticipada del crédito y el cierre de la cuenta. |
| | *Obligaciones y derechos del acreditado* | ✓ Derecho a disponer de los fondos de la cuenta mediante reintegros de efectivo, cheque, tarjeta, transferencia, o mediante cualquier otro documento o medio físico o telemático debidamente autorizado, con los límites de disponibilidad por razón de cuantía y plazos previstos en el contrato.
✓ Si el acreditado entrega o cede al acreditante documentos en gestión de cobro o descuento, para su abono en cuenta, se entiende que autoriza a la entidad para que actúe por su cuenta e interés y requiera de pago a los obligados para el caso en que aquellos resultasen impagados
✓ Derecho a cancelar el crédito en cualquier momento, procediéndose al cierre de la cuenta, previo el abono del saldo deudor a su cargo, más los intereses, comisiones, impuestos y gastos correspondientes a la fecha de cierre.
✓ Obligación de reintegrar de forma inmediata el saldo que exceda del límite de crédito vigente en cada momento, sin necesidad de requerimiento alguno por el acreditante, considerándose que:
  • El incumplimiento de esta obligación equivale a una causa de vencimiento anticipado de la totalidad del contrato. |

Contenido del contrato (cont.)	Obligaciones y derechos del acreditado (cont.)	• Los excedidos se consideran operaciones de crédito sujetas a un interés diferente estipulado en el contrato. ✓ Obligación de satisfacer los gastos registrales y notariales y de otra naturaleza que pudieran producirse en relación con el crédito, así como los tributos oportunos imputables al acreditado. ✓ El contrato suele prever la obligación de constituir, a requerimiento de la entidad de crédito, garantías reales sobre bienes muebles, inmuebles o derechos que por ésta se le exijan, si durante la vigencia del crédito concurren circunstancias que afecten negativamente a la solvencia del acreditado o a las garantías de la operación.

6. CONTRATO DE CRÉDITO DOCUMENTARIO

Concepto	✓ La apertura de crédito impropia es la que se realiza a favor de un tercero. El caso más habitual es el crédito documentario. Se enmarca generalmente en la fase de ejecución de un contrato de compraventa entre empresas situadas en lugares distintos. Por un lado, el vendedor desconfía de enviar las mercancías sin tener asegurado el cobro del precio. Por otro lado, difícilmente el comprador aceptará abonar el precio de unas mercancías que no están a su disposición, ni le han sido enviadas. ✓ La seguridad jurídica y la agilización de estas operaciones comerciales las proporcionan figuras como el crédito documentario, que garantiza al vendedor el cobro del precio de las mercancías vendidas. ✓ El crédito documentario es completamente independiente de la relación que subyace entre el comprador y ordenante del crédito y el vendedor y beneficiario del mismo.

Régimen jurídico	✓ Rige el principio de la libertad de contratación (art. 57 C. Com.). ✓ Las Reglas y Usos uniformes relativos a los Créditos Documentarios publicados por la Cámara de Comercio Internacional, y sucesivamente versionados, suelen regir el contrato por remisión de las partes. Tienen así una función como complemento de la voluntad contractual y facilitación del comercio internacional. ✓ Puede contratarse individualmente o tener amparo en un contrato de apertura de crédito previa, en un contrato de afianzamiento o de garantía para la realización de operaciones comerciales con el exterior o en un contrato de depósito de dinero, en cuyo caso le serán aplicables también los términos de este contrato subyacente. ✓ Tiene naturaleza mercantil, en base al artículo 311 C. Com., sobre el préstamo mercantil, cuyas normas son aplicables analógicamente.

Sujetos	✓ La entidad ordenante del crédito
	   • Se remite al apartado de "sujetos" del contrato de apertura de crédito.
	 ✓ El acreditado
	   • Puede ser cualquier persona física o jurídica, si bien suele ser un empresario, sobre todo dedicado a las transacciones internacionales. Normalmente es el comprador de las mercancías, que contrata con una entidad de crédito para que realice una serie de pagos o pago único a favor del vendedor beneficiario.
	   • La entrega final del conocimiento de embarque u otros documentos de transportes al comprador para retirar las mercancías a su llegada a destino la condiciona la entidad emisora a que su cliente le abone el precio anticipado al vendedor, más gastos, intereses y comisiones.
	 ✓ El beneficiario o beneficiarios
	   • Suele ser el vendedor del cargamento y quien tiene derecho al cobro frente a la entidad ordenante, pero siempre contra entrega de los documentos representativos de la mercancía adquirida. Por ejemplo, en el ámbito marítimo, una vez embarcados los efectos en el buque, el naviero libra un conocimiento de embarque que el vendedor presenta, junto con la factura de la compraventa, en el banco emisor del crédito, cobrando inmediatamente el importe de la venta.
	 ✓ La entidad confirmadora del crédito
	   • El beneficiario puede exigir que el crédito documentario sea confirmado por una segunda entidad de crédito, generalmente de su domicilio, que con la mayor facilidad para el vendedor sea quien realice el pago a éste y se arregle con la entidad ordenante.

Sujetos (cont.)		• Las Reglas y Usos uniformes definen los créditos confirmados en los mismos términos que los irrevocables, refiriendo el compromiso en firme también a la entidad confirmadora del crédito.
Forma		✓ Se remite al apartado de "forma" del préstamo mercantil.
Contenido del contrato		✓ A continuación, se detalla el contenido estándar de un contrato de crédito documentario. Las cláusulas están sometidas al control de legalidad por los tribunales (cláusulas abusivas, desconocidas o ilógicas en contratos de adhesión, cláusulas contrarias a los derechos del consumidor, contrarias a la moral o al orden público, etc.):
	Obligaciones y derechos de la entidad ordenante del crédito (cont.)	✓ Obligación de asentar las cantidades que pague al beneficiario en la cuenta de cargo del ordenante. ✓ Derecho del emisor a gozar, a los efectos del artículo 276 C. Com., del derecho de retención sobre mercancías y documentos representativos de las mismas para resarcirse las cantidades que se le adeudan en virtud de la apertura y funcionamiento del crédito documentario.

		✓ El contrato puede prever también que las mercancías y documentos representativos de las mismas queden pignorados a favor del emisor para la satisfacción de las cantidades adeudadas, por lo que, si no se satisface su crédito, podrá proceder ante notario a la enajenación de la prenda (art. 1872 CC).
		✓ Derecho, si el crédito tiene como cobertura un depósito de dinero, a proceder sobre los fondos depositados del ordenante, para satisfacer el pago del crédito documentario o si se ha pignorado su derecho al reembolso del saldo depositado, en garantía de las cantidades adeudadas por la emisión y puesta en funcionamiento del crédito.
		✓ La entidad emisora del crédito puede asumir el pago frente al beneficiario de forma revocable o irrevocable.
		  • Si es revocable, bien por orden de su cliente o por iniciativa propia, la entidad de crédito puede negarse a realizar el pago.
		  • Si es irrevocable, preferido naturalmente por el beneficiario, la entidad emisora del crédito queda personal y directamente obligada con el beneficiario a realizar el pago sin que quepa revocar el crédito cuando el beneficiario cumpla rigurosamente los términos del crédito.

Contenido del contrato (cont.)	*Obligaciones y derechos del acreditado*	✓ Obligación de reembolsar las cantidades abonadas por la entidad ordenante al beneficiario ante la presentación de los documentos exigidos. También puede establecer que cuando la utilización no sea a la vista, el pago deba realizarse en la fecha diferida de vencimiento. ✓ El saldo debe satisfacerse en moneda de curso legal, calculando, en su caso, el cambio de moneda extranjera al tipo de cambio vendedor vigente en el mercado de divisas el día del pago por la entidad emisora al beneficiario o, en su caso, el día del reembolso del banco emisor a su corresponsal. ✓ Obligación de pagar intereses moratorios en la tasa pactada en el contrato cuando el saldo de la cuenta de cargo sea insuficiente. ✓ Si la apertura del crédito documentario tiene como cobertura una póliza de apertura de crédito, obligación de constituir prenda sobre las mercancías a favor de la entidad emisora del crédito para la satisfacción de las cantidades adeudadas a ésta por la emisión y puesta en funcionamiento del crédito documentario, según las formalidades de la Ley de hipoteca mobiliaria y prenda sin desplazamiento. ✓ Obligación de apoderar a la entidad emisora para proceder de manera irrevocable a vender la mercancía con libertad de precios, tiempo, pactos y condiciones, aplicando el importe a la satisfacción de los saldos deudores y quedando el resto, si lo hubiere, a disposición del ordenante. ✓ Obligación de pagar el remanente si el precio obtenido por la venta no fuera suficiente para cubrir los anticipos, gastos y comisiones de la operación.

7. CONTRATO DE ARRENDAMIENTO FINANCIERO

Concepto	✓ El arrendamiento financiero o leasing es una figura contractual de gran difusión en la actualidad como medio idóneo para financiar la adquisición de bienes muebles e inmuebles, disfrutando de beneficios fiscales.

Concepto (cont.)	✓ Tendrán la consideración de operaciones de arrendamiento financiero aquellos contratos que tengan por objeto exclusivo la cesión del uso de bienes muebles o inmuebles, adquiridos para dicha finalidad según las especificaciones del futuro usuario, a cambio de una contraprestación consistente en el abono periódico de cuotas. Los bienes objeto de cesión habrán de quedar afectados por el usuario únicamente a sus explotaciones agrícolas, pesqueras, industriales, comerciales, artesanales, de servicios o profesionales. El contrato de arrendamiento financiero incluirá necesariamente una opción de compra, a su término, en favor del usuario (disp. adic. 3ª LOSSEC).
	✓ Cuando por cualquier causa el usuario no llegue a adquirir el bien objeto del contrato, el arrendador podrá cederlo a un nuevo usuario, sin que el principio establecido en el párrafo anterior se considere vulnerado por la circunstancia de no haber sido adquirido el bien de acuerdo con las especificaciones de dicho nuevo usuario (disp. adic. 3ª LOSSEC).
	✓ Si el usuario del bien en leasing desea ejercer la opción de compra para adquirir la propiedad, sólo podrá ejercitarla en el plazo estipulado en el propio contrato.
	✓ Frente al arrendamiento financiero, el arrendamiento operativo se pacta a corto plazo, no existe una opción de compra al vencimiento del contrato, y no es propiamente una actividad de financiación
	✓ Es un contrato con autonomía propia, jurídicamente distinto de la compraventa a plazos con reserva de dominio, pero con similitud si el arrendatario ejerce su derecho a comprar el bien cedido.
Régimen jurídico	✓ El arrendamiento financiero está regulado principalmente en la citada disposición adicional 3ª LOSSEC, en la disposición adicional 1ª LVPBM y en las leyes del impuesto de sociedades y del impuesto sobre la renta de las personas físicas y del impuesto del valor añadido.
	✓ El cumplimiento de estas normas es indispensable para el disfrute de las ventajas fiscales, si bien no afecta a la validez jurídico-privada de los contratos que las ignoren (Cortés).
	✓ El Convenio de Ottawa de 28 de mayo de 1988, sobre el leasing mobiliario internacional, auspiciado por UNIDROIT, no ha sido ratificado por España.
Forma	✓ La Ley no impone ninguna forma específica, si bien es usual que se documente por escrito.
	✓ Las partes pueden comprometerse a elevar el contrato a escritura notarial para cumplir así el principio de titulación pública e inscribirlo en el Registro de Venta a Plazos de Bienes Muebles del Registro Mercantil (art. 15 y disp. adic. 1ª.6 LVPBM).

Sujetos	✓ El arrendador financiero
	  • Pueden desarrollar las operaciones de arrendamiento financiero las entidades oficiales de créditos, los Bancos, las Cajas de Ahorro, incluida la Confederación Española de Cajas de Ahorro, la Caja Postal de Ahorros y las Cooperativas de Crédito. Así se recogía la derogada disp. adic. 7ª, 8ª y 10ª Ley 26/1988, y que aunque la vigente Ley LOSSEC no lo dice expresamente, menciona el arrendamiento financiero en su disposición adicional 3ª, que añade que, con carácter complementario, pueden realizar también las siguientes actividades: de mantenimiento y conservación de los bienes cedidos; de concesión de financiación conectada a una operación de arrendamiento financiero, actual o futura; de intermediación y gestión de operaciones de arrendamiento financiero; de arrendamiento no financiero, que podrán complementar o no con una opción de compra; y, de asesoramiento e informes comerciales (disp. adic. 3ª.2 LOSSEC). Además, por su condición de entidad de crédito autorizada, es una operación financiera típica de las entidades de crédito (art. 175 C. Com.).
	  • Los establecimientos financieros de crédito (art. 6.1.c Ley 5/2015).
	✓ El usuario
	  • Puede ser cualquier persona física o jurídica que necesite financiación para la adquisición de bienes destinados a la explotación agrícola, pesquera, industrial, comercial, artesanal, de servicios o profesional de la que sea titular (disp. adic. 3ª.1 LOSSEC).

Contenido del contrato		✓ A continuación, se detalla el contenido estándar de un contrato de arrendamiento financiero de bienes muebles. Cuando exista una ley de aplicación imperativa, se hará constar expresamente. Naturalmente, todas las cláusulas están sometidas al control de legalidad por los tribunales (cláusulas abusivas, desconocidas o ilógicas en contratos de adhesión, cláusulas contrarias a los derechos del consumidor, contrarias a la moral o al orden público, etc.):
	Obligaciones y derechos del arrendador	✓ Obligación de adquirir el bien mueble o inmueble indicado por el usuario, soportando el impuesto sobre el valor añadido resultante de esta operación y que se repercute al usuario a lo largo de la operación. ✓ Obligación de transmitir al arrendatario los derechos y acciones frente al fabricante y el proveedor del bien arrendado, en cuya virtud el arrendatario puede ejercitar frente al proveedor y/o el fabricante las pretensiones que la ley o el contrato de compraventa confieren al adquirente y arrendador.

Contenido del contrato (cont.)	*Obligaciones y derechos del arrendador (cont.)*	✓ Derecho a ser exonerado por el arrendatario de cualquier responsabilidad por la idoneidad, el funcionamiento, el estado o cualquier otra circunstancia o condición referida a los bienes cedidos en leasing.
		✓ Obligación de determinación contractual de la cuota total y las cuotas periódicas del leasing que debe percibir, así como el valor residual del bien.
		  • Las cuotas de arrendamiento financiero deberán aparecer expresadas en los respectivos contratos diferenciando la parte que corresponda a la recuperación del coste del bien por la entidad arrendadora, excluido el valor de la opción de compra y la carga financiera exigida por ella, todo ello sin perjuicio de la aplicación del gravamen indirecto que corresponda (art. 106.3 Ley 27/2014, de 27 de noviembre, del impuesto de sociedades).
		  • El importe anual de la parte de las cuotas de arrendamiento financiero correspondiente a la recuperación del coste del bien deberá permanecer igual o tener carácter creciente a lo largo del período contractual (art. 106.4 Ley 27/2014).
		  • Tendrá, en todo caso, la consideración de gasto fiscalmente deducible la carga financiera satisfecha a la entidad arrendadora (art. 106.5 Ley 27/2014).
		  • La misma consideración tendrá la parte de las cuotas de arrendamiento financiero satisfechas correspondiente a la recuperación del coste del bien, salvo en el caso de que el contrato tenga por objeto terrenos, solares y otros activos no amortizables (art. 106.6 Ley 27/2014).
		✓ Derecho a resolver el contrato en caso de incumplimiento del arrendatario, especialmente en caso de impago de las cuotas o de la prima de seguro, o a reclamar las cuotas impagadas, incluyendo los intereses moratorios pactados.

	Obligaciones y derechos del arrendatario	✓ Derecho a la elección del bien o bienes objeto de arrendamiento y a que el arrendador lo adquiera según sus especificaciones. Este principio no se considera vulnerado cuando el arrendador ceda el bien en leasing a otro usuario sucesivo, por no haber ejercitado el primero la opción de compra. ✓ Derecho a la utilización del bien arrendado durante el período de vigencia del contrato, con la diligencia y cuidado exigibles en el marco de su actividad empresarial o profesional. ✓ Obligación de soportar el aumento o disminución en las cuotas que se deriven de cambios en la normativa fiscal vigente en el momento de la contratación. ✓ Prohibición de ceder o subarrendar sus derechos a un tercero sin el permiso del arrendador.

Contenido del contrato (cont.)	*Obligaciones y derechos del arrendatario* (cont.)	✓ Prohibición de amortizaciones anticipadas, cancelación anticipada y devolución anticipada del bien antes de la finalización del contrato. ✓ Obligación de utilizar el bien sólo en la actividad pactada. ✓ Obligación, si el arrendador no asume esta prestación, de realizar a su costa en los bienes cedidos cuantas revisiones y reparaciones se requieran para mantenerlos en perfecto estado de funcionamiento. ✓ Obligación de contratar un seguro de daños sobre el bien durante el período del contrato. ✓ Obligación de asumir todos los riesgos por deterioro, daño o pérdida total o parcial de los bienes objeto de leasing, cualquiera que sea la causa, también por caso fortuito o fuerza mayor si así lo declara el contrato (art. 1105 CC). ✓ Obligación de declarar a cualquier persona que la propiedad del bien pertenece al arrendador financiero, especialmente cuando es embargado judicialmente o cuando por ser insolvente el arrendatario, se incluye el citado bien en leasing en la masa activa del concurso. ✓ Obligación de comunicar al arrendador cualquier evento que pueda poner en riesgo la propiedad sobre los bienes. ✓ Para proteger los derechos del arrendador frente a terceros de buena fe que no conocían que el bien no era propiedad del arrendatario, el arrendador de bienes muebles tiene un derecho de origen legal a obtener la inscripción del contrato de leasing en el Registro de Venta a Plazos de Bienes Muebles, dependiente del Registro Mercantil (art. 15 y disp. adic. 1ª.6 LVPBM). El registro de la propiedad inmobiliaria puede hacer constar los contratos de arrendamiento de bienes inmuebles (art. 2 Ley 2/1981, reguladora del Mercado Hipotecario). ✓ Obligación de devolver el bien al arrendador en la fecha prevista en el contrato en perfecto estado, sin más desgaste que el normal como consecuencia del uso, salvo que llegado ese día pueda optar por aceptar un nuevo contrato de leasing, en el que servirá como base para el cálculo de cuotas el importe del valor residual o adquirir la propiedad de los bienes por el importe del valor residual pactado. • El arrendatario debe ejercitar alguna de estas opciones en el plazo máximo indicado en el contrato. En caso de pasividad, se entiende que opta por la devolución del bien.

Duración del contrato	✓ Es libremente determinada por las partes, si bien los contratos de arrendamiento financiero tendrán una duración mínima de 2 años cuando tengan por objeto bienes muebles y de 10 años si tienen por objeto bienes inmuebles o establecimientos industriales. No obstante, para evitar prácticas abusivas (en la fiscalidad), el Gobierno puede fijar otros plazos mínimos en función de los objetos arrendados (art. 106.2 Ley 27/2014).

8. CONTRATOS DE DESCUENTO, *FACTORING* Y *CONFIRMING*

Contrato de descuento	✓ El contrato de descuento está mencionado como una de las operaciones que corresponde principalmente a las entidades de crédito (arts. 177 y 178 C. Com.), pero no es definido legalmente.
	✓ El descuento es la forma tradicional de las empresas comerciales e industriales de obtener liquidez económica:
	  • Dispone de forma anticipada del importe de las ventas instrumentadas en efectos comerciales (letras de cambio, pagarés, recibos, facturas; el cheque no admite el pago diferido, pues es siempre pagadero a la vista y podrá presentarse inmediatamente al cobro).
	  • Descuenta estos efectos anticipadamente a su vencimiento, normalmente con su entidad de crédito y a través de una "línea de descuento" o individualmente,
	  • La empresa se financia y puede continuar con su actividad.
	  • Renuncia a una parte que retiene el descontante en concepto de descuento.
	✓ El Tribunal Supremo mantiene una jurisprudencia reiterada según la cual por el contrato de descuento:
	  • Se produce la transmisibilidad de los créditos representados por los efectos o títulos descontados, de modo que la titularidad es adquirida por la entidad descontante. El cesionario del crédito se convierte en el titular del mismo. Puede ser así un aplicación de las normas de los arts. 347 y 348 C. Com., sobre la transferencia de créditos no endosables, y del art. 1526 CC, sobre transmisión de créditos [SSTS 26-5-2014 (*Tol 4365115*); 19-12-2011 (*Tol 2342946*), entre otras].

Contrato de descuento (cont.)	✓ El empresario descontante se obliga a realizar las tareas de gestión de cobro del crédito con el deudor, con la garantía de que el cliente descontante deberá restituir la cantidad en caso de que el deudor no pague el crédito descontado a su vencimiento (salvo buen fin). ✓ Es obligación del descontante la actuación diligente con los efectos descontados para la conservación y restitución con la misma eficacia jurídica que tenían a su entrega. Si los efectos se perjudican en poder del descontante por pérdida de las acciones cambiarias, se produce la conversión de la cesión *pro solvendo* en cesión *pro soluto*, con resultado de pérdida por el descontante del derecho al reintegro. • La cláusula "salvo buen fin", implícita en el descuento, supone que si el descontante no puede cobrar los créditos representados por los efectos descontados, es decir, resultan impagados, puede exigir el reintegro de la entidad descontataria. Este es, precisamente, el significado de la consideración de la transmisión como una *cessio pro solvendo*, cuyo efecto desaparece, y se transforma en *cessio pro soluto*, cuando se produce alguna de las circunstancias determinantes al respecto (pacto, prescripción de la acción de reintegro, no devolución al descontatario de los títulos o efectos descontados, o cuando se deja a éstos perjudicarse) [SSTS 17-5-2017 *(Tol 6115853)*; 19-12-2011 *(Tol 2342946)*; 4-7-2007 *(Tol 1113034)*; 21-9-2006 *(Tol 1002376)*]. ✓ El derecho a reintegro por la entidad de crédito descontante de quien obtuvo el descuento puede tener lugar: • Extrajudicialmente, mediante cargo en su cuenta corriente, pues suele estar expresamente previsto en el contrato de cuenta corriente. • Judicialmente, mediante la acción cambiaria de regreso o la causal nacida del contrato de descuento. ✓ La Propuesta de Código Mercantil regula el contrato de descuento (arts. 577-4 y ss.), con la finalidad de suplir la laguna legal, a pesar de su generalizada aplicación por las entidades de crédito.
Contrato de *factoring*	✓ Es una de las operaciones comunes propias de los bancos y cajas de ahorro, así como de los establecimientos financieros de crédito autorizados por el Ministerio de Economía y Hacienda con sus clientes empresarios. ✓ En la práctica mercantil, así como en la disposición adicional de la Ley 3/1994, de 14 de abril, se distingue entre: • *Factoring* propio o sin recurso: en esta modalidad de la relación, a los servicios que la caracterizan prestados por el factor, se incorpora el de garantía, al asumirse el factor el riesgo de insolvencia de los deudores en los términos del contrato [SSTS 31-5-2007 *(Tol 1081750)*; 28-5-2004 *(Tol 448409)*; 2-2-2001 *(Tol 26711)*, entre otras]. • *Factoring* impropio o con recurso: el factor no asume el riesgo de insolvencia del deudor, riesgo que mantiene su cliente.

Contrato de *factoring* (cont.)	✓ El Tribunal Supremo mantiene que el *factoring* implica siempre una transmisión de créditos: • Incluso en el caso de cesión de créditos en *factoring* con recurso, el cesionario adquiere plenamente el crédito cedido, pues la distribución del riesgo de insolvencia no tiene por qué afectar al efecto traslativo. Si la cesión de créditos se hizo en un *factoring* sin recurso, es más clara todavía la transmisión plena de la titularidad del crédito. [SSTS 8-3-2017 (*Tol 5990806*); 6-11-2013 (*Tol 4053294*)], con cita de otras). ✓ A falta de una definición legal, el art. 577-10 de la Propuesta de Código Mercantil lo define como aquel contrato por el cual uno de los empresarios contratantes, el proveedor, se obliga a ceder uno o varios créditos de los que sea o pueda ser titular en el futuro, asumiendo el otro contratante, el factor, respecto de los créditos cedidos, al menos una de las obligaciones siguientes: • Gestionar el cobro de los créditos. • Financiar al proveedor. • Asumir el riesgo de insolvencia de los deudores. • Asimismo, el factor podrá asumir otras obligaciones, tales como la llevanza de la contabilidad, realizar estudios de mercado o investigar y seleccionar la clientela.
Contrato de *confirming* o de gestión de pagos	✓ Se trata de un contrato atípico en el Derecho privado español, pero muy habitual en la práctica bancaria como servicio financiero de gestión de pagos de sus clientes empresarios. ✓ El Tribunal Supremo utiliza el concepto *confirming*, pero también como sinónimo el de "gestión de pagos (a proveedores)" [SSTS 15-7-2015 (*Tol 5214757*); y 12-7-2012 (*Tol 2641715*)]. ✓ Se trata de una gestión de pagos que es contratada normalmente con una entidad de crédito por la empresa deudora (normalmente una gran empresa) que ha de hacer pagos diferidos a proveedores. • Es la operación inversa de la cesión de créditos del descuento y del *factoring*, en donde es el acreedor el que contrata con la entidad de crédito. ✓ A través de un contrato de *confirming* con su entidad de crédito, ésta puede financiar al cliente en el momento del vencimiento del pago, pero también, y ésta es la gran ventaja para los proveedores del deudor, les puede ofrecer la posibilidad de anticipar el cobro o, en su defecto, obtener garantías adicionales de pago por parte de la entidad de crédito.

Contrato de *confirming* **o de gestión de pagos (cont.)**	• Si la entidad de crédito paga la deuda de su cliente al proveedor, es natural que la entidad y el proveedor firmen un contrato de cesión del crédito para, a su vez, la entidad reclamar a su cliente (un ejemplo en STS 15-7-2015 *(Tol 5214757)*, donde se pactó una cesión sin recurso, que se estima válido, pues no se condiciona su eficacia a la solvencia del deudor).
	✓ Al recibir la factura del proveedor, el cliente de la entidad de crédito la verifica y "confirma". Comunica los datos y la fecha de pago a su entidad de crédito. Puesta en contacto con el proveedor, éste puede cobrar en una cuenta de su elección o bien abrir una cuenta en el banco pagador donde una vez comunicada le será abonada la factura, mediante el descuento correspondiente con comisiones y con los intereses que pacten. En caso de que el proveedor no esté interesado en anticipar dicho cobro recibirá un pagaré con el vencimiento establecido en la factura.
	✓ El art. 577-14 de la Propuesta de Código Mercantil también incluye una definición del contrato de "confirmación financiera", conceptuado como aquel por el cual uno de los empresarios contratantes, el cliente, encomienda a otro empresario, el agente, la gestión de sus pagos, comprometiéndose el agente a realizar el pago a su vencimiento o bien en una fecha anterior, en el caso de que el acreedor lo solicite y el agente consienta la financiación del crédito.

9. CONTRATOS DE GARANTÍA

Concepto	✓ La fianza es un contrato por el que alguien se obliga a pagar o cumplir una obligación por otro en el caso de no hacerlo éste (art. 1808).
	✓ No puede existir sin una obligación válida, cuyo cumplimiento se intenta garantizar (art. 1824 CC).
	✓ Se considera mercantil la fianza o afianzamiento cuando tenga por objeto asegurar el cumplimiento de un contrato mercantil, aun cuando el fiador no sea comerciante (art. 439 C. Com.).

Concepto (cont.)	✓ La llamada aval o garantía a primer requerimiento o demanda puede ser un contrato independiente o una cláusula o declaración que puede insertarse en un contrato de fianza, por el cual la obligación de pago asumida por el garante (normalmente una entidad de crédito) se constituye en una obligación distinta, autónoma e independiente de las que nacen del contrato cuyo cumplimiento se garantiza. Por tanto, el garante no podrá oponer excepciones extrañas o ajenas a la propia obligación de garantía de cualquier contrato (compraventa, arrendamiento, etc.) [SSTS 25-9-2019 *(Tol 7513084)*; 27-9-2005 *(Tol 715812)*; 12-7-2001 *(Tol 230685)*, con cita de otras muchas]. ✓ En la práctica, la fianza suele extenderse durante el plazo de tiempo determinado o indefinido y hasta un límite máximo estipulado. De esta forma, la misma "póliza de afianzamiento" cubre un conjunto de operaciones y contratos del avalado.
Régimen jurídico	✓ Los artículos 439 a 442 del Código de Comercio recogen normas especiales aplicables a la fianza cuando tiene naturaleza mercantil. ✓ En lo no previsto en el contrato de fianza mercantil, ni en el Código de Comercio, se aplican las normas generales de la fianza del Código Civil (arts. 2 y 50 C. Com. y 1822 a 1853 CC).
Forma	✓ El afianzamiento mercantil debe constar por escrito, sin lo cual no tendrá valor ni efecto (art. 440 C. Com.). En cambio, la fianza civil no requiere forma alguna con tal de que sea expresa (art. 1827 CC) ✓ Puede documentarse en escritura pública para reforzar la seguridad jurídica de la operación. ✓ Puede también plasmarse en el mismo contrato principal cuyo cumplimiento se garantiza, en un documento aparte o en una declaración unilateral del fiador al acreedor del afianzado, o a la vista de la tecnología actual, incluso mediante soportes telemáticos (Cortés).
Sujetos	✓ El fiador o avalista • Puede ser cualquier persona, no perdiendo el carácter de fianza mercantil cuando el fiador no sea un comerciante (art. 439 C. Com.). • La persona obligada a dar un fiador debe presentar a una persona que tenga capacidad para obligarse y bienes suficientes para responder de la obligación que garantiza (art. 1828 CC). • En caso de pluralidad de fiadores, el acreedor sólo puede reclamar a cada fiador la parte que le corresponda satisfacer y, en otro caso, cada uno podrá oponer el beneficio de división, que no será oponible cuando se haya estipulado expresamente la solidaridad (art. 1837 CC).

Sujetos (cont.)		✓ El fiado o avalado • Puede ser cualquier persona, comerciante o no, que en cumplimiento de un contrato mercantil necesite de la garantía de un fiador.
Contenido del contrato		A continuación se detallan las normas principales sobre el afianzamiento mercantil y, supletoriamente, la fianza civil, de aplicación en defecto de pacto entre las partes del contrato (art. 57 C. Com.):
Contenido del contrato (cont.)	*Obligaciones y derechos del fiado o avalado*	✓ Salvo pacto en contrario, el afianzamiento mercantil es gratuito (art. 441 C. Com.). ✓ En los contratos por tiempo indefinido, pactada una retribución al fiador, subsiste la fianza hasta que, por terminación del contrato que se afiance, se cancelen definitivamente las obligaciones que nazcan de él, sea cual fuere su duración, a no ser que por pacto expreso se hubiere fijado plazo para la fianza (art. 442 C. Com.).
	Obligaciones y derechos del fiador o avalista	✓ El fiador no puede ser compelido a pagar al acreedor sin hacerse antes excusión de todos los bienes del deudor (art. 1830 CC). ✓ Cuando el fiador se obligue solidariamente con el deudor principal debe constar expresamente (art. 1137 CC). • En efecto, entre las cláusulas habituales del contrato de afianzamiento mercantil exigido por una entidad de crédito para conceder un préstamo o crédito, podemos destacar la que establece que el fiador o fiadores contraen una obligación solidaria entre ellos y también solidaria con el deudor principal o afianzado, renunciando a los beneficios de orden, excusión (arts. 1830 a 1832 CC) y división (art. 1837 CC). ✓ El fiador puede obligarse a menos, pero no a más que el deudor principal, tanto en la cantidad como en lo oneroso de las condiciones (art. 1826 CC). Si la fianza es simple o indefinida, comprende la obligación principal, pero también sus accesorios, incluidos los gastos del juicio (art. 1827 CC). ✓ El fiador puede oponer al acreedor todas las excepciones que competan al deudor principal y sean inherentes a la deuda, pero no las que sean puramente personales del deudor (art. 1853 CC).

Contenido del contrato (cont.)	*Obligaciones y derechos del fiador o avalista (cont.)*	✓ El fiador que paga por el deudor debe ser indemnizado por éste. La indemnización comprende la cantidad total de la deuda, los intereses legales, gastos, daños y perjuicios, cuando procedan (art. 1838 CC) y el fiador se subroga en todos los derechos que el acreedor tenía contra el deudor (art. 1839 CC). ✓ La obligación del fiador se extingue al mismo tiempo que la del deudor, y por las mismas causas que las demás obligaciones (art. 1847 CC).

Contrato de prenda mercantil	✓ El contrato de prenda puede definirse como aquel contrato por el cual el deudor o un tercero afectan especialmente una cosa mueble al pago de una deuda, de manera que si no es abonada, puede hacerse efectiva sobre el precio de venta de la cosa pignorada, con preferencia de cobro sobre cualquier otro acreedor (Cortés). ✓ El contrato de prenda está regulado en los artículos 1857 a 1873 CC. ✓ El Código de Comercio no regula separadamente el contrato de prenda mercantil. No obstante, no desconoce esta figura, al señalar que el préstamo con garantía de valores admitidos en un mercado secundario oficial, hecho en escritura pública, tiene naturaleza mercantil (art. 320, ap. 1° C. Com.). ✓ La LCCH prevé la posesión de una letra de cambio recibida en prenda o en garantía (art. 22 LCCH). ✓ El texto refundido que aprueba la ley de sociedades de capital también contempla la prenda de participaciones sociales de una sociedad limitada o de acciones de una sociedad anónima (art. 132 TRLSC). ✓ La LHMPSD configura la especial "prenda sin desplazamiento" como un derecho de garantía a favor de un tercero, por cuya virtud el propietario del bien pignorado se constituye en depositario del mismo, pudiendo usar los bienes sin menoscabo de su valor. Objeto de esta prenda especial pueden serlo muchos de los bienes empresariales, como automóviles, máquinas, bienes muebles, mercaderías, materias primas almacenadas, etc. (arts. 52 a 54 LHMPSD). • La prenda sin desplazamiento se constituye a través de escritura pública (art. 3 LHMPSD) y deberá ser inscrita en el Registro de Bienes Muebles del Registro Mercantil (ha integrado el anterior Registro que prevé la LHMPSD). ✓ También es frecuente la pignoración de pólizas de seguros de vida. ✓ Muy habitual es igualmente la prenda sobre saldos de libretas de ahorro o de imposiciones a plazo fijo para cubrir el riesgo de incumplimiento frente a la entidad de crédito que realizó un préstamo o concedió un crédito.

Contrato de hipoteca mobiliaria	✓ La LHMPSD, en relación a la hipoteca mobiliaria, indica que únicamente podrán ser hipotecados los establecimientos mercantiles; los automóviles y otros vehículos de motor, así como los tranvías y vagones de ferrocarril, de propiedad particular; las aeronaves; la maquinaria industrial; la propiedad intelectual y la industrial (art. 12 LHMPSD). ✓ En cambio, no podrá hipotecarse el derecho real de hipoteca mobiliaria ni los bienes comprendidos en los artículos 52, 53 y 54 LHMPSD, que pueden ser objeto de prenda sin desplazamiento. ✓ La hipoteca mobiliaria también se constituye a través de escritura pública (art. 3 LHMPSD) y deberá ser inscrita en el Registro de Bienes Muebles del Registro Mercantil.

10. CONTRATO DE CUENTA CORRIENTE MERCANTIL

Concepto	✓ A falta de una definición legal, el Tribunal Supremo lo ha conceptuado como un contrato por medio del cual dos personas, por lo general comerciantes, en relación de negocios continuados, acuerdan concederse temporalmente créditos recíprocos, en el sentido de obligarse a ir sentando en cuentas sus remesas mutuas, como cargos y abonos. Su exigibilidad viene determinada por el saldo resultante de la liquidación que se practique, a modo de cierre, en la fecha convenida [SSTS 18-2-2016 *(Tol 5650693)*; 28-1-2010 (cont.-adm.) *(Tol 1790674)*; 20-5-1993 *(Tol 1663803)*; y, 11-3-1992 *(Tol 1661630)*]. ✓ Sin embargo, la situación contable no es de por sí suficiente para considerar probada la existencia de un contrato por el cual dos comerciantes se conceden crédito recíproco, tal y como ha puesto de manifiesto reiteradamente el Tribunal Supremo [SSTS 19-2-2004 *(Tol 350715)*; 20-5-1993 *(Tol 166380)*; 19-1-1989 *(Tol 1732307)*; 3-5-1985 *(Tol 1735927)*, entre otras].

Distinción con la cuenta corriente bancaria	✓ En el contrato de cuenta corriente comercial hay recíproca concesión del crédito y compensación (Uría, Menéndez, Cortés). ✓ En cambio, en la cuenta corriente bancaria sólo concede crédito el banco, bien mediante una línea de crédito, bien cubriendo los descubiertos en el depósito de dinero. ✓ Además, en la cuenta corriente bancaria, la entidad de crédito presta el "servicio de caja", consistente en ejecutar la órdenes de pago y cobro que le solicite su cliente, lo cual no ocurre en el contrato de cuenta corriente comercial.
Régimen jurídico	✓ El contrato de cuenta corriente comercial es atípico en Derecho español. ✓ La fuente de obligaciones de las partes es el propio contrato, en el cual son libres de determinar los pactos que estimen por convenientes, dentro de los límites generales a la autonomía de la voluntad (arts. 57 C. Com., 1255 y 1258 CC).
Sujetos	✓ Los cuentacorrentistas son generalmente empresas que mantienen una relación económica duradera compuesta por múltiples operaciones singulares.
Forma	✓ El contrato de cuenta corriente tiene carácter consensual, se perfecciona por el intercambio del consentimiento de las partes en concederse crédito recíproco, sin necesidad de ninguna formalidad específica (art. 51 C. Com.).
Contenido del contrato	✓ Determinación de las deudas y créditos que han de incluirse en la cuenta. En su defecto, hay que entender comprendidos todos cuantos se deriven de las relaciones entre las partes contratantes (Uría, Menéndez, Cortés). ✓ Para que proceda la compensación, los créditos y deudas han de consistir en una cantidad de dinero. ✓ Al quedar aplazada la exigibilidad de los créditos, las partes no se constituyen en mora recíprocamente. ✓ El Tribunal Supremo ha considerado tradicionalmente que la inclusión de los créditos en la cuenta implica la novación de las obligaciones que los generan. No obstante, la doctrina señala que, aunque esté suspendida su exigibilidad, esas obligaciones subsisten hasta el cierre de la cuenta y la compensación global. Sólo entonces quedan sustituidas por la obligación única y nueva de satisfacer el saldo resultante y puede hablarse de novación a efectos del artículo 1203 y ss. CC (Uría, Menéndez, Cortés).

Capítulo IX

Los contratos de seguro

1. DISPOSICIONES COMUNES A LOS CONTRATOS DE SEGURO

Concepto y caracteres	✓ El contrato de seguro es aquel por el que el asegurador se obliga, mediante el cobro de una prima y para el caso de que se produzca un evento cuyo riesgo es objeto de cobertura a indemnizar, dentro de los límites pactados, el daño producido al asegurado o a satisfacer una renta u otras prestaciones convenidas (art. 1 LCS).
	
	 ✓ Los contratos de seguro en general son considerados por la doctrina mercantilista como sinalagmáticos, aleatorios, onerosos, de tracto sucesivo, de máxima buena fe y consensuales.
	
	 ✓ El contrato de seguro es sinalagmático, pues el tomador y el asegurador se obligan recíprocamente a cumplir sus obligaciones contractuales, sobre todo, pagar la prima y cumplir la promesa de pagar la indemnización en caso de siniestro.
	
	 ✓ El contrato de seguro es aleatorio, pues que el asegurador deba indemnizar realmente depende de un acontecimiento incierto (por ejemplo, un accidente de circulación), o que ha de ocurrir en un tiempo indeterminado (por ejemplo, el fallecimiento de una persona).
	   • En cambio, si en el momento de la conclusión del contrato no existía el riesgo o había ocurrido el siniestro, el contrato de seguro es nulo (art. 4 LCS).
	   • El contrato de seguro depende del azar, no así la actividad empresarial de aseguramiento de riesgos, fuertemente dependiente de la "técnica actuarial", consistente en estimaciones de riesgos, cálculos de probabilidades y de estadísticas, en virtud de la cual, el asegurador puede tener una visión general de la cantidad de siniestros que se producen en los riesgos más habituales y los menos comunes, el importe aproximado de las indemnizaciones, etc. y decidir así qué seguros ofrece y cuáles no y, dentro de cada tipo de seguro, qué riesgos están incluidos y cuáles excluidos.

Concepto y caracteres (cont.)	<ul><li>El asegurador puede a su vez ser asegurado en un contrato de reaseguro. El reaseguro es aquel por el que un asegurador toma a su cargo, total o parcialmente, un riesgo ya cubierto por otro asegurado, sin alterar lo convenido entre éste y el asegurado (Real Academia de la Lengua española y art. 77 LCS).</li></ul>✓ El contrato de seguro es oneroso: las primas del tomador y la posible indemnización a cargo del asegurador, respectivamente.<ul><li>El pago de la indemnización o no depende de que ocurra el siniestro. Tanto si el siniestro tiene lugar como si no, la prima o cuota como regla general no se devuelven.</li></ul>✓ El contrato de seguro es de tracto sucesivo. "Tener seguro" o "estar asegurado" son expresiones coloquiales que reflejan el vínculo continuo en el tiempo entre las partes, según decidan las partes y conforme a la Ley. ✓ El contrato de seguro es la principal manifestación de una clase de contratos descritos como de máxima buena fe (*uberrima bona fide*). Por ejemplo, supone que las partes están obligadas a intercambiarse toda la información necesaria antes de perfeccionar el contrato:<ul><li>Una oferta para celebrar un contrato de seguro puede provenir tanto del futuro asegurado como del asegurador. Usualmente, la persona interesada en contratar un seguro se dirige a una aseguradora, a su sucursal, a una agencia o a un corredor de seguros y solicita información sobre el contrato de seguro. Suele contestar una serie de preguntas de un cuestionario que necesita la aseguradora para identificar el riesgo y calcular la prima. Si oculta información de importancia, el asegurador puede alegarlo para no pagar la indemnización o reducirla.</li><li>Asimismo, como el asegurado se suele adherir a las condiciones generales establecidas por el asegurador, la buena fe también se manifiesta sobre éste, que deberá cuidar el clausulado de la póliza de seguros, procurando que su redactado sea claro y preciso, estando prohibidas las cláusulas lesivas para sus asegurados (art. 3, ap.1º LCS).</li></ul>✓ El contrato de seguro es consensual, de modo que el consentimiento de ambas partes, asegurador y tomador del seguro, es necesario y suficiente para la formación y validez del contrato de seguro.<ul><li>Si fuese un contrato formal, la falta de documentación afectaría a su validez (art. 52 C. Com.), lo cual es injusto para el asegurado que paga la prima y confía en tener cobertura. Conforme a los usos del comercio asegurador, no tiene control alguno en la redacción o no por escrito del contrato, ni se le puede imputar que el asegurador haya incumplido su obligación legal de entregar la póliza al tomador del seguro (art. 5 LCS).</li><li>Si es un contrato consensual, en cambio, la forma escrita no se configura como condición necesaria para la eficacia del contrato (art. 51 C. Com.), sino como forma de prueba (*ad probationem*).</li></ul>

La LCS y otras normas aplicables	✓ Además de la normativa mercantil, especialmente la Ley del contrato de seguro (LCS), la actividad aseguradora ha de adecuarse a la ingente normativa jurídico-administrativa que debe cumplir la aseguradora. La norma principal es la Ley 20/2015, de 14 de julio, de ordenación, supervisión y solvencia de aseguradoras y reaseguradoras (LOSSEAR). ✓ Las normas de la LCS son imperativas, esto es, no admiten pacto en contrario en el contrato de seguro, salvo que las cláusulas sean más beneficiosas para el asegurado que la propia Ley (art. 2). Las materias reguladas son las siguientes: • Disposiciones generales aplicables al contrato de seguro en general. • Disposiciones generales para los seguros contra daños en general y particulares para el seguro de incendios, contra el robo, de transportes terrestres, de lucro cesante, de caución, de crédito, de responsabilidad civil y reaseguro. • Disposiciones comunes para los seguros de personas en general y particulares para el seguro sobre la vida, de accidentes, de enfermedad y asistencia sanitaria. ✓ Conforme a su artículo 107.1, la LCS se aplica: • Cuando se refiera a riesgos localizados en España y el tomador tenga aquí su residencia habitual, si es persona física, o su domicilio social o sede de administración, si es una persona jurídica. • También cuando el contrato se concluya en cumplimiento de una obligación de asegurarse impuesta por la ley española. ✓ En cambio, las partes tendrán libre elección de la ley aplicable en los "seguros de grandes riesgos" (art. 107.1 LCS), que son identificados como los siguientes (art. 11 LOSSEAR): • Los de vehículos ferroviarios, aéreos, marítimos, lacustres, fluviales, mercancías transportadas (comprendidos los equipajes y demás bienes transportados), la responsabilidad civil en vehículos aéreos y en vehículos marítimos, lacustres y fluviales (comprendida la responsabilidad civil del transportista). • Los de crédito y de caución cuando el tomador ejerza a título profesional una actividad industrial, comercial o liberal y el riesgo se refiera a esta actividad. • Los de vehículos terrestres (no ferroviarios), incendio y elementos naturales, otros daños a los bienes, responsabilidad civil en vehículos terrestres automóviles (comprendida la responsabilidad civil del transportista), responsabilidad civil en general y pérdidas pecuniarias diversas, siempre que el tomador del seguro o el grupo de sociedades al que pertenezca sea una gran empresa por cumplir los requisitos de patrimonio, volumen de negocios o cifra de trabajadores previstos en la LOSSEAR.

La LCS y otras normas aplicables (cont.)	✓ Además, cuando el tomador no tiene su residencia, domicilio social o sede de gestión de negocios en España, aunque los riesgos estén localizados aquí, las partes podrán elegir entre la aplicación de la ley española y la del domicilio o residencia del tomador (art. 107.3.a LCS).
	✓ La LCS se aplica a los seguros sobre la vida:
	  • Si el tomador es persona física y tiene su residencia habitual en España, salvo que se pacte la aplicación de la ley de su país si es nacional de un Estado miembro del Espacio Económico Europeo (art. 108.1.a LCS).
	  • Si el tomador es persona jurídica y tiene su domicilio, efectiva administración o principal establecimiento en España (art. 108.1.b LCS).
	  • Si se pacta, cuando el tomador español sea persona física y tiene residencia habitual en otro Estado (art. 108.1.c LCS).
	  • En el contrato de seguro de "grupo", esto es, cuando hay un colectivo de personas como asegurados, siempre que el seguro se haya celebrado en cumplimiento o como consecuencia de un contrato de trabajo sometido a la ley española (art. 108.1.d LCS).
	✓ La LCS se aplica con carácter supletorio a la normativa específica sobre un contrato específico de seguro (vehículos a motor, marítimos, aéreos, de cazador, viajeros, riesgo nuclear, etc.) (art. 2 LCS).
	✓ Si el tomador actúa en un ámbito ajeno a su actividad empresarial o profesional se cataloga como consumidor y es aplicable la TRLGDCU.
	✓ Como el contrato se estipula como regla general sobre condiciones generales de la contratación, es aplicable la LCGC, tanto si el tomador es un empresario, un profesional o un particular.
	✓ La LOSSEAR reconoce la prelación del crédito sobre la indemnización de seguro a favor de los asegurados, beneficiarios y terceros perjudicados en los procesos de liquidación de aseguradoras (art. 179), el deber de información al tomador (art. 96) y los mecanismos de solución de conflictos entre los aseguradores y sus tomadores, asegurados o terceros (art. 97).
	✓ Los aseguradores (art. 97.5 LOSSEAR y 167 LDS) y los corredores de seguros (art. 167 LDS) han de disponer de un servicio o departamento de atención al cliente para atender reclamaciones.
	✓ La Dirección General de Seguros y Fondos de Pensiones (DGSFP) también dispone de un servicio de reclamaciones de los usuarios del mercado asegurador.
	  • Las entidades aseguradoras y los corredores de seguros deben atender y resolver las quejas y reclamaciones de los usuarios de servicios financieros a través de un servicio de atención al cliente (art. 29 Ley 44/2002 y art. 167 LDS.

La LCS y otras normas aplicables (cont.)	• El usuario puede también acudir al servicio de reclamaciones de la DGSFP, si acredita haberlo hecho previamente ante la entidad reclamada. Si la DGSPF es desfavorable a la entidad, ésta debe informar a la DGSFP si ha hecho la rectificación voluntariamente (art. 30 Ley 44/2002, según redacción dada por la disp. final undécima Ley 21/2011, de 26 de julio, de economía sostenible, y art. 168 LDS). ✓ En lo no previsto en las condiciones generales y particulares del contrato y en las normas sobre seguro que sean aplicables de acuerdo con la naturaleza mercantil del contrato, se estará a lo dispuesto en las reglas generales del Derecho civil (arts. 2 y 50 C. Com.).
Sujetos: El asegurador	El asegurador es un empresario cuya actividad lucrativa consiste en desplazar sobre sí riesgos que afectan a la persona o patrimonio del asegurado a cambio de una prima o cuota. ✓ Los aseguradores desarrollan su actividad con el convencimiento, confirmado por el cálculo actuarial, de que las primas recibidas en conjunto de los tomadores serán suficientes para hacer frente a los siniestros, pues estos afectarán a un número menor de asegurados. Las primas recibidas les permitirán pagar las indemnizaciones, cubrir los costes fijos de gestión del negocio y obtener el beneficio empresarial. ✓ A través del seguro, el asegurador centraliza los recursos económicos de una pluralidad de personas sometidas a los mismos riesgos. Los seguros privados ofertados por los aseguradores organizan un sistema de solidaridad social, de especial utilidad en todos los casos y, sobre todo, en materia de protección de las personas, cuando un Estado carece de un sistema de Seguridad Social (seguros de enfermedad, accidentes, dependencia, etc.). ✓ La actividad aseguradora sólo podrá ser realizada por personas jurídicas privadas que adopten la forma de sociedad anónima, mutua, cooperativa o mutualidad de previsión social (art. 27 LOSSEAR). ✓ Como reglas comunes a todas las entidades aseguradoras privadas, se constituyen mediante escritura pública, inscrita en el Registro Mercantil. Con la inscripción, adquieren su personalidad jurídica las sociedades anónimas, mutuas de seguros y mutualidades de previsión social (art 28 LOSSEAR). Las cooperativas de seguro también se inscriben en el Registro Mercantil (art. 81.d Reglamento Registro Mercantil 1996), pero adquieren su personalidad al inscribirse en el Registro de Cooperativas (art. 7 LCOOP). ✓ La autorización otorgada por el Ministro de Economía y Competitividad será válida en toda la Unión Europea (art. 20.1 LOSSEAR). ✓ Se requiere autorización para extender la actividad de una entidad aseguradora a otros ramos distintos de los autorizados y para la ampliación de una autorización de una entidad aseguradora que comprenda sólo una parte de los riesgos incluidos en un ramo (art. 20.2 LOSSEAR).

Sujetos: El asegurador (cont.)		✓ La autorización a las entidades aseguradoras se concederá por ramos, conforme a la clasificación establecida en el anexo de la LOSSEAR ("accidentes y enfermedad", "seguro de automóvil", "seguro marítimo y de transporte", etc.) • Abarcará el ramo completo y la cobertura de los riesgos accesorios o complementarios de aquél, según proceda (art. 21 LOSSEAR). • La autorización permitirá a la entidad aseguradora ejercer actividades en régimen de derecho de establecimiento o en régimen de libre prestación de servicios en la Unión Europea, salvo que el solicitante sólo desee cubrir una parte de los riesgos correspondientes al ramo autorizado, ejercer su actividad en un territorio de ámbito menor al del territorio nacional, o realizar operaciones comprendidas en el artículo 46.2. • Las entidades aseguradoras así autorizadas podrán aceptar operaciones de reaseguro en los mismos ramos que comprenda la autorización. ✓ En la denominación social de las entidades aseguradoras se incluirán las palabras "seguros" o "reaseguros", o ambas a la vez, conforme a su objeto social, que quedan reservadas en exclusiva para dichas entidades. También quedan reservadas las expresiones «mutuas de seguros», «cooperativas de seguros» y «mutualidades de previsión social», que deberán ser incluidas en su denominación por las entidades de esa naturaleza. (art. 29 LOSSEAR).
	Sociedad anónima de seguros y/o reaseguros	✓ Como sociedades anónimas, se les aplica el régimen general del texto refundido que aprueba la Ley de sociedades de capital. Sin embargo, la LOSSEAR y sus normas de desarrollo son de aplicación preferente por razón de especialidad. ✓ Su medio de financiación esencial son las primas fijas que abonan los tomadores de los seguros que contratan. ✓ Las sociedades anónimas y cooperativas de seguros deberán tener los siguientes capitales sociales mínimos cuando pretendan operar en los ramos que a continuación se enumeran: • 9.015.000 euros en los ramos de vida, caución, crédito, cualquiera de los que cubran el riesgo de responsabilidad civil y en la actividad exclusivamente reaseguradora. • 2.103.000 euros en los ramos de accidentes, enfermedad, defensa jurídica, asistencia y decesos. • 3.005.000 euros, en los restantes.

Sujetos: **El asegurador** **(cont.)**	*Sociedad anónima de seguros y/o reaseguros* *(cont.)*	✓ El capital social mínimo de las sociedades anónimas estará totalmente suscrito y desembolsado al menos en un cincuenta por ciento. Los desembolsos de capital por encima del mínimo se ajustarán a la legislación mercantil general. En todo caso, el capital estará representado por títulos nominativos o anotaciones en cuenta nominativas. ✓ Las entidades que ejerzan su actividad en varios ramos de seguro directo distintos del de vida deberán tener el capital social correspondiente al ramo para el que se exija mayor cuantía.

	Mutua de seguros	✓ Las mutuas de seguros son sociedades mercantiles sin ánimo de lucro, que tienen por objeto la cobertura a los socios, sean personas físicas o jurídicas, de los riesgos asegurados mediante una prima fija pagadera al comienzo del período del riesgo (art. 41 LOSSEAR).
		✓ Las mutuas de seguros se crean mediante un contrato por el cual varias personas físicas o jurídicas —en España, un mínimo de 50— deciden crear una persona jurídica bajo la forma social de mutua de seguros frente a ciertos riesgos de los miembros (patronal frente a accidentes de trabajo de los empleados, de asistencia sanitaria y enfermedad, de accidentes de circulación, incendio, vida, agrarios como la pérdida de la cosecha, responsabilidades civiles frente a terceros, etc.). El contrato debe acompañarse de los estatutos de la mutua y elevarse a escritura pública e inscribirse en el Registro Mercantil (arts. 28 LOSSEAR y 254-259 RRM). Hay varias diferencias esenciales de la mutua con la sociedad anónima de seguros.
		✓ La mutua no tiene ánimo de lucro, lo que supone que no pretende la distribución de dividendos entre los mutualistas (art. 9.2.a LOSSP).
		✓ El tomador del seguro adquiere la condición de socio (mutualista) de la Mutua (aunque puede ceder esta condición a un tercero asegurado, art. 9.2.b LOSSP). No ocurre así con la sociedad anónima, cuyos socios pueden ser o no tomadores o asegurados. Por tanto, el mutualista tiene una serie de derechos y obligaciones:
		  • Derechos políticos: voto, asistencia e información en las Asambleas generales de mutualistas, o verificación contable de las cuentas.
		  • Derechos económicos: percibir intereses por sus aportaciones al fondo mutual si así lo disponen los estatutos; el reintegro de las mismas; el cobro de derramas activas y la participación en la distribución del patrimonio resultante de la liquidación.

Sujetos: El asegurador (cont.)	*Mutua de seguros (cont.)*	• La responsabilidad de los mutualistas no alcanzará a las deudas sociales, salvo disposición estatutaria en contrario que, en todo caso, limitará la misma a un importe igual al de la prima anual (art. 9.2.d LOSSP). ✓ Las mutuas están gobernadas por una Asamblea general de mutualistas y un Consejo de Administración, formado por personas físicas o jurídicas que reúnan la condición de mutualistas y que es el órgano de gestión, gobierno y gestión de la mutua. ✓ El "fondo mutual" (no capital social) resulta de las contribuciones de los mutualistas y se utiliza para satisfacer la indemnización o pagar la renta a los asegurados en caso de que ocurra el riesgo (accidente laboral, jubilación, enfermedad, muerte del mutualista, etc.).
	Mutualidades de previsión social	✓ Las mutualidades de previsión social son entidades aseguradoras que ejercen una modalidad aseguradora de carácter voluntario complementaria al sistema de Seguridad Social obligatoria, mediante aportaciones de los mutualistas, personas físicas o jurídicas, o de otras entidades o personas protectoras (art. 43.1 LOSSEAR). ✓ Las mutualidades de previsión social que se encuentran reconocidas como alternativas a la Seguridad Social ejercen además una modalidad aseguradora alternativa al alta en el Régimen Especial de la Seguridad Social de los Trabajadores por Cuenta Propia o Autónomos (art. 43.1 LOSSEAR). ✓ Existe un tipo de mutualidad de previsión social empresarial en la que los mutualistas son empleados de una determinada empresa y las prestaciones deben ser el resultado de acuerdos de previsión alcanzados entre empleados y empresas (por ejemplo, mutualidad de empleados del banco X o de funcionarios). ✓ Otro tipo de mutualidad de previsión social bien conocido es la de los inscritos en colegios profesionales y otras entidades que ejercen una actividad por cuenta propia. Estas personas pueden solicitar bien su alta en el régimen especial de la Seguridad Social de autónomos o trabajadores por cuenta propia, bien incorporarse a la mutualidad de previsión social que tenga establecida dicho colegio profesional o entidad (abogados, ingenieros, etc.).
	Cooperativas de seguros	✓ Las sociedades cooperativas en general están constituidas por personas que se asocian, en régimen de libre adhesión y baja voluntaria, para la realización de actividades empresariales, encaminadas a satisfacer sus necesidades y aspiraciones económicas y sociales (art. 1.1 LCOOP).

Sujetos: El asegurador (cont.)	*Cooperativas de seguros (cont.)*	✓ Las sociedades cooperativas se constituyen mediante escritura pública que deberá ser inscrita en el Registro Mercantil (art. 81.1.d RRM 1996) y en el Registro de Cooperativas y con la inscripción adquiere su personalidad jurídica. ✓ Específicamente son cooperativas de seguros las que ejerzan la actividad aseguradora, en los ramos y con los requisitos establecidos en la legislación del seguro y, con carácter supletorio, por la Ley de cooperativas (art. 101 LCOOP).
	Aseguradoras extranjeras	✓ La Dirección General de Seguros y Fondos de Pensiones llevará un registro administrativo, en el que se inscribirán (art. 40 LOSSEAR): • Las entidades aseguradoras de la Unión Europea que operen en España en régimen de derecho de establecimiento o libre prestación de servicios y sus apoderados o representantes, así como quienes lleven la dirección efectiva de estas sucursales y las sucursales de entidades reaseguradoras de la Unión Europea que voluntariamente lo soliciten. • Las sucursales de entidades aseguradoras o reaseguradoras de terceros países autorizadas en España, así como sus apoderados o representantes y las personas que lleven la dirección efectiva de estas sucursales.
	Entidades reaseguradoras	✓ El reaseguro es la actividad consistente en la aceptación de riesgos cedidos por una entidad aseguradora o por una entidad reaseguradora, incluidas las entidades aseguradoras o reaseguradoras domiciliadas en terceros países (art. 6 LOSSEAR). ✓ Las entidades aseguradoras así autorizadas podrán aceptar operaciones de reaseguro en los mismos ramos que comprenda la autorización. (art. 21.1) ✓ La autorización a las entidades reaseguradoras se concederá para actividades de reaseguro de vida, actividades de reaseguro distinto del de vida, o para todo tipo de actividades de reaseguro y permitirá a la entidad reaseguradora ejercer en régimen de derecho de establecimiento o en régimen de libre prestación de servicios en la Unión Europea (art. 21.2, ap. 1º LOSSEAR) ✓ La actividad reaseguradora se ejercerá con total separación respecto de los tomadores de seguro y de los asegurados (art. 21.2, ap. 2º LOSSEAR).

Sujetos: El asegurador (cont.)	*Consorcio de Compensación de seguros*	✓ La actividad aseguradora también pueden desarrollarla las entidades que adopten cualquier forma de derecho público, siempre que tengan por objeto la realización de operaciones de seguro o reaseguro en condiciones equivalentes a las de las entidades aseguradoras o reaseguradoras privadas. (art. 27.3 LOSSEAR). ✓ En particular, está habilitado el Consorcio de Compensación de Seguros (Real Decreto Legislativo 7/2004, de 29 de octubre, que aprueba el texto refundido del Estatuto Legal del Consorcio de Compensación de Seguros), que es una Entidad Pública empresarial, con personalidad jurídica, sometida al derecho privado y adscrita al Ministerio de Economía y Hacienda. En materia de contratos de seguro: • Percibe primas en los casos en que actúe como asegurador. • Percibe primas como aceptante del reaseguro. • Percibe recargos en aquellos contratos de seguro que lo tengan establecido como los seguros de riesgos extraordinarios (fenómenos de la naturaleza, terrorismo y otros), del automóvil, del cazador, obligatorio de viajeros; encargándose de su recaudación las propias aseguradoras, conjuntamente con sus primas. • Opera como fondo de garantía en seguros de vehículos y de caza si el causante es desconocido y en otros casos. • Gestiona la liquidación de empresas aseguradoras en concurso, pero su estatuto jurídico no dispone que garantice la solvencia de las aseguradoras.
Sujetos: Los distribuidores de seguros	✓ La distribución de seguros comprende toda actividad de asesoramiento, propuesta u otro trabajo previo antes de celebrar el contrato de seguro, de celebración del mismo y de gestión o ejecución de dicho contrato, incluyendo la gestión del siniestro (art. 129 LDS). ✓ El Real Decreto 287/2021, de 20 de abril, regula la formación y remisión de la información estadístico-contable de los distribuidores de seguros y reaseguros. ✓ La distribución de seguros comprende la aportación de información, como precios y comparación de productos, vía web u otro medio si es posible también celebrar el contrato por esa vía (art. 129.1 LDS). • Esto supone, por ejemplo, que los comparadores de seguros, habituales en Internet, también han de tener ahora el estatuto legal de distribuidores de seguros si es posible celebrar el contrato por esa vía.	

Sujetos: Los distribuidores de seguros (cont.)	✓ Los distribuidores de seguros son: A) Los mediadores de seguros, B) Los mediadores de seguros complementarios; y, C) Las aseguradoras. ✓ La DGSFP o, en su caso, la autoridad competente de la Comunidad Autónoma, lleva un registro administrativo (art. 133.1 LDS), en el que: • Con carácter previo al inicio de sus actividades, deben inscribirse los mediadores de seguros, los mediadores de seguros complementarios y los corredores de reaseguros residentes o domiciliados en España. • También se inscriben los altos cargos de estas entidades. • A efectos informativos, se inscriben los mediadores de seguros y de reaseguros domiciliados en otros Estados miembros que actúen en España en régimen de derecho de establecimiento o en régimen de libre prestación de servicios. ✓ Los Colegios de mediadores de seguros son de inscripción voluntaria (art. 205.2 LDS). ✓ Los distribuidores de seguros actuarán siempre con honestidad, equidad y profesionalidad en beneficio de los intereses de sus clientes (art. 172.1 LDS).
	Los mediadores de seguros y mediadores de seguros complementarios — ✓ El mediador de seguros es la persona que, a cambio de una remuneración, emprende o realiza una actividad de distribución (art. 128.1 LDS). Se clasifican en agentes de seguros y corredores de seguros. Pueden ser personas físicas o jurídicas (art. 135.1 LDS). Los agentes celebran un contrato de agencia con una aseguradora (agente exclusivo) o con varias aseguradoras (agente vinculado), comprometiéndose frente a éstas a realizar la actividad de distribución de seguro (art. 140 LDS). • Los importes abonados al agente de seguros se consideran abonados a la aseguradora, pero lo desembolsado por la aseguradora al agente no se considera abonado a éste hasta que lo reciba efectivamente (art. 142 LDS). • La responsabilidad civil profesional derivada de su actuación en que incurra el agente y de la de sus colaboradores externos (art. 141.6 LDS) se imputan a la aseguradora (art. 143.1 LDS). • Las comunicaciones que realice el tomador del seguro al agente surte los mismos efectos que si se realizase directamente a la aseguradora (art. 146 LDS).

Sujetos: Los distribuidores de seguros (cont.)	*Los mediadores de seguros y mediadores de seguros complementarios* (cont.)	• Los operadores de banca-seguros son entidades de crédito y análogos, que venden seguros utilizando sus redes de distribución (art. 135.4 LDS) y disponen de un régimen especial (arts. 150-154). Por ejemplo, la aseguradora no asume la citada responsabilidad civil derivada de su actuación (art. 143.2) ✓ El corredor de seguros es la persona física o jurídica que realiza la actividad de distribución de seguros y ofrece asesoramiento independiente, basado en un análisis objetivo y personalizado, a quienes demanden la cobertura de riesgos (art. 155 LDS). • El corredor establece los pactos que tenga por conveniente con el asegurador no afecte a su independencia (art. 156.1 LDS), siendo retribuido a base de comisiones, pudiendo pactarse que se facturen directamente al cliente (art. 156.3). • Con el cliente, el corredor llega a los pactos que estime por conveniente y, a falta del mismo, la relación se regula por la comisión mercantil (art. 156.2 LDS). • El pago del importe de la prima efectuado por el tomador del seguro al corredor no se entenderá realizado a la entidad aseguradora, salvo que, a cambio, el corredor entregue al tomador del seguro el recibo de prima de la entidad aseguradora (art 156.4 LDS). • Las comunicaciones efectuadas en cuanto al cambio de la posición mediadora por un corredor de seguros autorizado expresamente por el tomador y en su nombre, a la entidad aseguradora, surtirán los mismos efectos que si la realizara el propio tomador, salvo indicación en contrario de este (art. 156.5 LDS).
Los mediadores de seguros complementarios		✓ Los mediadores de seguros complementarios son aquellos que realizan una actividad de distribución de seguros con carácter complementario, siempre y cuando la actividad profesional principal de dicha persona sea distinta de la de distribución de seguros y solo distribuya determinados productos de seguro que sean complementarios de un bien o servicio (art. 128.2.a y b LDS). • Por ejemplo, una agencia de viajes o una empresa de alquiler de vehículos que ofertan seguros a sus clientes. • No podrán ofrecer la cobertura de seguro de vida o de responsabilidad civil, excepto cuando tenga carácter complementario al bien o servicio suministrado (art. 128.2.c LDS).

Sujetos: **Los distribuidores** **de seguros** **(cont.)**	*Las entidades de seguros*	✓ Las aseguradoras también son consideradas distribuidoras (que no mediadoras) de seguros (art. 134.1.a LDS). Se trata de una práctica habitual de contratación directa del asegurador con el cliente, que la LDS reconoce y regula expresamente. • Pueden aceptar la cobertura de riesgos, sin intervención de ningún mediador de seguros, a través de su propia plantilla, en las oficinas o a distancia. • La aseguradora ha de llevar un registro interno de los empleados que participan en la distribución de seguros (art. 139.1 LDS). • La aseguradora ha de garantizar que las personas de su plantilla reciben una formación continua adaptada a los productos distribuidos (art. 139.2 LDS).
Sujetos: **El tomador,** **el asegurado** **y otros**	*El tomador del seguro*	✓ Es la persona física o jurídica que: • Contrata el seguro por cuenta propia o por cuenta ajena, en cuyo caso habrá un tercero que será el asegurado o el beneficiario del seguro (art. 7 LCS). • Responde el cuestionario de riesgos que el asegurador le pueda someter (art. 10 LCS). • Recibe la póliza de seguro (art. 5 LCS). • Está obligado al pago de la prima y demás deberes y obligaciones derivadas del contrato (arts. 7 y 14 LCS).
	El asegurado	✓ Es la persona física o jurídica que: • Está amenazada por el riesgo cubierto por el seguro, sea sobre su propia persona, sea sobre su patrimonio. • Tiene los derechos que derivan del contrato de seguro. • Tiene los deberes que por su naturaleza le corresponden o la ley le atribuye expresamente, como comunicar el siniestro en plazo, no actuar de mala fe en la causación del siniestro, no agravar el riesgo, etc.

Sujetos:
El tomador,
el asegurado
y otros
(cont.)
	El asegurado
	(cont.)
		• Puede coincidir o no con la persona del tomador. Por ejemplo, en los casos siguientes, el tomador contrata y abona el seguro a favor de un tercero: el transportista o depositario de mercancías ajenas que concierta un seguro contra daños a favor de su propietario como asegurado; el seguro de accidentes que contrata el padre de familia o la empresa que conciertan, respectivamente, a favor de sus hijos o empleados; un seguro sobre un piso contratado por el comprador, pero a favor, total o parcialmente, del banco que le ha concedido el préstamo hipotecario; el arrendatario de una finca que asume la obligación de contratar un seguro por cuenta del propietario, que será quien cobrará la indemnización; el seguro obligatorio de automóviles, que garantiza no sólo la responsabilidad del propietario del automóvil, tomador del seguro, sino también la del conductor, autorizado o no, que legalmente es considerado asegurado; o, una sociedad matriz que asegura la responsabilidad civil propia y la de todas sus filiales y empleados.
		✓ En caso de duda, se presume que el tomador ha contratado por cuenta propia (art. 7 LCS). El seguro por cuenta ajena, como la estipulación a favor de un tercero (art. 1257 CC), no se presume.
		✓ El asegurado puede ser una persona determinada o determinable por el procedimiento que fijen los contratantes (art. 7 LCS). Por ejemplo, el "seguro por cuenta de quien corresponda" de los seguros de transporte de mercancías. Lo contrata el transportista, pero no sabe a ciencia cierta quién es el propietario (el cargador, el destinatario, un tercero). Ocurrido el siniestro, quien sea el dueño de las mercancías, podrá reclamar la indemnización al asegurador.
		✓ En los seguros contra daños, el asegurado debe tener un interés a la indemnización del daño en el momento de la conclusión del contrato, bajo pena de nulidad del contrato (art. 25 LCS).
		    • El "interés asegurable" por antonomasia en estos seguros es la propiedad del objeto asegurado: tras la destrucción o avería, el asegurado tiene interés en ser indemnizado conforme al seguro.
		    • Nadie puede concertar seguros que cubran el riesgo de muerte de otra persona distinta, salvo que el asegurado preste su consentimiento por escrito o, al menos, que se pueda presumir de otra forma su interés por la existencia del seguro (art. 83 LCS).

Sujetos: El tomador, el asegurado y otros (cont.)	*El beneficiario de los seguros de vida*	✓ Es la persona física o jurídica que debe percibir la prestación del asegurador, aun contra las reclamaciones de los herederos legítimos y acreedores de cualquier clase del tomador del seguro (art. 88 LCS).
	El tercero perjudicado en los seguros de responsabilidad civil	✓ Es la persona física o jurídica: • Normalmente, desconocida en el momento de concluir el seguro de responsabilidad civil. • Ha sido perjudicada por un hecho previsto en el contrato de seguro de cuyas consecuencias sea responsable el asegurado, conforme a derecho (art. 73 LCS). • Tiene derecho a interponer judicialmente la llamada "acción directa" de reclamación de la indemnización al asegurador, siendo inmune a las excepciones que puedan corresponder al asegurador contra el asegurado responsable del daño (art. 76 LCS). • Si ha fallecido, la legitimación activa corresponde a sus herederos.
Forma del contrato		✓ El contrato de seguro se documenta en la práctica en un documento por escrito, denominado póliza de seguro, de conformidad con las exigencias legales (art. 5 LCS): • El contrato de seguro y sus modificaciones o adiciones deberán ser formalizadas por escrito. • El asegurador está obligado a entregar al tomador del seguro la póliza o, al menos, el documento de cobertura provisional. • En las modalidades en que por disposiciones especiales no se exija la emisión de la póliza, el asegurador estará obligado a entregar el documento que en ellas se establezca. ✓ Las cláusulas del contrato de seguro se componen como regla general de: • Las "condiciones particulares", que varían en función del contrato: como el importe exacto de la prima, duración de la cobertura, riesgos contratados y riesgos no contratados. • Las "condiciones generales" del seguro, preparadas previamente por el asegurador para cada modalidad de seguro ofertado o para cada categoría de modalidades de seguro (por ejemplo, disposiciones generales para los contratos de seguro de transportes, sea cual sea el medio empleado). ✓ La LCS le impone al asegurador determinadas obligaciones relativas a las condiciones generales y particulares (art. 3 LCS):

Forma del contrato (cont.)	<ul><li>Las condiciones generales no pueden tener carácter lesivo para el asegurado.</li><li>Las condiciones generales han de incluirse por el asegurador en la proposición de seguro si la hubiere.</li><li>Las condiciones generales se incluirán necesariamente en la póliza del contrato de seguro o en un documento complementario, que se suscribirá por el asegurado, al que se entregará copia del mismo.</li><li>Las condiciones generales y particulares se redactarán de forma clara y precisa.</li><li>Se destacarán de forma especial las cláusulas "limitativas de los derechos de los asegurados", que deberán ser específicamente aceptadas por escrito. El problema es que las cláusulas "delimitativas del riesgo" son legales (por ejemplo, en un seguro de salud, se cubre la hospitalización de la madre, pero la póliza puede no cubrir los días que, sin ser hospitalización, la madre permanece ingresada para la lactancia del recién nacido que no ha recibido aún el alta), pero resulta difícil establecer un criterio o patrón claro que las distinga de las cláusulas "limitativas de los derechos del asegurado".</li><li>Las condiciones generales del contrato estarán sometidas a la vigilancia de la Administración Pública en los términos previstos en la Ley.</li><li>Declarada por el Tribunal Supremo la nulidad de alguna de las cláusulas de las condiciones generales de un contrato, la Administración Pública competente obligará a los aseguradores a modificar las cláusulas idénticas contenidas en las pólizas. La LCS, con esta norma excepcional, quiere evitar que el asegurador condenado y el resto de los aseguradores continúen utilizando en sus pólizas una cláusula de igual redacción que la que, para un concreto contrato y asegurado, el Tribunal Supremo ha declarado su nulidad.</li></ul>✓ Siempre que la LCS exija que el contrato de seguro o cualquier otra información relacionada con el mismo conste por escrito, este requisito se entenderá cumplido si el contrato o la información se contienen en papel u otro soporte duradero que permita guardar, recuperar fácilmente y reproducir sin cambios el contrato o la información (disposición adicional 1ª LCS). ✓ Los contratos de seguro celebrados por vía electrónica producirán todos sus efectos previstos en el ordenamiento jurídico cuando concurran el consentimiento y los demás requisitos necesarios para su validez y se rigen por la LSSICE (disposición adicional 3ª LCS). ✓ Puede ser aplicable la Ley de comercialización a distancia de servicios financieros (LCDSF) al seguro contratado por Internet, en especial, sus reglas sobre desistimiento (art. 10 LCDSF).

Contenido del contrato	*Obligaciones y derechos del tomador y del asegurado*	✓ El tomador tiene el deber, antes de la conclusión del contrato, de declarar al asegurador, de acuerdo con el cuestionario que éste le someta, todas las circunstancias por él conocidas que puedan influir en la valoración del riesgo (art. 10 LCS). • Este tema provoca muchas controversias judiciales, pues el asegurador confía inicialmente en el tomador y ofrece el seguro. Sin embargo, ocurrido el siniestro, a veces opta por hacer una investigación de la cual resulta que el tomador faltó a la verdad u ocultó información en el cuestionario para conseguir el seguro u obtener un mejor precio. • El tomador quedaría exonerado del deber de declarar si el asegurador no le somete cuestionario o cuando, aun sometiéndoselo, se trata de circunstancias que puedan influir en la valoración del riesgo y "que no estén comprendidas en él" (art. 10 LCS). • Si el siniestro sobreviene antes de que el asegurador rescinda el contrato en el plazo de un mes desde que conoce la reserva o inexactitud, la prestación se reducirá proporcionalmente, salvo en caso de dolo o culpa grave del tomador, en cuyo caso, el asegurador queda liberado del pago de la prestación. ✓ El tomador debe pagar la prima o cuota, que es el precio del seguro; lo que cobra la aseguradora por asumir el riesgo (art. 15 LCS). El pago corresponde al tomador, pero el asegurador debe aceptar el pago realizado por el asegurado si es persona distinta (art. 7 LCS). • La cuantía de la prima la decide cada asegurador, en función del riesgo que asume. Prima neta o pura es el precio o la compensación del riesgo, calculado éste sobre una hipótesis estadística y una hipótesis financiera. La prima bruta, comercial o de tarifa: se integra por el valor del riesgo (prima pura), aumentado por los gastos de producción de los contratos de seguro (comisiones y gastos), de cobranza de las primas (comisiones de cobro, honorarios, salarios de agencias) y de la gestión de la empresa aseguradora en general. Además, sobre la prima de tarifa existen los recargos, principalmente a favor del Consorcio de Compensación de Seguros y los impuestos sobre la prima de seguro.

Contenido del contrato (cont.)	*Obligaciones y derechos del tomador y del asegurado* (cont.)	• En los seguros de vida, suele fijarse un importe de prima creciente, a medida que el riesgo es mayor, cada año se aumentará conforme a unas tablas. En los seguros de daños y de accidentes personales, que son generalmente anuales, cada año al prorrogarse el contrato se calcula de nuevo la prima, pero durante el año de contrato no se altera, salvo que haya una agravación del riesgo (como la enfermedad imprevista del asegurado, cambio del conductor habitual del coche, etc.), en cuyo caso, la prima estipulada puede incrementarse. • La prima suele pagarse por adelantado al período de cobertura, como requisito de cobertura, y no es como regla general retornable en virtud del denominado "principio de indivisibilidad". Como excepción, toda o parte de la prima es restituible cuando lo decida el asegurador, lo imponga la Ley (disminución del riesgo con resolución del contrato), lo prevea la póliza (por ejemplo, venta del coche a un tercero, que no quiera subrogarse en el seguro o a la aseguradora no le interese como nuevo cliente, etc.), o lo establezca el juez (p. ej. nulidad por falta de riesgo, de interés asegurable o error al contratar el seguro). • Es posible el pago fraccionado de la prima en varios plazos. La LCS también contempla esta posibilidad y distingue entre "prima única" y "prima periódica". • Si por culpa del tomador la prima única o la primera prima no es pagada, en caso de que ocurra el siniestro, no hay cobertura, salvo pacto en contrario (art. 15, ap. 1º LCS). • Si se falta al pago de una de las primas siguientes al día de su vencimiento, la LCS otorga un mes de gracia, durante el cual los siniestros siguen cubiertos si se acaba pagando la prima. Si el asegurador no reclama el pago dentro de los 6 meses siguientes al vencimiento de la prima, se entenderá que el contrato queda extinguido. En cualquier caso, el asegurador, cuando el contrato esté en suspenso, sólo podrá exigir el pago de la prima del período en curso. Si el contrato no ha sido resuelto o extinguido, la cobertura vuelve a tener efecto a las 24 horas del día en que el tomador pagó su prima (art. 15, ap. 2º LCS). ✓ Deber de comunicar la agravación del riesgo. Es un deber legal del tomador y del asegurado (art. 11 LCS). Han de ser cuestiones vinculadas a lo que el asegurador preguntó en el formulario en el momento de contratar. Por ejemplo, el cambio de negocio del asegurado de responsabilidad civil; la ampliación de negocio de transporte a zonas geográficas peligrosas; el depósito de mercancías inflamables; o, la conducción habitual del vehículo por parte de persona con carnet reciente, etc.

| Contenido del contrato (cont.) | Obligaciones y derechos del tomador y del asegurado (cont.) | • En caso de incumplimiento, la LCS prevé sólo la reducción de la indemnización, salvo que haya mala fe del tomador o asegurado (art. 12 LCS).
✓ En caso de disminución del riesgo durante el período de cobertura, el tomador y el asegurador tienen la facultad de comunicarlo al asegurador (art. 13 LCS). No reduce la prima vigente, sino la futura, salvo que el tomador resuelva el contrato y se le devuelvan las primas proporcionales.
✓ Deber de comunicar el siniestro al asegurador. La LCS lo atribuye al tomador, al asegurado o al beneficiario en un plazo de 7 días desde que lo han conocido, salvo que el contrato prevea un plazo más amplio (art. 16, ap. 1º LCS).
   • El incumplimiento de este deber no priva al asegurado del derecho a la indemnización, pero el asegurador podría reclamar los daños y perjuicios causados por la falta de declaración, salvo que ya conociese el siniestro. Si hay conflicto judicial porque el asegurado no está de acuerdo con la tasación de daños del asegurador, ha de ser un juez quien determine el importe de la indemnización.
✓ Deber de dar toda clase de informaciones sobre las circunstancias y consecuencias del siniestro (art. 16, ap. 2º LCS). Por ejemplo, contestar cuestionarios, ayudar al perito, remitir copia de la denuncia judicial en caso de robo, del atestado policial, y otras conductas razonables que se deriven de la buena fe contractual.
   • En caso de violación de este deber, la pérdida del derecho a la indemnización se produce en caso de dolo o culpa grave.
✓ Deber de salvamento o de aminorar las consecuencias del siniestro empleando medios a su alcance (art. 17 LCS). Puede consistir en intentar apagar el incendio o comunicarlo inmediatamente a los bomberos; en contratar almacenes para guardar las mercancías que, por falta de frío en los camiones, se están deteriorando; en asistir al accidentado en debida forma para no agravar sus daños, etc. No son exigibles conductas desproporcionadas. Si incurre en gastos de salvamento, el tomador y el asegurado pueden exigir su reembolso al asegurador.
   • Si se incumple este deber, puede eliminarse la indemnización o reducirse, según haya mala fe o no del asegurado. |

| Contenido del contrato (cont.) | *Obligaciones y derechos del asegurador* | ✓ Obligación de pago de la prestación, salvo en el supuesto de que el siniestro haya sido causado por la mala fe del asegurado (art. 19 LCS).
• Tras el pago, el asegurado o el beneficiario del seguro de vida firman el finiquito de indemnización.
• El pago no suele ser inmediato al siniestro, pues el asegurador debe lleva a cabo las investigaciones y peritaciones necesarias para establecer la existencia del siniestro y, en su caso, el importe de los daños que resulten del mismo (art. 18 LCS).
• La LCS quiere que la liquidación de los daños sea lo más rápida posible e impone que pague una cantidad mínima si no ha finalizado la liquidación dentro de los 40 días siguientes a la declaración del siniestro o desde que el asegurado tuvo conocimiento por otros medios del siniestro (art. 18 LCS). Es un pago a cuenta de la indemnización final, que todavía no ha sido delimitada.
• El pago puede también consistir en el desembolso de un capital o de una renta periódica, de acuerdo con los términos del contrato (art. 1 LCS).
• El pago puede también ser en especie (art. 18 LCS). Por ejemplo, proporcionar una asistencia sanitaria o reparar el bien siniestrado o incluso restituirlo.
✓ Si el asegurador incurre en mora en el pago a favor del asegurado, beneficiario del seguro de vida o tercero perjudicado en el seguro de responsabilidad civil:
• La indemnización por mora se impondrá de oficio por el órgano judicial.
• La tasa de interés consistirá en el pago de un interés anual igual de interés legal del dinero vigente en el momento en que se devengue, incrementado en un 50%; estos intereses se considerarán producidos por días, sin necesidad de reclamación judicial.
• No obstante, transcurridos 2 años desde la producción del siniestro, el interés anual no podrá ser inferior al 20% [art. 20 LCS y STS 1-3-2007 (*Tol 1050554*)].
• La indemnización por mora se impone de oficio por el órgano judicial (art. 20.2 LCS).
• Sin embargo, no hay lugar a la indemnización por mora del asegurador cuando la falta de satisfacción de la indemnización o el pago del importe mínimo esté fundada en una causa justificada o que no le fuere imputable (art. 20.8 LCS). |

Contenido del contrato (cont.)	*Obligaciones y derechos del asegurador* (cont.)	• El Tribunal Supremo mantiene una jurisprudencia reiterada según la cual el proceso no es un óbice para imponer a la aseguradora los intereses a no ser que se aprecie una auténtica necesidad de acudir al litigio para resolver una situación de incertidumbre o duda racional en torno al nacimiento de la obligación misma de indemnizar [SSTS 26-3-2012 *(Tol 2509491)*; 7-6-2010 *(Tol 1883894)*, entre otras]. El Tribunal Supremo ha valorado como justificada la oposición de la aseguradora que aboca al perjudicado o asegurado a un proceso cuando la resolución judicial se torna en imprescindible para despejar las dudas existentes en torno a la realidad del siniestro o su cobertura, en cuanto hechos determinantes del nacimiento de la obligación [SSTS 25-9-2019 *(Tol 7511524)*; 8-2-2017 *(Tol 5963497)*; 5-7-2016 *(Tol 5775224)*; y 1-2-2011 *(Tol 2042611)*]. • En cambio, no concurre causa justificada (art. 20.8 LCS), que ampare la pasividad de la aseguradora en la liquidación del siniestro, cuando: (i) no cuestiona su realidad; (ii) tampoco la responsabilidad del asegurado; (iii) ni la existencia de cobertura derivada del contrato de seguro [SSTS 21-12-2021 *(Tol 8712285)*, 2-3-2021 *(Tol 8359720)*, entre otras]. ✓ En los seguros contra daños en las cosas o el patrimonio del asegurado, una vez pagada la indemnización, el asegurador podrá ejercitar los derechos y acciones del asegurado frente a las personas que pudieran resultar responsables del mismo, hasta el límite de la indemnización (art. 43 LCS). Es la denominada en el comercio asegurador como acción de "recobro". • El asegurado será responsable de los perjuicios que, con sus actos u omisiones, pueda causar al asegurador en su derecho a subrogarse (art. 43, ap. 1º). Por ejemplo, mediante la firma, sin avisar al asegurador, de un documento que exonera de toda culpa a la persona que es responsable del daño. • En cambio, el asegurador no puede ejercitar los derechos en perjuicio del asegurado, ni de las personas de quien responde el asegurado (como sus empleados) o los familiares cercanos que sean personalmente responsables, salvo en caso de dolo o si la responsabilidad de estos está amparada mediante un contrato de seguro (art. 43, ap. 2º y 3º LCS). • Si la indemnización percibida por el asegurador no satisface el daño íntegro sufrido por el asegurado, ambos pueden reclamar al responsable. En este caso, el recobro obtenido se repartirá entre ambos en proporción a su respectivo interés (art. 43, ap. 4º LCS).

Duración del contrato (cont.)	✓ El seguro es un contrato de tracto sucesivo y la póliza que la aseguradora entregue al tomador debe incluir una mención a la "duración del contrato, con expresión del día y hora en que comienzan y terminan sus efectos" (art. 8.8 LCS). ✓ Otras veces, la duración se fija de forma indirecta, por ejemplo, lo que dure el transporte de las mercancías (art. 58 LCS) o del pasajero, la carrera de automóviles o el salto en paracaídas, etc. ✓ La LCS prohíbe fijar un plazo superior a 10 años, sin perjuicio de lo dispuesto para el seguro de vida (art. 22.1 y 5 LCS). • Debe presumirse que un seguro de vida subsiste durante toda la vida de la persona o hasta una fecha específica en el caso del seguro de supervivencia a una determinada fecha. Así, siempre y cuando las primas sean pagadas, el asegurador no puede rechazar la prórroga del seguro de vida. • En contraste, los otros seguros distintos de los de vida suelen ser de una duración limitada, por ejemplo, 1 año. Si a la expiración de la póliza, las partes deciden prorrogar el contrato, no hay renovación o nuevo contrato, sino que se prolonga la duración del contrato primitivo y, en consecuencia, la misma relación que de él deriva. Puede extenderse ya más de 10 años, pues lo que la LCS pretende evitar es que el tomador quede vinculado al cumplimiento de contratos de larga duración. Sin embargo, si desea renovarlo es perfectamente posible, si se hace en los términos legales (art. 22 LCS): la posibilidad de prórroga ha de estar prevista en el contrato; la prórroga no puede ser superior a 1 año cada vez y debe existir acuerdo entre las partes. La LCS confiere a las partes la facultad unilateral de oponerse a la prórroga del contrato mediante una notificación escrita a la otra parte, efectuada con un plazo de 1 mes de antelación si quien se opone a la prórroga es el tomador y de 2 meses cuando sea el asegurador.
Prescripción de acciones	✓ Las acciones que deriven del contrato de seguro prescribirán en el término de 2 años si se trata de seguro de daños y de 5 si el seguro es de personas (art. 23 LCS). ✓ Como contrato mercantil, la prescripción de los 2 o 5 años no se interrumpe por la reclamación extrajudicial del asegurado, pues no está previsto en el art. 944 del Código de Comercio. Sin embargo, en la actualidad la jurisprudencia del Tribunal Supremo considera extensible el régimen del artículo 1973 del Código Civil a las obligaciones mercantiles y suele admitir la interrupción por la reclamación extrajudicial debidamente acreditada (véase capítulo 1).
Competencia judicial	✓ Salvo en los contratos de seguro de grandes riesgos, será juez competente para el conocimiento de las acciones derivadas del contrato de seguro el del domicilio del asegurado, siendo nulo cualquier pacto en contrario (art. 24 LCS).

Competencia judicial (cont.)	✓ Cuando el asegurador esté domiciliado en otro Estado miembro de la Unión Europea, podrá ser demandado ante los tribunales de su domicilio o ante los tribunales del domicilio del tomador, asegurado y beneficiario, a elección del demandante (art. 11 Reglamento UE 1215/2012, de 12 de diciembre, sobre competencia judicial, reconocimiento y ejecución de resoluciones judiciales en materia civil y mercantil).
Competencia judicial (cont.)	✓ Y si se trata de seguros de responsabilidad civil o de seguros relativos a inmuebles, además, ante el tribunal del lugar en que se hubiere producido el hecho dañoso (art. 10 Reglamento UE 1215/2012). Asimismo, en materia de seguros de responsabilidad civil, el asegurador podrá ser demandado, en el marco de acciones acumuladas, igualmente ante el órgano jurisdiccional que conozca de la acción de la persona perjudicada contra el asegurado, cuando la ley de este órgano jurisdiccional lo permita (art. 13.1 Reglamento UE 1215/2012). ✓ Cuando el asegurador no estuviere domiciliado en un Estado miembro, pero tenga sucursales, agencias o cualquier otro establecimiento en un Estado miembro, se le considerará, para los litigios relativos a su explotación, domiciliado en dicho Estado miembro (art. 11.2 Reglamento UE 1215/2012). ✓ En cambio, la acción del asegurador sólo puede ser ejercitada ante los tribunales del domicilio del demandado, sea el tomador, el asegurado o el beneficiario (art. 14 Reglamento UE 1215/2012). ✓ Quedan excluidos de este régimen tuitivo del asegurado los seguros marítimos, donde las partes tienen libertad de elección (arts. 15.5 y 16 Reglamento UE 1215/2012).

2. DISPOSICIONES GENERALES SOBRE LOS SEGUROS CONTRA DAÑOS EN LAS COSAS

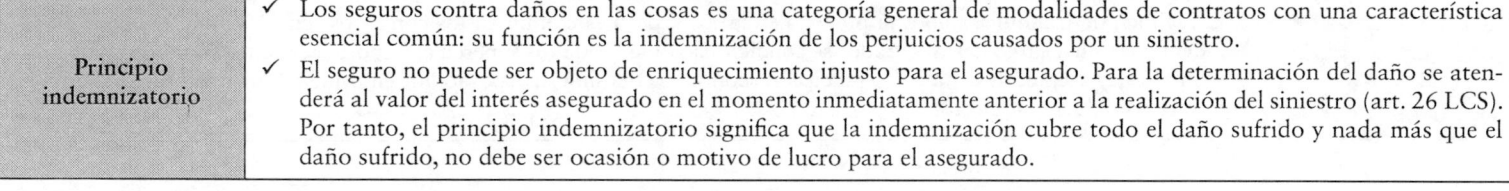

Principio indemnizatorio	✓ Los seguros contra daños en las cosas es una categoría general de modalidades de contratos con una característica esencial común: su función es la indemnización de los perjuicios causados por un siniestro. ✓ El seguro no puede ser objeto de enriquecimiento injusto para el asegurado. Para la determinación del daño se atenderá al valor del interés asegurado en el momento inmediatamente anterior a la realización del siniestro (art. 26 LCS). Por tanto, el principio indemnizatorio significa que la indemnización cubre todo el daño sufrido y nada más que el daño sufrido, no debe ser ocasión o motivo de lucro para el asegurado.

Tasación del daño	✓ Corresponde al asegurado comunicar por escrito al asegurador, en un plazo de 5 días desde la comunicación del siniestro, la relación de los objetos existentes, la de los salvados y la estimación de los daños (art. 38.1).
	✓ Incumbe al asegurado la prueba de la preexistencia de los objetos asegurados. No obstante, el contenido de la póliza constituye una presunción a favor del asegurado cuando razonablemente no puedan aportarse pruebas más eficaces (art. 38.2 LCS).
	✓ No obstante, en las llamadas "pólizas estimadas o tasadas", el asegurador y el tomador aceptan expresamente en ellas el valor asignado al interés asegurado. El asegurador únicamente podrá impugnar el valor estimado cuando su aceptación haya sido prestada por violencia, intimidación, dolo o grave error en la estimación que sea notablemente superior al valor real (art. 28 LCS).
	✓ En los seguros de responsabilidad civil, el daño sufrido será la suma que haya establecido la sentencia judicial o el convenio amistoso.
	✓ Las dificultades en la valoración las resuelven las partes o los tribunales. Si no se ponen de acuerdo sobre el importe y la forma de la indemnización, la LCS ha previsto el sistema de nombramiento de un perito por cada parte. • Si una no hace la designación, se entenderá que acepta el dictamen que emita el perito de la otra parte, quedando vinculado por el mismo (art. 38, ap. 4° *in fine* LCS). La inatacabilidad y efecto vinculante del dictamen pericial en este caso la tiene reconocida también la jurisprudencia del Tribunal Supremo [como las SSTS 5-4-2010 (*Tol 1848557*); 25-3-1998 (*Tol 22615*); 4-6-1994 (*Tol 1666677*), entre otras]. Sin embargo, el carácter inatacable no se extiende a la interpretación del contrato de seguro y determinación del ámbito de la cobertura suscrita, dada su naturaleza estrictamente jurídica y no de mera liquidación del daño, en STS 26-7-2021 *(Tol 8359112)*. • Si cada parte designa un perito y persisten las diferencias entre peritos, las partes designarán un tercer perito de conformidad. De no existir ésta, se podrá promover un expediente en la forma prevista en la ley de jurisdicción voluntaria o en la legislación notarial (art. 38, ap. 6° LCS).
	✓ El régimen de franquicias no está previsto en la LCS, pero es común en los contratos. En su virtud, el abono de la indemnización a cargo del asegurador se condiciona a que los daños superen el importe aceptado como franquicia. Si es inferior, el asegurado asume la repercusión económica del siniestro, por lo que en principio tiene un especial interés evitarlo o reducir sus efectos.

La suma asegurada	✓ La suma asegurada representa el límite máximo de la indemnización a pagar por el asegurador en cada siniestro (art. 27 LCS). ✓ A veces, su determinación la realiza la propia Ley, como en el seguro obligatorio de automóviles. ✓ Otras veces, es fruto del pacto entre las partes. Por ejemplo, en el seguro de responsabilidad civil, ante la dificultad de conocer los daños que el asegurado puede causar a un tercero, puede pactarse una suma limitada a una determinada cuantía anual.
El infraseguro o seguro parcial	✓ Es aquella situación que se origina cuando, en el momento del siniestro, la suma asegurada es inferior al valor del interés. ✓ El infraseguro suele haber sido decidido por el tomador para pagar una prima menor; ser impuesto por el asegurador como medida para no asumir un riesgo económico demasiado elevado; resultar de un error o defectuosa apreciación del valor asegurable; o sobrevenir en el curso del contrato (aumento del valor de las cosas, depreciación de la moneda en que se declaró inicialmente la suma asegurada, etc.). ✓ En caso de infraseguro, la LCS permite al asegurador aplicar la regla proporcional, por la cual el asegurador indemnizará el daño causado en la misma proporción en la que aquella cubre el interés asegurado (art. 30, ap. 1º LCS). • Por ejemplo: si la suma asegurada como valor de una maquinaria es 20, pero su valor final previo al siniestro es 40, el asegurador tiene derecho a imponer la regla proporcional en caso de siniestro: si queda totalmente inutilizada, no pagará más de la suma asegurada y si puede repararse, abonará sólo una parte del coste de la reparación. ✓ Las partes pueden convenir expresamente que la suma asegurada cubra plenamente el valor del interés durante la vigencia del contrato, previendo la póliza los criterios y el procedimiento para adecuar la suma asegurada y las primas a las oscilaciones del valor de interés (art. 29 LCS). ✓ Las partes también pueden excluir en la póliza o después de celebrado el contrato la aplicación de la regla proporcional (art. 30, ap. 2º LCS).
El sobreseguro	✓ Tiene lugar cuando la suma asegurada es superior al valor del interés asegurado. ✓ Esta situación no está permitida, pues el contrato de seguro no puede ser nunca fuente de lucro del asegurado.

El sobreseguro (cont.)	✓ Es también una situación peligrosa para el asegurador, porque puede constituir un incentivo para la provocación dolosa del siniestro por parte del asegurado con el propósito de lograr una indemnización superior al valor real del interés. ✓ También puede resultar gravosa para el propio asegurado al tener que pagar una prima superior al valor real del interés asegurado al tiempo del siniestro. ✓ La LCS señala que, si la suma asegurada supera "notablemente" el valor del interés asegurado, cualquiera de las partes puede exigir la reducción de la suma y de la prima, restituyendo el asegurador el exceso de primas e indemnizando, si hay siniestro, sólo el daño efectivamente causado (art. 31, ap. 1º LCS). ✓ Si el sobreseguro se debiera a mala fe del asegurado, el contrato será ineficaz (art. 31, ap. 2º LCS).

El coaseguro	✓ Existe un pacto previo entre aseguradoras para repartirse el riesgo y la suma asegurada.
	
	 ✓ Es común en los seguros de grandes riesgos que ninguna aseguradora tenga capacidad económica para asegurar en solitario un riesgo determinado.
	
	 ✓ En caso de siniestro, el asegurado debe cobrar de las diferentes aseguradoras a quienes ha pagado las primas.
	
	 ✓ A este efecto, unas veces se suscribe una sola póliza en la que intervienen el tomador y las aseguradoras y otras veces se conciertan tantos contratos como aseguradoras hay, cada una con su correspondiente póliza (art. 33 LCS).
	
	 ✓ En los seguros contra daños en las cosas estipulados por el tomador con distintos aseguradores sobre el mismo riesgo y durante idéntico período de tiempo, el tomador o el asegurado deben, salvo pacto en contrario, comunicar a cada asegurador los demás seguros que estipule.
	   • Si por dolo se omite esta comunicación, y en caso de sobreseguro se produjera el siniestro, los aseguradores no están obligados al pago de la indemnización.
	   • Si hay comunicación, cada una de las aseguradoras concurrentes sólo pagaría la parte proporcional del capital asegurado en la respectiva póliza, sin que el conjunto de sus respectivas indemnizaciones sobrepasara el valor del daño.

Transmisión del objeto asegurado	✓ El asegurado está obligado a comunicar por escrito al adquirente la existencia del contrato de seguro de la cosa transmitida, pues por ley, con algunas excepciones, el adquirente se subroga en el momento de la enajenación en el contrato de seguro del anterior titular (art. 34 LCS).

3. NORMAS ESPECÍFICAS SOBRE SEGUROS CONTRA DAÑOS EN LAS COSAS

Pólizas multiriesgo	✓ Es frecuente que aparte de uno de los riesgos tipificados en la LCS o en otras normas sobre seguros, se cubran otros riesgos patrimoniales vinculados al asegurado y a su actividad en una sola póliza. ✓ Así, existen seguros combinados de incendio, explosión, robo y expoliación, por ejemplo. ✓ A veces, surgen de la dificultad de determinar la causa principal de un daño en ocasiones donde concurren causas múltiples (por ejemplo, robo durante un incendio). ✓ También las pólizas de seguros de automóviles suelen comprender responsabilidad civil, daños al vehículo, incendio y robo. ✓ La mayoría de viviendas particulares, comercios y PYMES contratan seguros combinados o multiriesgo, donde las pólizas habituales cubren daños a los bienes muebles e inmuebles por incendio, rayo, explosión, cortocircuito, viento, lluvia, nieve, agua; responsabilidad civil a terceros; pérdida de alquileres; daños producidos por el humo; desperfectos en aparatos causados por defectos de la corriente eléctrica; gastos de demolición; pérdidas patrimoniales por paralización de la actividad; daños por vandalismo, tumultos y huelgas, etc.
El seguro de incendios	✓ Es uno de los riesgos cubiertos más antiguos (desde el gran incendio de Londres de 1666) y la póliza habitual sobre edificios de almacenes y fábricas. ✓ El incendio se produce por reacción química entre el objeto combustible y una llama o chispa u otro objeto con resultado de abrasamiento o combustión sin llama del objeto asegurado (art. 45.1 LCS). ✓ El daño por excesivo calentamiento no es suficiente. ✓ En puridad, el daño causado por una explosión o por un rayo no es daño por fuego, aunque estos riesgos suelen estar cubiertos en las pólizas habituales de este ramo de los seguros. ✓ El asegurador cubre el incendio fortuito y el causado por la malquerencia de terceros, y negligencia propia del asegurado o de las personas de las que responda civilmente. Pero se excluye el causado por dolo o culpa grave del asegurado (art. 48 LCS). ✓ No bastan meras suposiciones o sospechas: el dolo o culpa grave del asegurado ha de ser probado por la aseguradora y reconocido en sentencia penal o civil firme.

El seguro de incendios (cont.)	✓ Tampoco se cubre si se incendian las cosas durante el traslado, salvo que lo acepte el asegurador (art. 47 LCS). ✓ Las pólizas incluyen la garantía de los riesgos extraordinarios cubiertos por el Consorcio de Compensación de Seguros.

El seguro de robo	✓ Este seguro recae sobre cosas muebles materiales que hayan sido incluidas en la póliza, así como cosas que, siendo muebles por naturaleza, son jurídicamente inmuebles por su destino (como una caja fuerte empotrada en la pared).
	✓ Puede tratarse de un seguro de cosa individualizada o sobre un conjunto de cosas muebles incluidas dentro del conjunto o local asegurado. Comprende las cosas comprendidas como contenido, sean o no del tomador, operando si no es así como un seguro por cuenta ajena. Las pólizas establecen un límite de valor de las cosas aseguradas.
	✓ A efectos de seguro, puede ser robo tanto el realizado a mano armada, el hurto, como aquel realizado con engaño, pero sin violencia y que conduzca a la sustracción ilegítima de las cosas.
	✓ Las garantías necesariamente cubiertas por imposición de la LCS son las siguientes:
	  • El valor del interés asegurado cuando el objeto asegurado sea sustraído y no sea hallado de nuevo (arts. 51 y 53 LCS).
	  • El daño que la comisión del delito, en cualquiera de sus formas, cause al objeto asegurado (también la tentativa) (art. 51.2 LCS).
	✓ Puede extenderse, de manera opcional, al robo que tiene lugar durante el transporte del bien o fuera de su lugar habitual (art. 52 LCS); a daños en el local en exceso del previsto como garantía básica; a billetes de banco, joyas y bienes valiosos; a la sustracción producida con ocasión de riesgos extraordinarios (pillaje, por ejemplo); a la infidelidad de los empleados; y, al resarcimiento del daño por el deterioro causado en el local o en las cajas donde se encuentre la cosa asegurada.
	✓ La culpa leve del asegurado, tomador o de las personas que de ellos dependan o convivan no excluye la indemnización. La negligencia grave excluye la indemnización, salvo pacto en contrario (art. 52.1 LCS).

El seguro de transportes terrestres	✓ Se contrata para cubrir el incendio, el robo, las roturas, la desaparición, etc., de mercancías durante su transporte o de vehículos porteadores. ✓ Según la duración del viaje, puede contratarse para un único viaje o por un tiempo determinado (art. 57 LCS).

El seguro de transportes terrestres (cont.)	✓ La póliza flotante o de abono cubre todos los viajes a realizar por un vehículo o el transporte de un conjunto de mercancías durante un tiempo. ✓ Si se trata de mercancías destinadas a la venta, la indemnización incluye el valor de las mercancías en destino, por tanto, también el porte (art. 62 LCS). ✓ Si se trata de vehículos y hay siniestro total, puede abandonarlo al asegurador si así lo ha pactado (art. 61 LCS). ✓ El seguro de daños en las mercancías pueden contratarlo el propietario o el comisionista de transportes, entre otros (art. 56 LCS). ✓ La cobertura se extiende desde que el transportista recibe las mercancías hasta que las entrega, pero puede ampliarse a las etapas previas, intermedias y final de almacenamiento (arts. 58 y 59 LCS). ✓ No se excluye de cobertura el cambio de vehículo (art. 60 LCS). ✓ Se excluye el vicio propio de las mercancías (art. 57 LCS) y el mal embalaje. ✓ El seguro de daños en el vehículo suele excluirse en caso de infracciones legales.
El seguro de lucro cesante	✓ Este seguro puede interesar a toda empresa que, cuando se produce el siniestro, sufre una paralización forzosa de sus actividades. ✓ Normalmente, es una garantía complementaria de otras, como la de daños de un objeto concreto, pero tiene entidad para contratarse en exclusiva para protegerse de hechos aleatorios e involuntarios (arts. 63.2 y 64 LCS). Por ejemplo, suspensión de un espectáculo por lluvia, mala temporada de esquí por falta de nieve, devaluación de la moneda, etc. ✓ El asegurador ha de pagar, salvo pacto en contrario (art. 65 LCS): la pérdida de beneficios que produzca el siniestro durante el período previsto (también art. 67 LCS); los gastos generales que sigue afrontando el asegurado (salarios, alquileres, etc.); y, los gastos que sean consecuencia directa del siniestro asegurado. ✓ El titular de la empresa puede asegurar la pérdida de beneficios y los gastos generales que haya de soportar en caso de paralización total o parcial a causa de los acontecimientos previstos en el contrato (art. 66 LCS). ✓ En la práctica, cuando sobreviene el siniestro, se tienen en cuenta el período de indemnización, el volumen de negocio, los gastos permanentes asegurados, los gastos adicionales, los beneficios brutos y netos, para determinar la cuantía, pues si es puramente un seguro de lucro cesante, no cabe predeterminar la cuantía (art. 67 LCS). Se pretende evitar el enriquecimiento injusto del asegurado.

El seguro de caución	✓ En la vida comercial muchas veces las empresas o las personas deben presentar una fianza o aval para actividades de muy variada naturaleza, como obtener un préstamo, firmar un contrato de arrendamiento o garantizar la responsabilidad por vicios ocultos en una construcción, etc. ✓ El aval bancario es habitual, pero la póliza de seguro de caución cumple la misma función que un aval y en determinadas operaciones comerciales lo sustituye. ✓ Es común su uso en fianzas de los contratistas de la Administración Pública como garantía de la correcta ejecución de obras o suministros. También son comunes las pólizas de fianza de cantidades anticipadas por compradores de viviendas y las pólizas de fianza por insolvencia del prestatario. ✓ El tomador del seguro (y deudor) contrata siempre por cuenta ajena, a favor del acreedor. El pago de la compañía al asegurado no exime al tomador del seguro de cumplir sus obligaciones. Por esto, debe reembolsar al asegurador las cantidades pagadas (art. 68 LCS).
El seguro de crédito	✓ Es un contrato habitual de las empresas que por razón de su actividad venden mercancías a terceros y temen que no les paguen su precio. ✓ Puede contratarse para una operación concreta o con carácter anual para todas las operaciones que realice el tomador durante un año si bien, en este caso, el tomador ha de comunicar al asegurador los compradores con quienes pretende operar, de modo que el asegurador puede o no aceptar de acuerdo con la solvencia del deudor. ✓ La indemnización viene determinada por el propio derecho de crédito que otorga a su titular una pretensión de cobro del deudor. ✓ No suele incluir el 100% del crédito impagado. La finalidad es evitar que el asegurado elija ciegamente sus clientes confiando en que, si acaece el siniestro, será el asegurador quien le pagará. ✓ El asegurado y, en su caso, el tomador, queda obligado (art. 72 LCS): a exhibir, a requerimiento del asegurador, los libros y cualesquiera otros documentos que poseyere relativos al crédito o créditos asegurados; a prestar la colaboración necesaria en los procedimientos judiciales encaminados a obtener la solución de la deuda, cuya dirección será asumida por el asegurador; y, a ceder al asegurador, cuando éste lo solicite, el crédito que tenga contra el deudor una vez satisfecha la indemnización.

El seguro de defensa jurídica	✓ Por este contrato, la aseguradora se obliga a la defensa jurídica del asegurado cuando éste la necesite. ✓ En este caso, la indemnización consiste en proporcionar el servicio de asistencia jurídica en los asuntos administrativos, judiciales o arbitrales en que el asegurado necesite defensa (art. 76.a LCS). ✓ Generalmente, se ofrece como una garantía complementaria a otros seguros, pero también cabe como garantía única (art. 76.c LCS). Las modalidades más frecuentes son el seguro de defensa jurídica como garantía complementaria del seguro de automóviles, el seguro de protección jurídica personal y familiar, así como el seguro de protección jurídica para profesionales y empresas. ✓ El asegurado tendrá derecho a elegir libremente al procurador y al abogado que hayan de representarle y defenderle en cualquier clase de procedimiento (art. 76.d LCS). Esta libertad de elección no es total, pues el asegurador puede recusarlo y también hay límite de honorarios, de modo que si supera la suma asegurada, la diferencia de honorarios irá a cargo del asegurado.
El seguro de responsabilidad civil	✓ El asegurador se obliga, dentro de los límites establecidos en la Ley y en el contrato, a cubrir el riesgo de nacimiento a cargo del asegurado de la obligación de indemnizar a un tercero los daños y perjuicios causados por un hecho previsto en el contrato de cuyas consecuencias sea civilmente responsable el asegurado, conforme a derecho (art. 73, ap. 1º LCS). ✓ Salvo pacto en contrario, el asegurador asume la dirección jurídica frente a la reclamación del perjudicado y serán de su cuenta los gastos de defensa que se ocasionen (art. 74 LCS). Por ejemplo, el depósito de fianzas y los gastos de abogado, procurador, peritajes necesarios para la defensa en procedimientos judiciales o administrativos por siniestros cubiertos en la póliza. ✓ Queda excluida la responsabilidad derivada del dolo del asegurado (art. 18 LCS), pues los riesgos ilícitos no son asegurables. ✓ Hay varios tipos de seguros de responsabilidad civil en la práctica aseguradora: • Los voluntarios: del cabeza de familia y otros miembros; de asociaciones; de profesionales de carácter jurídico; de la profesión médica; de arquitectos; de locales comerciales; de hostelería; de actividades de enseñanza; de agricultura y ganadería; de oficina; de responsabilidad civil industrial; de productos; patronal por accidentes laborales, etc.

El seguro de responsabilidad civil (cont.)	• Los obligatorios: hay múltiples impuestos por normativa internacional, nacional y autonómica, como el seguro obligatorio de contaminación marítima por hidrocarburos; de constructor; de vehículos a motor; de cazador, entre otros.
	✓ La LCS prevé la acción directa del perjudicado para exigirle al asegurador el cumplimiento de la obligación de indemnizar (art. 76 LCS).
	    • El asegurado y el asegurador se constituyen por la eficacia que la Ley otorga al contrato de seguro en obligados solidarios frente a la víctima. De este modo, por el contrato de seguro de responsabilidad civil se amplía la gama de obligados y se protege el crédito del perjudicado con la solvencia que es exigible a un asegurador.
	    • La acción directa es inmune a las excepciones que puedan corresponder al asegurador contra el asegurado. El asegurador puede no obstante oponer la culpa exclusiva del perjudicado y las excepciones personales que tenga contra éste.
	    • El Tribunal Supremo (Sala de lo Civil-Sección Pleno) en sentencia 10-9-2015 (*Tol 5432189*), interpreta el art. 15 LCS, sobre falta de pago de la prima como inoponible al tercero perjudicado que reclama. No basta para resolver el contrato del seguro obligatorio por impago de la primera prima demostrar la culpa del tomador, sino que, como señala el art. 20.2 del Reglamento del seguro obligatorio de vehículos, frente a terceros, es necesario acreditar, además, la comunicación recepticia dirigida al tomador del seguro declarando resuelto y sin efecto alguno el contrato, lo que se adecua a las exigencias normativas para que pueda producir el efecto de quedar liberada la aseguradora de su obligación de indemnizar.

4. SEGUROS DE PERSONAS

Normas comunes	✓ El denominador común de los seguros de personas reside en que el siniestro lo soporta directamente una persona o varias personas (el asegurado o asegurados), no una cosa o un patrimonio en el que la persona tenga interés. ✓ El contrato de seguro sobre las personas comprende todos los riesgos que pueden afectar a la existencia, integridad corporal o salud del asegurado (art. 80 LCS).

Normas comunes (cont.)	✓ Un contrato de seguro de personas puede contratarse de forma individual o colectiva, en los llamados seguros de grupo donde los asegurados tienen alguna característica en común (art. 81 LCS). Por ejemplo, trabajadores de una empresa, funcionarios de un organismo público, miembros de una familia, alumnos de una escuela, titulares de una tarjeta de crédito utilizada para pagar el viaje, etc.
	✓ Los seguros de personas se llaman también "seguros de sumas", porque las pólizas contienen sumas o baremos acordados de común acuerdo por el tomador y el asegurador ("valor a forfait" o "póliza tasada").
	✓ No se tiende a reparar o indemnizar el daño humano, lo cual es relativo, pues no puede valorarse de forma exacta la vida humana, el cuerpo de una persona o su salud.
	✓ La valoración la realiza el tomador y el asegurador, en su caso, la acepta y fija la prima proporcionalmente. Por ello, la liquidación del siniestro se simplifica, pues acreditada la muerte o la lesión corporal, el asegurador aplica el baremo y paga la indemnización.
	✓ En cualquier caso, hay algunas excepciones de indemnización efectiva y fijación a posteriori, como los gastos sanitarios o de sepelio.
	✓ Asimismo, el asegurado o sus causahabientes no ceden el derecho de crédito que puedan tener contra el responsable del daño corporal y la reclamación dineraria es plenamente compatible con la indemnización del seguro (art. 82 LCS).
	✓ Se exceptúa lo relativo a los gastos de asistencia sanitaria, respecto a los cuales sí debe operar la subrogación, pues producida esta asistencia por el asegurador o bien habiendo pagado estos gastos, no tiene razón de ser que el asegurado pueda además ejercitar el derecho que tenga contra el tercero causante del siniestro para reintegrarse los gastos que ya ha recibido.
Los seguros de vida	✓ Son aquellos en que el asegurador se obliga, mediante el cobro de la prima estipulada y dentro de los límites establecidos en la Ley y en el contrato, a satisfacer al beneficiario un capital, una renta o las prestaciones convenidas en caso de muerte del asegurado o de su supervivencia en una fecha señalada, o ambos conjuntamente (art. 83 LCS).
	✓ Los seguros para el caso de vida o de supervivencia (seguro de jubilación o de ahorro) garantizan el pago de un capital o renta al beneficiario, que normalmente es el mismo asegurado, sólo si este último vive en una fecha o edad determinadas en el contrato. A petición del asegurado, dicho capital puede convertirse en renta vitalicia o temporal, cuyo importe se determinará aplicando el método actuarial.

Los seguros de vida (cont.)	✓ Los seguros temporales para caso de muerte cubren el riesgo de que la muerte se produzca dentro de un determinado período de tiempo, lo que introduce una condición para el cumplimiento de la obligación del asegurador. Si no es así, normalmente las primas pagadas quedan a favor del asegurador, si bien en ocasiones se prevén reembolsos. ✓ También se contratan seguros de vida al contratar un préstamo; el seguro garantiza al banco la devolución en caso de muerte del prestatario. ✓ Hay seguros de vida vinculados a inversiones en valores mobiliarios o propiedades inmobiliarias, donde el asegurado pretende recibir una bonificación adicional al cobro de la suma asegurada. ✓ En nuestro mercado de seguros, han adquirido una cierta importancia los denominados segurfondos o "unit-linked". Es una fórmula de inversión instrumentada a través de un seguro de vida, por el cual la aseguradora invierte las primas en fondos de inversión generalmente elegidos por el asegurado, que asume los riesgos derivados.

Los seguros de accidentes personales	✓ Pretende reparar sea en forma de indemnización o de renta periódica o en forma de asistencia sanitaria el daño sufrido en la persona del asegurado como consecuencia de un accidente. Se trata de un seguro de personas desde el punto de vista jurídico privado regulado en los arts. 100-104 LCS y normativa especial (viajeros, deportistas, etc.).
	✓ En la actualidad, son habituales varios tipos de seguros individuales de accidentes personales:
	  • Seguro privado de accidentes laborales, con cuantías de indemnización más altas que la seguridad social dentro del ámbito laboral y/o ampliación de la cobertura de este seguro al campo no laboral.
	  • Seguro personal de accidentes contratado por una persona o autoridad durante un período de tiempo.
	  • Seguro familiar, que bajo la forma de póliza combinada cubre, además del riesgo de accidentes, otros ligados a la unidad familiar, como la responsabilidad civil.
	  • Seguro de ocupantes en caso de accidentes automovilísticos, de contratación voluntaria, para cubrir las lesiones o muerte del conductor y demás ocupantes del vehículo.
	  • Seguro obligatorio de viajeros, que tiene por finalidad indemnizar a éstos o sus derechohabientes, cuando sufran daños corporales en accidentes que tengan lugar con ocasión de desplazamiento en un medio de transporte público colectivo de personas, se califica reglamentariamente como una modalidad del seguro privado de accidentes individuales, compatible con cualquier otro seguro concertado por el viajero o a él referente (arts. 1 y 2 Real Decreto 1575/1989, de 22 de diciembre).

Los seguros de accidentes personales (cont.)	• Seguro obligatorio para deportistas profesionales, de la Ley 10/1990, de 15 de octubre, del deporte y Real Decreto 849/1993, de 4 de junio, por el que se determinan las prestaciones mínimas del seguro obligatorio deportivo. • Seguro obligatorio del propietario de automóviles (Real Decreto 1507/2008, de 12 de septiembre). ✓ Normalmente, las pólizas de accidentes personales suelen cubrir la indemnización por muerte del asegurado, por invalidez y abono de los gastos de asistencia sanitaria hasta la recuperación, si bien cabe contratación de forma aislada. ✓ No puede hablarse de siniestro si no se produce la invalidez temporal o permanente o la muerte del asegurado. ✓ Junto con las garantías básicas, las entidades suelen ofrecer garantías opcionales en el seguro de accidentes personales: garantía de búsqueda y rescate; cobertura de gastos de traslado de cadáveres; gastos de reclamación de daños y perjuicios a terceros; reposición de ropa y efectos personales; garantía de cirugía estética postraumática; entre otras.
Los seguros de salud	✓ Son una alternativa al sistema público de Seguridad Social, al que no pueden sustituir, dado su carácter obligatorio, pero son compatibles y lo complementan. ✓ La LCS regula dos tipos básicos de seguros de salud: de enfermedad y de asistencia sanitaria (art. 105 LCS). • En el seguro de enfermedad, el asegurador garantiza el pago de una cantidad de dinero, la suma asegurada, que puede ser suficiente o no para compensar los gastos de curación y el lucro cesante sufrido por el asegurado. • En el seguro de asistencia sanitaria, el asegurador pone a disposición del asegurado un cuadro de hospitales y médicos para atender a su asistencia sanitaria. Las entidades aseguradoras garantizarán a los asegurados la libertad de elección del prestador del servicio, dentro de los límites y condiciones establecidos en el contrato. En estos casos la entidad aseguradora deberá poner a disposición del asegurado, de forma fácilmente accesible, una relación de prestadores de servicios que garantice una efectiva libertad de elección, salvo en aquellos contratos en los que expresamente se prevea un único prestador (art. 106 quater LCS). ✓ A ambos seguros les son aplicables las normas del seguro de accidentes en cuanto sean compatibles (art. 106 LCS).
Los seguros de dependencia y decesos	✓ Por el seguro de decesos el asegurador se obliga, dentro de los límites establecidos en este título y en el contrato, a prestar los servicios funerarios pactados en la póliza para el caso en que se produzca el fallecimiento del asegurado. El exceso de la suma asegurada sobre el coste del servicio prestado por el asegurador corresponderá al tomador o, en su defecto, a los herederos (art. 106 bis LCS).

Los seguros de dependencia y decesos (cont.)	✓ Frente a las enfermedades puntuales o crónicas propias de la edad, que son cubiertas por los seguros de salud, el seguro de dependencia obliga al asegurador, dentro de los límites establecidos en este título y en el contrato, para el caso de que se produzca la situación de dependencia, al cumplimiento de la prestación convenida con la finalidad de atender, total o parcialmente, directa o indirectamente, las consecuencias perjudiciales para el asegurado que se deriven de dicha situación (art. 106 ter LCS). ✓ En los seguros de dependencia y de decesos, las entidades aseguradoras garantizarán a los asegurados la libertad de elección del prestador del servicio, dentro de los límites y condiciones establecidos en el contrato. En estos casos la entidad aseguradora deberá poner a disposición del asegurado, de forma fácilmente accesible, una relación de prestadores de servicios que garantice una efectiva libertad de elección, salvo en aquellos contratos en los que expresamente se prevea un único prestador (art. 106 quater LCS).

Capítulo X

El transporte en general y los contratos de transporte terrestre

1. TRANSPORTE DE PERSONAS Y DE MERCANCÍAS

Normas comunes	✓ Las normas sobre el transporte terrestre de personas y de mercancías están actualmente recogidas en leyes especiales y tratados internacionales, en detrimento del Código de Comercio. Sin embargo, no ha cambiado la mercantilidad de estos contratos. El derogado artículo 349 del Código de Comercio reputaba mercantil el contrato de transporte por vías terrestres o fluviales de todo género, cuando, cualquiera que fuese su objeto, fuese comerciante el porteador, o se dedicase habitualmente a verificar transportes para el público. El también derogado artículo 351 C. Com. regulaba el transporte ferroviario de mercancías. En fin, también ha quedado sin efecto el artículo 352 del Código de Comercio, regulador del transporte terrestre de viajeros. ✓ Respecto al transporte marítimo, se ha aprobado la Ley 14/2014, de 25 de julio, de navegación marítima (LNM), en sustitución de los preceptos del Código de Comercio en materia de fletamento. Siguen vigentes numerosas normas comunitarias e internacionales reguladoras del transporte, seguro y responsabilidad en el transporte marítimo de mercancías y de personas. ✓ El Código de Comercio de 1885 no pudo regular el fenómeno de la navegación aérea, entonces desconocido. Debe considerarse también mercantil el transporte aéreo de personas o de mercancías por ser de naturaleza análoga a los comprendidos en el Código (art. 2 C. Com.) ✓ El desarrollo de las vías de comunicación terrestre, las crecientes necesidades de consumo y las innovaciones tecnológicas de los medios de transporte han influido de forma notable en convertir el transporte comercial en una de las más importantes y lucrativas actividades empresariales. ✓ La importancia del transporte en la economía nacional e internacional se observa en el transporte de pasajeros y en las compraventas de bienes plaza a plaza, donde la separación entre comprador y vendedor implica la ineludible necesidad de una fase de transporte.

Normas comunes (cont.)	✓ Las empresas de transporte son aquellas que se dedican de forma habitual y organizada al traslado de personas y/o cosas entre dos lugares geográficamente separados a cambio de un precio, también llamado flete o porte.
	✓ El transporte puede realizarse por vía terrestre (ferrocarril o camión), vía acuática (por mar, río o lago) y por vía aérea. Cuando se utilizan diferentes vías se denomina transporte multimodal o combinado.
	✓ De forma general para cualquier tipo de transporte, con independencia de la vía en la que se desarrolle, existe una exigencia social de dar al público, que confía en una empresa de transporte, una defensa especial dada la mayor dificultad que tiene de controlar la ejecución del contrato (Asquini).
	   • Con carácter general, es necesaria la previa autorización o licencia administrativa para dedicarse profesionalmente al transporte de personas o mercancías.
	   • Los requisitos para su obtención varían enormemente según el tipo de transporte y la responsabilidad asumida, por ejemplo, una licencia de transportista por camión y un certificado de operador aéreo y la licencia de compañía aérea son autorizaciones administrativas, pero el nivel de exigencia de las segundas es extraordinario.
	   • Las normas administrativas imponen obligaciones al porteador que ha de cumplir en sus relaciones con los clientes, lo disponga o no el contrato, bajo riesgo de incurrir en multas o ver suspendida o revocada la autorización para continuar operando.
	✓ La protección de los intereses del cargador y del destinatario se ha manifestado históricamente mediante la imposición al porteador de una obligación de custodia de las mercancías al mismo confiadas. La responsabilidad del porteador comienza en general desde el momento en que reciba las mercancías, por sí o por medio de una persona encargada al efecto, en el lugar que se indicó para asumir la custodia.
	✓ En el transporte de personas, las obligaciones del porteador no se limitan generalmente a mantener indemne al pasajero, sino también a facilitar las comodidades necesarias y condiciones de seguridad indispensables.

Los límites de indemnización	✓ Un principio general (siempre muy discutido) del derecho de los transportes es que el porteador indemniza en caso de muerte o lesiones personales de pasajero o las pérdidas y averías en el cargamento transportado hasta unos topes o límites que fija cada norma especial, sea cual sea el valor del daño real. ✓ La existencia de estos límites indemnizatorios es esencial para que un asegurador admita cubrir la responsabilidad civil del transportista. En este sentido, también STS 12-2-2020 *(Tol 7747098)*.

Los límites de indemnización (cont.)	✓ Por ejemplo, en el transporte de carga, los topes indemnizatorios generalmente varían en función del peso de la mercancía perdida o averiada y se calcula con referencia sobre todo al denominado "Derecho Especial de Giro" ("DEG") del Fondo Monetario Internacional (en febrero de 2022, 1 DEG equivale a 1,24 euros) u otros indicadores nacionales, como el "Indicador Público de Renta de Efectos Múltiples/día" o "IPREM" (en 2022, el IPREM diario de 18,83 euros). En febrero de 2022, hechas las conversiones, los límites son aproximadamente los siguientes por cada kilo de mercancía perdida o averiada: • 666,67 unidades de cuenta por bulto o unidad, o dos unidades de cuenta por kilogramo de peso bruto de las mercancías perdidas o dañadas, aplicándose de ambos límites el más elevado (art. 4.5.a Convenio internacional para la unificación de ciertas reglas en materia de conocimientos de embarque, Reglas de la Haya-Visby, RHV). • La indemnización por pérdida o avería no podrá exceder de un tercio del IPREM/día por cada kilogramo de peso bruto de mercancía perdida o averiada (art. 57.1 Ley del contrato de transporte terrestre de mercancías, LCTTM). • La indemnización no puede exceder de 8,33 unidades de cuenta por kilogramo de peso bruto faltante (art. 23.3 del Convenio del contrato de transporte internacional de mercancías por carretera, CMR). • La indemnización no podrá exceder de 17 de unidades de cuenta por kilogramo de peso bruto que falte (art. 30.2 Reglas uniformes CIM, Apéndice B Convenio internacional relativo a los transportes internacionales de mercancías por ferrocarril, COTIF, CIM-Apéndice B del Convenio). • La responsabilidad del transportista en caso de destrucción, pérdida, avería o retraso se limita a una suma de 22 DEGs por kilogramo (art. 22.3 Convenio de Montreal para la unificación de ciertas reglas para el transporte aéreo internacional, Convenio Montreal, CM, cifra actualizada por la Organización de la Aviación Civil Internacional, OACI). El límite es inferior en el Convenio de Varsovia para la unificación de ciertas reglas relativas al transporte aéreo internacional (Convenio de Varsovia, CV). ✓ En caso de "romper" los límites de responsabilidad, el porteador habría de abonar el valor íntegro del daño ocasionado. Sin embargo, estos topes indemnizatorios están ideados para ser difícilmente franqueables, pues estas normas especiales pretenden garantizar su eficacia con un muy limitado número de excepciones que los dejan sin efecto. • La más habitual es el dolo o culpa grave del porteador o de sus auxiliares o dependientes, a condición de que sea debidamente acreditado por el interesado. Para el expedidor o destinatario suele ser una prueba difícil de aportar en juicio, sobre todo en el caso habitual en que carecen de datos para saber qué ha ocurrido realmente durante el transporte si el porteador no quiere suministrarle esta información.

Los límites de indemnización (cont.)	• La excepción son los transportes aéreos internacionales de mercancías, regulados por el CM y el CV, que no prevén expresamente la pérdida del derecho a limitar la responsabilidad del transportista ni en caso de dolo o culpa propia o de sus dependientes o agentes, lo cual es muy criticado. ✓ En todo caso, la responsabilidad del porteador nace si y solo si él o sus auxiliares o dependientes son "culpables" del daño causado, pues fuera de los casos expresamente mencionados en la ley, y de aquellas en que así lo declare la obligación, nadie responde de aquellos sucesos que no hubieran podido preverse, o que, previstos, fueran inevitables (art. 1105 CC). • Como excepción más notoria, el transportista aéreo internacional de pasajeros es responsable del daño causado en caso de muerte o de lesión corporal de un pasajero por la sola razón de que se ha producido el accidente a bordo de la aeronave o durante las operaciones de embarque o desembarque (art. 17.1 CM), esto es, con independencia de que el porteador sea o no culpable. ✓ Si el contratante del transporte de mercancías quiere evitar estos topes indemnizatorios, puede contratar un seguro de mercancías directamente o como regla general a través del propio transportista.

2. TRANSPORTE NACIONAL DE MERCANCÍAS POR CARRETERA Y FERROCARRIL

Régimen jurídico	✓ La Ley 15/2009, de 11 de noviembre, del contrato de transporte terrestre de mercancías (LCTTM), es de carácter dispositivo, salvo expresa estipulación contraria en la propia ley o en la legislación especial aplicable (art. 3 LCTTM). Por ejemplo, las normas sobre responsabilidad del porteador (art. 46 LCTTM) o sobre prescripción de acciones (art. 78 LCTTM) son imperativas, porque así lo declara expresamente la LCTTM. ✓ Entre las normas de naturaleza administrativa reguladoras de la actividad de transporte nacional por carretera, la principal es la Ley 16/1987, de 30 de julio, de ordenación de los transportes terrestres ("LOTT") y su reglamento aprobado por Real Decreto 1211/1990, de 28 de septiembre de 1990 ("ROTT"). Ambas están vigentes, pero han sido ampliamente modificados y actualizados por normas posteriores.

Régimen jurídico (cont.)	✓ La Orden del Ministerio de Fomento 1882/2012, de 1 de agosto, aprueba las condiciones generales de contratación de los transportes de mercancías por carretera. Estas condiciones sólo se aplican en defecto de pacto escrito entre las partes del contrato, aunque algunas de ellas revisten carácter imperativo y no admiten pacto en contrario por las partes (art. 2, por ejemplo, el transportista no puede eludir el régimen de responsabilidad por pérdida total o parcial de las mercancías transportadas según la condición general 5.2). ✓ La Ley 38/2015, de 29 de septiembre, del Sector Ferroviario 2015 (LSF), modificada por el Real Decreto-ley 23/2018. En espera de desarrollo, sigue vigente reglamento aprobado por Real Decreto 2387/2004, de 30 de diciembre (RSF), de la anterior Ley del sector ferroviario. Ambos textos rigen en materia de transporte en tren.
Ámbito de aplicación de la Ley del contrato de transporte terrestre de mercancías (LCTTM)	✓ Transporte terrestre por carretera y por ferrocarril (Exposición de motivos). ✓ Transporte fluvial de mercancías (disp. adic. 1ª LCTTM). ✓ El transporte multimodal se rige por la normativa de cada modo, como si el porteador y el cargador hubiesen celebrado un contrato de transporte diferente para cada fase del trayecto (art. 68 LCTTM). ✓ Las normas de responsabilidad de esta Ley se aplican también al supuesto en que el vehículo de transporte por carretera, el remolque o el semiremolque sean transportados por un modo distinto, siempre que las mercancías no hayan sido transbordadas (art. 70 LCTTM). ✓ Contrato de mudanza de mobiliario, ajuar doméstico, enseres y sus complementos procedentes o con destino a viviendas, locales de negocio o centro de trabajo, en la medida en que se transporten por carretera y con algunas normas específicas en este supuesto (arts. 71 a 77 LCTTM). ✓ Transportes postales, en lo no previsto por las normas reguladoras del sector postal (disp. adic. 3ª LCTTM). ✓ Transporte realizado mediante la utilización de bicicleta (disp. adic. 5ª LCTTM).
Sujetos	✓ Cargador es quien contrata en nombre propio la realización de un transporte y frente al cual el porteador se obliga a efectuarlo (art. 4.1 LCTTM). Por ejemplo, una compraventa internacional a condiciones "C&F". ✓ Porteador es quien asume la obligación de realizar el transporte en nombre propio con independencia de que lo ejecute por sus propios medios o contrate su realización con otros sujetos (art. 4.2 LCTTM). ✓ Destinatario es la persona a quien el porteador ha de entregar las mercancías en el lugar de destino (art. 4.3 LCTTM). A veces, es quien contrata personalmente con el porteador. Por ejemplo, en una compraventa internacional a condiciones "FOB".

Sujetos (cont.)	✓ Expedidor es el tercero que por cuenta del cargador haga entrega de las mercancías al transportista en el lugar de recepción (art. 4.4 LCTTM). ✓ Los empresarios transportistas, las cooperativas de trabajo asociado dedicadas al transporte, las cooperativas de transporte y sociedades de comercialización de transportes, los operadores y agencias de transporte, los transitarios, los almacenistas-distribuidores, los operadores logísticos, así como cualesquiera otros que contraten habitualmente transportes o intermedien habitualmente en su contratación, sólo podrán contratarlos en nombre propio (art. 5.2 LCTTM). Se clarifica así que estos intermediarios están obligados a asumir la posición de porteador (Exposición de motivos de la LCTTM).
Forma	✓ Cualquiera de las partes podrá exigir de la otra que se extienda una carta de porte que incluirá las siguientes menciones (art. 10.1 LCTTM): • Lugar y fecha de emisión. • Nombre y dirección del cargador y, en su caso, del expedidor. • Nombre y dirección del porteador y, en su caso, del tercero que reciba las mercancías para su transporte. • Lugar y, en su caso, fecha prevista de entrega en destino. • Nombre y dirección del destinatario, así como eventualmente un domicilio para recibir notificaciones. • Naturaleza de las mercancías. • Número de bultos y signos y señales de identificación. • Identificación en su caso del carácter peligroso de la mercancía. • Cantidad de mercancías enviadas, determinada por peso u otra manera. • Clase de embalaje utilizado para acondicionar el envío o la pluralidad de envíos convenidos. • Precio estipulado. • Indicación de si el precio se paga por el cargador o por el destinatario. • En su caso, declaración de valor de las mercancías o de especial interés en la entrega. • Instrucciones para el cumplimiento de formalidades y trámites administrativos preceptivos en relación a la mercancía. ✓ La carta de porte puede contener cualquier otra mención convenida entre las partes, tales como (art. 10.2 LCTTM): • La referencia expresa de prohibición de transbordo. • Los gastos que el remitente toma a su cargo. • La suma del reembolso a percibir en el momento de entrega de la mercancía.

Forma (cont.)	• Instrucciones del remitente al transportista concernientes al seguro de mercancías. • La lista de documentos entregados al transportista. ✓ La ausencia o irregularidad de la carta de porte no produce la inexistencia o la nulidad del contrato. Tampoco la omisión de las menciones previstas en el artículo 10.1 priva de eficacia a la carta de porte en cuanto a las incluidas (art. 13 LCTTM). ✓ La carta de porte firmada por ambas partes hará fe de la conclusión y del contenido del contrato, así como de la recepción de las mercancías por el porteador, salvo pacto en contrario (art. 14.1 LCTTM). En ausencia de anotaciones en la carta de porte, o en documento separado firmado por el porteador y el cargador o expedidor, de las reservas suficientemente motivadas por el porteador, se presumirá que las mercancías y su embalaje están en el estado descrito en la carta de porte y con los signos y señales en ella indicados (art. 14.2 LCTTM). ✓ Cuando la parte contratante requerida a formalizar la carta de porte se negase a ello, la otra podrá considerarla desistida del contrato y puede dar lugar a la obligación de indemnizar daños y perjuicios en ciertas circunstancias previstas por la Ley (arts. 10.6, 18.2 y 19.1 LCTTM). ✓ La carta de porte se emitirá en 3 ejemplares originales, que firmarán el cargador y el porteador. Será válida la firma de la carta de porte por medios mecánicos, mediante estampación de un sello u otros medios adecuados, siempre que quede acreditada la identidad del firmante. El primer ejemplar será entregado al cargador, el segundo viajará con las mercancías y el tercero quedará en poder del porteador (art. 11 LCTTM). ✓ El destinatario podrá exigir que la mercancía le sea entregada junto con el segundo ejemplar de la carta de porte. El porteador podrá exigir al destinatario que le extienda en su ejemplar de la carta de porte, o en documento separado firmado por ambos, un recibo de las mercancías entregadas (art. 12 LCTTM). ✓ Si las partes están de acuerdo, podrán emitir la carta de porte por medios electrónicos, en cuyo caso consistirá en un registro electrónico de datos que puedan ser transformados en signos de escritura legibles (art. 15 LCTTM). ✓ El contrato de transporte puede tener por objeto un solo envío o una serie de ellos (art. 7.3 LCTTM). Por el contrato de transporte continuado, se obliga el porteador frente al mismo cargador a realizar una pluralidad de envíos de forma sucesiva en el tiempo (art. 8.1 LCTTM). • El contrato se formalizará por escrito cuando lo exija cualquiera de las partes (art. 16.1 LCTTM). • Este contrato servirá de marco a las cartas de porte que hay que emitir para cada envío (arts. 10.3 y 16.2 LCTTM). • El contrato de transporte continuado celebrado con un trabajador económicamente dependiente deberá celebrarse por escrito y de conformidad con la normativa reguladora del trabajo autónomo (art. 16.4 LCTTM).

Contenido del contrato	Obligaciones y derechos del porteador	✓ Obligación de guardar y conservar las mercancías objeto del transporte desde que las recibe en origen hasta que las entrega en destino (art. 28.1 LCTTM). ✓ Obligación de conducir a destino las mercancías para su entrega al destinatario en el lugar y plazo pactados en el contrato. Si no hay plazo estipulado, debe entregarse dentro del término que razonablemente emplearía un porteador diligente en ese caso. Deberá seguir la ruta pactada o, en su defecto, la más adecuada de acuerdo a las circunstancias de la operación y las características de las mercancías (arts. 28.2 y 33 LCTTM). ✓ Obligación de cumplir las demás prestaciones complementarias o accesorias que haya asumido con motivo u ocasión del transporte (art. 28.3 LCTTM). ✓ Obligación de responder de los gastos y perjuicios que se deriven de la inexactitud o insuficiencia de datos que les corresponda incluir en la carta de porte (art. 10.7 LCTTM). ✓ Obligación de utilización de un vehículo idóneo para el tipo y circunstancias del transporte que deba realizar (art. 17 LCTTM). ✓ Obligación de poner el vehículo a disposición del cargador en el lugar y tiempo pactados (art. 18 LCTTM). ✓ Obligación de reconocimiento externo del cargamento en el momento de hacerse cargo, en concreto, de su estado aparente y de su embalaje, así como de la exactitud de las menciones de la carta de porte relativas al número y señales de los bultos (art. 25 LCTTM). Si tiene fundadas sospechas de falsedad en torno a la declaración del cargador, el porteador puede examinar las mercancías. El resultado del reconocimiento se hará constar en la carta de porte o mediante acta levantada al efecto (art. 26 LCTTM). ✓ Derecho a rechazar los bultos que se presenten mal acondicionados o identificados para su transporte (art. 27 LCTTM). ✓ Obligación de comunicar al cargador que el transporte no puede llevarse a cabo por causas debidamente justificadas y solicitarle instrucciones (art. 31 LCTTM). ✓ Obligación de comunicar al cargador en el plazo más breve posible y de aguardar instrucciones en caso de no poder entregar en destino por alguna de las causas legales (art. 36 LCTTM). ✓ Derecho a revisar el precio del transporte por carretera en función de la variación en el precio del gasóleo (art. 38 LCTTM).

Contenido del contrato (cont.)	*Obligaciones y derechos del porteador* (cont.)	✓ Derecho a negar la entrega y retener las mercancías si el obligado no ha pagado el precio y otros gastos, a no ser que se le garantice el pago mediante caución suficiente (art. 40 LC-TTM). ✓ Derecho a guardar las mercancías en los supuestos de impedimentos al transporte o a la entrega; a hacer depósito a un tercero; o, liberarse de la responsabilidad por custodia solicitando la constitución del depósito ante el órgano judicial o la Junta Arbitral de Transporte competente (art. 44 LCTTM). ✓ Obligación de responder de la pérdida total o parcial de las mercancías, de las averías que sufran durante su custodia, así como de los daños derivados del retraso en la ejecución del transporte por culpa propia o de los auxiliares, dependientes o independientes, a cuyos servicios recurra para cumplir sus obligaciones (art. 47 LCTTM). ✓ Como regla general (art. 48 LCTTM), el porteador no responderá si prueba la culpa del cargador o destinatario; o una instrucción de estos no motivada por una acción negligente del porteador; el vicio propio de las mercancías; o, circunstancias que el porteador no pudo evitar y cuyas consecuencias no pudo impedir. ✓ Los arts. 49 y 50 LCTTM prevén un régimen especial para el transporte de animales vivos y el transporte en vehículos especialmente acondicionados. ✓ Derecho a limitar la indemnización en los términos legales (arts. 52 a 56 LCTTM). En todo caso, deberá abonar por pérdida o avería no más de un tercio del Indicador Público de Renta de Efectos Múltiples/día por cada kilogramo de peso bruto de mercancía perdida o averiada. La indemnización por retraso no excederá del precio del transporte. Si concurren ambos conceptos, la indemnización no superará la suma debida en caso de pérdida total de las mercancías (art. 57 LCTTM). ✓ El porteador no podrá limitar la indemnización cuando el daño o perjuicio ha sido causado por él o sus auxiliares con una actuación dolosa o con una actuación consciente y voluntaria del deber jurídico asumido que produzca daños que, sin ser queridos, sean consecuencia directa de la acción (el denominado "dolo eventual") (art. 62 LCTTM).

Contenido del contrato (cont.)	*Obligaciones y derechos del cargador*	✓ Obligación de pago del precio, salvo que se haya pactado el pago por el destinatario. En todo caso, el cargador responderá subsidiariamente en caso de que el destinatario no pague (art. 37 LCTTM). Salvo pacto en contrario, el precio del transporte y los gastos exigibles serán abonados una vez concluido el transporte y puestas las mercancías a disposición del destinatario (art. 39 LCTTM). ✓ Obligación de entrega de las mercancías en el lugar y tiempo pactados (art. 19 LCTTM). ✓ Obligación de responder de los gastos y perjuicios que se deriven de la inexactitud o insuficiencia de datos que les corresponda incluir en la carta de porte (art. 10.7 LCTTM). ✓ Obligación de asumir las operaciones de carga de las mercancías a bordo de los vehículos y los daños derivados, salvo que expresamente las asuma el porteador. En destino, corresponde al destinatario, también salvo pacto en contrario (art. 20 LCTTM). ✓ Obligación de acondicionar e identificar las mercancías (art. 21 LCTTM). ✓ Obligación de abonar una indemnización en concepto de paralización al porteador cuando el vehículo haya de esperar más de 2 horas (art. 22 LCTTM). ✓ Obligación de aportar la documentación relativa a la mercancía a transportar (art. 23 LCTTM). Si se trata de mercancías peligrosas, debe especificar al porteador la naturaleza exacta del peligro que representan, indicándole las precauciones a tomar (art. 24 LCTTM). ✓ Bajo ciertas condiciones legales, el cargador tiene derecho a disponer de la mercancía, ordenando al porteador que detenga el transporte, que la devuelva a origen, que la entregue en otro lugar o a un destinatario diferente al señalado en la carta de porte, salvo que el derecho de disposición lo haya atribuido al propio destinatario (arts. 29 y 30 LCTTM). ✓ Derecho a reclamar al porteador contractual y, si existen, también a los porteadores efectivos en los términos previstos en la ley (arts. 64 y 65 LCTTM), sin perjuicio de las acciones de repetición entre los porteadores sucesivos (art. 66 LCTTM).
	Cargas y derechos del destinatario	✓ Derecho a que le sea entregada la mercancía en destino. El ejercicio de este derecho puede estar condicionado a la carga de hacer efectivo el precio del transporte y los gastos causados o, en caso de disputa sobre estos conceptos, a prestar caución suficiente (art. 35 LCTTM).

Contenido del contrato (cont.)	*Cargas y derechos del destinatario* (cont.)	✓ Derecho a manifestar por escrito sus reservas al porteador describiendo de forma general las pérdidas o averías en la mercancía en el momento de la entrega. Si no son manifiestas, las reservas deben formularse dentro de los 7 días naturales siguientes (art. 60 LCTTM). ✓ Si el destinatario es quien contrata el transporte, ordenando traerlas desde origen, asume como regla general el pago del mismo.

Prescripción de acciones		✓ Las acciones a las que puede dar lugar el transporte regulado por la LCTTM prescribirán en el plazo de 1 año. Salvo que se deriven de dolo o dolo eventual, en cuyo caso, el plazo será de 2 años (art. 79.1 LCTTM). El plazo comienza a contar:
		  • Desde la entrega de la mercancía al destinatario, en caso de pérdida parcial o avería de las mercancías.
		  • A partir de los 20 días desde la expiración del plazo de entrega convenido o, en su defecto, de los 30 días del momento en que el porteador se hizo cargo de la mercancía, en caso de pérdida total.
		  • En los demás casos, incluida la reclamación del precio del transporte, de la indemnización por paralizaciones o derivada de la entrega contra reembolso y de otros gastos del transporte, pasados 3 meses desde la celebración del contrato de transporte o desde el día en que la acción pudiera ejercitarse, si fuera posterior (art. 79.2 LCTTM).
		✓ La prescripción de acciones surgidas del contrato de transporte se interrumpirá por las causas señaladas con carácter general para los contratos mercantiles.
		  • Sin perjuicio de ello, la reclamación por escrito suspenderá la referida prescripción, reanudándose su cómputo sólo a partir del momento en que el reclamado rechace la reclamación por escrito y devuelva los documentos que, en su caso, acompañaron a la reclamación. Una reclamación posterior con el mismo objeto no suspenderá nuevamente la prescripción. En caso de aceptación parcial, la prescripción se reanudará respecto de la parte aún en litigio (art. 79.3 LCTTM).
		✓ El Tribunal Supremo, en sentencia de 25-11-2015 (*Tol 5900036*), ha interpretado este precepto:
		  • Señala que mientras que la interrupción de la prescripción de la acción determina que el plazo comience a contarse nuevamente desde el principio, la suspensión, por el contrario, no resta eficacia al tiempo ya transcurrido, de forma que el cómputo del plazo simplemente se reanuda.
		  • La reclamación extrajudicial por escrito es causa suficiente para suspender y no para interrumpir la prescripción de las acciones nacidas al amparo del contrato de transporte terrestre objeto de regulación por la LCTTM.

Prescripción de acciones (cont.)	• Dada la función tuitiva de la misma con relación al cargador o comitente y, a su vez, la conveniencia de que la suspensión no se prorrogue innecesariamente, el transportista tiene el deber *ex lege* de actuar con la rapidez y diligencia necesaria para el caso de que pretenda la reanudación del plazo de prescripción de la acción, enviando todos los documentos recibidos con su rechazo por escrito frente a la reclamación solicitada (art. 93.2, párrafo 2 LCTTM). ✓ Entre porteadores, la prescripción de las acciones de regreso comenzará a contarse desde el día en que se haya dictado una sentencia o laudo firme que fije la indemnización a pagar, y si no existe tal fallo, a partir del día en que el porteador efectuó el pago (art. 79.4 LCTTM).

3. TRANSPORTE INTERNACIONAL DE MERCANCÍAS POR CARRETERA Y FERROCARRIL

Régimen jurídico	✓ La norma esencial es el Convenio relativo al transporte internacional de mercancías por carretera, "CMR", hecho en Ginebra el 19 de mayo de 1956, y sus Protocolos de 5 de julio de 1978 y de 29 de febrero de 2008. ✓ Toda cláusula que, directa o indirectamente, derogue el CMR será nula y no tendrá ningún efecto. La nulidad de estas cláusulas no lleva aparejada la nulidad del contrato (art. 41.1 CMR). En particular es nula la cláusula por la cual el transportista se coloque como beneficiario del seguro de la mercancía o análogas, así como las cláusulas que inviertan la carga de la prueba (art. 41.2 CMR). ✓ En relación al contrato de transporte de mercancías por ferrocarril, España es parte del Protocolo de 1999, por el que se modifica sustancialmente el Convenio relativo a los transportes internacional por ferrocarril (COTIF), de 9 de mayo de 1980, ya modificado por un protocolo de 1990. Su apéndice recoge las reglas para el transporte internacional de mercancías por ferrocarril (CIM), y otro apéndice se dedica al transporte por tren de mercancías peligrosas (RID).

Ámbito de aplicación del CMR	✓ Se aplica a todo contrato de transporte de mercancías por carretera realizado a título oneroso por medio de vehículos, siempre que el lugar de la toma de carga de la mercancía y el lugar previsto para la entrega, indicados en el contrato, estén situados en países diferentes, uno de los cuales ha de ser un país contratante, independientemente del domicilio y nacionalidad de las partes del contrato (art. 1.1 CMR).
Ámbito de aplicación del CMR (cont.)	✓ No se aplica a los transportes efectuados bajo la regulación de convenios postales internacionales, a los transportes funerarios ni a los transportes de mudanzas (art. 1.2 CMR). ✓ En el caso de que el vehículo que contiene la mercancía sea transportado por mar, ferrocarril, vía navegable interior o aire en una parte de su recorrido, el CMR se aplicará al conjunto del transporte, salvo que se pruebe que la pérdida, avería o demora en la entrega ha sobrevenido durante el transporte no realizado por carretera (art. 2.1 CMR).

Sujetos	✓ El transportista (art. 3 CMR):
	   • Responde de sus propios actos y omisiones.
	   • Responde de los actos y omisiones de sus empleados.
	   • Responde de todas las otras personas a cuyo servicio él recurra para la ejecución del transporte.
	 ✓ Si el transporte sometido a un solo contrato es ejecutado por sucesivos transportistas por carretera, cada uno asume la responsabilidad por la ejecución de transporte total (art. 34.1 CMR), sin perjuicio del derecho de repetición entre ellos (art. 37 CMR).
	 ✓ El remitente:
	   • Responde de todos los gastos y perjuicios que sufra el transportador por causa de inexactitud e insuficiencia de indicaciones (art. 7 CMR).
	   • Responde ante el transportista de los daños a personas, al material o a otras mercancías, así como de los gastos causados por defectos de embalaje de la mercancía, salvo que fuesen manifiestos o ya conocidos por el transportista al recibir la carga y éste no hubiese hecho las oportunas reservas (art. 10 CMR).

Forma	✓ La carta de porte es documento fehaciente de la existencia del contrato de transporte. La ausencia o irregularidad de dicho documento no afectará a la existencia ni a la validez del transporte que seguirá sujeto al CMR (art. 4 CMR). ✓ La carta de porte se expedirá en 3 ejemplares originales, firmados por el remitente y el transportista (art. 5.1 CMR).

Forma (cont.)		✓ Si la mercancía a transportar debe ser cargada en vehículos diferentes, o cuando se trate de diferentes clases de mercancías o de lotes distintos, el remitente o el transportista tiene derecho a exigir la expedición de tantas cartas de porte como vehículos, clases o lotes de mercancías hayan de ser utilizados (art. 5.2 CMR).
		✓ El CMR detalla el contenido de la carta de porte, a la que las partes pueden añadir cualquier otra indicación que juzguen conveniente (art. 6 CMR).
		✓ La carta de porte da fe, salvo prueba en contrario, de las condiciones del contrato y de la recepción de la mercancía por el transportista (art. 9.1 CMR). A falta de reservas motivadas del transportista, se presume que la mercancía y su embalaje estaban en buen estado aparente en el momento de recibirla y que las marcas y números estaban conformes a los mencionados en la carta de porte (art. 9.2 CMR).
		✓ La carta de porte, así como cualquier solicitud, declaración, instrucción, orden, reserva u otra comunicación relativa a la ejecución de un contrato de transporte al que sea de aplicación el CMR podrá realizarse por comunicación electrónica. Tendrá la misma fuerza probatoria y los mismos efectos que la carta de porte a la que se refiere el CMR (art. 2 Protocolo de 29 de febrero de 2008 al CMR).
Contenido del contrato	*Obligaciones y derechos del transportista*	✓ En el momento de hacerse cargo de la mercancía, debe revisar la exactitud de los datos de la carta de porte relativos al número de paquetes, así como de sus marcas y números, así como el estado aparente de la mercancía y su embalaje (art. 8.1 CMR). Si no tiene medios razonables para ello, lo anotará en la carta de porte. Asimismo, debe expresar los motivos de las reservas cuando las realice (art. 8.2 CMR).
		✓ Deber de solicitar instrucciones al remitente en caso de que el transporte convenido sea irrealizable y, en defecto de las mismas, deber de tomar las medidas que juzgue más convenientes en interés de la persona que tiene el poder de disposición sobre la mercancía (art. 14 CMR).
		✓ Cuando después de la llegada de la mercancía a destino, se presenten impedimentos para la entrega, el transportista deberá pedir instrucciones al remitente. Si el destinatario rehúsa la mercancía, el remitente tiene derecho a disponer de ésta (art. 15 CMR).

Contenido del contrato (cont.)	*Obligaciones y derechos del transportista (cont.)*	✓ Derecho a exigir el pago de los gastos que le ocasione su petición de instrucciones o que impliquen la ejecución de las instrucciones recibidas, salvo que estos gastos sean causados por su culpa (art. 16.1 CMR). Si el transporte es irrealizable o hay impedimentos para la entrega, puede descargar la mercancía y el transporte se da por terminado, quedando en custodia de la misma, salvo que la confíe a un tercero (art. 16.2 CMR). Tiene derecho a proceder a la venta de la mercancía sin esperar instrucciones si así lo justifican su naturaleza perecedera o el estado de la mercancía y si los gastos de custodia son excesivos. En los demás casos, se impone una espera razonable (art. 16.3 CMR). Si la mercancía es vendida, el producto de la venta será puesto a disposición del que tiene derecho de disposición, deducción hecha de los gastos que gravan la mercancía (art. 16.4 CMR). La venta se regula por la ley o costumbre del lugar donde se halle la mercancía (art. 16.5 CMR). ✓ El transportista responde de la pérdida total o parcial o de las averías de las mercancías durante el período en el que asume su custodia, así como del retraso en la entrega (art. 17.1 CMR). • Entre otras muchas sentencias sobre responsabilidad del transportista, pueden consultarse las SSTS 4-7-2016 *(Tol 5775459)* y 10-7-2017 *(Tol 531338)*, ambas de condena del transportista por incumplimiento de sus obligaciones contractuales. ✓ Queda exonerado de esta responsabilidad si el transportista acredita que la pérdida, avería o retraso es atribuible a la culpa del que tiene derecho a la mercancía o por una instrucción de éste no derivada de una acción culposa del transportista, por vicio propio de la mercancía o por fuerza mayor o caso fortuito (arts. 17.2 y 18.1 CMR). No puede, en cambio, alegar ni defectos en los vehículos empleados ni culpa de las personas a la que haya alquilado el vehículo o empleados de éstas (art. 17.3 CMR). ✓ La indemnización no podrá exceder de las 8,33 unidades de cuenta por kilogramo del peso bruto que falte (art. 23.3 CMR), correspondientes a los Derechos Especiales de Giro del Fondo Monetario Internacional o al gramo oro si el tribunal del Estado que conoce del asunto no es parte de este organismo (art. 23.7 y 8 CMR). ✓ Si la mercancía es entregada al destinatario sin percibirse el cobro debido por el transportista, según las cláusulas del contrato de transporte, el transportista queda obligado a indemnizar al remitente hasta la suma total, sin perjuicio de su derecho a repetir contra el destinatario (art. 21 CMR).

Contenido del contrato (cont.)	*Obligaciones y derechos del transportista (cont.)*	✓ El transportista no gozará del derecho a prevalerse de la limitación o exoneración de responsabilidad, o de la inversión de la carga de la prueba, si el daño ha sido causado por dolo o falta que le sea imputable y que sea equiparada al dolo por la legislación del lugar (art. 29.1 CMR). Esto mismo se aplicará al dolo o culpa de sus empleados o auxiliares a los que haya recurrido el transportista (art. 29.2 CMR).
	Obligaciones y derechos del remitente	✓ Al entregar la carga, tiene derecho a exigir la verificación por el transportista del peso bruto o de la cantidad expresada de otra manera de la mercancía. Puede también exigir que el transportista verifique el contenido de los paquetes, asumiendo los costes que ello suponga al transportista. El resultado de la verificación se incluye en la carta de porte (art. 8.3 CMR). ✓ Con miras al cumplimiento de las formalidades de aduana y de las necesarias antes del momento de la entrega, el remitente deberá adjuntar a la carta de porte o poner a disposición del transportista, los documentos necesarios y suministrarle las informaciones necesarias (art. 11.1 CMR). ✓ En los términos y condiciones del propio CMR, el remitente tiene derecho a disponer de la mercancía, en particular, solicitando al transportista que detenga el transporte, a modificar el lugar previsto para la entrega, o a entregar la mercancía a un destinatario diferente del indicado en la carta de porte (art. 12.1 CMR). ✓ Obligación de especificar la naturaleza exacta del peligro que representan las mercancías peligrosas (art. 22 CMR). ✓ El remitente puede declarar en la carta de porte, contra el pago de una sobreprima a convenir entre las partes, un valor de la mercancía superior al límite de responsabilidad del artículo 23 CMR, y en este caso esta suma sustituirá aquel límite (art. 24 CMR)
	Derechos y cargas del destinatario	✓ Después de la llegada de la mercancía al lugar establecido para la entrega, el destinatario tiene derecho a pedir que el segundo ejemplar de la carta de porte le sea remitido y que se le entregue la mercancía contra recibo. Si llegara a declararse perdida la mercancía o si ésta no es entregada al término del plazo convenido o razonable, el destinatario puede hacer valer en nombre propio frente al transportista los derechos que resulten del contrato de transporte (arts. 13 y 19 CMR).

Contenido del contrato (cont.)	*Derechos y cargas del destinatario (cont.)*	✓ El derecho de disposición pertenece en todo caso al destinatario desde el mismo momento de la redacción de la carta de porte, si así se hizo constar en dicha carta por el remitente (art. 12.3 CMR). Quien tenga la disposición sobre la mercancía puede, sin necesidad de prueba, considerar la mercancía perdida cuando hayan transcurrido 30 días sin efectuarse la entrega después del plazo convenido para la misma o, en su defecto, a los 60 días desde que el transportista se hizo cargo de la mercancía (art. 20.1 CMR). ✓ Si el destinatario recibe las mercancías sin verificar contradictoriamente su estado o si el momento de la entrega o en los 7 días posteriores no expresa sus reservas al transportista, se presume, salvo prueba en contrario, que ha recibido las mercancías en la forma descrita en la carta de porte (art. 30.1 CMR). ✓ Si es el destinatario el que contrata el transporte para traer las mercancías desde origen, generalmente asume de forma personal el pago del precio del transporte.
Competencia judicial		✓ Para todos los litigios a que pueda dar lugar el transporte regulado por el CMR, el demandante puede escoger, fuera de las jurisdicciones de los países contratantes designadas de común acuerdo por las partes del contrato, las jurisdicciones del país en el territorio del cual (art. 31.1 CMR): • El demandado tiene su residencia habitual, su domicilio principal o sucursal de agencia por medio de la cual ha sido concluido el transporte; o, • está situado en el lugar en que el transportista se hizo cargo de la mercancía o en el lugar designado para la entrega de la misma. ✓ El contrato de transporte puede incluir una cláusula de sumisión a arbitraje a condición de que esta cláusula prevea que dicho tribunal aplicará el CMR (art. 33 CMR).
Prescripción de acciones		✓ Las acciones a las que pueda dar lugar el transporte regulado por el CMR prescriben en 1 año. Sin embargo, en el caso de dolo o falta equivalente al dolo, según la ley de la jurisdicción escogida, la prescripción es de 3 años (art. 32.1 CMR).

4. TRANSPORTE DE VIAJEROS POR CARRETERA Y FERROCARRIL

Concepto	✓ Puede definirse como aquel contrato por el que el transportista se obliga, a cambio de un precio, a trasladar incólume y de forma segura, por carretera o por tren y a bordo de uno o varios vehículos, a uno o más pasajeros y, en su caso, sus equipajes, entre los lugares convenidos.
Régimen jurídico	✓ El transporte nacional de viajeros por carretera está regulado en la LOTT y el ROTT, así como por legislación autonómica y local para los transportes que se desarrollan, respectivamente, en estos ámbitos. ✓ El transporte internacional de viajeros por carretera se regula por la LOTT y el ROTT y la Orden Ministerial de 6 de mayo de 1999. ✓ Si se trata de servicios regulares de autocar o autobús desde cualquier país de la Unión Europea y con una distancia de viaje programada superior a 250 kilómetros, se aplica el Reglamento (UE) 181/2011, de 16 de febrero. Regula, entre otros aspectos, los derechos de los viajeros en caso de accidente resultante del uso del autobús o del autocar con resultado de fallecimiento, lesiones personales o pérdida de daños sufridos por el equipaje; los derechos de los viajeros en caso de cancelación o retraso; la información mínima que debe darse a los viajeros; y, la tramitación de las reclamaciones (art. 1 Reglamento 181/2011). ✓ El transporte de viajeros en vehículos de turismo y las de arrendamiento de vehículos con conductor exige autorización también y cabe exclusivamente para realizar transporte interurbano de viajeros (art. 91.1 LOTT). El art. 140.39 LOTT desarrolla el arrendamiento con conductor, conforme a la Ley 13/2021. ✓ La norma esencial del transporte por ferrocarril es el Reglamento (CE) 1371/2007, del Parlamento Europeo y del Consejo, de 23 de octubre, sobre los derechos y las obligaciones de los viajeros por ferrocarril. • Señala que se pretende mejorar sus derechos basándose en el sistema existente de derecho internacional sobre esta cuestión que figura en el Apéndice A, "Reglas Uniformes relativas al contrato de transporte internacional de viajeros y equipajes por ferrocarril (CIV)", del COTIF. • La idea es proteger no sólo a los viajeros internacionales, sino también a los nacionales (Exposición de motivos).

Régimen jurídico (cont.)	• Se aplica con carácter preferente sobre la LSF y el RSF, pues su ámbito de aplicación son todos los viajes y servicios de ferrocarril en toda la Comunidad Europea prestados por una o varias empresas ferroviarias que dispongan de una licencia de conformidad con la derogada Directiva 95/18/CE, del Consejo, de 19 de junio de 1995, sobre licencias de empresas ferroviarias (art. 2.1 Regl. 1371/2007). ✓ También es de aplicación la TRLGDCU cuando el contrato de transporte sea celebrado entre un empresario y un consumidor o usuario (art. 59.1 TRLGDCU).

Sujetos	✓ El transportista
	   • Es aquel empresario que, con las licencias administrativas oportunas, se ha obligado por contrato a prestar un servicio de transporte por carretera o por ferrocarril.
	✓ El organizador o el viajero
	   • El organizador es quien, en su caso, ha contratado el vehículo completo o parcialmente para realizar un transporte conjunto.
	   • El viajero es la persona que, a cambio de un precio, tiene derecho al transporte que ha contratado individualmente o por asiento.

Forma	✓ El derogado artículo 352 del Código de Comercio exigía la prueba de la celebración del contrato mediante un título de transporte o billete. ✓ Las normas sectoriales prevén la emisión y entrega del billete al pasajero, sin perjuicio de mantener el carácter consensual del contrato. ✓ Además, tal obligación resulta del derecho del usuario a recibir un justificante, copia o documento acreditativo de las condiciones esenciales de la operación (art. 63.1 TRLGDCU). ✓ Las empresas ferroviarias deben expedir billetes a los viajeros a través de al menos uno de los siguientes puntos de venta: taquillas o taquillas automáticas, teléfono, Internet o cualquier otra tecnología de la información de uso generalizado o a bordo de los trenes (art. 9.1 Reglamento 1371/2007).

Capítulo XI

Los contratos de la navegación marítima

1. CONTRATO DE CONSTRUCCIÓN NAVAL

Concepto	✓ En virtud de este contrato, una parte encarga a otra la construcción de un buque a cambio de un precio. Los materiales podrán ser aportados en todo o en parte por cualquiera de los contratantes (art. 108.1 Ley de navegación marítima, LNM). ✓ El régimen jurídico de la LNM sobre construcción de buques también es aplicable a la construcción de embarcaciones y artefactos flotantes (art. 116 LNM). • Se entiende por buque todo vehículo con estructura y capacidad para navegar por el mar y para transportar personas o cosas, que cuente con cubierta corrida y de eslora igual o superior a veinticuatro metros (art. 56 LNM). • Se entiende por embarcación el vehículo que carezca de cubierta corrida y el de eslora inferior a veinticuatro metros, siempre que, en uno y otro caso, no sea calificado reglamentariamente como unidad menor en atención a sus características de propulsión o de utilización (art. 57 LNM). • Se considera artefacto naval toda construcción flotante con capacidad y estructura para albergar personas o cosas, cuyo destino no sea la navegación, sino quedar situada en un punto fijo de las aguas. También lo es el buque que haya perdido su condición por haber quedado amarrado, varado o fondeado en un lugar fijo, y destinado con carácter permanente a actividades distintas de la navegación (art. 58 LNM).
Régimen jurídico	✓ El contrato de construcción naval está regulado específicamente en los arts. 108 a 116 LNM, si bien otras normas de la misma Ley también resultan de aplicación, como en materia de inscripción registral, constitución de hipotecas o derecho de retención del constructor. • La Exposición de motivos de la LNM explica que el contrato de construcción regula el tema principal del paso de la propiedad y de los riesgos, según las prácticas contractuales más difundidas en el tráfico.

Régimen jurídico (cont.)	✓ Las normas de la Ley de navegación marítima en materia de construcción naval tienen carácter dispositivo, pues sólo serán aplicables en defecto de pacto libremente convenido entre las partes, salvo lo previsto en el art. 113.4 (art. 108.2 LNM). • El art. 113.4 LNM dice que la responsabilidad legal del constructor establecida en el art. 113.1 no será susceptible de exoneración en caso de dolo o culpa grave del constructor. Se trata de una excepción a la libertad contractual, de modo que este régimen de responsabilidad no admite pacto en contrario. ✓ En lo no previsto en el contrato, si el derecho español es aplicable, serán de aplicación las normas generales sobre el contrato de obra por ajuste o a precio alzado del Código Civil (arts. 1588 a 1600). ✓ Si el buque está destinado a enarbolar el pabellón español, son de aplicación las normas administrativas que regulan la autorización de construcción solicitada por el astillero constructor y el titular contratante (art. 15 RD 1027/1989, de 28 de julio, sobre abanderamiento, matriculación de buques y registro marítimo). ✓ En relación a la inscripción del buque en construcción en el Registro de Bienes Muebles del Registro Mercantil, la LNM prevé normas al respecto (arts. 69 y ss.) y no ha derogado expresamente las normas sobre inscripción de buques del Reglamento del Registro Mercantil de RRM 1956 (arts. 145 a 176). ✓ El Convenio internacional para la seguridad de la vida humana en el mar de 1974-1978 (SOLAS), ratificado por España, regula las normas de seguridad en la construcción, compartimentado y estabilidad, instalaciones de máquinas e instalaciones eléctricas y prevención, detección y extinción de incendios, dispositivos y medios de salvamento, etc., que deben cumplir los buques de pasaje y los grandes buques de carga dedicados a la navegación internacional y que tengan derecho a enarbolar el pabellón de un Estado Parte, sin perjuicio de la normativa que en esta materia se disponga en el Derecho comunitario. ✓ Las normas de construcción naval de la LNM también se aplican supletoriamente a los contratos de reparación o remodelación naval cuando la importancia de éstas lo justifique (art. 108.3 LNM).
Partes contratantes	✓ El constructor • Normalmente se trata de sociedades mercantiles que disponen de establecimientos o astilleros para la construcción de buques. Aunque el RD 1027/1989 califica al constructor como "astillero", la Real Academia de la Lengua Española reserva este nombre al establecimiento, no al constructor. La LNM no utiliza en ningún momento el término astillero.

Partes contratantes (cont.)	✓ El comitente • Puede ser cualquier persona con capacidad de obrar. Suele ser un armador para integrar el buque en su flota.
Otros sujetos auxiliares en la construcción	✓ En la construcción suele tener protagonismo la denominada "sociedad de clasificación". Además de los certificados administrativos (de arqueo, de navegabilidad, etc.), es usual que el buque mercante dedicado al tráfico internacional disponga de un certificado de clase o clasificación. De naturaleza privada, es esencial para participar en el tráfico mercantil internacional, de ahí que el cliente confíe a una sociedad de clasificación especializada (Bureau Veritas, Germanischer Lloyd, etc.) la coordinación con el constructor en las cuestiones técnicas durante la construcción para, posteriormente, emitir el certificado de clase (art. 106 LNM). ✓ En la construcción, también suele intervenir una o varias entidades de crédito, que financian la operación. Normalmente, el cliente financia la construcción a través de un crédito o préstamo garantizado con una hipoteca mobiliaria sobre el buque mercante en construcción a favor de la entidad o entidades de crédito financiadoras. • Para que pueda inscribirse la hipoteca de un buque en construcción, es indispensable que esté invertida en ella la tercera parte de la cantidad en que se haya presupuestado el valor total del casco y que la propiedad conste inscrita en el Registro de Bienes Muebles (art. 131 LNM).
Forma	✓ El contrato de construcción naval debe constar por escrito y para su inscripción en el Registro de Bienes Muebles habrá de elevarse a escritura pública (art. 109 LNM). • En la práctica, existen numerosos formularios-tipo donde de forma muy detallada se enumeran las cláusulas habituales en este contrato (Newbuilding, SAJ, AE, AWES, MARAD Form, etc.), que se completa con especificaciones técnicas, planos, etc. tal y como reconoce el art. 111 LNM. En caso de discrepancia, prevalece el contrato sobre las especificaciones y éstas sobre los planos (art. 111 LNM). ✓ La inscripción del buque en el Registro de Matrícula es obligatoria, en cambio, sólo es preceptiva la inscripción en el Registro de Bienes Muebles del Registro Mercantil cuando el buque en construcción vaya a ser hipotecado (art. 69.3 LNM). ✓ Cuando la adquisición del buque tenga lugar en astillero por contrato de construcción se considera como título de propiedad la escritura pública de entrega, que deberá otorgar el constructor a favor del dueño (art. 149 RRM 1956).

Contenido del contrato	✓ Se trata de un mercado internacional, donde los constructores suelen disponer de sus modelos de contrato-tipo que utilizan con sus clientes y, además, existen formularios-tipo que incluyen las cláusulas estándar de la construcción naval internacional (AE, AWES, MARAD Form y otros), como las relativas a los siguientes extremos:
	  • Qué parte asume la obligación de suministrar los materiales.
	  • Quién asume el riesgo por la pérdida fortuita de la embarcación antes de la entrega.
	  • Quién asume el pago de la prima del seguro de la embarcación durante su construcción.
	  • Qué ocurre en caso de disconformidad del buque con las instrucciones dadas por el comitente.
	  • Forma y plazos de pago.
	  • Términos de entrega y cláusulas penales en caso de demora.

Derechos y obligaciones del constructor	✓ Se procede a analizar las normas de la Ley de navegación marítima en materia de derechos y obligaciones de cada parte.
	✓ Derecho al cobro del precio en el momento de la entrega. Si se han pactado pagos parciales, el comitente le podrá solicitar certificaciones (art. 114.1 LNM):
	  • No hay derecho de cobro si el buque se pierde durante la construcción, salvo que sea atribuible a la mala calidad o a la inadecuación de los materiales del comitente, a elementos suministrados por comitente o a su morosidad en recibir el buque (art. 114.2).
	  • Si se pacta una garantía del precio a favor del constructor, si no cobra, el constructor puede rescindir el contrato o exigir su cumplimiento y, en ambos casos, reclamar daños y perjuicios (art. 114.3 LNM).
	  • Las acciones nacidas de la falta de pago del precio prescriben a los 3 años desde la fecha prevista en el contrato o, en su defecto, desde que se produjo la entrega (art. 115.2 LNM).
	✓ Derecho a retener la propiedad hasta el momento de la entrega, salvo que se pacte diferir la transmisión a un momento posterior a la entrega (art. 110 LNM).
	✓ Como titular de un crédito derivado de la construcción, goza de un derecho de retención del buque para el pago del precio (art. 139.1 LNM). Si hubiera venta forzosa del buque, podrá cobrar con el producto antes de los créditos hipotecarios y otros derechos reales inscritos, pero después de los titulares de créditos marítimos privilegiados del art. 4 del Convenio internacional sobre los privilegios marítimos y la hipoteca naval (art. 139 LNM).
	✓ Derecho a ser indemnizado en daños y perjuicios pactados en el contrato o, en su defecto, los que se hayan efectivamente causado, si el comitente incumple su obligación de recepción (art. 112.4 LNM).

Derechos y obligaciones del constructor (cont.)	✓ Obligación de construir según las características pactadas en el contrato y, en su caso, las especificaciones y planos (art. 111 LNM).
	✓ Obligación de entregar el buque en la fecha y lugar pactados, tras las pruebas de mar oportunas y demás condiciones, acompañando los documentos necesarios para su despacho (art. 112.1 LNM).
	✓ Obligación de responder de los defectos del buque que no fuesen manifiestos o que no hubieran podido apreciarse razonablemente durante la construcción o a la entrega, siempre que sean denunciados dentro de un año siguiente a la entrega.
	• No rige esta obligación cuando la mala calidad o inadecuado diseño sea de materiales aportados por el propio comitente (art.113.1 LNM).
	• Esta responsabilidad no es susceptible de exoneración en caso de dolo o culpa grave del constructor (art. 113.4 LNM), sin que quepa pacto en contrario (art. 108.2 LNM).
	• Si los vicios o defectos del buque lo hacen inadecuado para su uso normal, el comitente podrá resolver el contrato (art. 113.2 LNM).
	• Esta responsabilidad no excluye que el constructor deba indemnizar daños, salvo pacto en contrario (art. 113.3 LNM).
Derechos y obligaciones del comitente	✓ Los materiales suministrados por el comitente son de propiedad hasta que se incorporen al buque (art. 110.2 LNM).
	✓ Derecho a recibir la propiedad del buque en el momento de la entrega del buque, salvo que se pacte un momento posterior (art. 111 LNM).
	✓ En caso de retraso culpable en la entrega que supere los 30 días, el comitente podrá reclamar una indemnización de daños y perjuicios y, si supera los 180 días, podrá resolver el contrato, si la demora en ambos casos fuera irrazonable (art. 112.2 LNM).
	✓ Las acciones nacidas del incumplimiento del contrato de construcción por el constructor prescriben a los 3 años desde la entrega del buque (art. 115.1 LNM).
	✓ Obligación de pagar el precio estipulado en el momento de la entrega y, si se han pactado, de hacer los pagos parciales (art. 114.1 LNM).
	✓ Obligación de recibir el buque en el lugar y fecha pactados (art. 112.1 y 4 LNM). No obstante, podrá negarse a recibirlo en caso de incumplimiento grave de las especificaciones pactadas, siempre que no sean a él atribuibles, sin menoscabo del ejercicio de las acciones que le correspondan (art. 112.3 LNM).

2. CONTRATO DE COMPRAVENTA DE BUQUE

Concepto	✓ Por el contrato de compraventa de buques uno de los contratantes se obliga a entregar uno o varios y el otro a pagar un precio cierto, en dinero o signo que lo represente. ✓ A diferencia del contrato de construcción naval, por el cual se adquiere originariamente un buque, la compraventa puede tener lugar sobre buques nuevos (construcción contra almacén) o sobre buques de segunda mano. ✓ Salvo pacto en contrario, la venta del buque comprende sus partes integrantes y pertenencias, se encuentren o no a bordo. También podrá comprender los accesorios (art. 117.1 LNM). El inventario que identifique estos elementos forma parte del contrato y, si falta, se entiende incluido en el contrato lo que resulte de la Sección de Buques del Registro de Bienes Muebles (art. 117.2 LNM).

Régimen jurídico	✓ La compraventa está regulada en los arts. 117 a 121 LNM y es aplicable a buques, embarcaciones y artefactos flotantes (véase la definición de cada uno al tratar del contrato de construcción naval).
	✓ La Exposición de motivos LNM explica que en la regulación de la compraventa se mantiene en materia de riesgo de la venta la concepción marítima tradicional, de signo contrario a la civil, prestando especial atención a la interferencia que la venta del buque puede producir sobre los contratos de utilización en vigor.
	  • A este respecto la buena fe impone deberes informativos para el comprador del buque, a los que la ley conecta un efecto subrogatorio sobre el fletamento (art. 276 LNM) y los contratos de alquiler (art. 196 LNM), que no se producirá en caso contrario. No obstante, tal omisión sí generará las correspondientes responsabilidades tanto frente al comprador como a las otras partes de los contratos de utilización.
	  • En cambio, el seguro del buque se extingue con la venta, salvo que el asegurador acepte por escrito la continuación el contrato (art. 428 LNM).
	✓ Por la remisión del art. 2 LNM, en lo no previsto en el contrato o los usos marítimos, se aplican las normas generales de la compraventa del Código Civil (arts. 1445 a 1520 CC).
	✓ No hay ningún tratado internacional regulador de la compraventa de buques, pues el Convenio de Viena excluye expresamente los buques y embarcaciones de su ámbito de aplicación en su artículo 2.e, sin distinguir si son mercantes o para uso privado.

Sujetos	✓ El vendedor
	    • Puede ser cualquier persona con capacidad general para contratar, si bien normalmente se trata de sociedades mercantiles.
	✓ El comprador
	    • Normalmente se trata de un armador o naviero que desea incorporar el buque a su flota.
	    • Los compradores pueden ser varios. La copropiedad ordinaria del buque, embarcación, artefacto naval o plataforma fija se regirá por las disposiciones generales de Derecho Común, sin otra especialidad que la recogida en la propia ley para reglamentar los derechos de adquisición preferente (en particular, la novedosa regulación del tanteo (art. 155 LNM) (Exp. motivos y art. 64 LNM).
	    • Si se trata de un supuesto de condominio naval de buques y embarcaciones se regirá por lo dispuesto en el capítulo II del título III LNM (arts. 64 LNM y 150 a 155 LNM). La Exposición de motivos de la LNM explica que, con el condominio, la explotación mercantil en común bajo un régimen de mayoría permite calificar la relación como algo distinto a la copropiedad y a quienes la protagonizan como verdaderos armadores y navieros.

Forma	✓ El contrato de compraventa de buque constará por escrito (art. 118.1 LNM). ✓ En la práctica, suele documentarse en alguno de los formularios-tipo al uso y, además, en España, la propiedad y los actos traslativos deben inscribirse en el Registro de Bienes Muebles del Registro Mercantil (art. 147 RRM 1956). ✓ El comprador adquiere la propiedad desde la entrega, pero para que produzca efectos frente a terceros, la compraventa debe inscribirse en el Registro de Bienes Muebles, formalizándose en escritura pública. ✓ Las partes pueden compelerse recíprocamente al otorgamiento de la escritura pública, necesaria para cumplir con el requisito de titulación pública que exige el registro (arts. 149 y 150.2 RRM 1956). ✓ En los supuestos en que las partes pretendan elevar el contrato a escritura pública u otro de los documentos previstos en el art. 73 LNM, el notario o cónsul deberá obtener del Registro de Bienes Muebles la oportuna información sobre la situación de dominio y cargas (art. 118.4 LNM). ✓ Las embarcaciones pesqueras, deportivas y de recreo de uso particular se inscriben en el Registro de Matrícula y las de pesca, además, en el registro de embarcaciones pesqueras. En principio, basta un documento privado para la inscripción. A efectos jurídico-privados (arrendamientos financieros, hipotecas, etc.), estas embarcaciones también se han de inscribir en el citado Registro de Bienes Muebles del Registro Mercantil (art. 69 LNM).

Régimen legal de responsabilidad	✓ La Ley de navegación marítima renuncia a regular el contenido del contrato de compraventa. Sólo prevé normas esenciales de responsabilidad: • La pérdida o deterioro que sufra el buque antes de su entrega lo asume el vendedor, salvo pacto en contrario. Una vez realizada la entrega, será de cuenta del comprador (art. 119.1 LNM). • El vendedor responde del saneamiento por evicción y vicios o defectos ocultos, siempre que estos se descubran en el plazo de tres meses desde la entrega material del buque y el comprador notifique de modo fehaciente al vendedor en el plazo de cinco días desde su descubrimiento (art. 119.2 LNM). • La acción de saneamiento por vicios o defectos ocultos caduca en el plazo de seis meses desde la notificación (art. 120 LNM). • El ejercicio de las acciones que se prevén en esta ley para el contrato de compraventa el capítulo VI del título II será incompatible con el ejercicio de las acciones derivadas de falta de conformidad del bien con el contrato, previstas en el título V del Libro Segundo del texto refundido de la Ley General para la Defensa de los Consumidores y Usuarios y otras leyes complementarias (disp. adic. 4ª LNM).

Contenido del contrato	✓ En la práctica, se suele usar el formulario-tipo "Saleform 2012" en la compraventa de buques mercantes de segunda mano en el ámbito internacional, pero el contrato no se perfecciona hasta la entrega del buque. • El contrato se complementa con otro documento denominado "Bill of sale", otorgado en el momento de la entrega del buque y pago completo del precio. • Hay también modelos de formulario de compraventa de buques para desguace, como el "Demolishcon". • A continuación, se detallan algunas de las principales cláusulas del formulario-tipo "Saleform 2012":	
	Obligaciones y derechos del vendedor	✓ Después de firmado el "Saleform 1993", el vendedor debe poner el buque a disposición del comprador para su entrega o inspección en la fecha límite prevista en el contrato. ✓ Obligación de cursar el aviso de disponibilidad del buque, con fecha estimada de llegada al lugar de inspección o de entrega, para los efectos traslativos del dominio. ✓ Obligación de entregar el buque con todo su equipo a bordo o en tierra, tanto si se usa como si no, incluido el combustible, según descrito en detalle en el contrato.

Contenido del contrato	*Obligaciones y derechos del vendedor (cont.)*	✓ Si el comprador ha pagado el precio, obligación de entregar los documentos relativos al buque, así como del "Bill of Sale", con la formalidad exigible en el país en que el comprador va a registrar el buque, garantizando que está libre de cargas, hipotecas y créditos marítimos privilegiados. ✓ Obligación de entregar el buque con el certificado de clasificación y los certificados administrativos en vigor. ✓ Obligación de garantizar que el buque no está sujeto, en el momento de la entrega, al cumplimiento de contratos de fletamento. ✓ El vendedor asume el riesgo de destrucción fortuita del buque hasta su entrega al comprador. ✓ Si hay inspección, debe considerarse entregado y recibido en el momento de la inspección.
	Obligaciones y derechos del comprador	✓ Derecho a que a partir de la firma del "Saleform 2012", dos de sus representantes se embarquen con el sólo propósito de familiarizarse con el buque, pero sin interferir en sus operaciones. ✓ Obligación de depositar una fianza del 10% del valor del precio en una cuenta corriente abierta a nombre del vendedor en el momento de la firma del contrato. En su defecto, el vendedor tiene derecho a resolver el contrato y reclamar daños y perjuicios. ✓ Obligación de pagar el resto del precio a la entrega del buque. En su defecto, el vendedor hace suya la fianza y puede reclamar daños y perjuicios. ✓ Si se ha pactado, derecho a inspeccionar el buque, incluso en dique seco o mediante investigación submarina si se pactan, y a recibir la documentación relativa al mismo de la sociedad de clasificación en las fechas previstas en el contrato. Si no se presentan protestas resultantes de esta inspección, la compraventa se perfecciona en los términos estipulados. ✓ Obligación de cambiar el nombre y alterar las marcas de la chimenea del buque después de la entrega. ✓ Derecho a resolver el contrato si el buque no es puesto a su disposición para recibirlo o inspeccionarlo en la fecha final pactada.

3. CONTRATOS DE ARRENDAMIENTO DE BUQUE

Concepto	✓ Por el contrato de arrendamiento de buque el arrendador se obliga a cambio de un precio cierto a entregar un buque determinado al arrendatario para que éste lo use temporalmente conforme a lo pactado o, en su defecto, según su naturaleza y características (art. 188 LNM). ✓ El contrato de arrendamiento de buque permite al arrendatario tomar el control y posesión inmediata sobre el buque arrendado, con la inevitable exclusión del arrendador y la correlativa ajenidad de éste de los derechos, obligaciones y responsabilidades nacidos durante la utilización del buque arrendado, con las excepciones legales. Estos corresponden al arrendatario en su condición de armador del buque durante la vigencia del contrato. ✓ El arrendamiento de buques para una mayor duración, prácticamente para toda su vida comercial, suele integrarse en operaciones de leasing naval, que permite renovar la flota cuando el armador no dispone de dinero suficiente para la adquisición de buques nuevos o usados. ✓ El caso habitual en buques es la entrega de un buque en estado de navegabilidad y con todos sus elementos, como el casco, maquinaria y equipos preparados para el servicio, pero sin capitán y dotación. Conocido como *bareboat charter* o como arrendamiento a casco desnudo, el arrendatario designa al capitán y a la dotación de su confianza, a través de quienes ejerce la plena posesión y control del buque mercante. ✓ Cuando el buque sea arrendado con tripulación, resulta preceptiva la subrogación temporal en los contratos de trabajo de la dotación a favor del armador arrendatario. ✓ El resto de obras y servicios que puede prestar el buque arrendado con su tripulación, como el tendido de cables, pesca, investigación oceanográfica, barco-hotel, discoteca, etc., se regula también por la voluntad de las partes, con los límites generales a la libertad contractual (arts. 57 C. Com. y 1255 y 1258 CC). ✓ El art. 210 LNM señala que en los casos en que se contrate la disponibilidad de un buque para fines distintos del transporte de mercancías, se aplicarán las disposiciones del fletamento referidas a la puesta a disposición y empleo del buque, así como al flete y su extinción anticipada, en tanto en cuanto no sean incompatibles con la finalidad del contrato celebrado. ✓ Diferente de la cesión del barco en arrendamiento de larga duración es el alquiler de un barco con una finalidad lúdica y por unas horas o días:

Concepto (cont.)	• Por el contrato de arrendamiento náutico el arrendador cede o pone a disposición del arrendatario, a cambio de preciso, un buque o una embarcación por un período de tiempo y con una finalidad exclusivamente deportiva o recreativa (art. 307 LNM). • Cuando se pretende alquilar una embarcación de recreo en su conjunto para fines privados, este mercado no está tan desarrollado como el relativo a arrendamientos de buques, normalmente mercantes, y por una larga duración, sin que existan todavía formularios-tipo comunes al negocio. Las normas existentes son preferentemente de Derecho público (seguridad marítima, seguros obligatorios, autorización para el desarrollo de la actividad de *charter* y alquileres de motos náuticas y patines) y cada empresa de "*charter* náutico" utiliza sus propios términos y condiciones.
Régimen jurídico	✓ El contrato de arrendamiento de buque está regulado en los arts. 188 a 202 LNM. ✓ El contrato de arrendamiento "náutico" está regulado en los arts. 307 a 313 LNM. ✓ La Exposición de motivos LNM señala que el arrendamiento de buque (ya sea a casco desnudo o armado, equipado), cuya disciplina se articula siguiendo las soluciones más equilibradas del derecho de los formularios, y el arrendamiento náutico, conocido comúnmente como *charter* y que goza de particularidades propias.
Sujetos	✓ El arrendador • Puede ser su propietario, como un particular, un banco o una sociedad de leasing que, a cambio de unas cuotas periódicas estipuladas con el arrendatario, ceden la posesión de su buque para que éste lo explote comercialmente. En la actualidad tiene especial difusión el arrendamiento de buque mercante como instrumento de los navieros para deslocalizar su flota hacia países donde los costes de la explotación comercial son menores. La sociedad naviera arrienda un buque de su propiedad a su filial, domiciliada en ese país. La filial arrendataria cambia la bandera del buque y lo inscribe temporalmente en el registro nacional de buques arrendados (*bareboat charter registration*), quedando obligada a devolverlo al terminar el período de arriendo. • Otras veces, la finalidad no es la navegación bajo un pabellón de conveniencia, sino con bandera de países que exigen buques nacionales para explotar el mercado de cabotaje o para acceder a sus pesquerías. • Muy distinto es el supuesto del arrendamiento "náutico", donde el arrendador no se constituye en armador del buque o, más comúnmente, de la embarcación, para una finalidad deportiva o recreativa y por un tiempo muchos más corto (días, semanas) que cuando el arrendamiento recae sobre un buque para una finalidad mercantil.

Sujetos (cont.)	✓ El arrendatario
	   • Suele ser una compañía naviera que desea ampliar su flota, sin tener que recurrir a la costosa operación de compraventa o construcción de buque.
	   • El arrendamiento de buques permite también a las grandes empresas comerciales disponer de su propia flota, sin asumir los costes y cargas inherentes a la propiedad, pero con un régimen de cargas y riesgos más amplios que el que le ofrece un fletamento por tiempo.

Forma	✓ El contrato de arrendamiento de buque constará por escrito (art. 189 LNM). El contrato de arrendamiento de buques es considerado por la doctrina y la jurisprudencia como un contrato consensual. La forma escrita es exigible únicamente a efectos de prueba del mismo (*ad probationem*) y no como un elemento esencial de validez (*ad solemnitatem*). ✓ Por seguridad jurídica, es habitual que las partes documenten por escrito los términos de su relación contractual, generalmente a partir de alguno de los formularios-tipo al uso, principalmente el "Barecon 2001". ✓ Los contratos de arrendamiento financiero de buque o embarcación deberán ser formalizados en escritura pública a efectos de su inscripción en el Registro de Bienes Muebles del Registro Mercantil (disp. adic. 1ª LVPBM y 70 LNM). Ello a los efectos de ser oponible a terceros (art. 190 LNM).

Normas imperativas de la LNM	✓ Los arts. 191 a 202 LNM prevé un régimen específico de obligaciones y derechos de las partes del contrato, aplicables, salvo excepciones, en lo no previsto por las partes. En realidad, los contratos de arrendamiento de buques mercantes son muy amplios y con mayor nivel de detalle que la ley. Destacamos las siguientes normas imperativas:
	   • En los contratos de arrendamiento de buques y embarcaciones cuyo uso exclusivo sea el recreo, la práctica del deporte sin ánimo lucrativo o la pesca no profesional, el arrendador responde del estado de navegabilidad y serán a su cargo las reparaciones que se deriven del vicio propio del buque. El arrendador responde de los perjuicios causados por los defectos de navegabilidad, a menos que pruebe que el vicio no pudo descubrirse con el empleo de una diligencia razonable (art. 192 LNM).
	   • En este mismo tipo de embarcaciones, el arrendador asume las reparaciones para mantener el estado de navegabilidad, siendo nulo cualquier pacto que le exonere, total o parcialmente, de esta obligación (art. 194.2 LNM).

Normas imperativas de la LNM (cont.)		• También sólo para este tipo de embarcaciones, si el arrendatario no lo puede utilizar durante más de cuarenta y ocho horas por vicio propio, el arrendatario puede solicitar la rebaja del precio o la resolución del contrato y, en ambos casos, la indemnización de daños y perjuicios que pudiera corresponderle (art. 198.2 LNM). • En caso de enajenación del buque, el adquirente queda subrogado en el contrato de arrendamiento existente, si estuviese inscrito en el Registro de Bienes Muebles o conozca su existencia. En otro caso, se extingue el contrato. • Las acciones derivadas del contrato de arrendamiento de buque prescriben en el plazo de un año, desde la terminación del contrato o la devolución del buque, si es posterior. De forma especial, el plazo contará a correr desde que el arrendador se viera obligado a soportar la carga o derecho de que se trate, cuando el arrendatario no lo haya mantenido indemne de cargas o derechos a favor de terceros con ocasión del uso del buque arrendado (arts. 197 y 202 LNM).
Contenido del contrato		✓ A continuación se detalla el contenido principal del formulario-tipo "Barecon 2001", que se utiliza como instrumento para agilizar el alquiler de buques de cualquier tipo, en condiciones de navegabilidad y con el casco, maquinaria y equipo a punto para prestar servicio, correspondiendo el enrolamiento de la tripulación al arrendatario. El formulario "Barecon 2001" tiene un clausulado especial adicional para configurar el contrato como un leasing.

	Obligaciones y derechos del arrendador	✓ Obligación de entrega del buque en las condiciones pactadas o las adecuadas para su uso.
		  • Se prevé especialmente la necesidad de adjuntar la documentación del Estado de bandera y el certificado de clase vigente.
		  • También la realización de un peritaje conjunto para valorar entre las partes el estado inicial del buque y de un inventario de los accesorios recibidos con el buque (combustible, provisiones, aceite, consumibles, etc.), que el arrendatario debe adquirir y pagar al arrendador.
		✓ Obligación de cumplir con el lugar y tiempo de entrega, sin que pueda obligarse al arrendatario a recibir el buque antes sin su consentimiento.
		  • El arrendador no garantiza la entrega el día o período fijado, sino la prestación de la diligencia razonable para cumplir en las fechas estipuladas.
		  • También se prevé un sistema de avisos periódicos previos al arrendatario sobre la fecha previsible de entrega y la novación temporal por retraso si la acepta el arrendatario.

| Contenido del contrato (cont.) | Obligaciones y derechos del arrendador (cont.) | • En relación al lugar de entrega, ha de realizarse en el puerto u otro lugar estipulado y garantiza que éste es seguro para el buque.
✓ Obligación de abonar las reparaciones en el buque que traigan causa en vicios propios del buque.
 • El saneamiento se limita a las reparaciones debidas a vicios ocultos existentes en el momento de la entrega y que se manifiesten en los 12 meses siguientes a la entrega, salvo que se estipule otro plazo.
 • Todo el tiempo utilizado para reparaciones atribuibles a vicios ocultos, incluyendo el desvío, es asumido por el arrendatario y se integra en el período de arrendamiento.
 • El arrendatario puede resolver el contrato cuando por culpa del arrendador, por acción u omisión, no pueda utilizar el buque durante un plazo mayor de 14 días después del aviso cursado al arrendador.
✓ Obligación de mantener al arrendatario en el goce pacífico del buque, también en relación a retenciones y embargos preventivos.
 • Si el buque es arrestado o retenido por razón de reclamaciones contra el arrendador, éste debe adoptar a su costa las medidas razonables para liberar el buque, en tiempo razonable, incluyendo la presentación de fianzas.
 • El arrendador debe indemnizar al arrendatario los gastos, pérdidas y daños (incluyendo el alquiler) que sean directa consecuencia del arresto o detención. |
| | Obligaciones y derechos del arrendatario | ✓ La obligación esencial del arrendatario es pagar de forma regular y puntual el precio de alquiler estipulado con el arrendador en el contrato.
 • La cuantía del precio la fijan por acuerdo las partes, normalmente a un tanto alzado por día, mes o año de arrendamiento.
 • No se excluye la posibilidad de compensar el alquiler por créditos surgidos a favor del arrendatario, como por ejemplo los gastos de reparación por vicios ocultos adelantados por el arrendatario.
 • Para garantizar la solvencia del arrendatario frente a los daños y pérdidas en el buque y perjuicios de otra naturaleza, es común que el arrendador exija previamente la presentación de fianzas o avales bancarios. |

Contenido del contrato (cont.)	Obligaciones y derechos del arrendatario (cont.)	✓ Obligación de indemnizar al arrendador los daños sufridos con ocasión de la explotación del buque o la existencia de privilegios marítimos surgidos durante el período de arrendamiento. ✓ Derecho y obligación de usar el buque conforme a lo pactado y, en su defecto, de acuerdo con su naturaleza y características. ✓ Obligación de mantenimiento de la navegabilidad del buque. 　• Inversamente, el arrendador no tiene ninguna obligación respecto a las reparaciones derivadas del uso y explotación del buque. 　• En relación a las mejoras, cambios estructurales o nuevo equipo que sean necesarias para mantener la clase del buque o cumplir la normativa obligatoria sobre seguridad, el "Barecon 2001" prevé un ajuste del precio del alquiler, pero no identifica qué parte debe asumir estos costes. ✓ Obligación de pago de los gastos de utilización del buque, incluyendo salarios de la dotación. ✓ Obligación de atender las solicitudes de información y de respetar el derecho de inspección del arrendador. ✓ Obligación de asegurar el buque y su responsabilidad civil, normalmente a través de un seguro de protección e indemnización. ✓ Obligación de devolver el buque al concluir el arriendo y de responder en caso de retraso y por pérdida y daños en el mismo. ✓ Derecho a fletar el buque por tiempo o por viaje a terceros, transportar mercancías bajo conocimiento de embarque o documento similar, dedicarlo a la navegación de recreo, a la pesca o a otro servicio marítimo pactado o adecuado con la naturaleza del buque, pero siempre sin perder la posesión del buque. ✓ Prohibición del arrendatario de subarrendar el buque a un tercero sin que medie consentimiento del arrendador.

4. CONTRATO DE FLETAMENTO POR VIAJE

Concepto	✓ Por el contrato de transporte marítimo de mercancías, también denominado fletamento, se obliga el porteador, a cambio del pago de un flete, a transportar por mar mercancías y entregarlas al destinatario en el puerto o lugar de destino (art. 203 LNM). • En la práctica, cuando se quiere disponer de un barco por entero o parcialmente para un transporte de mercancías o de personas, se lleva a cabo un fletamento de buque, sea por tiempo o por viaje (también art. 204 LNM). • Cuando la finalidad es puramente un transporte de una cantidad menor de mercancías, como varios contenedores, lo habitual es pactar un contrato en régimen de conocimiento de embarque. ✓ El contrato de fletamento por viaje es aquel por el cual el fletante se obliga frente al fletador, a cambio de un flete, a transportar en el buque pactado o en uno de su disposición determinadas mercancías para la entrega en el lugar de destino en las mismas condiciones en que fueron recibidas en el lugar de origen. ✓ La LNM define el contrato de fletamento por viaje como aquel contrato por el cual el porteador se compromete a realizar uno o varios viajes determinados (art. 204.1 LNM). Todos los gastos variables son a cuenta del porteador, a no ser que se pacte otra cosa (art. 204.3 LNM): ✓ El fletamento para un viaje concreto se revela como modalidad contractual adecuada para servir a la fase de ejecución de contratos de compraventa de grandes cargas homogéneas secas (como cereales, carbón, carga general, madera, cemento) y de productos líquidos y derivados del petróleo. ✓ Las partes suelen estipular una cantidad aproximada de mercancía a cargar, generalmente de conformidad con la capacidad del buque o de alguna de sus bodegas. Luego, la cantidad exacta se determina finalmente al emitir el conocimiento de embarque en el puerto de carga.
Régimen jurídico	✓ El contrato de fletamento de buques tiene normalmente elementos de internacionalidad, pero no dispone de un tratado internacional que lo regule. ✓ El Convenio internacional para la unificación de ciertas reglas en materia de conocimientos de embarque de 1924 y sus Protocolos de 1969 y 1978 (conocidos como las "Reglas de La Haya-Visby", RHV), ratificados por España, excluyen expresamente los fletamentos de su ámbito de aplicación.

Régimen jurídico (cont.)	• No obstante, las RHV serán aplicables al conocimiento de embarque o documento similar emitido en virtud de una póliza de fletamento, a contar desde que este documento regula las relaciones del porteador y del poseedor del conocimiento (art. 1.b RHV).
	• Por ejemplo, una venta con el *Incoterm* C&F, donde el vendedor contrata el transporte a favor del comprador. Para lo cual, le envía el conocimiento de embarque emitido en virtud de la póliza de fletamento afín de que retire las mercancías en destino.
	✓ La libertad contractual del fletante y del fletador se manifiesta en la posibilidad de elegir qué ordenamiento jurídico nacional sea el que se aplique a su contrato, tal y como reconoce el Convenio de Roma sobre Ley aplicable a las obligaciones contractuales de 1980.
	✓ En España, el contrato de fletamento está regulado en los artículos 203 a 286 LNM.
Sujetos	✓ El porteador
	• Existen armadores que operan en el llamado tráfico libre (*tramping*), prestando sus servicios de transporte allá donde sean requeridos por los cargadores, de forma discrecional.
	• El porteador puede ser el propietario efectivo del buque o disponer del buque en virtud de un título distinto como un contrato de arrendamiento o de fletamento u otra forma reconocida en los usos internacionales.
	• También puede ser cualquier persona que se obligue contractualmente como porteador, limitándose a encomendar el transporte a otro, no teniendo realmente disponibilidad sobre buque alguno.
	✓ El fletador
	• Normalmente se trata de empresarios industriales que necesitan disponer de todo o parte de un buque para el transporte de las mercancías que han comprado o vendido o que trasladan entre sus establecimientos.
	• También pueden ser navieros que, ante un aumento de la demanda de flete o para operar en los mercados nacionales de cabotaje, necesitan ampliar temporalmente su flota o disponer de buques de cierta bandera.
	• A veces, el fletador es un *trader*, esto es, un comerciante que compra mercancía en un país y la revende en otro distinto, lucrándose en la reventa y contratando el barco para que haga su transporte.
	• Sobre una misma operación de transporte, puede concurrir un único fletador (cargamento total y completo) o varios fletadores (fletamento parcial), cargando en el mismo o en distintos puertos.

Forma	✓ Los contratos de fletamento no son necesariamente de adhesión, en donde una parte se limite a aceptar sin discusión los términos contractuales impuestos por la otra. ✓ La contratación se realiza a partir de algún formulario-tipo al uso en la práctica internacional, como el "Gencon 94", preparado por BIMCO, para el transporte de carga general y seca, y el "Asbatankvoy", preparado por ASBA, para el transporte de hidrocarburos. ✓ La negociación entre las partes a distancia la dirige por teléfono y/o Internet un corredor marítimo que, al terminar envía una comunicación por fax o correo electrónico a cada contratante a modo de documento recapitulatorio del clausulado (*recap*) o nota de cierre (*fixing note*). Incluye los pactos principales y una remisión a una póliza-tipo para el resto de pactos. ✓ Al tratarse de un contrato para un único viaje y estipulado generalmente entre personas ubicadas en países distintos, el uso marítimo descarta obligarles a la firma convencional del contrato (póliza de fletamento). Basta que haya constancia escrita de su consentimiento (fax, e-mails, etc.). ✓ En el puerto de carga, el capitán firma y entrega al fletador o al tercero cargador un juego de conocimientos de embarque que acredita que conoce la recepción a bordo de las mercancías. El conocimiento es, además, un título de legitimación para retirar las mercancías en destino; su legítimo tenedor puede exigir la devolución en destino.	
Contenido del contrato	✓ A continuación se detalla el contenido estándar de un contrato de fletamento por viaje resultante de los formularios-tipo más comunes en la práctica, así como las normas de la Ley de navegación marítima, de aplicación si el español es el Derecho rector del contrato:	
	Obligaciones y derechos del porteador	✓ Obligación de transportar las mercancías en el buque pactado, si bien suele reservarse la facultad de sustituirlo y elegir otro adecuado para el transporte contratado. ✓ La consecución del transporte marítimo exige la realización de una pluralidad de conductas: • Presentar el buque en el puerto de carga en la forma y plazo convenidos (arts. 211 LNM). Las partes suelen acordar un período de presentación del buque (*lay-can*), más que un día concreto. Este pacto supone que antes del término inicial el fletador no puede exigir la presentación del buque, y podrá resolver el contrato si no se presenta antes del término final (art. 214 LNM). • Iniciar la travesía sin demora innecesaria (arts. 220-221 LNM). • Realizar el transporte sin pausas innecesarias y con la oportuna celeridad.

| Contenido del contrato (cont.) | Obligaciones y derechos del porteador (cont.) | <ul><li>Tomar la ruta pactada o la más apropiada según las circunstancias (art. 220 LNM) y no desviarse injustificadamente (art. 222 LNM). La justa causa es el salvamento de vidas humanas, o cualquier otra causa y razonables que no derive del estado de innavegabilidad inicial del buque.</li><li>Entregar las mercancías en destino (art. 228 LNM). Es el momento para que el fletador o el tercero tenedor del conocimiento de embarque, o sus representantes, interpongan las reservas por pérdidas o averías en el cargamento o por retraso.</li></ul> ✓ Derecho a cobrar el flete o precio del transporte estipulado. <ul><li>La forma tradicional de cálculo del flete es a un tanto alzado por la utilización del buque, sea cual sea la mercancía transportada.</li><li>El flete también suele calcularse por unidades de mercancía embarcadas: resulta de multiplicar la cantidad total de mercancía cargada por el precio estipulado por unidad de carga, por ejemplo, la tonelada, de acuerdo con lo dispuesto en el conocimiento de embarque (art. 233.1 LNM).</li><li>El obligado al pago es el fletador, salvo que le corresponda a un destinario distinto y así se haga constar en el conocimiento de embarque (art. 235 LNM):</li><li>Si en el momento de la entrega, el destinatario no se presenta o la rechaza, el porteador podrá, a costa del destinatario, almacenar las mercancías hasta su entrega o recurrir a su depósito judicial (art. 228 LNM).</li><li>Salvo pacto en contrario, no devengan flete las mercancías perdidas durante el viaje (art. 234 LNM). En realidad, las pólizas-tipo contienen cláusulas que excepcionan este principio general, como la de "flete adquirido a todo evento", se pierda o no el buque o la mercancía, o la que fija que el pago por adelantado no es restituible.</li></ul> ✓ Las mercancías transportadas están afectas preferentemente al pago del flete, demoras y otros gastos ocasionados por su transporte hasta su entrega y hasta los 15 días posteriores, salvo que en este último caso se hubieran transmitido por título oneroso a un tercero de buena fe (art. 236 LNM).
 ✓ Obligación de presentar el buque en condiciones de navegabilidad y ejercer diligencia razonable para mantenerlo así durante la vigencia del contrato (art. 212 LNM). |

Contenido del contrato (cont.)	*Obligaciones y derechos del porteador (cont.)*	✓ Derecho a retener las mercancías hasta que sus créditos hayan sido satisfechos (flete, demoras y otros gastos ocasionados por el transporte). No cabe ejercicio de este derecho contra el destinatario no fletador si en su conocimiento o carta de porte no consta que el flete es pagadero en destino (art. 237.1). El porteador tampoco puede retener mercancías que sean de terceros en ejercicio de este derecho (art. 238 LNM). ✓ Obligación de responder de las indemnizaciones a que diere lugar la infracción del deber de custodia de las mercancías perdidas o dañadas (art. 223 C. Com.). ✓ En el fletamento por viaje, si el buque arriba a un puerto por inhabilitación del mismo, persiste el deber de custodia. Si el buque queda inhabilitado definitivamente o el retraso puede perjudicar el cargamento, el porteador proveerá a su costa el transporte alternativo. Si no lo hace, no se devenga flete (art. 224 LNM). • El porteador puede exonerarse de responsabilidad probando alguna de las causas de exoneración previstas en el contrato o en el derecho nacional aplicable al contrato (fuerza mayor). • El régimen de responsabilidad del porteador se unifica al del porteador de las Reglas de La Haya-Visby (RHV) en virtud de la llamada cláusula *paramount*. • Asimismo, el porteador puede participar de los sistemas nacionales e internacionales de limitación de responsabilidad, fundamentalmente el abandono del buque a los acreedores y la fijación de límites económicos de responsabilidad según el arqueo del buque.
	Obligaciones y derechos del fletador	✓ Derecho a elegir los puertos de carga y descarga o la ruta a seguir. • Generalmente, cuando el fletador se reserva la facultad de identificar el puerto de carga y/o descarga tras contratar el fletamento, las pólizas-tipo suelen imponer una garantía de seguridad del puerto finalmente elegido, respondiendo en otro caso de los daños y perjuicios que puedan causarse al naviero o al buque por causa de la inseguridad e inaccesibilidad (arts. 215, 216, 217, 225 y 226 LNM). ✓ Aunque la LNM no lo dice expresamente, derecho a inspeccionar el buque antes de su carga. La finalidad es verificar que se cumplen las condiciones e nacionalidad, clasificación, velocidad, consumo, capacidad y demás características. Si no cumple, el fletador podrá pedir daños y perjuicios y, se frustra la finalidad perseguida al contratar, podrá además resolver el contrato (art. 213 LNM).

Contenido del contrato (cont.)	*Obligaciones y derechos del fletador (cont.)*	✓ Obligación de suministrar el cargamento pactado (art. 229 LNM).
		   • Si el fletador no embarca la totalidad del cargamento contratado, pagará el flete sobre vacío, salvo que el porteador encuentre carga alternativa (art. 230 LNM).
		   • No cargar mercancías distintas a las contratadas (art. 231 LNM).
		   • No cargar mercancías peligrosas sin previa declaración de su naturaleza al porteador y sin el consentimiento de éste para su transporte (art. 232 LNM).
		✓ Una cláusula contractual habitual es la que reconoce el derecho del fletador de un buque por entero a subfletarlo con terceros. También en art. 206 LNM.
		✓ El fletador, tanto por tiempo como por viaje, pueden celebrar en su propio nombre contratos de transporte en régimen de conocimiento de embarque con terceros (art. 207 LNM). Ambos asumen responsabilidad solidaria frente a terceros (art. 278 LNM).
		✓ Obligación de pagar el flete y otros créditos contractuales.
		   • La persona obligada al pago del flete es el fletador.
		   • El pago no es una obligación contractual para el destinatario no fletador, pero los conocimientos de embarque suelen incluir una cláusula que condiciona la recepción de las mercancías al pago previo del flete, el flete sobre vacío, las demoras y otros créditos a favor del fletante.
		   • En cualquier caso, si el tenedor del conocimiento de embarque decide abandonar el derecho a recibir la mercancía, el fletador permanece vinculado al pago.

Operaciones de carga y descarga. Periodo de plancha y demoras		✓ Es usual que el fletador asuma el pago a las empresas de carga y de descarga, directamente en ambos puertos o bien por medio de otra persona, como el vendedor a quien el fletador-comprador ha adquirido las mercancías bajo condiciones *Free on Board*. • El vendedor debe contratar a los estibadores en el puerto de carga, mientras que el comprador-fletador asume la descarga. ✓ La regla general es que el naviero se limita a avisar de la disponibilidad del buque para la carga o la descarga, de modo que no asume estos gastos (cláusula *Free In & Out*, bordo a bordo). ✓ El período de plancha o de estadías es aquel durante el cual el porteador se obliga a inmovilizar el buque en puerto con plena disposición para que el fletador, el cargador o el destinatario procedan a la carga y/o descarga de las mercancías.

Operaciones de carga y descarga. Periodo de plancha y demoras (cont.)	✓ Esta inmovilización se inserta en el programa de obligaciones a cargo del porteador, pues es indispensable para preparar y culminar el transporte marítimo. ✓ Las cláusulas de la póliza suelen dedicar especial atención a su duración, pactándose varios días u horas de forma unitaria para la carga y descarga, o bien de forma separada, sin que quepan compensaciones (también art. 244 LNM). ✓ Una cuestión de gran importancia es el momento en que se empieza a consumir el período de estadías en los casos de congestión portuaria. 　• Las pólizas-tipo consagran de forma generalizada el uso de atribuir al fletador este riesgo a través de la "ficción del buque llegado": el fletante puede cursar el aviso de disponibilidad a su llegada al interior o a los alrededores del puerto a efecto de iniciar las estadías, siempre que el capitán garantice que el buque estaría disponible física y administrativamente para operar si pudiese atracar. 　• El art. 240 LNM sigue una regla distinta, empieza a contar la plancha desde que el buque haya llegado al muelle o lugar de carga o descarga designado, pero se admite pacto en contrario. ✓ El cómputo del período de estadías suele no iniciarse o interrumpirse los domingos y días festivos. Las partes calculan el período en días laborables; los festivos no cuentan salvo que finalmente pueda operar el buque. También se interrumpe en supuestos de fuerza mayor o por causas fortuitas (art. 239 LNM). El mal tiempo como evento de fuerza mayor depende básicamente del tipo de mercancía. 　• En la "Relación de hechos", el capitán, el consignatario y el cargador o receptor describen los días y horas que el buque ha operado y las causas de paralización. 　• En la "Hoja de tiempos" se calculan el tiempo consumido de acuerdo con las interrupciones aplicables al singular contrato de fletamento. ✓ La indemnización por la demora es el precio adeudado al fletante por la inmovilización portuaria del buque más allá del período de plancha. 　• Los contratos prevén una cantidad en concepto de demoras por cada día o fracción de día adicional de espera a modo de cláusula penal. 　• Generalmente, las demoras se devengan sin interrupción ("una vez en demoras, siempre en demoras"), salvo en los fletamentos de petroleros, donde las grandes compañías fletadoras suelen favorecer la interrupción por las causas generales de festivos y fuerza mayor.

Operaciones de carga y descarga. Periodo de plancha y demoras (cont.)	• El art. 241 LNM también prevé la suspensión de las demoras cuando sea imposible cargar o descargar por causas imputables a la operatividad del buque. El art. 242 LNM añade que, salvo pacto en contrario, tendrá la misma duración en días como días laborables tuviera el período de plancha. Se completa con el art. 243 LNM, según el cual, si expira el plazo y todavía no se ha concluido la operación de carga o de descarga, el porteador podrá exigir indemnización en un importe al tipo pactado para las demoras o al fijado contractualmente. • Las reglas sobre pago, privilegio y prescripción del flete se aplican a las demoras (art. 245 LNM).
Prescripción de acciones	✓ Las acciones nacidas del contrato de fletamento prescriben en el plazo de un año (art. 286.1 LNM). ✓ En las acciones para indemnización de pérdidas, averías o retrasos sufridos por las mercancías, el plazo se contará desde la entrega de estas al destinatario o desde el día en que debían entregarse (art. 286.2 LNM). ✓ De la misma forma, se computa el plazo para la reclamación de fletes, demoras y otros gastos del transporte. Sin embargo, en el fletamento por tiempo, el plazo se contará desde el día en que el flete u otros gastos fueran exigibles conforme a la póliza (art. 286.3 LNM).

5. CONTRATO DE FLETAMENTO POR TIEMPO

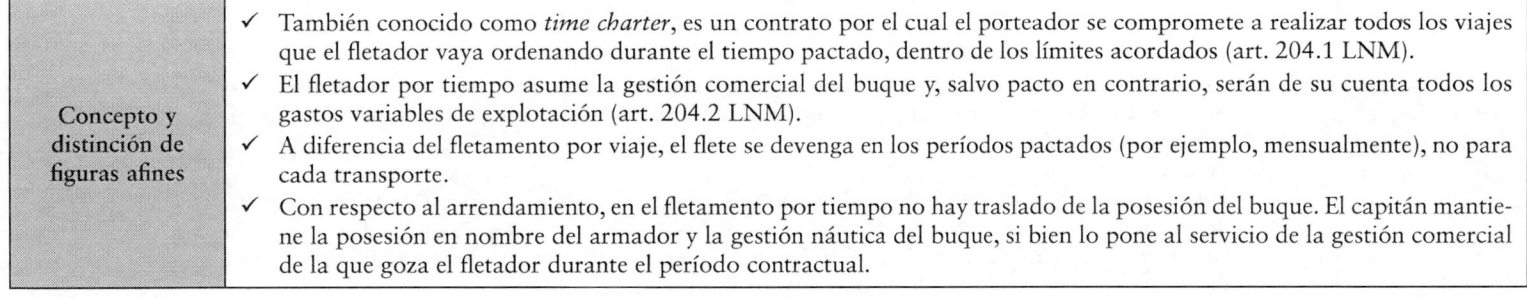

Concepto y distinción de figuras afines	✓ También conocido como *time charter*, es un contrato por el cual el porteador se compromete a realizar todos los viajes que el fletador vaya ordenando durante el tiempo pactado, dentro de los límites acordados (art. 204.1 LNM). ✓ El fletador por tiempo asume la gestión comercial del buque y, salvo pacto en contrario, serán de su cuenta todos los gastos variables de explotación (art. 204.2 LNM). ✓ A diferencia del fletamento por viaje, el flete se devenga en los períodos pactados (por ejemplo, mensualmente), no para cada transporte. ✓ Con respecto al arrendamiento, en el fletamento por tiempo no hay traslado de la posesión del buque. El capitán mantiene la posesión en nombre del armador y la gestión náutica del buque, si bien lo pone al servicio de la gestión comercial de la que goza el fletador durante el período contractual.

Concepto y distinción de figuras afines (cont.)	✓ El fletador por tiempo imparte instrucciones al capitán sobre los viajes a efectuar durante el contrato, mientras que en el fletamento por viaje no es así, pues el capitán sólo recibe órdenes del fletante durante el único viaje estipulado. ✓ El porteador en un fletamento por tiempo tiene derecho a un flete comprensivo para toda la duración del contrato: gana el flete incluso cuando va en lastre o sin carga. En cambio, en el llamado "fletamento por viajes consecutivos", normalmente el flete se calcula para cada viaje y cuando el buque va en lastre, el porteador no gana flete. • Por ejemplo, una empresa cementera necesita que un buque realice dos cargas de cemento de Sicilia a Murcia en un buque fletado por entero. Este viaje puede durar dos o tres días. No le conviene el fletamento por viaje, pues habría de hacer un contrato para cada viaje. Tampoco el fletamento por tiempo, pues pagaría por la gestión comercial de un buque a su plena disposición por todo un mes, cuando en realidad sólo necesita unos cinco o seis días (dos trayectos desde Sicilia a Murcia). Con el fletamento por viajes consecutivos se garantiza que el buque fletado hará a un precio pactado esos dos viajes mensuales durante el período pactado (tres meses, seis meses, dos años). No tiene la gestión comercial, ni el uso exclusivo, por lo que el porteador, en los días que no tenga viaje para la cementera, puede fletar el buque a terceros.
Régimen jurídico	✓ La LNM regula el contrato de fletamento en los arts. 203 a 286. ✓ Sin embargo, al igual que ocurría con las normas derogadas del Código de Comercio de 1885, el legislador piensa sobre todo una explotación basada en el viaje aislado (la noción de viaje empresa), de modo que algunas son inaplicables al fletamento por tiempo, como las de plancha y demoras. ✓ Asimismo, son aplicables, en su defecto, las normas generales sobre obligaciones y contratos del Código Civil (arts. 2 y 50 C. Com.). ✓ No existe un tratado internacional regulador del contrato de fletamento.

Sujeto	✓ El porteador
	    • Algunos armadores prefieren el servicio seguro de un fletamento por tiempo o por viajes consecutivos al sistema puro del vagabundeo (*tramping*), a la búsqueda de carga en cualquier lugar del mundo para un único viaje o un viaje redondo (ida-vuelta).
	✓ El fletador
	    • Puede ser una gran empresa industrial que, por razón de su actividad, está interesada en disponer de forma constante de un buque o de una flota, con los que llevar a cabo sus importaciones y exportaciones entre sucursales y filiales y con terceros, evitando el coste y riesgo inherente a un fletamento por viaje o las obligaciones económicas y jurídicas del arrendamiento del buque o la compraventa de un buque.

Sujeto (cont.)	• El fletamento por tiempo es también el cauce contractual adecuado para otras navieras que necesitan disponer de buques adicionales. Por ejemplo, para hacer frente a aumentos temporales en la demanda de transportes marítimos o para prestar servicios regulares de transporte sin ser realmente las propietarias de los buques que explotan.
Forma	✓ Los contratantes prefieren conocer a priori su régimen de derechos y obligaciones, por lo que el contrato suele documentarse en una póliza de fletamento a los solos efectos probatorios. ✓ La negociación suele dirigirla un corredor marítimo, comenzando por alguno de formularios-tipo más comunes en la práctica, como el "Nype'93", preparado por la Asociación de Corredores y Agentes de Norteamérica, y el "Baltime 1939", preparado por BIMCO.

Contenido del contrato		✓ A continuación, se detalla el contenido estándar de un contrato de fletamento por tiempo. No se trata generalmente de contratos de adhesión, por lo que en la práctica suelen añadirse cláusulas nuevas, así como borrar o modificar las ya predispuestas.
	Obligaciones y derechos del porteador	✓ Obligaciones de poner el buque en condiciones de navegabilidad a disposición del fletador en el lugar y fecha convenidos, de realizar los transportes de mercancía que le vayan siendo ordenados con la máxima diligencia y, en general, de cumplir las instrucciones sobre el empleo comercial del buque. Esta obligación general se descompone en una serie de obligaciones específicas que detalla el contrato: • Proveer y pagar todas las provisiones y salarios de la dotación y el seguro del buque. • Conservar en perfecto estado el casco y la maquinaria. • Poner al capitán a las órdenes y bajo la dirección del fletador en cuanto al empleo comercial del buque. • Hacer los cambios necesarios en la dotación cuando el fletador por razones fundadas no estuviera satisfecho con la conducta del capitán, oficiales, etc. • Deber de facilitar que la dotación del buque asista al fletador. Se trata de evitar la abstención y reforzar la colaboración de la dotación en aras del cumplimiento de la obligación esencial del fletamento.

Contenido del contrato (cont.)	*Obligaciones y derechos del porteador* (cont.)	✓ Obligación de que el buque tenga las características estipuladas (la bandera, el año de construcción, el registro de matrícula, la sociedad de clasificación, la capacidad de carga en peso y en volumen, el arqueo bruto y neto o la velocidad que puede alcanzar, etc.). • Su inclusión en el contrato supone que son cláusulas contractuales y, por ende, vinculantes para el fletante. • De modo que en caso de incumplimiento (menor capacidad de carga, menor velocidad, distinta bandera o sociedad de clasificación, mayor edad), el fletador podrá reclamar daños y perjuicios que esto le haya causado o, incluso, si el incumplimiento es grave, resolver el contrato. ✓ Aunque no lo diga la póliza, el presupuesto mínimo e indispensable para la ejecución del contrato es la condición de navegabilidad del buque fletado. • Un buque se halla en condiciones de navegabilidad cuando reúne los requisitos técnicos, administrativos y personales que resultan imprescindibles para su navegación. • Salvo que se pacte, no se requiere que el buque se halle equipado con la última, mejor o específica tecnología, basta que pueda acometer los riesgos ordinarios de la navegación marítima. • Asimismo, las condiciones de navegabilidad exigibles al buque deben completarse necesariamente con los requisitos especiales que debe reunir el buque en función del tipo de transporte marítimo para el que sea singularmente contratado (maquinaria de refrigeración o certificados especiales para mercancías peligrosas, etc.). ✓ Obligación de prestar la debida diligencia para mantener en buen estado su casco, maquinaria y equipo durante el período que dure el contrato. ✓ El fletante está obligado a reparar y sustituir, tan pronto como le sea posible, los elementos necesarios para subsanar la causa de innavegabilidad sobrevenida. ✓ En su defecto, el fletante está obligado a sustituir el buque por otro de características semejantes en relación con el empleo comercial. ✓ Para reforzar esta obligación, las pólizas establecen normalmente que el fletante no tiene derecho al flete correspondiente al período durante el cual el buque no puede prestar servicio por encontrarse en reparaciones (*off hire*). El tiempo perdido por el buque por estas causas no se computa a efectos de prolongar el contrato más allá del plazo de duración.

Contenido del contrato (cont.)	*Obligaciones y derechos del fletador*	✓ Derecho a cursar las órdenes al capitán, como jefe de la expedición marítima, para que el buque se dirija a determinados puertos, cargue o descargue mercancías, emita conocimientos de embarque, sitúe el buque en ciertos lugares y en general todas las actividades necesarias para satisfacer la finalidad económica del contrato de fletamento. Asume la "gestión comercial" del buque fletado. 　• Esta facultad no se extiende, sin embargo, a las obligaciones técnicas relacionadas con la actividad de navegación marítima (la "gestión náutica"), pues esas facultades y obligaciones respectivas siguen correspondiendo al fletante. ✓ Las pólizas conceden al fletador un derecho a mantener el buque a su disposición por todos los fletes abonados por adelantado y no vencidos. ✓ Las pólizas-tipo suelen reconocer el derecho del fletador a designar un sobrecargo que lo represente a bordo. ✓ La obligación principal del fletador es pagar el flete en la forma convenida en la póliza. 　• El flete se calcula por el tiempo en que el buque esté a la disposición del fletador, no por viaje o viajes que realice, ni por la cantidad o volumen de mercancía que transporte. 　• No en vano, en el momento de contratar no se precisan los viajes concretos que el buque realizará, ni las mercancías que embarcará en cada uno de ellos. 　• Estos extremos, dentro de unos límites que fija el contrato, los irá determinando el fletador unilateralmente durante la vida del contrato, que al efecto irá dando órdenes al capitán. 　• El flete, que las pólizas denominan *hire* o alquiler, se devenga por tiempo, normalmente establecido en meses y debe ser abonado, según estipulación usual, al contado y por adelantado. 　• El impago o retraso legitima al fletante para retirar el buque del servicio del fletador y, si así lo decide, a resolver el contrato por incumplimiento. Con el fin de paliar la gravedad del derecho de retirada, es habitual la inserción de cláusulas que contienen períodos de gracia a favor del fletador para el pago del flete. ✓ Obligación de correr con los gastos variables devengados como consecuencia de la utilización del buque, detallados en el contrato, como combustible, agua de calderas y de beber, gastos de puerto, prácticos, luces, remolcadores y análogos. ✓ Derecho de retención (*lien*) sobre todos los cargamentos y sobre los subfletes que hayan podido devengarse a favor del fletador frente a terceros.

Contenido del contrato (cont.)	*Obligaciones y derechos del fletador* (cont.)	• Es posible y común en la práctica que el fletante observe como el fletador dedique el buque al transporte de mercancías de terceros a cambio del flete, y no le haya abonado el flete por tiempo del buque. • Si los terceros prueban haber pagado al fletador, parece que el fletante no puede retener las mercancías de terceros como garantía de pago del alquiler, pues no son deudores de éste. ✓ Obligación de emplear el buque dentro de los límites geográficos convenidos, en viajes y puertos seguros y cargando mercancías que no afecten a la seguridad de la navegación. ✓ Derecho a transportar mercancías propias o de terceros.
Extinción del contrato		✓ Las obligaciones del fletante y del fletador se extinguen generalmente por el transcurso del lapso de tiempo convenido y el pago del flete y los demás créditos contractuales. ✓ El fletamento por tiempo también puede extinguirse por la sola decisión de uno de los contratantes. La denuncia unilateral comporta generalmente la obligación de indemnizar los daños y perjuicios que la extinción anticipada genere al otro contratante. ✓ Existen también causas de resolución del contrato por incumplimiento de la otra parte, que suelen mencionarse en el contrato: • El fletador puede resolver el contrato por indisponibilidad del buque en el momento pactado y falta de navegabilidad, falta grave de veracidad en las condiciones descritas del buque, incumplimiento de las instrucciones por parte del capitán, etc. • El fletante puede resolver el contrato en caso de impago del flete, empleo comercial fuera de los límites convenidos (mercancías peligrosas o excluidas, zonas geográficas o puertos inseguros) por parte del fletador. ✓ Por otro lado, existen circunstancias excepcionales no previstas en el contrato, pero que alteran la relación contractual, desequilibrando las prestaciones de las partes: • Si la ejecución del contrato en los términos pactados es imputable a una de las partes, no es un supuesto de imposibilidad sobrevenida fortuita, sino de incumplimiento imputable, que da derecho al perjudicado a exigir los daños y perjuicios sufridos. • Para los supuestos fortuitos, las pólizas-tipo también incorporan cláusulas especiales para los casos de guerra, heladas, la pérdida del buque o su requisa, que tienden a preservar el contrato imponiendo generalmente la máxima diligencia en ambas partes o la espera prudencial antes de considerar extinguido el contrato por imposibilidad sobrevenida.

6. CONTRATO DE TRANSPORTE DE MERCANCÍAS EN RÉGIMEN DE CONOCIMIENTO DE EMBARQUE

Concepto	✓ De acuerdo con el art. 205 LNM, el fletamento también puede referirse al transporte de mercancías determinadas por su peso, medida o clase. En este caso, las condiciones del contrato podrán figurar en el conocimiento de embarque u otro documento similar, como la carta de porte.
	✓ El transporte marítimo de mercancías en régimen de conocimiento de embarque, carta de porte marítima o conocimiento de embarque electrónico es el servicio que generalmente ofrecen las denominadas líneas regulares de la navegación o del tráfico marítimo (*liner*).
	   • El tráfico por contenedores es el sector usual de contratación de estos transportes.
	   • Los *liner* se definen por oposición a los buques *tramp* o vagabundos, que buscan carga discrecionalmente, allá donde sean requeridos y que suelen ser objeto de contratos de fletamento por viaje o por tiempo.
	✓ Esta opción contractual se condiciona a que efectivamente existan navieros que cubran regularmente la ruta entre los lugares de origen y destino y dispongan de buques habilitados para el transporte de la singular mercancía.
	✓ Los consignatarios del buque se encargan de contratar por cuenta del armador o del naviero con los cargadores o sus comisionistas para el viaje previamente anunciado en los diarios marítimos.
	✓ El transporte puede exigir la carga de uno o más de los contenedores al uso.
	✓ Si se trata de mercancías en menor cantidad, insuficiente para colmar alguno de los contenedores estándar al uso en el tráfico marítimo, se denomina mercancía de grupaje, pues se agrupa en un contenedor la de varios cargadores.

Régimen jurídico	✓ Este tipo de transporte de mercancías, calificado como fletamento en la LNM, se rige por los arts. 203 a 286 LNM, aunque algunas de ellas con claramente inaplicables, por regular un contrato de fletamento por viaje o por tiempo. ✓ A diferencia del fletamento por tiempo y por viaje, este contrato de transporte marítimo de mercancías sí cuenta con una norma internacional, ratificada por España: las Reglas de La Haya-Visby. ✓ Las normas de la LNM sólo se aplicarán en tanto no se opongan a lo dispuesto en tratados internacionales vigentes en España (art. 2.1 LNM). • La norma internacional de mayor difusión es el Convenio internacional para la unificación de ciertas reglas en materia de conocimientos de embarque en los buques mercantes de 1924, ratificado por España mediante Instrumento de 2 de junio de 1930; modificado por los Protocolos de 23 de febrero de 1968 y de 21 de diciembre de 1971, ratificados mediante Instrumento de 16 de noviembre de 1981. Es conocido como Reglas de La Haya-Visby (aquí, RHV).

Régimen jurídico (cont.)	• Las RHV, aunque muy discutidas, tienen una amplia aceptación universal por el gran número de Estados miembros. • Las RHV se aplican al transporte transcurrido desde la carga de las mercancías a bordo del buque hasta su descarga del buque (art. 1.e RHV). No se aplican, pues, a los transportes terrestres preparatorios ni de entrega del cargamento. • No obstante, en el conocimiento las partes pueden estipular lo que tengan por conveniente en relación a la pérdida o daño en las mercancías que sobrevengan antes de la carga a bordo o después de la descarga del buque en el que han sido transportadas (art. 7 RHV). ✓ Su ámbito de aplicación son los conocimientos de embarque relativos al transporte de mercancías entre dos puertos de dos Estados diferentes cuando (art. 10 RHV): • El conocimiento sea formalizado en un Estado contratante, o • el transporte tenga lugar desde un puerto de un Estado contratante, o • el conocimiento estipule que el contrato se regirá por este Convenio (es la llamada cláusula *paramount*).
Ámbito de aplicación de las RHV	✓ Las RHV también se aplican al conocimiento de embarque o documento similar emitido en virtud de una póliza de fletamento, a contar desde el momento en que este documento regula las relaciones del porteador y del tenedor del conocimiento distinto del fletador (art. 1.b RHV). ✓ Las RHV tienen naturaleza imperativa: es nula toda cláusula, convenio o acuerdo en un contrato de transporte que exonere al porteador o al buque de responsabilidad por pérdida o daño referente a las mercancías, que provenga de negligencia, falta o incumplimiento de los deberes, o que atenúe su responsabilidad en forma distinta a la prevista en las RHV (art. 3.8 RHV). ✓ En cambio, el porteador puede libremente abandonar todo o parte de los derechos y excepciones y aumentar sus responsabilidades, siempre que así se haga constar en el conocimiento entregado al cargador (art. 5 RHV). ✓ Un menor número de países es parte del Convenio de las Naciones Unidas sobre el transporte marítimo de mercancías, hecho en Hamburgo el 31 de marzo de 1978 ("Reglas de Hamburgo"). ✓ Asimismo, el Convenio que aprueba las nuevas "Reglas de Rotterdam", aun no en vigor, pretende unificar el régimen internacional, con la especialidad principal de ofrecer un régimen jurídico que se extiende al transporte marítimo en sí y a las fases previas o complementarias de transporte realizadas por otros medios diferentes al marítimo.

Sujetos	✓ El porteador • Comprende el propietario del buque o el fletador en un contrato de transporte con un cargador (art. 1.a RHV). • Sin embargo, es habitual que el comisionista o transitario se haya obligado personalmente frente a su cliente al cumplimiento regular del transporte (normalmente, emite el llamado *House Bill of Lading*) y conste, a su vez, como cargador en el conocimiento de embarque emitido por el agente del naviero (el conocimiento de embarque a los efectos de las RHV, conocido en la práctica como *Ocean Bill of Lading*). Las SSTS 14-9-2021 *(Tol 8592802)* y 28-9-2020 *(Tol 8108008)* aplican al transitario el régimen jurídico que corresponde al porteador efectivo de las mercancías. ✓ El cargador • Puede ser el propietario de las mercancías o el comisionista o agente de transporte en quien haya encomendado la organización del transporte, en cuyo caso actuará frente al naviero en nombre de su cliente. ✓ El destinatario • Es la persona designada en el conocimiento de embarque con derecho a retirar las mercancías, para lo cual el cargador deberá enviarle con antelación un ejemplar de este documento. • El envío puede obviarse si, al contratar con el porteador, se solicita una carta de porte marítimo, que no es un título-valor ni es transmisible a terceros e individualiza directamente al destinatario. • Otras veces, en la casilla de destinatario consta una entidad de crédito. Es el caso habitual de la llamada "venta sobre documentos", en que el vendedor de las mercancías transportadas por mar quiere garantizarse que el documento representativo de las mercancías no será entregado por esta entidad de crédito hasta que el comprador le satisfaga el precio de las mercancías.
Forma	✓ El contrato entre el cargador y el porteador se documenta generalmente en un conocimiento de embarque negociable o en una carta de porte marítima no negociable, emitida por el consignatario del buque en nombre y por cuenta del naviero y sin la firma del cargador. El conocimiento cumple tres funciones esenciales: • Recibo de las mercancías a bordo, con descripción de las marcas, números de bultos, piezas, cantidad o peso, estado y condición aparentes de las mismas, etc. • Documento que recoge los términos del contrato de transporte. • Título de legitimación para la recepción de las mercancías en destino.

Contenido del contrato		✓ A continuación, se detallan los derechos y deberes principales del porteador en las Reglas de La Haya-Visby, con mención especial a otras cláusulas comunes en la práctica:
	Obligaciones y derechos del porteador	✓ Antes de comenzar el viaje, el porteador debe cuidar diligentemente (art. 3.1 RHV): • De que el buque esté en estado de navegabilidad. • De armar, equipar y aprovisionar el buque convenientemente.
		• De limpiar y poner en buen estado las bodegas, cámaras frías y frigoríficas del buque, y los demás lugares del mismo, cuando se carguen mercancías. ✓ Obligación de proceder de manera apropiada y cuidadosa a la carga, conservación y descarga de las mercancías transportadas (art. 3.2 RHV). ✓ Después de haber recibido y tomado como carga las mercancías, el porteador y el capitán, o agente del porteador, deberán, a petición del cargador, entregar a éste el conocimiento de embarque con la descripción de las mercancías (art. 3.3 RHV). • No obstante, es común el uso de incluir la expresión "Dice contener" referido a los contenedores, sobre la base de que no es razonable comprobar el contenido de todos y cada uno de los contenedores que se cargan a bordo, pues obstaculizaría la celeridad del transporte y supondría un gasto extraordinario. • Este uso comercial puede considerarse validado por el artículo 3.3 *in fine* RHV. ✓ El hecho de retirar las mercancías constituye, salvo pacto en contrario, una presunción de que han sido entregadas por el porteador en la forma consignada en el conocimiento de embarque, salvo que se interponga protesta (art. 3.6 RHV). • Si las pérdidas o daños no son aparentes, deberá darse por escrito en los 3 días siguientes de la entrega. • Las reservas son inútiles si se ha comprobado contradictoriamente en el momento de la recepción. ✓ Derecho a quedar exonerado de responsabilidad con respecto a las mercancías, a menos que se ejerza una acción dentro del año siguiente a la entrega o desde la fecha que debían entregarse. Este plazo podrá ser prorrogado de común acuerdo (art. 3.6 RHV).

| Contenido del contrato (cont.) | *Obligaciones y derechos del porteador* (cont.) | ✓ El porteador y el buque no son responsables de las pérdidas o daños que provengan de la falta de condiciones del buque para navegar, a menos que sea imputable a la falta de la debida diligencia por parte de porteador (art. 4.1 RHV).
• Producido el daño o pérdida, concierne al porteador o la persona a quien beneficie la exoneración la prueba de haber empleado la razonable diligencia.
✓ Ni el porteador ni el buque son responsables por pérdida o daño que resulten o provengan de actos, negligencia o falta del capitán o la tripulación (es la discutida exoneración por culpa náutica); de incendio, salvo que haya sido ocasionado por hecho o falta del porteador; de fuerza mayor; de hechos de guerra y similares; de embalaje insuficiente, de los vicios ocultos que escapan a una diligencia razonable; y, en general, de cualquier causa que no proceda del porteador, sus agentes o encargados.
• La carga de la prueba incumbe a la persona que reclame el beneficio de esta excepción (art. 4.2 RHV).
✓ Ningún cambio de ruta para salvar o intentar el salvamento de vidas o bienes en el mar, ni ningún cambio de ruta razonable, constituye una infracción de las RHV, y el porteador no será responsable de ninguna pérdida o daño que de ello resulte (art. 4.4 RHV).
✓ Derecho a la limitación de responsabilidad en caso de pérdidas o daños en las mercancías transportadas a una cantidad que no podrá ser superior a 666,67 unidades de cuenta por bulto o unidad, o a dos unidades de cuenta por kilogramo de peso bruto de las mercancías perdidas o dañadas, aplicándose el límite más elevado (art. 4.5 RHV).
• La unidad de cuenta se fija en general de acuerdo con el citado "Derecho Especial de Giro" del Fondo Monetario Internacional que, en junio de 2020, tiene la siguiente equivalencia: 1 DEG vale 1,22 euros.
• El cargador puede hacer una declaración de valor al contratar para tener derecho a la cobertura íntegra de los daños, para lo cual el porteador puede procurarle, a cambio de la prima del seguro y un beneficio adicional a su favor, un seguro marítimo de mercancías.
✓ Ni el porteador ni el buque tienen derecho a beneficiarse de la limitación de responsabilidad si se demuestra que los daños se deben a una acción u omisión del porteador que ha tenido lugar, ya con intención de provocar daños, ya temerariamente y a sabiendas de que probablemente se producirían los daños (art. 4.5.e RHV). |

Contenido del contrato (cont.)	*Obligaciones y derechos del porteador* (cont.)	✓ Ni el porteador ni el buque serán responsables por las pérdidas o daños en las mercancías cuando el cargador ha hecho a sabiendas una declaración falsa de su naturaleza o valor de las mercancías (art. 4.5.h RHV). ✓ Derecho a desembarcar y destruir sin indemnización las mercancías de naturaleza inflamable, explosiva o peligrosa, cuyo embarque no habrían consentido el porteador, el capitán o el agente de haber conocido este carácter (art. 4.6 RHV). ✓ Las exoneraciones y limitaciones de responsabilidad del porteador serán aplicables tanto si la acción se funda en responsabilidad contractual como extracontractual (art. 4.bis RHV). • Si la acción se ejerce contra un empleado o agente del porteador, éstos pueden prevalecerse de las mismas exoneraciones y limitaciones de responsabilidad, salvo en caso de dolo o dolo eventual (es la conocida como cláusula "Himalaya"). • El total de las cantidades que haya de pagar el porteador y sus empleados o agentes no excederá en ese caso los límites de indemnización. ✓ Si se pacta, derecho a que cualquier disputa que surja en relación con el transporte en régimen de conocimiento de embarque sea resuelta exclusivamente por los tribunales del país del establecimiento principal del porteador y conforme a su derecho. Las RHV no prohíben expresamente esta estipulación usual. ✓ Si se pacta, derecho a retener las mercancías hasta el completo pago de los créditos a su favor y a venderlas hasta su completa satisfacción.
	Obligaciones y derechos del cargador	✓ El cargador garantiza al porteador, en el momento de la carga, la exactitud de las marcas, del número, de la cantidad y del peso, en la forma que él las consigna en la instrucción de embarque u otro documento. El cargador indemnizará todas las pérdidas que resulten al porteador por esta inexactitud (art. 3.5 RHV). ✓ El cargador no es responsable de las pérdidas o daños sufridos por el porteador o el buque, salvo que exista acto, falta o negligencia del cargador, de sus agentes o de sus encargados (art. 4.3 RHV). ✓ El cargador debe abonar el flete y otros gastos devengados por razón del transporte contratado (gastos de carga y descarga, gastos de transporte terrestre, si se han prestado, etc.), normalmente mediante abono realizado al consignatario del naviero.

Contenido del contrato (cont.)	*Derechos y cargas del destinatario*	✓ En caso de que el flete sea pagadero por el destinatario, así se hará constar en el conocimiento de embarque. Como tercero al contrato de transporte, no está obligado al pago, pero su derecho de crédito consistente en retirar las mercancías queda así condicionado al pago del flete y otros gastos que el transporte haya generado.

7. CONTRATO DE PASAJE

Concepto	✓ Por el contrato de pasaje marítimo el porteador se obliga, a cambio del pago de un precio, a transportar por mar a una persona y, en su caso, su equipaje (art. 287.1 LNM).
Régimen jurídico	✓ En España, el contrato de pasaje está regulado en los arts. 287 a 300. Sin embargo, las normas de la LNM sólo se aplicarán en tanto no se opongan a lo dispuesto en tratados internacionales vigente en España (art. 2.1 LNM). ✓ España es parte del Convenio internacional relativo al transporte de pasajeros y sus equipajes por mar, hecho en Atenas el 13 de diciembre de 1974 y de su Protocolo de 2002, tal y como ha sido interpretado por las Directrices de la Organización Marítima Internacional (OMI), en 2006. En adelante, CA o Convenio de Atenas 2002. • La Reserva y Directrices de la OMI de 2006 tratan específicamente de la responsabilidad del transportista marítimo en caso de muerte o lesiones a los pasajeros en caso de terrorismo o guerra. Por ejemplo, por falta de diligencia del transportista en evitar el acceso a bordo de un terrorista. ✓ El Reglamento (UE) 1177/2010, de 24 de noviembre, regula los derechos de los pasajeros que viajan por mar y por vías navegables. ✓ El Reglamento (CE) 392/2009, de 23 de abril, sobre responsabilidad de los transportistas de pasajeros por mar en caso de accidente, incorpora el Convenio de Atenas 2002 al acervo comunitario. • El Reglamento 392/2009 establece el régimen comunitario de responsabilidad y seguro aplicable al transporte de pasajeros por mar según se regula en el CA y la Reserva y Directrices de la Organización Marítima Internacional. Además, el presente Reglamento amplía el ámbito de aplicación del CA y las directrices de la OMI al transporte marítimo de pasajeros dentro de un Estado miembro a bordo de buques de las clases A y B (art. 1 Regl. 392/2009). ✓ Los Estados miembros podrán aplicar el Reglamento 392/2009 (y por ende la CA) a todos los transportes por mar en el interior de un Estado miembro (art. 2 Regl. 392/2009).

Régimen jurídico (cont.)	✓ El Reglamento CE 392/2009 prevé algunas normas específicas, diferentes del CA:
	  • Se reconoce la legislación nacional de los Estados miembros de la Unión Europea que incorporen el Convenio sobre limitación de responsabilidad por reclamaciones de Derecho marítimo de 1976 y su Protocolo de 1996 (LLMC 1976/1996). Si estas normas nacionales no lo aumentan, el transportista puede limitar su responsabilidad por buque y siniestro a 175.000 unidades de cuenta (Derechos especiales de giro), multiplicado por el número de pasajeros autorizados a transportar por el buque.
	  • Se impone un anticipo obligatorio de 21.000 euros en caso de muerte del pasajero. El resto habrá de ser compensado a la terminación de las negociaciones o del proceso judicial (art. 6).
	  • Se impone al transportista la obligación de informar a los pasajeros de sus derechos conforme al Reglamento CE 392/2009 (art. 7).
	✓ Algunos países europeos no son parte del CA, pero al ser miembros de la Unión Europea, deben cumplir sus normas al haber sido incorporadas al Derecho comunitario a través del Reglamento CE 392/2009.
	✓ En el caso habitual de que los pasajeros sean usuarios a los efectos de la TRLGDCU, se les aplicarán estas normas de protección, pues los cruceros, que por su propia naturaleza combinan al menos transporte y alojamiento, se regulan especialmente por las normas de los consumidores y usuarios en el "contrato de viaje combinado" establecido en los artículos 150 a 165 TRLGDCU.
	✓ Al tratarse de contratos de adhesión, será también aplicable, sea cual sea la naturaleza jurídica del pasajero, el régimen de la LCGC.

Ámbito de aplicación del Convenio de Atenas	✓ El CA fue modificado por un Protocolo de 1976, que sustituyó el franco poincaré por el Derecho Especial de Giro del Fondo Monetario Internacional, y otro Protocolo de 2002, que ha de ser interpretado conforme a las Directrices de la OMI de 2006. Ello es así porque en el seno de la OMI se pactó que cuando un Estado ratificase el Protocolo de 2002 lo hiciese con una Reserva conforme había de interpretarse conforme a las Directrices de la OMI.
	  • El Convenio de Atenas de 1974, con sus Protocolos de 1976 y de 2002 se conoce con el nombre de "Convenio de Atenas 2002".
	✓ El Convenio de Atenas 2002 está vigente y se aplica a cualquier transporte internacional (art. 1.9 CA), definido como aquél en el que, de acuerdo con el contrato de transporte:
	  • El lugar de partida y el lugar de destino, están situados en dos Estados diferentes, o
	  • en un mismo Estado si con arreglo al contrato de transporte o al itinerario programado hay un puerto de escala o intermedio en otro Estado (por ejemplo, un crucero por el Mediterráneo).

Ámbito de aplicación del Convenio de Atenas (cont.)	✓ Además de ser un transporte internacional, la aplicación del Convenio se condiciona a que (art. 2.1 CA):
	  • El buque enarbole el pabellón de un Estado parte, o
	  • el contrato haya sido concertado en un Estado parte, o
	  • de acuerdo con el contrato de transporte, el lugar de partida o el de destino estén situados en un Estado parte del CA.
	✓ Las disposiciones del CA son imperativas, siendo nulas todas las estipulaciones contractuales contrarias a sus términos (art. 18 CA).

Sujetos	✓ El transportista
	  • Toda persona que concierta un contrato de transporte actuando por cuenta propia o en nombre de otro, tanto si el transporte es efectuado por dicha persona o un transportista ejecutor (art. 1.1.a CA). Responde de lo que ocurra en el transporte completo, aunque haya confiado el transporte a un transportista ejecutor (arts. 4.1 y 2 CA). Además del naviero del buque, suele ser un organizador o agencia de viajes.
	  • El "transportista ejecutor" es una persona distinta del transportista que, ya siendo el propietario, el fletador (sic en realidad el arrendatario a casco desnudo) o la empresa explotadora del buque, efectúa de hecho la totalidad o parte del transporte (art. 1.1.b CA). Sus derechos y obligaciones también resultan del CA (art. 4.1 CA). No le es de aplicación ningún acuerdo especial en virtud del cual el transportista asuma más obligaciones que las del CA, ni queda afectado por ninguna renuncia a sus derechos que haga el transportista (art. 4.3 CA)
	  • Si el transportista y el transportista ejecutor son responsables, su responsabilidad será solidaria (art. 4.4 CA), sin perjuicio de los derechos de recurso entre ambos para identificar al culpable (art. 4.5 CA).
	  • Sólo el transportista ejecutor está obligado por el Reglamento CE 392/2009 y/o el Convenio de Atenas 2002 a contratar un seguro de responsabilidad civil que cubra su responsabilidad en caso de muerte o lesiones (art. 4 bis CA). La figura del "transportista ejecutor" se corresponde con el armador del buque. En cambio, el "transportista contractual" que no sea ejecutor permanece responsable por la totalidad del transporte (art. 4.2 CA), pero no tiene obligación de seguro. En todo caso, ningún prudente transportista dejará de contratar un seguro que cubra su riesgo (por ejemplo, el naviero del buque de pasaje que no es también el armador del buque).
	  • El asegurador ha de ofrecer una suma asegurada obligatoria de 250.000 unidades de cuenta por pasajero y accidente (art. 4 bis CA). Voluntariamente puede ofrecer límites más altos al armador del buque de pasaje, como llegar a las 400.000 unidades de cuenta para ofrecerle una protección completa de responsabilidad a su transportista asegurado (art. 7 CA).

Sujetos (cont.)	✓ El pasajero • Toda persona transportada en un buque en virtud de un contrato de transporte o que, con el consentimiento del transportista, viaja acompañando a un vehículo o a animales vivos, amparados por un contrato de transporte que no se rige por el CA (art. 4.b CA).
Forma	✓ El contrato de transporte se documenta en el billete de pasaje (arts. 288 y 289 LNM). Es usual que el contrato se celebre a partir de las condiciones generales de transporte preparadas por el porteador. De ahí la importancia de un régimen jurídico imperativo que proteja al pasajero frente a cláusulas abusivas. ✓ Si el pasajero es un usuario, tiene derecho a un justificante, copia o documento acreditativo de la operación (art. 63 TRLGDCU).
Responsabilidad del transportista	✓ A continuación, se detalla el régimen imperativo de responsabilidad del transportista y del transportista ejecutor de un transporte de personas por mar sometido al CA y/o Reglamento CE 392/2009, que incorpora dicho Convenio al Derecho comunitario. ✓ El Convenio de Atenas 2002 prevé un doble régimen de responsabilidad: a) una responsabilidad objetiva para sucesos relacionados con la navegación (naufragio, abordaje, etc.); y, b) una responsabilidad por culpa para sucesos no relacionados con la navegación. • Por sucesos relacionados con la navegación, la responsabilidad objetiva o sin culpa del transportista es hasta 250.000 unidades de cuenta (art 3.1 CA). Significa, por ejemplo, que el transportista responde, aunque el abordaje del buque sea únicamente imputable a otro buque. O cuando sea atribuible a un incendio por el mal estado de piezas suministradas por el fabricante de motores. O cuando el buque haya varado por culpa del práctico o de las autoridades portuarias. En conclusión, el transportista responde frente al pasajero, hasta dicho límite máximo, de forma objetiva, aunque la muerte o lesiones sea culpa de un tercero. Naturalmente, luego podrá repetir lo pagado al que considere responsable, pero no puede escudarse en la culpa de un tercero para no pagar al pasajero. • Cuando la reclamación sea superior a 250.000 unidades de cuenta por muerte o lesiones del pasajero por un suceso relacionado con la navegación (abordaje, incendio, varada, etc.), el régimen jurídico de responsabilidad del transportista cambia. Sólo responde del excedente de 250.000 unidades de cuenta si no logra probar que actuó de forma diligente para evitar el daño. En todo caso, se prevé un límite de responsabilidad por pasajero y accidente de 400.000 unidades de cuenta (art. 7.1 CA). Para romper este límite, el transportista debería haber incurrido el dolo personal en la causación del daño (art. 13 CA).

Responsabilidad del transportista (cont.)	• El transportista puede oponer una limitada gama de excepciones oponibles en caso de muerte o lesiones por hecho relacionado con la navegación: acto de guerra, fuerza mayor, dolo de tercero (art. 3.1 CA). Estas excepciones quedan sin efecto si el pasajero acredita falta de diligencia del transportista (por ejemplo, hacer partir el buque cuando las previsiones meteorológicas eran negativas o no controlar que suba a bordo un terrorista). El transportista también puede alegar la culpa propia del pasajero en la causación de su propio daño (art. 6 CA).
	✓ El otro régimen de responsabilidad del Convenio de Atenas 2002 es para sucesos no relacionados con la navegación, donde rige la tradicional responsabilidad por culpa.
	   • La realidad del transporte marítimo de pasajero demuestra que, aparte de los graves accidentes marítimos (buques "Costa Concordia", "Estonia", "Titanic",...), muchas veces la muerte y lesiones se producen por sucesos distintos al abordaje, varada, incendio, y otros "sucesos de la navegación". Son los accidentes individuales que sufre el pasajero los más comunes (caídas, agresiones, resbalones, daños durante excursiones organizadas, etc.).
	   • El transportista será responsable de las pérdidas originadas por la muerte o las lesiones de un pasajero causadas por un suceso no relacionado con la navegación, si el suceso que originó el daño es imputable al transportista o sus auxiliares (art. 5.b CA). La carga de la prueba de dicha negligencia recae sobre el pasajero o sus causahabientes (art. 3.2 CA).
	✓ En caso de daños materiales a equipaje que no sea de camarote y equipaje de camarote, rige también la responsabilidad por culpa del transportista. Incumbe al pasajero la carga de la prueba de la negligencia del transportista (art. 3.3. y 3.4).
	   • La responsabilidad del transportista por la pérdida o daños sufridos por el equipaje de camarote no excederá en ningún caso de 2 250 unidades de cuenta por pasajero y transporte (art. 8.1 CA).
	   • La responsabilidad del transportista por la pérdida o daños sufridos por vehículos, incluidos los equipajes transportados en el interior de estos o sobre ellos, no excederá en ningún caso de 12.700 unidades de cuenta por vehículo y transporte (art. 8.2 CA).
	   • La responsabilidad del transportista por la pérdida o daños sufridos por equipajes que no sean los mencionados en los apartados 1 y 2 del presente artículo no excederá en ningún caso de 3 375 unidades de cuenta por pasajero y transporte (art. 8.3 CA).
	✓ Estos límites de responsabilidad por pasajero y accidente son máximos. No significa que el transportista deba indemnizar en su totalidad, depende de la cuantificación del daño.

Responsabilidad del transportista (cont.)	✓ En caso de accidente de la navegación con multitud de afectados, el transportista puede acogerse a límites globales de responsabilidad por buque y accidente.
	  • Así se reconoce en materia de responsabilidad por muerte o lesiones causados por guerra o terrorismo, donde las Directrices OMI fijan un límite de 340 millones de unidad de cuenta por buque y siniestro o de 250.000 unidades de cuenta por pasajero y siniestro, la cuantía que sea menor.
	  • Se prevé la limitación global de la responsabilidad del transportista por buque y accidente, conforme al Convenio de limitación de responsabilidad por créditos marítimos, salvo que un Estado parte decida fijar límites más altos o no fijar ningún límite (art. 5 Reglamento CE 392/2009).
	✓ No puede establecerse otro fundamento de la responsabilidad que el previsto en el CA (art. 14 CA). Sin embargo, en el caso habitual en que el pasajero es un crucerista con un contrato de viaje combinado, podrían ser de aplicación las normas de protección de los consumidores y usuarios.
	✓ El pasajero ha de notificar la pérdida o daños sufridos en el equipaje, bajo pena de perder la acción (art. 15 CA).
	✓ El plazo de prescripción de la acción es de 2 años, en general desde la causación del daño (art. 16 CA):
	  • Podrá interrumpirse o no según sea la ley del tribunal que conoce del asunto.
	  • En ningún caso se podrá entablar una acción pasados 3 años desde el desembarco del pasajero o del día en que debía haber desembarcado, si es posterior.
	  • También podrán ampliarse estos plazos por declaración del transportista o por acuerdo escrito entre las partes.
	✓ La jurisdicción competente será elegida por el demandante, a condición de que el tribunal se encuentre en un Estado parte, entre los siguientes (art. 17 CA):
	  • El tribunal del lugar de residencia habitual o sede comercial del demandado.
	  • El tribunal del punto de partida o de destino señalado en el contrato.
	  • El tribunal del domicilio del demandante si el demandado tiene allí un establecimiento comercial o está sujeto a su jurisdicción.
	  • El tribunal del lugar donde se concertó el transporte si el demandado tiene allí un establecimiento comercial o está sujeto a su jurisdicción.
	✓ Las condiciones generales de algunas empresas de cruceros someten los litigios a la jurisdicción de los tribunales de la celebración del contrato.

8. CONTRATOS AUXILIARES DEL COMERCIO MARÍTIMO

Contrato de consignación de buques	✓ Se entiende por consignatario a la persona que por cuenta del armador o del naviero se ocupa de las gestiones materiales y jurídicas para el despacho y demás atenciones al buque en puerto (art. 319 LNM). ✓ En virtud del contrato de consignación de buques, un empresario individual o social ofrece unos servicios remunerados de diferente naturaleza (desde el avituallamiento, contratación de estibadores, pago de las tasas, búsqueda de clientes, etc.) a los buques explotados por los navieros a los cuales representa en puerto.

Régimen jurídico	✓ El contrato de consignación de buques está regulado en los arts. 319 a 324 LNM.
	
	 ✓ A los efectos del texto refundido de la Ley de Puertos del Estado y de la Marina Mercante (TRLPEMM), se considera agente consignatario de un buque a la persona física o jurídica que actúa en nombre y representación del naviero o del propietario del buque. Responde solidariamente con el naviero de las tasas y multas portuarias (art. 259 TRLPEMM).
	 ✓ La responsabilidad del consignatario en cuanto al cumplimiento de las obligaciones asumidas por el naviero para con los cargadores o receptores de las mercancías transportadas por el buque se rige por la legislación mercantil específica (art. 259.2 TRLPEMM).
	   • En interpretación de este precepto, hay que tener en cuenta la jurisprudencia del Tribunal Supremo a partir de la sentencia del Pleno de la Sala de lo Civil de 26-11-2007 (*Tol 121890*), según la cual el naviero y el consignatario del buque asumen frente al perjudicado una responsabilidad que el Tribunal Supremo califica de solidaria, por lo que basta demandar a cualquiera de los dos. Por tanto, el consignatario del buque no puede alegar su condición de representante para eludir su responsabilidad contractual frente al perjudicado, aunque la culpa sea atribuible al transportista de la mercancía objeto del contrato.
	   • Esta jurisprudencia ha quedado superada y desfasada con la aprobación de la Ley de navegación marítima. El art. 322 LNM señala, en cambio, que el consignatario no será responsable ante los destinatarios del transporte de las indemnizaciones por daños o pérdidas de las mercancías o por retraso en la entrega, aunque debe recibir las reclamaciones y reservas por pérdida o daños que le dirija el destinatario, obligándose a comunicarlas al armador o naviero. El consignatario será responsable frente al armador o naviero de los daños por culpa propia.
	 ✓ La relación representativa entre el principal y el consignatario, normalmente, tiene carácter de comisión o de agencia mercantil, por lo que pueden ser aplicables si el derecho español rige el contrato, bien las normas sobre la comisión mercantil de los artículos 244 y ss. del Código de Comercio, bien de la LCA (art. 320 LNM).

Régimen jurídico (cont.)	• En la consignación de buques *tramp* o vagabundos, fletados para un viaje y que entran en un puerto con carácter aislado, generalmente se contrata para un servicio concreto y puntual, por lo que se trataría de una comisión. • En la consignación de buques adscritos a líneas regulares (*liner*), el contrato puede encajar mejor en la agencia mercantil. • En la práctica es común el uso del término "agentes generales", que puede ser equívoco y no excluye tampoco la calificación del contrato a fin de identificar el régimen jurídico aplicable.

Sujetos	✓ El principal (naviero o armador del buque)
	  • El principal del contrato de consignación puede ser el armador directamente, como persona que, sea o no propietario tiene la posesión del buque y lo dedica a la navegación en su propio nombre y bajo su responsabilidad (art. 145.1 LNM).
	  • El principal del contrato de consignación puede ser, alternativamente, el naviero o empresa naviera, esto es, como la persona física o jurídica que, utilizando buques mercantes propios o ajenos, se dedique a la explotación de los mismos, aun cuando ello no constituya su actividad principal, bajo cualquier modalidad admitida en los usos internacionales (arts. 145.2 LNM y 10 TRLPEMM). Por ejemplo, el principal es el fletador por tiempo que, aunque no es el armador del buque fletado, sí tiene su gestión comercial y, de acuerdo con el contrato, tiene derecho a designar a sus propios consignatarios del buque en los puertos donde recale.
	✓ El consignatario del buque
	  • Como empresario independiente, el consignatario puede estar vinculado en exclusiva con un naviero concreto o prestar servicios a varios simultáneamente.
	  • Otras veces, el consignatario es una sucursal o una filial de un naviero. Situadas en los puertos que explotan comercialmente sus buques adscritos a líneas regulares, a las grandes empresas navieras les puede resultar más económico o seguro controlar directamente este servicio, en vez de contratarlo con un empresario independiente.

Forma	✓ El contrato de prestación de servicios de consignación portuaria no tiene una formalidad específica, si bien suele redactarse por escrito en el caso de contratos de agencia de duración continuada.

Contenido del contrato	✓ A continuación, se detallan algunas de las principales cláusulas del formulario-tipo del contrato de agencia general y líneas regulares, preparado por FONASBA:	
	Obligaciones y derechos del principal	✓ Obligación de remunerar al consignatario en los términos estipulados, en base al total de fletes devengados, cargos de manejo de mercancías y portes por transportes terrestres preparatorios o que culminen el transporte marítimo. ✓ Obligación de no nombrar a otro consignatario en el territorio, entendiéndose por tal la zona geográfica libremente identificada en el contrato. ✓ Obligación de suministrar toda la documentación necesaria para que el agente desarrolle su actividad, incluyendo información puntual de horarios, buques y puertos de escala. ✓ Obligación de enviar los fondos necesarios al agente para avanzar pagos, siempre y cuando no sean suficientes los fletes cobrados que ya están en posesión del agente. ✓ Obligación de indemnizar al agente por todos los daños y perjuicios y gastos en que pueda incurrir en conexión con el cumplimiento de sus obligaciones contractuales, salvo en caso de dolo o culpa grave del mismo. ✓ Si se pacta expresamente, el principal asumirá la defensa jurídica de cualquier reclamación que surja entre el agente y un tercero como resultado del cumplimiento de las funciones de aquél.
	Obligaciones y derechos del consignatario	✓ Derecho a consignar los buques de propiedad del naviero o que haya arrendado o fletado para su utilización en líneas regulares entre los puertos identificados. ✓ Obligación de representar al principal en el territorio pactado, prestando su mayor esfuerzo en cumplir las instrucciones razonables de aquél. ✓ Previa consulta con el principal, derecho a recomendar y/o nombrar subagentes, estibadores, depositarios, guardia de seguridad y otros prestadores de servicios, en nombre y por cuenta del principal. No será responsable de los actos de éstos, salvo que no ejercite la debida diligencia en el nombramiento y supervisión. ✓ Obligación de cumplir las leyes y reglamentos e indemnizar al principal por todas las multas, gastos y restricciones que puedan surgir por el incumplimiento del consignatario.

Contenido del contrato (cont.)	Obligaciones y derechos del consignatario (cont.)	✓ Obligación de no aceptar la representación de otros navieros que puedan hacer la competencia a su principal, sin que conste su consentimiento expreso, que no deberá ser negado de forma irrazonable. ✓ Obligación de confidencialidad de los datos relativos a su principal. ✓ Obligación de proveer de servicios de márquetin y actividades de ventas de los servicios del naviero en su territorio, de acuerdo con la guía suministrada por el principal, de contratar con los clientes, de publicitar los servicios y de mantener contacto con todos los sujetos públicos y privados interesados en la navegación. ✓ Obligación de suministrar estadísticas y relación de carga contratada. ✓ Obligación de anunciar la llegada y partida de buques y las tarifas. ✓ Obligación de emitir, en nombre del principal, conocimientos de embarque, manifiestos, órdenes de entrega y otros documentos (art. 303 LNM). ✓ Obligación de reservar muelle y contratar la carga y descarga de la mercancía, de acuerdo con los usos locales y las circunstancias. ✓ Obligación de coordinarse con los operadores de terminal, estibadores y otros contratados para obtener el mejor servicio y despacho del buque del principal. ✓ Obligaciones, respectivamente, de preparar el recibo y carga de la mercancía, así como la descarga y entrega del cargamento. ✓ Obligación de cumplir las órdenes del principal en relación con la gestión de reclamaciones, el seguro P&I (de responsabilidad civil del naviero), contribución en avería gruesa o el nombramiento de peritos. ✓ Obligación de gestionar todos los trámites administrativos para la estancia del buque en puerto. ✓ Obligación de informar regular y periódicamente al principal sobre las cuestiones que puedan afectar al despacho de los buques del principal. ✓ Obligación, en su caso, de gestionar los contenedores propiedad o alquilados del principal. ✓ Obligación de contratar el equipo necesario para el buque. ✓ Obligación de cobrar los fletes y cargos relacionados y remitirlos al principal en los intervalos periódicos que éste exija mediante transferencia bancaria.

Contenido del contrato (cont.)	*Obligaciones y derechos del consignatario* (cont.)	✓ Derecho a retener las cantidades percibiɒas en concepto de fletes y cargos relacionados hasta el completo desembolso de las remuneraciones pendientes de cobro a su favor. ✓ Si se pacta expresamente, derecho a que cualquier conflicto con el principal sea resuelto ante los tribunales del país del agente y conforme a su derecho nacional.

Contrato de manipulación portuaria	✓ El transporte marítimo de mercancías está delimitado geográfica y temporalmente por las operaciones portuarias de preparación y finalización del transporte. ✓ El conjunto de operaciones técnicas llevadas a cabo con el fin de carga o descarga de las mercancías recibe el nombre de operaciones de carga y descarga. ✓ La operación de estiba o arrumaje alude de forma específica a la conveniente disposición, distribución y colocación del cargamento sobre cubierta o en las bodegas del buque, a fin de proceder a su transporte marítimo de forma segura. La técnica o técnicas de estiba empleadas dependen de las características del buque y del cargamento. ✓ Las operaciones de carga y descarga de las mercancías suponen generalmente la participación de personas y empresas que prestan un servicio portuario profesionalizado: • El servicio portuario de carga y descarga por personas especializadas en los puertos españoles de interés general se desarrolla conforme a su normativa específica (arts. 130 y 131 TRLPEMM). • La Autoridad Portuaria puede autorizar al naviero o armador el manejo de medios de carga o descarga propios del buque por personal de su tripulación (art. 130.4 TRLPEMM). ✓ La contratación de las empresas de carga y descarga en los transportes de mercancías en régimen de conocimiento de embarque o documento similar corresponde por ley al porteador (arts. 3.2 RHV y 227.2 LNM), sin perjuicio de que repercuta este coste en el usuario del servicio. ✓ En cambio, el armador no suele asumir el coste de la contratación de las empresas de carga y descarga en los contratos de fletamento por viaje (cláusula *Free In & Out*) (art. 227.1 LNM).
Contrato de remolque	✓ Por el contrato de remolque el armador de un buque se obliga, a cambio de un precio, a realizar con él la maniobra necesaria para el desplazamiento de otro buque, embarcación o artefacto naval, o bien a prestar su colaboración para las maniobras del buque remolcado o, en su caso, el acompañamiento o puesta a disposición del buque (art. 301 LNM).

Contrato de remolque (cont.)	• El remolque transporte implica un desplazamiento de un buque o artefacto, donde, salvo pacto expreso en contrario, la dirección de la maniobra la tiene el capital del remolcador (art. 302 LNM). • Cuando el remolque tiene por objeto la maniobra de entrada o salida en un muelle o puerto, se entiende que salvo pacto en contrario la dirección de la maniobra recae sobre el buque remolcado (art. 303 LNM). • En caso de daños a terceros, remolcado y remolcador asumen responsabilidad solidaria ante terceros por daños causados en el tren de remolque, salvo que uno pruebe su falta de culpa. En todo caso, entre armadores, la repetición atenderá al grado de culpa respectivo (art. 304 LNM). • El remolque de fortuna es aquel solicitado en situación extraordinaria, que no pueda ser calificado de salvamento. Da derecho a una remuneración adecuada a los servicios prestados, no condicionada al éxito de la operación (art. 305 LNM). • Las acciones nacidas del contrato de remolque prescriben en el plazo de un año (art. 306 LNM).
Contrato de practicaje	✓ Por el contrato de practicaje una persona denominada práctico se obliga, a cambio de un precio, a asesorar al capitán en la realización de las diversas operaciones y maniobras para la segura navegación de buques por aguas portuarias o adyacentes (art. 325 LNM). • La presencia del práctico a bordo no exime al oficial de la guardia de los deberes que le incumben en relación con la seguridad de la navegación. Tampoco sustituye la superior autoridad del capitán en todo lo relativo al gobierno y dirección náutica, aunque haya instrucciones directas de maniobra del práctico o éste las ejecute por sí mismo con consentimiento expreso o tácito del capitán (art. 327 LNM). • El práctico responde de los daños al buque o a terceros por su negligencia, sin perjuicio de que haya concurrencia de culpas con el capitán. De lo daños imputables en exclusiva al práctico responde éste. De los daños causados por culpa compartida responden solidariamente, además, el capitán y el armador. En estos supuestos, rigen las reglas de limitación de responsabilidad de armadores y prácticos (art. 328 LNM).
Contrato de gestión naval	✓ Por el contrato de gestión naval una persona se compromete, a cambio de una remuneración, a gestionar, por cuenta y en nombre del armador, todos o alguno de los aspectos implicados en la explotación del buque. Dichos aspectos pueden hacer referencia a la gestión comercial, náutica, laboral o aseguradora del buque (art. 314 LNM). • Las relaciones entre el armador y el gestor, como mandatario, se regulan por el contrato de gestión y, en su defecto, por las normas de la comisión o de la agencia, según se trate o no de una relación duradera (art. 317 LNM).

Contrato de gestión naval (cont.)	• El gestor debe actuar con la diligencia de un ordenado empresario y de un representante leal (art. 315 LNM), haciendo constar su condición de mandatario del armador. Si no actúa así, será solidariamente responsable frente a terceros con el armador (art. 316 LNM). • El gestor asume con el armador responsabilidad extracontractual por daños a terceros, como consecuencia de los actos de aquel o de los de sus dependientes, sin perjuicio del derecho de uno y otro a limitar su responsabilidad en los términos de la Ley de navegación marítima (art. 318 LNM).
Contratos de seguro marítimo	✓ Son obligatorios en España los siguientes seguros marítimos: • Seguro de responsabilidad civil de los buques que transporten más de 2000 toneladas de hidrocarburos por daños que estos causen (Convenio internacional sobre responsabilidad civil nacida de daños debidos a contaminación por hidrocarburos de 1992). • Seguro de responsabilidad civil por los daños causados por el combustible de buques de arqueo superior a 1000 toneladas (Convenio internacional sobre responsabilidad civil nacida de daños debidos a contaminación por hidrocarburos para combustible de buques de 2001, Convenio "Bunkers"). • Seguro obligatorio de viajeros (Real Decreto 1575/1989, de 22 de diciembre y Reglamento CE 392/2009, de 23 de abril, hasta los límites dispuestos en la CA). • Seguro de responsabilidad civil por muerte o lesiones de pasajeros transportados por vía marítima, para riesgos marítimo y riesgos de guerra y terrorismo (Reglamento CE 392/2009, Convenio de Atenas 2002 y Reserva y Directrices de la Organización Marítima Internacional de 2006). • Seguro de responsabilidad civil para embarcaciones de recreo o deportivas (Real Decreto 607/1999, de 16 de abril). • El artículo 254 TRLPEMM dispone que las empresas navieras españolas estarán obligadas a tener asegurada la responsabilidad civil en la que puedan incurrir en el curso de la explotación de sus buques, en los términos que reglamentariamente se determinen por el Gobierno de acuerdo con las coberturas usuales de este ramo en el mercado internacional.

Contratos de seguro marítimo (cont.)	✓ A nivel europeo, la Directiva 2009/20/CE del Parlamento Europeo y del Consejo de 23 de abril de 2009, requiere contratar un seguro u otra garantía financiera para hacer frente a reclamaciones marítimas derivadas de buques de más de 300 toneladas de arqueo bruto, incluyendo buques extranjeros que entren en un puerto de un Estado miembro. Los Estados miembros deben transponer estas reglas para cumplir con la Directiva antes del 1 de enero de 2012 (art. 9). Así lo ha hecho España mediante el Real Decreto 1616/2011, de 14 de noviembre, que regula el seguro de responsabilidad de los propietarios de los buques civiles para reclamaciones de derecho marítimo. • Impone disponer de un seguro de protección o indemnización contratado con un club P&I del Grupo Internacional u otro seguro o garantía. Debe cubrir las reclamaciones y sumas aseguradas exigidas en el Convenio sobre limitación de responsabilidad de 1976, tal y como ha sido modificado por su Protocolo de 1996. • En el ámbito de los buques mercantes, los armadores de buques contratan generalmente un seguro P&I, de naturaleza multiriesgo. Con un solo seguro, disponen de cobertura de riesgos voluntarios y obligatorios de responsabilidad civil, así como de cobertura de ciertos gastos y pagos extraordinarios. ✓ El resto de seguros son voluntarios, pero son muy habituales en la práctica los siguientes: • Seguro de cascos o de buque. • Seguro de mercancías o facultades. ✓ En los seguros de mercancías transportadas por mar, de buques y de responsabilidad civil del transportista marítimo, las partes tienen libertad de elección de la ley nacional aplicable porque se consideran "seguros de grandes riesgos" (arts. 107.2 LCS y 11 LOSSEAR). ✓ En lo no previsto en el contrato, si se aplica la Ley española, rige la normativa sobre seguros marítimos regulados en los artículos 466 a 467 LNM, que tiene carácter dispositivo, salvo que se diga otra cosa expresamente. ✓ En lo no previsto, es de aplicación supletoria la Ley del contrato de seguro (art 406.1 LNM), salvo para los seguros obligatorios de embarcaciones dedicada al deporte y recreo, que se rigen por lo dispuesto en la LCS (art. 406.2 LNM). ✓ La LNM regula disposiciones comunes a los distintos tipos de seguros y ofrece una regulación limitada de los seguros más habituales en la práctica: • El seguro de buques (arts. 439 a 452 LNM). En SSTS 10-3-2020 *(Tol 7861288)* y 3-5-2018 *(Tol 6594679)* reconocen el derecho de la aseguradora a no satisfacer la indemnización por no haberse cumplido las condiciones de cobertura contractuales, con resultado de hundimiento de la embarcación asegurada.

Contratos de seguro marítimo (cont.)	• El seguro de mercancías a bordo (arts. 453 a 462 LNM). • El seguro de responsabilidad civil (arts. 463 a 467 LNM). ✓ Con carácter fundamental, la sentencia de 12-1-2009 (*Tol 1441152*) del Pleno del Tribunal Supremo considera aplicable el régimen de los intereses moratorios del artículo 20 LCS a los seguros marítimos
Contrato de salvamento marítimo	✓ El salvamento marítimo es una institución jurídica por la que en general quien voluntariamente presta servicios de salvamento a buques u otras propiedades en peligro en el mar, tiene derecho a reclamar un premio o recompensa si obtiene algún resultado útil. Su importe no puede superar el valor del buque u otros bienes salvados. El derecho al premio de salvamento nace *ex lege*, sin necesidad de que haya un contrato de salvamento. ✓ Los interesados en el salvamento marítimo pueden acordar los términos de su relación jurídica en un contrato. Este régimen convencional o contractual —con ciertos límites— sustituye al régimen legal. Así lo admite el art. 6.1 del Convenio internacional sobre salvamento marítimo, hecho en Londres el 28 de abril de 1989. ✓ La Ley de navegación marítima regula el salvamento entre los accidentes de la navegación y le dedica los arts. 357 a 369. Añade que el salvamento se rige por el Convenio internacional sobre salvamento marítimo de 1989, por los Protocolos que lo modifiquen en los que España sea parte y por las disposiciones de este capítulo (art. 357 LNM). ✓ En el tráfico marítimo es ampliamente conocido el formulario denominado *Lloyd's Standard Form of Salvage Agreement*, abreviadamente conocido como "LOF". Los términos del contrato "LOF" son aprobados, publicados y puestos al día por el Comité de la Lloyd's de Londres. ✓ La finalidad es ofrecer un contrato de salvamento-tipo sencillo en su contenido para facilitar el inicio de las operaciones de asistencia y evitar que los tratos preliminares retrasen el salvamento de un buque en dificultades. 　• En concreto, los salvadores identificados se obligan a realizar los esfuerzos necesarios para salvar el buque, su cargamento, combustibles, pertrechos y cualquier otra propiedad con excepción de los efectos personales y equipaje de los pasajeros, capitán y dotación y llevarlos al lugar seguro pactado u otro también seguro. 　• Los servicios de los salvadores se prestan bajo el principio *no cure-no pay*, de forma que nada se debe pagar, si no se obtiene un resultado útil. 　• Como excepción, las partes pueden acordar expresa y opcionalmente la cláusula de compensación especial para garantizar una retribución mínima a los salvadores.

Contrato de salvamento marítimo (cont.)	• El premio de los salvadores y el derecho a esta compensación especial será determinado mediante arbitraje en Londres de acuerdo con las *Lloyd's Standard Salvage and Arbitration Clauses* y las *Lloyd's Procedural Rules*, que se consideran incorporadas al LOF 2000 (cl. i). • El acuerdo y el arbitraje se someten a la Ley inglesa (cl. j). De esta manera, es de aplicación del Convenio de salvamento de 1989 a través de la cláusula de elección de ley aplicable, pues Gran Bretaña es parte del Convenio de salvamento de 1989 en virtud de su Ley de la Marina Mercante de 1995. • El contrato es firmado por una persona en nombre y por cuenta de los salvadores y por el capitán u otra persona firmante por cuenta y en nombre de la propiedad, debiendo informar los propietarios del buque a los propietarios de otra propiedad sobre la existencia del acuerdo LOF 2000. • El poder judicial ha de estar atento ante posibles abusos de la fórmula LOF de sumisión a arbitraje ante la Lloyd's, pues se imponen en situación de peligro y extrema tensión y aprovechando la situación de debilidad del capitán o patrón en apuros en el mar. Estos convenios arbitrales, aceptados cuando el consentimiento no se expresa libremente, podrían ser declarados nulos atendiendo a las circunstancias y negarse, en su caso, el *exequatur* del laudo extranjero en España.

Capítulo XII

Los contratos de la navegación aérea

1. CONTRATO DE CONSTRUCCIÓN DE AERONAVE

Concepto	✓ El contrato de construcción de aeronaves es un arrendamiento de obra por el cual el comitente (que puede ser el futuro operador, una entidad de *leasing* o una sociedad de venta de aeronaves, por ejemplo) encarga, normalmente a una empresa fabricante, la construcción de una o más aeronaves, conforme a un plano o proyecto, un prototipo o de acuerdo con un certificado de tipo, a cambio de la prestación convenida. • No basta con prestar el servicio, hay que concluir con la entrega de la aeronave, que es la obra pactada. • Hay una nota de encargo de construcción y un proceso de fabricación, que se desarrolla por cuenta exclusiva del fabricante. • La conformidad del aparato construido con el plano, prototipo o tipo puede acreditarse por expertos designados por las partes o por sociedades de certificación o clasificación independientes, como AENOR o Bureau Veritas (Morillas).
Derecho administrativo de la construcción	✓ Construcción de aeronaves por aficionados sin ánimo de lucro • De acuerdo con el art. 34 de la Ley 48/1960, de 21 de julio, de navegación aérea (LNA), son libres el estudio y las iniciativas para la construcción de prototipos de aeronaves y motores, así como de sus accesorios. Se entiende por prototipo las primeras unidades construidas para comprobar prácticamente la eficacia de una concepción técnica. Las demás unidades del mismo tipo se considerarán en serie. • El procedimiento dirigido a aquellos aficionados que, en solitario o junto con otros, desean construir por sí mismos la mayor parte de su aeronave (al menos el 51%), para sus propios fines, sin ánimo de lucro, está regulado en la Orden de 31 de Mayo de 1982 por la que se aprueba un nuevo Reglamento para la Construcción de Aeronaves por Aficionados.

Derecho administrativo de la construcción (cont.)	✓ La construción de aeronaves construidas en serie • La construcción de aeronaves y motores en serie, así como la de sus accesorios específicos, tiene ánimo de lucro y sigue un procedimiento más exhaustivo de autorización administrativa (art. 35 LNA), con ingente normativa nacional, comunitaria e internacional. La satisfacción de los requerimientos y la adecuación de la aeronave se prueba mediante el certificado de aeronavegabilidad (arts. 36 a 38 LNA). El certificado de tipo acredita que se han cumplido los requisitos de diseño de la misma.
Régimen jurídico-privado	✓ Con independencia de los requisitos administrativos que ha de superar el fabricante para poder ser autorizado a construir aeronaves, el negocio de construcción de aeronaves para un tercero ya está sometido al Derecho privado, esto es, a las normas que regulan las relaciones entre particulares (arts. 57 C. Com. y 1255 CC). ✓ El contrato de construcción de aeronaves es, desde un punto vista jurídico, "atípico". Significa que el legislador no ha considerado necesario regularlo legalmente, ni su contenido básico. • Se opta por asegurar que el fabricante esté sometido a un exhaustivo control, pero se deja que la operación, normalmente de gran envergadura económica, esté presidida por la libertad de las partes para pactar lo que tengan por conveniente. • Es más, este tipo de contratos internacionales suelen incluir cláusulas de "ley nacional aplicable", es decir, que las partes deciden si la ley nacional del contrato es el Derecho norteamericano, español, francés, peruano, etc. • Asimismo, también es frecuente el recurso a arbitraje (árbitros especializados en resolver las controversias usuales en estos contratos de construcción), como forma de evitar que los litigios sean resueltos en tribunales judiciales. • Incluso antes de llegar a un arbitraje, pueden preverse sistemas de resolución amistosa de las divergencias que, normalmente, tendrán un carácter técnico, por ejemplo, porque no se ha cumplido exactamente las órdenes de construcción.
Contenido del contrato	✓ A la falta de regulación legal, se añade que los términos de los contratos de construcción de una o varias aeronaves son confidenciales, determina las dificultades para adelantar un contenido estándar. Serán las partes las que, de acuerdo con condicionados habituales del tráfico, lo adopten para satisfacer sus intereses específicos. ✓ De acuerdo con la doctrina, las cláusulas usuales de este contrato incluyen, entre otras, las siguientes: • La facultad de aportar materiales, de dar instrucciones, los derechos de verificación e inspección, obligaciones de colaboración, de secreto y de ejecución de la obra. • Normalmente se pacta la entrega de la aeronave una vez está construida totalmente, momento hasta el cual asume los riesgos de destrucción el propio fabricante.

Contenido del contrato (cont.)	• Se estipula que, si los materiales los pone el comprador, los riesgos corren de su cuenta. • Para la cobertura de estos riesgos de destrucción de la aeronave, las partes contratan los correspondientes seguros de daños o de responsabilidad civil durante la construcción.

Responsabilidad del fabricante	✓ La recepción de la aeronave por el comprador no libera al constructor por su responsabilidad por los vicios ocultos (Morillas).
	   • Esto significa que el fabricante de aeronaves y el fabricante de sus componentes, como productores, pueden asumir responsabilidad contractual frente al comprador o extracontractual frente a otros terceros, en caso de que la aeronave o algún producto o equipo en la misma sean defectuosos.
	   • Como productores, asumen responsabilidad objetiva frente a los perjudicados, sin que puedan exonerarse acreditando haber ejercido la debida diligencia, y no están sometidos a los límites de indemnización que rigen para los transportistas. De ahí que, en caso de accidente, se aconseje a veces litigar contra el fabricante y en las jurisdicciones nacionales donde las indemnizaciones son más altas (Guerrero Lebrón).
	   • Un caso emblemático de responsabilidad del fabricante aeronáutico en España es el del Tupolev. Con adolescentes rusos que venían a España, esta aeronave se estrelló en el lago Constanza de Alemania, al chocar en pleno vuelo con un Boeing de DHL. Ambos aviones iban dotados del sistema anticolisión TCAS II, versión 7.0, de las compañías norteamericanas Honey Well y ACSS. Los familiares de las víctimas demandaron en Estados Unidos, pero los tribunales de este país se declararon incompetentes y les remitieron a España. El proceso pasó sucesivamente por el Juzgado de Primera Instancia, por la Audiencia Provincial de Barcelona y, finalmente, por el Tribunal Supremo [sentencia 13-1-2015 (*Tol* 4706623)], que estimó que el defectuoso sistema TCAS, junto con un error del centro de control aéreo de Zúrich. Aplicando el Derecho norteamericano y rebajando la cuantía por la concurrencia de culpas con el centro de control (el controlador fue asesinado luego por el viudo y padre que perdió esposa e hijos), el Tribunal Supremo reconoció unas indemnizaciones muy superiores a las que hubieran correspondido en una demanda contra la compañía aérea en caso de muerte de los pasajeros. La normativa aplicada por el Tribunal Supremo fue la de los Estados de Arizona y Nueva Jersey, de domicilio de las dos empresas fabricantes.

Matrícula de la aeronave construida	✓ En caso de adquisición de aeronave por medio de un contrato de construcción, en el que se considera título de adquisición la escritura pública de entrega, otorgada por el constructor a favor del propietario, en la que se haga constar el precio, la forma y condiciones de pago (art. 180, ap. 3º RRM 1956).

2. CONTRATO DE COMPRAVENTA DE AERONAVE

Forma del contrato	✓ La adquisición, modificación o extinción de los derechos sobre una aeronave debe constar necesariamente en un documento público o privado (art. 12 LNA).
	  • No obstante, si la compraventa está financiada y el acreedor hipotecario exige que su hipoteca conste en el Registro de Bienes Muebles del Registro Mercantil, es necesario que tanto la compraventa como la hipoteca se firmen en documento público, una escritura notarial o un acto judicial de adjudicación de la aeronave (art. 182 RRM 1956).
	  • Con un documento privado de compraventa, el contrato es válido, pero para que ese contrato produzca efectos jurídicos frente a terceros, hay que elevarlo a documento público ante notario e inscribirlo en el Registro de Bienes Muebles.
	✓ El art. 130, ap. 2° LNA, señala que *para la plena eficacia administrativa* de las transferencias de propiedad de la aeronave es necesario que se haga asiento de las mismas en el Registro de Matrícula (actualmente se denomina Registro de Matrícula de Aeronaves Civiles). Esta inscripción se efectúa mediante certificación o comunicación del Registro Mercantil correspondiente (actualmente es el Registro de Bienes Muebles del Registro Mercantil de Madrid).
	✓ Para tener seguridad antes de comprar (igual que cuando se compra un piso y se consulta el Registro de la Propiedad Inmobiliaria para conocer su propietario y si hay cargas hipotecarias), el tercero de buena fe puede pedir una certificación al Registro de Bienes Muebles del Registro Mercantil de Madrid.
	✓ El art. 183 RRM 1956 dispone que la certificación del Registro de Bienes Muebles acredita la propiedad de la aeronave y es el único medio para justificar la libertad de cargas o los gravámenes que la afecten. El comprador puede confiar en lo que diga el certificado de cargas, tanto en lo positivo (por ejemplo, si dice que no tiene hipotecas, aunque las tuviese no le serían oponibles por no estar debidamente inscritas) y en lo negativo (por ejemplo, si hay hipoteca inscrita, la reipersecutoriedad supone que el comprador de la aeronave ha de asumir que éste garantiza el pago del préstamo/crédito).
	✓ En todo caso, puede haber privilegios ocultos sobre la aeronave, en forma que ciertos acreedores puedan cobrar a cuenta de la aeronave, por delante del acreedor hipotecario. Entrañan mucho riesgo, pues no están inscritos y surgen no de la inscripción (como la hipoteca), sino de la propia ley que los reconoce.

Contenido del contrato	✓ El contrato de compraventa de aeronaves es un contrato mercantil cuando se vaya a destinar a un uso comercial, y puede calificarse como contrato civil cuando se destine a un uso privado (Morillas).
	✓ En ambos casos, el principio general, a falta de normas que dispongan el contenido del contrato, es la autonomía de la voluntad de las partes para decidir los términos del contrato.
	✓ Si es un consumidor y destina la aeronave a uso privado, pueden resultar de aplicación las defensas y derechos que le reconoce el Texto refundido de la Ley general de defensa de los consumidores y usuarios.
	✓ El mercado también dispone de algunos formularios-tipo de compraventa de aviones nuevos y usados que las partes pueden utilizar y adaptar a sus intereses. La finalidad de estos contratos-tipo es evitar que las partes comiencen la negociación con un papel en blanco.
	  • Por defecto, estos contratos-tipo ya tienen las cláusulas usuales que reflejan los intereses esenciales del comprador y del vendedor y las partes pueden completar el contrato-tipo con otras cláusulas o borrar o modificar las predispuestas para acomodarlo a sus exigencias.
	  • Normalmente redactados en inglés se titulan *aircraft sale and purchase agreement*. Por ejemplo, en aviones ya usados, puede consultarse el *Master used aircraft purchase agreement* 2012, preparado por *Aviation Working Group* (AWG) y la Asociación Internacional del Transporte Aéreo (*International Air Transport Association*, IATA).
	  • Este contrato incluye la cláusula *as is, where is,* por la cual el comprador debe asegurarse de comprobar el estado de la aeronave, pues el vendedor no ofrece garantía de vicios ocultos y el comprador renuncia contractualmente a exigir ninguna responsabilidad al respecto al vendedor o a sus auxiliares.
	  • La entrega se materializa y los riesgos inherentes a ésta se materializa cuando ambas partes firman un documento por el cual el vendedor firma la carta de venta (*bill of sale*) y el comprador el documento de aceptación (*acceptance certificate*).

Financiación de la adquisición de la aeronave	✓ Junto al recurso al arrendamiento financiero (*finance lease*), el particular o el operador comercial de aeronaves puede optar por financiar la adquisición de la aeronave, cuando no disponga de dinero suficiente para el pago en metálico. ✓ Con todo, financiar una aeronave no es naturalmente como la financiación de un piso. El mercado del denominado *aircraft financing* atrae aerolíneas que buscan financiación, bancos, compañías de arrendamiento de motores y aeronaves, fabricantes de aeronaves y motores, agencias de créditos de exportación, abogados, consultores, fondos de cobertura, firmas de capital privado, tasadores de aeronaves, compañías de mantenimiento, reguladores, compañías de seguros y otras compañías implicadas en financiar la aviación.

Financiación de la adquisición de la aeronave (cont.)	✓ Sin ánimo exhaustivo, la financiación de la compraventa puede operar de diversas formas:
	  • Préstamo comercial por un banco o por un sindicato de entidades de crédito. Es habitual que participen varias entidades de crédito agrupadas en un *syndicate* en la financiación de la aeronave o de la flota adquirida con financiación.
	  • ECAs. Para facilitar la exportación de aeronaves fabricada en un país, las agencias de crédito a la exportación (ECAs) de cada Estado, privadas o públicas, pueden facilitar la compraventa, bien concediendo directamente el crédito al comprador o bien concediendo garantías a las entidades de crédito que financian la compraventa (*pure cover*) o ambos. La versión de 1 de septiembre de 2011 del llamado *Aircraft Sector Understanding* (ASU), de la Organización para la Cooperación y el Desarrollo Económicos (OCDE) es un documento de referencia en materia de financiación por ECAs.

3. CONTRATO DE ARRENDAMIENTO OPERATIVO DE AERONAVE

Concepto y distinción de figuras afines	✓ Por el contrato de arrendamiento operativo de aeronaves comerciales una empresa especializada en este tipo de mercado se obliga a favor de otra, normalmente una compañía aérea, a ceder la disposición de la aeronave por tiempo determinado y precio cierto. • La mayoría de las aerolíneas aéreas acuden a este contrato como medio de mantener actualizada su flota, evitando el coste enorme de la compraventa de aeronaves o el riesgo inherente a la mayor duración del *leasing*. ✓ El contrato de arrendamiento financiero o *leasing* de aeronaves es sobre todo un acuerdo de financiación que opera como un préstamo sobre el 100% del valor del avión. ✓ La duración del contrato es más corta en el arrendamiento operativo (por ejemplo, 6 u 8 años) que en el arrendamiento financiero (por ejemplo, 18 años) y no incorpora opción de compra. Al ser de menor duración, en el arrendamiento operativo, el riesgo económico de quedar la aeronave desfasada lo asume el arrendador, mientras que en el arrendamiento financiero lo asume el arrendatario. ✓ La práctica conoce igualmente de contratos de arrendamiento de aeronaves que pueden ser de menor duración:

Concepto y distinción de figuras afines (cont.)	• El arrendamiento con tripulación (*wet lease*) es un típico contrato de *charter* aéreo, donde el arrendador mantiene el avión arrendado bajo su propio certificado de operador aéreo (AOC). Únicamente pone el avión y su tripulación a las órdenes comerciales del arrendatario (por ejemplo, una agencia de viajes, un club de futbol, una compañía aérea que necesita temporalmente un aumento de flota, etc.). • El arrendamiento sin tripulación (*dry lease*) supone que la explotación del avión arrendado se realiza bajo el AOC del arrendatario. Por ejemplo, una compañía aérea que necesita un aumento del número de aviones a su disposición para una temporada comercial ✓ También hay un mercado de alquiler de motores de aeronaves, con formularios-tipo al uso (*Aircraft Engine Short-Term Lease Agreement y IATA Awg 1-12-2002*) (Morillas Jarillo).
Régimen jurídico	✓ El Derecho español no cuenta con normativa específica, por lo que el contrato se rige por la voluntad de los contratantes (arts. 57 C. Com. y 1255 CC).
Sujetos	✓ El arrendador • Se trata de grandes compañías cuyo objeto social es comprar aeronaves a los principales fabricantes (Boeing, Airbus y otros), así como aeronaves usadas, para incorporarlas a su cartera (*portfolio*) y arrendarlas en régimen de arrendamiento operativo o financiero con ánimo de lucro. ✓ El arrendatario • Normalmente se trata de compañías aéreas que no pueden disponer en régimen de propiedad de todas las aeronaves que explotan comercialmente y, a cambio de una remuneración periódica, las arriendan, con o sin opción de compra.
Forma	✓ Los contratos detallan de forma pormenorizada los derechos y obligaciones de las partes. ✓ Conforme al contrato firmado por las partes, el arrendatario también firma y entrega un "certificado de aceptación" al recibir la aeronave. El contrato señala que este documento es una prueba concluyente entre ambos de que los expertos técnicos del arrendatario han examinado e investigado la aeronave y los motores y que están en condiciones de aeronavegabilidad y en un buen estado de funcionamiento; que la aeronave y motores y la documentación de la aeronave carecen de defectos (sean o no descubiertos a la entrega) y en todo caso que son satisfactorios para el arrendatario.

Forma (cont.)		✓ El contrato suele ir acompañado, si la aeronave no es nueva, de un poder del arrendador para darla de baja en el registro nacional, sin perjuicio de su formalización en escritura pública cuando resulte pertinente a efectos de registro (art. 1279 CC).
Contenido del contrato		✓ A falta de normas especiales o formularios-tipo, a continuación se detallan algunas de las principales cláusulas usadas en el contrato de arrendamiento operativo de aeronaves comerciales por parte de la principal empresa mundial.
	Obligaciones y derechos del arrendador	✓ El arrendador se obliga a ceder el uso de la aeronave identificada por el modelo y el fabricante (por ejemplo, Boeing 737-800), la referencia a si es nueva o usada, el número de serie del fabricante, la matrícula de registro, el modelo de motores y fabricante y los números de serie de los motores.
		• En el apartado contractual dedicado a la definición de los términos principales del contrato, se indica que debe entenderse por aeronave el armazón, los motores, sus partes y la documentación de la aeronave. • También se incluye el diario de vuelo (*log book*), archivos de la aeronave (*aircraft records*), manuales de operación y otros documentos suministrados al arrendatario en conexión con la aeronave y los documentos administrativos exigidos por las Autoridades de Aviación. ✓ En el momento de la entrega estipulado, la aeronave debe cumplir las especificaciones recogidas en el contrato. • Siempre y cuando la aeronave cumpla con las condiciones contractuales, una vez que el arrendador la ponga a su disposición, el arrendatario aceptará la aeronave y la fecha de la puesta a disposición será considerada como día de entrega a todos los efectos del contrato. ✓ El lugar de entrega de la aeronave arrendada puede ser cualquiera que acuerden las partes, designado en el contrato o ser objeto de un acuerdo escrito u oral posterior: • Puede tratarse, por ejemplo, de un aeródromo específico, o • En las instalaciones del fabricante si la aeronave es de nueva construcción. En este caso, el contrato prevé el acuerdo expreso entre el arrendador y el arrendatario conforme "la entrega de la aeronave al arrendatario está condicionada, y ocurrirá simultáneamente, con la entrega de la aeronave del fabricante al arrendador".

| Contenido del contrato (cont.) | *Obligaciones y derechos del arrendador* (cont.) | ✓ Una cláusula común en los contratos es aquella que establece que el arrendador no será responsable de ningún daño o perjuicio, o lucro cesante, que surja de cualquier retraso o incumplimiento de la entrega de la aeronave al arrendatario, salvo que sea imputable a la culpa del propio arrendador y, en ningún caso, será responsable por el incumplimiento o retraso atribuible al fabricante o a un proveedor de sus equipamientos.
✓ A la entrega de la aeronave, el arrendatario asume y acepta la aeronave *as is, where is* (como está, donde está), lo que supone una renuncia clara, terminante e inequívoca, sin condicionante alguno, a la reclamación sobre la base de vicios o defectos ocultos que pudiere adolecer la aeronave arrendada.
✓ Obligación de entregar al arrendatario una cesión de derechos contra el fabricante y el fabricante del motor.
✓ Derecho a instalar placas sobre el armazón y motores para manifestar la auténtica propiedad de la aeronave.
✓ Derecho a inspeccionar la aeronave durante el período de arrendamiento.
✓ Derecho del arrendador, en cualquier momento si el arrendatario incumple su obligación de asegurar o pagar las primas debidas, de exigir el pago al arrendatario o exigir que el avión se quede en un aeropuerto o que se dirija al aeropuerto designado por el arrendador.
✓ Derecho a resolver automáticamente el contrato en caso de ciertos incumplimientos del arrendatario identificados en el contrato, como la falta de pago regular y puntual; la falta de pago de primas de seguro; no cumplir con las condiciones esenciales (perder la posesión, no mantener la personalidad jurídica, etc.) o el concurso voluntario del arrendatario. |
| | *Obligaciones y derechos del arrendatario* | ✓ El arrendatario reconoce en el contrato que ha seleccionado la aeronave arrendada y que la descripción de la aeronave realizada en el contrato se basa en la información suministrada por el fabricante.
✓ Obligación de pagar la renta en la moneda pactada y conforme a la tabla adjunta en el contrato para toda la duración del contrato. |

| Contenido del contrato (cont.) | Obligaciones y derechos del arrendatario (cont.) | ✓ Sobre aeronaves nuevas, el contrato prevé el derecho del arrendatario a la inspección durante la fase final de ensamblaje de la aeronave y en el momento de la entrega de nombrar un representante para que pueda inspeccionarla y asegurarse de su conformidad con las necesidades del arrendatario y con los términos del arrendamiento. También se le reconocen derechos de inspección en tierra y vuelo de prueba previo a la aceptación. A cambio, en el contrato, el arrendatario admite que al aceptar la aeronave confía en su propia inspección y conocimiento en determinar si la aeronave cumple con los requisitos del contrato.
✓ Antes de la entrega de la aeronave usada al nuevo arrendatario, suele pactarse que sea sometida a una inspección de mantenimiento y repaso a fondo para preparar la aeronave para el nuevo servicio. Esta labor debe necesariamente ser llevada a cabo por una empresa certificada para ello cuando ni el arrendatario ni el arrendador disponen del certificado oportuno. El contrato prevé también una serie de requisitos que debe cumplir el arrendatario en relación con la entrega.
✓ Durante todo el período del contrato y hasta la fecha de terminación, el arrendatario contratará y mantendrá, a su costa, con todo vigor y efecto las clases de seguro y cantidades aseguradas (incluyendo franquicias) a través de los corredores y con los aseguradores favorablemente considerados en la industria de aerolíneas.
• Debe entregar al arrendador un certificado emitido por el corredor de seguro que acredite la existencia de seguros cubriendo: todos los riesgos de pérdida material o daño a la aeronave por cualquier causa, con ciertas exclusiones especificadas, por la suma asegurada de la aeronave en la cantidad determinada y franquicias establecidas por cada pérdida; riesgos de pérdida física o daños a las partes de la aeronave, piezas de recambio o motores en todo momento cuando sean extraídos de la aeronave por cualquier causa; y, responsabilidad civil por aviación y como compañía comercial, cubriendo daños a terceros por la aeronave, a pasajero, equipaje, carga y correo y responsabilidad civil de la aerolínea (incluyendo responsabilidad por locales comerciales, hangar de aeronaves y productos defectuosos) por un importe no menor a una cantidad fijada para cada accidente o incidente. |

Contenido del contrato (cont.)	*Obligaciones y derechos del arrendatario* (cont.)	✓ Obligación de disponer del certificado de operador aéreo (AOC) y todos los permisos y autorizaciones estatales en regla. ✓ Obligación de depositar la fianza estipulada, con la obligación de actualizarla a solicitud del arrendador. ✓ Obligación de mantener la posesión. No cabe subarrendamiento sin aprobación del arrendador. ✓ Prohibición al arrendatario de ceder el contrato. ✓ Obligación de cumplir durante las operaciones de la aeronave todas las leyes aplicables al arrendatario, al arrendador y a la aeronave. ✓ Obligación de llevar a cabo el mantenimiento de la aeronave de acuerdo con el programa de mantenimiento aprobado por el Estado y el fabricante. ✓ El arrendatario asume todo el riesgo operacional, técnico y de responsabilidad por la aeronave. ✓ El arrendatario debe indemnizar al arrendador por todas las pérdidas derivadas del arrendamiento, uso u operación de la aeronave. ✓ Obligación del arrendatario de pagar todos los costes relacionados con la operación de la aeronave durante el período de arrendamiento, haya o no beneficios. ✓ Obligación de pagar inmediatamente todas las tasas de ruta y de servicios de navegación y cualquier otra pagadera por el arrendatario por el uso de los servicios suministrados por cualquier aeropuerto, tanto en relación con la aeronave arrendada u otra del arrendatario e indemnizar y mantener indemne al arrendador en relación con las mismas. ✓ Prohibición de utilizar o permitir que la aeronave sea usada en forma o con un propósito que no esté cubierto por las pólizas de seguro que el arrendatario está obligado a llevar y mantener de conformidad con este contrato. ✓ El arrendatario no transportará mercancías de ninguna clase que puedan invalidar o limitar esas pólizas de seguro, ni realizará ni permitirá los actos de los que razonablemente se pueda esperar que invaliden o limiten estas pólizas de seguros.

Extinción del contrato	✓ El contrato suele disponer de una cláusula específica dedicada a la duración del arrendamiento operativo. 　• El plazo comienza a correr a partir de la fecha de entrega y tendrá una duración de un tiempo determinado libremente estipulado entre las partes. 　• La fecha de terminación es el último día del período de duración del contrato y en el cual el arrendatario está obligado a devolver la aeronave al arrendador en las condiciones establecidas en el contrato.
	✓ En la hipótesis en que la entrega de la aeronave es imposible por destrucción fortuita previa, el contrato suele prever que ningún contratante es responsable frente al otro, quedando sólo obligado el arrendador a devolver el depósito o cualquier renta anticipada que haya recibido del arrendatario. ✓ El arrendamiento se extinguirá en fecha posterior a la de terminación fijada en el contrato si tiene lugar un incumplimiento y el arrendatario devuelve la aeronave más allá del término fijado o cuando tenga lugar un incumplimiento y el arrendador retoma la posesión de la aeronave o de otro modo resuelve el arrendamiento conforme a los derechos que le reconoce el contrato.

4. CONTRATO DE ARRENDAMIENTO FINANCIERO DE AERONAVE

Concepto y función económica	✓ El contrato de arrendamiento sin tripulación más habitual es el citado arrendamiento operativo (*operating lease*). ✓ Otro contrato menos habitual de arrendamiento sin tripulación es el arrendamiento financiero (*finance lease*), de naturaleza mixta entre arrendamiento y financiación. ✓ El *leasing* o arrendamiento financiero es una forma de financiación para la utilización de bienes muebles, como aeronaves, camiones, maquinaria, etc., así como de inmuebles o establecimientos mercantiles, para ser utilizadas en el marco de una actividad empresarial, sin necesidad de adquirir la propiedad. ✓ El arrendador es normalmente una entidad de crédito o una empresa específicamente dedicada al arrendamiento financiero y operativo de aeronaves, las cuales prestan un servicio adicional al puro arrendamiento de la aeronave. Gracias al arrendador (*lessor*), el arrendatario obtiene la financiación necesaria para poder disponer de la aeronave durante el período de arrendamiento. ✓ Son ejemplos de lo anterior las siguientes cláusulas típicas del arrendamiento financiero:

Concepto y función económica (cont.)	<ul><li>Normalmente se trata de aeronaves nuevas. Es común prever el derecho del arrendatario a elegir qué aeronave ha de ser comprada por el arrendador a tercero (fabricante o proveedor) para cedérselo al arrendatario por el tiempo pactado y a cambio de las cuotas.</li><li>El arrendatario asume plenamente el riesgo de defectos en el bien, con acciones que correspondan al arrendador frente al proveedor.</li><li>La entrega se realiza directamente del proveedor, no del arrendador.</li><li>La duración del contrato es más larga en el arrendamiento financiero que en el arrendamiento operativo. La razón es que el contrato de arrendamiento financiero o leasing de aeronaves es sobre todo un acuerdo de financiación del arrendador al arrendatario que opera más como un préstamo sobre el 100% del valor del avión y por toda su vida útil (por ejemplo, 18 años). Al ser de mayor duración, el riesgo económico de quedar la aeronave desfasada lo asume el arrendatario financiero.</li><li>El arrendatario ha de seguir pagando las cuotas durante toda la duración del contrato. Abandonar el contrato y dejar de pagar supone un incumplimiento contractual.</li><li>La aeronave en leasing es del arrendador y puede recuperarlo tan pronto como haya un incumplimiento e interponer una acción de daños y perjuicios contra el arrendatario.</li><li>El cálculo de las cuotas mensuales que ha de satisfacer el arrendatario al arrendador por disponer de la aeronave suele tener como punto de referencia el valor global de compra que ha abonado el arrendador, más otros conceptos, entre ellos, su ganancia adicional.</li><li>Las cantidades suelen pagarse mensualmente. Son propiedad del arrendador al final del leasing, no retorno al arrendatario. Por ciertos gastos excepcionales, el arrendador reembolsará al arrendatario.</li><li>El arrendatario de la aeronave arrendada en *leasing* tiene una prerrogativa adicional a los derechos que por ley se le reconocen en su condición de arrendatario, como es la facultad de devenir propietario del objeto si ejerce la opción de compra que el contrato o, en su caso, la ley, le atribuye. Como característica principal de la legislación española, el arrendamiento financiero incluye una opción de compra de la aeronave al final del período de arrendamiento y a cambio de un precio estipulado (disp. adicional 3ª LOSSEC). La opción del arrendatario de comprar el bien al final de la terminación del contrato. Al final del período, el arrendatario tiene la opción de comprar la aeronave al precio predeterminado, que puede ser una cantidad puramente nominal (*purchase option*) o bien una cantidad significante (*balloon payment*). Si no ejerce su derecho, la empresa de leasing puede alquilarlo de nuevo a terceros o prorrogárselo si está interesado el primero.</li><li>En los contratos sometidos a un derecho extranjero, puede no ser obligatorio incluir esta opción de compra a favor del arrendatario.</li></ul>

Cláusulas usuales	✓ El arrendamiento financiero funciona en condiciones *net lease*, significa que el arrendatario es responsable por todos los costes asociados a la aeronave y sus operaciones y sus obligaciones no están afectadas por transacciones, defensas, reconvenciones, quiebra, cambio en el derecho u otra circunstancia.
	✓ El arrendatario debe indemnizar al arrendador por todas las pérdidas derivadas del arrendamiento, uso u operación de la aeronave.
	✓ La prohibición al arrendatario de ceder o subarrendar sus derechos a un tercero sin permiso del arrendador.
	✓ La reserva de la propiedad del arrendador hasta que el usuario no ejercite la opción de compra.
	✓ El compromiso del arrendatario de usarlo sólo en la actividad pactada.
	✓ El compromiso del arrendatario de pagar las reparaciones y repuestos.
	✓ El deber del arrendatario de contratar un seguro de daños.
	✓ La determinación de la cuota total y las cuotas periódicas. Las cuotas pueden ser iguales o crecientes. El período de arrendamiento y las cuotas son de tal duración y cuantía que efectivamente el arrendatario tiene pleno uso de la aeronave durante toda su vida útil o buena parte de la misma.
	✓ En España, la aeronave ha de ser usada en el marco de las actividades empresariales, profesionales del usuario. La duración mínima es de 2 años para bienes muebles y de 10 para bienes inmuebles. En el contrato deben constar separadamente los costes de recuperación por la arrendadora y la carga financiera exigida por la misma.
	✓ La cuota de leasing es fiscalmente deducible de la imposición personal del usuario. Las empresas de *leasing* han de ser establecimientos o entidades de crédito autorizadas por el Ministerio de Economía e inscritos en el Registro del Banco de España.
	✓ Para que tenga efectos frente a terceros y sea oponible a ellos, ha de constar en el Registro de de Bienes Muebles del Registro Mercantil, así como en placas visibles y en el certificado de matrícula.
	✓ El contrato detalla las condiciones a ser satisfechas por ambas partes antes de tomar posesión el avión en *leasing*: el arrendatario tiene el certificado de operador aéreo; todos los permisos y autorizaciones estatales en regla; primera cuota recibida: Fianza recibida, con la obligación de actualizarla a solicitud del arrendador; contrato firmado; certificado de seguro contratado por el arrendatario; aeronave en condición de entrega.
	✓ No subarrendamiento de la aeronave sin aprobación del arrendador.
	✓ No cabe cesión del contrato por el arrendatario a un tercero, sin aprobación del arrendador. Significa que un tercero pase a ser el arrendatario.

Cláusulas usuales (cont.)	✓ Las operaciones deben cumplir con todas las leyes aplicables al arrendatario, al arrendador y a la aeronave.
	✓ Mantenimiento ejecutado de acuerdo con el programa de mantenimiento aprobado por el Estado y de acuerdo con el programa del fabricante.
	✓ Instalación de placas sobre el armazón (*airframe*) y motores para manifestar los intereses del arrendador (normalmente, la propiedad del mismo).
	✓ El arrendador puede inspeccionar la aeronave durante el período de leasing y a la devolución.
	✓ Obligación del arrendatario de mantener indemne al arrendador y a la aeronave. Por ejemplo, no tener deudas pendientes, por ejemplo, con Eurocontrol o con otros paises por sobrevuelo o tasas de aterrizaje, que pueden haber dado lugar a un crédito privilegiado sobre la aeronave.
	✓ En caso de falta de pago regular y puntual, falta de pago de las primas de seguro, no cumplir con las condiciones esenciales, como no mantener la posesión, o dedicar la aeronave a transportes prohibidos o ilegales, el arrendador puede resolver el contrato, pedir la devolución de la aeronave, tomar posesión de la misma, la baja en la matrícula para llevárselo a su país, reclamar pago por daños, demandar para que le devuelvan la posesión, demandar los pagos, incluidos los futuros.

5. CONTRATOS DE ARRENDAMIENTO DE AERONAVE CON TRIPULACIÓN

Concepto y función económica	✓ Para disponer de un avión, más sencillo que la compraventa o el arrendamiento *dry lease* es el fletamento, el *charter*, el arrendamiento con tripulación, que vamos a entender como conceptos sinónimos.
	✓ Un acuerdo de arrendamiento con tripulación (*wet lease*) se da en dos supuestos (anexo I, 127 Regl. UE 965/2012): en el caso de las operaciones de transporte aéreo comercial (CAT), un acuerdo celebrado entre compañías aéreas y en virtud del cual la aeronave se explota al amparo del certificado de operador aéreo (AOC) del arrendador, o en el caso de las operaciones distintas de las operaciones de trasporte aéreo comercial, un acuerdo celebrado entre operadores según el cual la aeronave se explota bajo la responsabilidad del arrendador.

Concepto y función económica (cont.)	✓ Resumidamente, los contratos de arrendamiento con tripulación (*wet lease*) se diferencian de los contratos de *dry lease* en que el arrendador nunca pierde la posesión de la aeronave. A través de la tripulación, nombrada y cuyos salarios, el arrendador mantiene su condición de operador de la aeronave y responsable de sus operaciones. Si es una aeronave dedicada al transporte comercial, la aeronave continúa incluida en su AOC; el contrato de arrendamiento con tripulación a un tercero no afecta a esta situación. ✓ El arrendador *wet lease* puede ser propietario de la aeronave. O disponer de la misma a través de un contrato de arrendamiento *dry lease* (operativo o financiero) previo con un tercero. Sea de su propiedad o no, a efectos administrativos, el arrendador es operador de la aeronave y está incluida en su AOC si se dedica al transporte comercial en avión.
Tipos de contratos en la práctica	✓ Hay muchos tipos de contratos de arrendamiento con tripulación. Pueden darse los siguientes ejemplos, no están regulados legalmente y son fruto de los usos y prácticas del sector aeronáutico. ✓ Un fletamento o *charter* aéreo es aquel contrato por el cual, a cambio de un precio, el arrendador-operador únicamente pone el avión y su tripulación a las órdenes del arrendatario. Por ejemplo, el operador que celebra un contrato de fletamento como fletante con una agencia de viajes, como fletadora. Ésta ha vendido viajes combinados de alojamiento y transporte a sus clientes y necesita transportarlos hasta destino y traerlos de vuelta. Si la agencia de viajes no es una experta en transporte aeronáutico ni en aeronaves, lo más sencillo es alquilar una aeronave con tripulación a un operador aeronáutico. El negocio de la agencia de viajes es el margen comercial entre lo que paga por el flete al operador y lo que cobra de los billetes vendidos a sus clientes. A su vez, el operador tiene un contrato más o menos largo, según pactado, con la agencia de viajes, y no tiene que preocuparse por comercializar los asientos, ya se ocupa el fletador. ✓ El fletamento o *charter* también puede ser para un singular viaje o para varios viajes dentro de un tiempo. Otro ejemplo, un club de futbol o una selección que quiera disponer de un avión a su disposición, evitando que sus jugadores estén pendientes de las líneas regulares. ✓ Los *flight operate agreements* entre compañías aéreas son aquellos por los cuales una compañía aérea se obliga, a cambio de un precio, a operar con sus aeronaves propias y su propia tripulación en otras líneas de otra compañía, que se sirve de estas aeronaves para aumentar temporalmente su flota (Morillas).

Tipos de contratos en la práctica (cont.)	✓ El contrato *ACMI, Aircraft, Crew, Maintenance, Insurance* es un arrendamiento de corta duración (1 mes, 1 año, etc.). Por ejemplo, para incrementos estacionales de la demanda, por estar las aeronaves propias en mantenimiento, para aerolíneas que prueban rutas nuevas, pero también para agencias de viajes, clubes deportivos, etc. La aeronave está totalmente preparada para funcionar técnicamente, queda a la disposición comercial del arrendatario. Éste asume los costes variables, como el fuel, tasas aeroportuarias y costes de *handling*, tasas de ruta (a veces paga primero el arrendador y luego reclama al arrendatario). Se suele pactar un coste por horas de vuelo efectivo (*block hour, chock to chock*), con un mínimo garantizado para el arrendador. Por ejemplo, Airbus A320, 2750 dólares EE.UU, *per block hour (chock to chock)*, 250 horas al mes garantizadas. Total mínimo: 687.500 dólares, más un mes de depósito. ✓ El contrato *DAMP Lease* incluye sólo pilotos, no tripulación de cabina, que la pone el arrendatario. ✓ Un *Ad hoc lease* es un aerotaxi, en donde se paga para un concreto viaje. Normalmente es con tripulación. Si el arrendatario dispone de la titulación y quiere pilotar directamente es posible si el arrendador así lo permite.

6. CONTRATO DE TRANSPORTE AÉREO DE PERSONAS

Régimen jurídico	✓ El Código de Comercio de 1885 no pudo prever el fenómeno de la navegación aérea, por lo que ninguna norma hace relación al transporte aéreo. ✓ La regulación tradicional del contrato de transporte aéreo de personas y la responsabilidad contractual en caso de accidente está contenida en la LNA, en sus artículos 92 a 101 y 115 a 125, respectivamente. ✓ La LNA ha sido la norma aplicable al cabotaje nacional aéreo y también al transporte internacional cuando no hubiese un tratado internacional obligatorio para España (art. 125 LNA). ✓ En la actualidad, esta normativa de la LNA ha sido desplazada por la aplicación preferente de tratados internacionales suscritos por España y por el derecho comunitario, cuando se dan los requisitos de su aplicación. ✓ España es parte del Convenio para la unificación de ciertas reglas para el transporte aéreo internacional, hecho en Montreal el 28 de mayo de 1999, ratificado mediante Instrumento de 4 de junio 2002 (en adelante, Convenio de Montreal, "CM").

Régimen jurídico (cont.)	✓ La contratación del transporte aéreo de pasajeros consiste, como regla general, en la adhesión del cliente a las cláusulas contractuales del billete de pasaje preparadas previamente por el transportista.
	✓ Las condiciones generales del transporte son aplicables a no ser que se encuentren en conflicto con la legislación aplicable, en cuyo caso prevalecerá ésta.
	   • Toda cláusula que tienda a exonerar al transportista de su responsabilidad o a fijar un límite inferior al establecido en el CM o en el CV será nula y de ningún efecto, pero la nulidad de dicha cláusula no implica la nulidad del contrato, que sigue sometido a uno u otro tratado internacional (arts. 26 CM y 23 CV).
	   • El transportista podrá estipular que el contrato de transporte estará sujeto a límites de responsabilidad más elevados que los previstos en el presente Convenio, o que no estará sujeto a ningún límite de responsabilidad (arts. 25 CM y 22.1 *in fine* CV).
	✓ Con todo, debe advertirse con rotundidad que muchísimas cuestiones que plantea cumplir con el contrato de transporte aéreo comercial no está previsto en el convenio ni en la ley (que nada dicen sobre muchas cosas, como si el pasajero que no viaja la ida, pierde la vuelta —cláusula *no show*—; el peso de las maletas facturadas; la devolución del precio en caso de cancelación por el pasajero y multitud de aspecto más). La ley no prevé estos supuestos, ni los prohíbe, simplemente el legislador no interfiere en la esfera de la libertad contractual de las partes para pactar lo que mejor les convenga. Frente a una cláusula abusiva —así lo piense el pasajero— no prohibida legalmente, sólo cabrá decir que es nula por ser contraria a la "moral" o al "orden público", conceptos jurídicos indeterminados, que los abogados y jueces se encargan de ir aplicando a los casos concretos.
	✓ Además, las leyes y convenios aéreos dejan lagunas. A modo de ejemplo, cuando ocurre un accidente aéreo y el contrato de transporte se rige por la ley española, se plantea cómo indemnizarlo. En concreto, si es posible aplicar analógicamente o por vía de similitud el "baremo" que existe para los accidentes de circulación vial. Este tiene en cuenta la edad de la víctima, si está casado o soltero, si tiene hijos, si es hijo único, si trabaja y cuánto ingresa, entre otros aspectos, para calcular el importe de la indemnización por lesiones o muerte. Este baremo no existe en otros países europeos. Algunos tribunales extienden la aplicación analógica a los daños del transporte aéreo, pero legalmente tiene un ámbito de aplicación limitada a los daños por circulación vial.
	   • Se aplica al transporte internacional de personas y equipajes efectuado en aeronaves, a cambio de una remuneración. Se aplica igualmente al transporte gratuito efectuado en aeronaves por una empresa de transporte aéreo (art. 1.1 CM).

Régimen jurídico (cont.)	• La expresión "transporte internacional" significa todo transporte que, conforme a lo estipulado por las partes, el punto de partida y el punto de destino, haya o no interrupción en el transporte o transbordo, están situados bien en el territorio de dos Estados partes, bien en el territorio de un solo Estado parte, si se ha previsto una escala en el territorio de cualquier otro Estado, aunque éste no sea un Estado parte (art. 1.2 CM). • El transporte que deban efectuar varios transportistas sucesivamente constituirá, para los efectos del CM, un solo transporte cuando las partes lo hayan considerado como una sola operación, tanto si ha sido objeto de un solo contrato como de una serie de contratos, y no perderá su carácter internacional por el hecho de que un solo contrato o una serie de contratos deban ejecutarse íntegramente en el territorio del mismo Estado (art. 1.3 CM). ✓ España también es parte del Convenio de Varsovia de 1929, tal y como ha sido modificado por el Protocolo de La Haya 1955 y los Protocolos de Montreal 1, 2 y 4 de 1975 (en adelante, Convenio de Varsovia, "CV"), que continúa en vigor. • Si el vuelo es con otro país que también es parte del CM y del CV, como España, se aplica con carácter preferente el CM (art. 55 CM). En cambio, si el otro país no es parte del CM, pero sí del CV, se aplicará el CV. • Cerca de 140 países son parte del CM, pero más de 150 lo son del CV, por lo que el CV y el CM seguirán coexistiendo durante un tiempo indeterminado. ✓ El Reglamento CE 2027/1997, de 9 de octubre, sobre la responsabilidad de las compañías aéreas en caso de accidente, tal y como ha sido modificado por el Reglamento CE 889/2002, de 13 de mayo, crea un sistema uniforme de responsabilidad para el transporte aéreo internacional de personas y sus equipajes cuando es ejecutado por una compañía aérea comunitaria. La razón es que resultaría poco práctico para las compañías aéreas comunitarias y desorientador para los pasajeros que se aplicasen regímenes de responsabilidad distintos en itinerarios distintos de sus redes. Para ello, dispone que la responsabilidad de una compañía aérea comunitaria en relación con el transporte de pasajeros y sus equipajes se regirá por todas las disposiciones del CM relativas a dicha responsabilidad. • También hace extensiva la aplicación de dichas disposiciones al transporte aéreo en el interior de un Estado miembro (art. 1 Reglamento CE 2027/1997). • Por tanto, el transporte aéreo nacional de pasajeros ya no se rige, como antes era la regla, por la LNA, sino por el CM. ✓ El Reglamento (CE) 261/2004, de 11 de febrero, por el que se establecen normas comunes sobre compensación y asistencia a los pasajeros aéreos en caso de denegación de embarque y de cancelación o gran retraso de los vuelos, se aplica con carácter preferente:

Régimen jurídico (cont.)	• A los pasajeros que partan de un aeropuerto situado en un Estado miembro de la Unión Europea. • Y a los pasajeros que partan de un aeropuerto situado en un tercer país con destino al territorio de un Estado de la Unión Europea, a condición de que el transportista aéreo encargado de efectuar el vuelo en virtud de un contrato con dicho pasajero sea un transportista comunitario (arts. 2.b y 3.1 Regl. 261/2004). • Este régimen se aplica sin perjuicio de los derechos del pasajero a obtener una compensación suplementaria (art. 12 Regl. 261/2004). • El transportista que deniegue el embarque o cancele un vuelo debe proporcionar a cada uno de los afectados un impreso en el que se indiquen las normas en materia de compensación y asistencia con arreglo al Regl. 261/2004. También deberá proporcionar un impreso equivalente a cada pasajero afectado por un retraso de al menos 2 horas (art. 14.2 Regl. 261/2004). • Las obligaciones para con los pasajeros no podrán limitarse ni derogarse, especialmente por la inclusión de una cláusula de inaplicación o una cláusula restrictiva en el contrato de transporte (art. 15.1 Regl. 261/2004). ✓ Asimismo, en atención a la condición de usuario del pasajero, resultan de aplicación las normas de la TRLGDCU, especialmente la lista de cláusulas abusivas de sus artículos 82 y ss. TRLGDCU. • Una aplicación del control de cláusulas abusivas en el transporte aéreo de pasajeros es la STS 13-11-2019 (Tol 1907150), es la acción colectiva a resultas de la cual el Tribunal Supremo anula por abusivas: 1) La cláusula que permite al transportista cambiar las condiciones de transporte en caso de necesidad; y, 2) La cláusula no show, que establece que si un trayecto no se usa, se cancelan los demás trayecto del mismo billete.

Forma	✓ En el transporte de pasajeros se expedirá un documento de transporte, individual o colectivo, que ha de contener (art. 3 CM):
	  • La indicación de los puntos de partida y destino.
	  • Si los puntos de partida y destino están situados en el territorio de un solo Estado parte y se ha previsto una o más escalas en el territorio de otro Estado, la indicación de por lo menos una de esas escalas.
	✓ Cualquier otro medio en que quede constancia de esta información podrá sustituir a la expedición del citado documento (por ejemplo, billete electrónico).
	✓ El transportista entregará al pasajero un talón de identificación de equipaje por cada bulto de equipaje facturado.
	✓ Al pasajero se le entregará un aviso escrito indicando que cuando sea aplicable el CM, éste regirá la responsabilidad por muerte o lesiones, y por destrucción, pérdida o avería del equipaje o por retraso.

Forma (cont.)	✓ El incumplimiento de estas disposiciones no afectará a la existencia ni a la validez del contrato que, no obstante, seguirá sujeto al CM, incluyendo lo relativo a los límites de responsabilidad. ✓ Los artículos 3 y 4 CV ofrecen un mayor detalle de las menciones que ha de reunir el billete de pasaje y el talón de equipajes. ✓ En relación a la tarjeta de embarque, se entrega al pasajero en los mostradores de facturación o en las máquinas expendedoras de las compañías que tienen este servicio. En ese momento, se entiende que la compañía aérea le ha aceptado como pasajero y tiene plaza en el avión. No está prevista en el CM ni en el CV. Obedece a un control impuesto por el Convenio de Chicago de 1944 sobre aviación civil internacional para que la compañía aérea elabore la lista de pasajeros a bordo (art. 29.f). Contiene datos más concretos que el billete de pasaje (número de asiento, puerta y hora de embarque, etc.).
Sujetos	✓ La compañía aérea • Cuando una nueva empresa aérea española quiere empezar a operar, ha de solicitar a la Agencia Española de Seguridad Aérea la emisión del correspondiente certificado de operador aéreo (AOC). • El AOC es un documento administrativo por el cual el Estado acredita que una empresa o grupo de empresas posee la capacitación técnico-profesional y la organización necesarias para garantizar la operación de aeronaves en condiciones de seguridad. • Tradicionalmente, el AOC se concedía siguiendo los criterios de las *Joint Aviation Authorities* (JAA) contenidos en el denominado Código JAR-OPS e incorporadas en España mediante el Real Decreto 220/2001, pero ahora han sido recogidas por Derecho comunitario a través del Reglamento (CE) 8/2008, de 11 de diciembre, que modifica el derecho comunitario en lo relativo a los requisitos técnicos y los procedimientos administrativos comunes aplicables al transporte comercial por avión. • El solicitante de un AOC ha de tener su centro de actividad principal y, en su caso, su domicilio social, en el Estado que expide el AOC. • El operador del AOC tiene la obligación de operar de acuerdo con el tipo de operaciones autorizadas, con el tipo o tipo de aviones cuyo uso se autoriza y, en concreto, con aquellos aviones concretos incluidos en su AOC. Esta información se plasma en un documento maestro conocido como el Manual de Operaciones.

Sujetos (cont.)	<ul><li>La obtención del AOC no es suficiente para que una empresa opere comercialmente. Para ello, necesita disponer adicionalmente de una licencia de explotación concedida por la Agencia Española de Seguridad Aérea. Es una autorización administrativa por la cual se concede a la compañía la facultad de dedicarse comercialmente al transporte aéreo de pasajeros, correo y carga, a cambio de remuneración o pago de alquiler, en las condiciones de la licencia (hay de tipo A, para aviones de cualquier peso y/o cualquier número de asientos; y de tipo B, para aviones de peso máximo al despegue inferior a 10 toneladas y/o menos de 20 asientos).</li><li>El Reglamento (CE) 1008/2008, de 24 de septiembre, establece normas comunes para la explotación de servicios aéreos en la Comunidad, entre ellas las condiciones para la obtención de la licencia de explotación, y convertirse así el beneficiario en una "compañía aérea comunitaria".</li><li>Las compañías aéreas extracomunitarias que pretendan iniciar, continuar o reanudar operaciones aéreas comerciales en España han de solicitar previamente una acreditación a la Dirección General de Aviación Civil (arts. 1 y 2 Real Decreto 1392/2007, de 29 de octubre).</li><li>En el caso del transporte que deban efectuar varios transportistas sucesivamente, cada transportista es considerado como una de las partes del contrato de transporte en la medida en que el contrato se refiere a la parte del transporte efectuado bajo su supervisión (art. 36.1 CM).</li><li>El pasajero sólo podrá proceder contra el transportista que haya efectuado el transporte durante el cual se produjo el accidente o retraso, salvo en el caso en que, por estipulación expresa, el primer transportista haya asumido la responsabilidad por todo el viaje (art. 36.2 CM).</li><li>Si se trata de equipaje, el pasajero tendrá acción contra el primer transportista y el último transportista y, además, podrá proceder contra el transportista que haya efectuado el transporte durante el cual se produjo la destrucción, pérdida, avería o retraso. Dichos transportistas serán solidariamente responsables ante el pasajero (art. 36.3 CM).</li><li>La compañía aérea puede subcontratar todo o parte del transporte contratado con otro transportista ("transportista de hecho"). El transportista contractual responde de todo el transporte previsto en el contrato, el transportista de hecho solamente con respecto al transporte que realiza (art. 40 CM). Es el caso conocido como códigos compartidos, en donde el billete es emitido por una compañía, pero es otra transportista la que aporta la aeronave.</li></ul>✓ El pasajero<ul><li>El pasajero se refiere a toda persona que sea transportada en una aeronave por razón de la tenencia de un billete de pasaje.</li><li>El billete de pasaje es un documento nominativo e intransmisible (art. 93 LNA), tal y como suelen indicar también las condiciones generales preparadas por las compañías aéreas</li></ul>

		✓ A continuación, se detalla el contenido usual de las "condiciones generales del transporte aéreo de personas" utilizadas por las compañías, de acuerdo con el modelo IATA. Se hace referencia también a las disposiciones del CM, el CV y la LNA.
Contenido del contrato	*Obligaciones y derechos de la compañía aérea*	✓ Obligación de cumplir con el transporte estipulado, de acuerdo con las escalas detalladas en el billete de pasaje. Sin embargo, las condiciones generales del contrato suelen otorgar libertad a la compañía aérea para cancelar viajes, modificar itinerarios, etc. y detallar qué soluciones se ofrecerán al pasajero, ello sin perjuicio de asumir sus obligaciones legales, como las recogidas en el Reglamento CE 261/2004. ✓ Obligación de transportar juntamente con los viajeros y dentro del precio del billete, el equipaje, con los límites de peso y volumen que fijen los Reglamentos. El exceso será objeto de estipulación especial. No se considera equipaje los objetos y bultos de mano que el viajero lleve consigo (art. 97 LNA). ✓ Obligación de transportar de forma gratuita en cabina, como equipaje de mano, los objetos y bultos que el viajero lleve consigo, incluidos los artículos adquiridos en las tiendas situadas en los aeropuertos. Únicamente podrá denegarse el embarque de estos objetos y bultos en atención a razones de seguridad, vinculadas al peso o al tamaño del objeto, en relación con las características de la aeronave (art. 97 LNA). ✓ A falta de reglamentos, los pesos y medidas del equipaje gratuito facturado (por ejemplo, 20 kgs. para tarifa turista y 30 kgs. para pasajeros de primera clase), la tarifa por exceso de equipaje y los pesos y medidas del equipaje no facturado los decide cada compañía, siempre en cumplimiento de las normas imperativas sobre el transporte comercial en avión (Reglamento UE 965/2012, conocido como EU-OPS, para el equipaje de mano). ✓ Las condiciones generales detallan que el equipaje facturado se transportará en la misma aeronave que el pasajero, a no ser que, por motivos de seguridad, higiene o funcionamiento, se haga en un vuelo alternativo, sin perjuicio de la posibilidad de responsabilidad por retraso. También se prevén cláusulas especiales para el transporte de animales.

Contenido del contrato (cont.)	*Obligaciones y derechos de la compañía aérea* (cont.)	✓ La LNA faculta al transportista a excluir del transporte a los pasajeros que por causa de enfermedad y otras circunstancias fijadas en los reglamentos puedan constituir un peligro o perturbación para el buen régimen de la aeronave (art. 96 LNA). En general, también cuando hay motivos razonables, como causas de salud, seguridad o de presentación de documentos de viaje inadecuados (arts. 2.j Regl. 261/2004). ✓ Las condiciones generales del contrato detallan las razones del derecho de la compañía a denegar el transporte del pasajero y/o su equipaje, que habrán de ser justificadas (orden administrativa, seguridad e higiene a bordo, impago del precio, falta de identificación, etc.). ✓ La regla 1085 EU-OPS reconoce el derecho del comandante a negarse a transportar pasajeros que no hayan sido admitidos en un país, a deportados o personas bajo custodia, si su transporte plantea algún riesgo para la seguridad del avión o sus ocupantes. ✓ Las condiciones del contrato prevén el derecho a ser informado previamente de circunstancias que afecten al pasajero y supongan una ayuda especial, como niños sin acompañantes, personas discapacitadas, embarazadas o enfermos. Las compañías utilizan códigos, reconocidos internacionalmente para identificar el nivel de asistencia que tienen que prestarles a las personas con movilidad reducida (WHCR, BLND, DEAF, etc.). ✓ El Reglamento (CE) 1107/2006, de 5 de julio, dispone que las compañías, sus agentes o los operadores turísticos no pueden negarse a aceptar una reserva para un vuelo ni denegar el embarque alegando la discapacidad de una persona, salvo en casos tasados, como falta de un acompañante o cuando las dimensiones de la aeronave o puertas imposibilitan el embarque o transporte de la persona. ✓ Obligación de informar a los pasajeros, mediante avisos en el mostrador de facturación, de su derecho a obtener el texto en el que figuran sus derechos en caso de denegación de embarque, cancelación o retraso, de acuerdo con el Regl. 261/2004.
	Obligaciones y derechos del pasajero	✓ Obligación de garantizar un asiento por pasajero embarcado, prohibiéndose la ocupación múltiple, salvo en el caso de un adulto y un bebé que esté correctamente asegurado con un cinturón suplementario u otro dispositivo de sujeción (regla 1325 EU-OPS).

| Contenido del contrato (cont.) | Obligaciones y derechos del pasajero (cont.) | ✓ Obligación de pagar el precio estipulado. La compra del billete es efectiva cuando la compañía realiza el cargo de manera válida en la tarjeta de crédito suministrada o con el pago en metálico. Si no ha abonado el billete antes del límite de tiempo establecido para la emisión del mismo, la compañía aérea podrá cancelar la reserva.
✓ Los artículos 1.1 CV y CM no excluyen su aplicación a los transportes gratuitos.
✓ Las compañías aéreas comunitarias y, sobre la base del criterio de reciprocidad, las de terceros países, fijarán libremente las tarifas y fletes de los servicios aéreos intracomunitarios (art. 22 Reglamento 1008/2008).
✓ Las tarifas y fletes aéreos ofrecidos o publicados de cualquier forma, incluso en Internet, para servicios aéreos con origen en un aeropuerto situado en un Estado miembro de la Unión Europea y disponibles para el público en general incluirán las condiciones aplicables.
  • Se indicará el precio final, precisando al menos la tarifa o flete, los impuestos, las tasas de aeropuerto y otros cánones, recargos o derechos, tales como los relacionados con la seguridad extrínseca o el combustible (art. 23 Reglamento 1008/2008).
✓ Obligación de presentar una identificación suficiente a la compañía aérea.
✓ Derecho a renunciar al viaje y obtener la devolución del precio del pasaje en la parte que se determine, siempre que aquella renuncia se haga dentro del plazo que reglamentariamente se determine (art. 95 LNA). A falta de reglamento, el contenido de este derecho está detallado en las condiciones generales del transporte para los casos de enfermedad, fuerza mayor, fallecimiento y otros. En cambio, se excluye total o parcialmente por contrato en algunas tarifas con descuento.
  • El pasajero puede contratar un seguro adecuado para cubrir casos en los que deba cancelar el billete.
✓ El billete da derecho únicamente a ser utilizado en el viaje para el que fue expedido y en el lugar del avión que, en su caso, se determine (art. 93 LNA). Las condiciones generales de los contratos suelen especificar que:
  • Se aceptan cambios, previo recálculo del precio del transporte. Además, hay tarifas especiales que sólo tienen validez en las fechas y para los vuelos que figuran en el billete y pueden no ser canjeables en absoluto o serlo sólo mediante el pago de una tarifa adicional. |

Contenido del contrato (cont.)	*Obligaciones y derechos del pasajero* (cont.)	• No se garantiza un asiento en particular, condicionado además a la facultad de ceder o reasignar plazas en cualquier momento, incluso con posterioridad al embarque, por motivos de funcionamiento o seguridad. ✓ Obligación de facturar y embarcar dentro de los límites de hora, que son diferentes en cada aeropuerto. ✓ Obligación de mantener una conducta a bordo de la aeronave que no ponga en peligro la misma o a cualquier persona o propiedad que se halle igualmente a bordo, no impedir a la tripulación cumplir sus obligaciones y cumplir las instrucciones impartidas por la tripulación. Si como resultado de la conducta del pasajero, el comandante desvía la aeronave con el propósito de dejarle en tierra, el contrato impone al pasajero todos los costes derivados del desvío. ✓ Obligación de no utilizar o restringir el uso, de acuerdo con las instrucciones de la tripulación, de dispositivos electrónicos.
Régimen de responsabilidad de la compañía aérea por denegación de embarque, cancelación y gran retraso		✓ Si el transportista deniega el embarque a una persona con reserva, que se presenta al embarque y contra su voluntad, puede ser aplicable el régimen preferente de derechos mínimos del Reglamento (CE) 261/2004, de 11 de febrero. El caso habitual es el "overbooking", esto es, aquella situación donde el transportista ha vendido más billetes que plazas hay disponibles en el avión: • El pasajero tiene "derecho a una compensación económica", en función de si se trata de un vuelo intracomunitario o no y del número de kilómetros del trayecto. Varía entre 250, 400 y 600 euros, que puede reducirse al 50% si la llegada a destino con el vuelo alternativo ofrecido a los pasajeros no tiene un retraso superior a 2, 3 ó 4 horas, según el kilometraje del vuelo (arts. 4 y 7 Regl. 261/2004). • El pasajero tiene derecho a exigir el reembolso o un viaje alternativo (arts. 4 y 8 Regl. 261/2004). • El pasajero tiene "derecho de atención", consistente en comida, refrescos, alojamiento en un hotel si es necesario, dos llamadas gratuitas, fax o correo electrónico y transporte entre el aeropuerto y, en su caso, el hotel de pernoctación (arts. 4 y 9 Regl. 261/2004). • Este régimen no se aplica si hay motivos razonables para denegar el embarque, tales como razones de salud o de seguridad o la presentación de documentos de viaje inadecuados (art. 2.j Regl. 261/2004).

Régimen de responsabilidad de la compañía aérea por denegación de embarque, cancelación y gran retraso (cont.)	✓ En caso de cancelación de un vuelo, si resulta de aplicación el Reglamento (CE) 261/2004, de 11 de febrero: • El pasajero tiene derecho a optar entre el reembolso íntegro del billete o un transporte alternativo (arts. 5, 8 y punto núm. 13 del Preámbulo Regl. 261/2004). • El pasajero tiene el citado derecho de atención (arts. 5 y 9 Regl. 261/2004). • En cambio, el pasajero sólo tiene derecho a la compensación económica del artículo 7 Regl. 261/2004, si le avisan sin la antelación dispuesta en esta norma (art. 5.1 y 2 Regl. 261/2004) y, en ningún caso, si el transportista prueba que la cancelación se debe a circunstancias extraordinarias que no podían haberse evitado incluso tomando las medidas razonables (art. 5.3 Regl. 261/2004). • La sentencia del Tribunal de Justicia de la Comunidades Europeas de 19-11-2009 (*Tol 1646264*) ha aclarado que el concepto de "circunstancias extraordinarias" no se aplica a un problema técnico surgido de la aeronave, salvo que se derive de acontecimientos que, por su naturaleza u origen, no sean inherentes al ejercicio normal de la actividad del transportista aéreo de que se trate y escapen a su control efectivo. ✓ De acuerdo con el Regl. 261/2004, si resulta aplicable, aquellos vuelos que tengan un retraso respecto a la hora de salida (no de llegada) de 2, 3 ó 4 horas, según si es un vuelo intracomunitario o no y el kilometraje del trayecto, otorgan los siguientes derechos a los pasajeros: • Derecho de atención (arts. 6 y 9 Regl. 261/2004). • Derecho a reembolso o a un transporte alternativo cuando el retraso es de 5 horas como mínimo (arts. 6.1 *in fine* y 8 Regl. 261/2004). • El Tribunal de Justicia de las Comunidades Europeas, en la citada sentencia de 19-11-2009, ha señalado que los pasajeros de los vuelos retrasados pueden equipararse a los de los vuelos cancelados e invocar el derecho de compensación del artículo 7 Regl. 261/2004 cuando lleguen a destino final 3 ó más horas después de la hora inicialmente prevista, salvo que el transportista acredite circunstancias extraordinarias.
Responsabilidad en caso de muerte o lesión del pasajero	✓ El art. 29 CM dice que toda acción de indemnización de daños fundada en el propio Convenio de Montreal, en el contrato o en un acto ilícito, sólo podrá iniciarse con sujeción a los límites de responsabilidad del propio CM. ✓ Primer tramo de responsabilidad, hasta 113.110 DEGs. El transportista aéreo es responsable del daño causado en caso de muerte o lesión corporal del pasajero "objetivamente" (responsabilidad objetiva, *strict liability*): por la sola razón de que el accidente causante se produjo a bordo o durante las fases de embarque o desembarque (art. 17 CM).

Responsabilidad en caso de muerte o lesión del pasajero (cont.)	✓ Para los daños hasta 128.821 DEGs, la compañía aérea no podrá impugnar las reclamaciones de indemnización, salvo que acredite que el afectado ha causado o contribuido al daño (art. 20 CM). Por ejemplo, en noviembre de 2015 parece que un avión ruso comercial fue abatido por una bomba. El transportista y su asegurador de responsabilidad civil deberá responder objetivamente por el daño, aunque no tenga culpa alguna. ✓ El texto originario del CM dispone que son 100.000 DEG, pero con la cláusula de actualización del artículo 24 CM, la Organización de la Aviación Civil Internacional subió la indemnización a 113.100 DEG. En 2019, se elevó hasta los vigentes 128.821 DEGs. ✓ El régimen de responsabilidad sin culpa del CM, por el sólo hecho del accidente, contrasta con el régimen culpabilístico del CV para todo tipo de daños al pasajero, equipajes y retraso. El CV se limita a presumir la culpa del porteador, pero que puede exonerarse si acredita que él y sus comisionados tomaron medidas para evitar el daño o también si es culpa de pilotaje, de conducción de la aeronave o de navegación (art. 20 CV). También si es culpa propia del afectado (art. 21 CV). ✓ Segundo tramo de responsabilidad: lo que exceda de 128.821 DEGs, sin límite. ¿Puede alguien considerar que la vida de su familiar fallecido en accidente aéreo vale más de unos 135.000 euros? En caso de que alguien formule contra la compañía aérea una reclamación económica por encima de este monto de 128.821 DEGs, la que sea, la compañía puede probar que obró con diligencia o que el daño es culpa de un tercero para no tener que pagar más. ✓ Por tanto, la compañía aérea podrá impugnar una reclamación probando que no hubo negligencia por su parte (seguimiento del manual de operaciones, adecuado mantenimiento técnico y del personal, etc.) o que el daño es imputable a la acción u omisión de un tercero (arts. 17, 20 y 21 CM y anexo del Regl. 2027/1997, según modificación del Regl. 889/2002). ✓ Si no prueba alguna de estas cuestiones, se enfrenta a reclamaciones multimillonarias. No es de extrañar que las compañías cuenten con asesores jurídicos especializados en la negociación confidencial de las indemnizaciones. Cuando no se discute la responsabilidad, y se trata sólo de fijar la cuantía, en un tema tan emocional como éste, la muerte de un familiar, el objetivo de la compañía es cerrar un trato justo que evite el recurso a un proceso judicial cuyo resultado nadie conoce de antemano. ✓ Daños cubiertos. El Convenio de Montreal cubre los supuestos de accidentes a bordo o durante las fases de embarque y desembarque. El daño puede tener origen en turbulencias, terrorismo aéreo, problemas técnicos de la aeronave, negligencia de la tripulación, agravación de la enfermedad o provocada por el vuelo o, incluso, por altercados entre pasajeros (se considera aquí que habría fallado el control o supervisión de la compañía aérea). Todo lo que ocurre a bordo y causa muerte o lesiones debe ser en principio indemnizado por la compañía aérea (en realidad, su asegurador de responsabilidad civil), salvo los que se cause el propio pasajero.

Responsabilidad en caso de muerte o lesión del pasajero (cont.)	✓ Daños excluidos. Se aplica al transporte comercial en avión de pasajeros. No rige para los daños sufridos durante entrenamientos, tests de vuelos o trabajos aéreos. ✓ Gastos suplementarios: asistencia a los supervivientes y a los familiares. En el marco de accidentes de la navegación, la compañía aérea está obligada a cumplir lo dispuesto en el Real Decreto 632/2013, que prevé el comportamiento exigible en caso de accidente. Prevé por ejemplo el derecho de los familiares de los fallecidos a visitar el lugar del accidente. Por ejemplo, así ocurrió con el accidente del vuelo de Air Algerie en 2014, donde fue necesario desplazar a África a los familiares de las víctimas. ✓ Costas y gastos judiciales aparte. El tribunal que, en su caso, decida sobre la reclamación, puede añadir al importe de la indemnización las costas y gastos judiciales en que haya debido incurrir la víctima o sus causahabientes para reclamar a la compañía aérea (art. 22.6 CM). ✓ En caso de muerte o lesión de un pasajero, la compañía aérea deberá abonar, en el plazo de quince días desde el día de la identificación de la persona con derecho a indemnización, un anticipo para cubrir las necesidades económicas inmediatas. En caso de fallecimiento, este anticipo no podrá ser inferior a 16.000 DEG (importe aproximado en divisa local) (Anexo del Regl. 2027/1997, según modificación del Regl. 889/2002, según régimen de pagos adelantados que consiente el artículo 28 CM, siempre y cuando lo exija la ley nacional del transportista). ✓ La STS 21-12-2021 *(Tol 8712304)* niega a los familiares de un pasajero aéreo accidentado una indemnización por daño moral separada de la de daño corporal.
Responsabilidad en caso de retraso del pasajero	✓ En caso de retraso del pasajero, la compañía aérea es responsable del daño siempre que no haya tomado todas las medidas razonables para evitar el daño o le haya sido imposible tomar dichas medidas. La responsabilidad en caso de retraso del pasajero se limita a 4.694 DEG (importe aproximado en divisa local) (art. 19 CM y Anexo del Regl. 2027/1997, según modificación del Regl. 889/2002). • El texto originario del CM dispone que son 4.150 DEG, pero con la cláusula de actualización del artículo 24 CM, la Organización de la Aviación Civil Internacional ha elevado la indemnización a 4.694 DEG. • Esta limitación de responsabilidad no se aplicará si se prueba que el daño es el resultado de la acción u omisión del transportista o de sus dependientes o agentes en el ejercicio de sus funciones, con intención de causar daño, o con temeridad y sabiendo que probablemente se causaría daño (art. 22.5 CM).

Responsabilidad en caso de retraso del pasajero (cont.)	✓ El Tribunal Supremo, en sentencia de 31-5-2000 (*Tol 6613*), reconoció también la existencia de daño moral adicional como consecuencia de las horas de tensión, incomodidad y molestia producidas por una demora importante en un vuelo, que carece de justificación alguna. Algunas sentencias de Audiencias Provinciales también han reconocido la indemnización suplementaria por daño moral causado por retraso.
Responsabilidad en caso de retraso en el equipaje	✓ En caso de retraso del equipaje, la compañía aérea es responsable del daño siempre que no haya tomado todas las medias razonables para evitar el daño o le haya sido imposible tomar dichas medidas. La responsabilidad en caso de retraso del equipaje se limita a 1.131 DEG por pasajero (importe aproximado en divisa local) (art. 19 CM y Anexo del Regl. 2027/1997, según modificación del Regl. 889/2002). • El texto originario del CM dispone que son 1.000 DEG, pero con la cláusula de actualización del artículo 24 CM, la Organización de la Aviación Civil Internacional ha elevado la indemnización a 1.131 DEG. • Esta limitación de responsabilidad no se aplicará si se prueba que el daño es el resultado de la acción u omisión del transportista o de sus dependientes o agentes en el ejercicio de sus funciones, con intención de causar daño, o con temeridad y sabiendo que probablemente se causaría daño (art. 22.5 CM). ✓ La compañía aérea es responsable en caso de destrucción, pérdida o daños del equipaje hasta la cantidad de 1.131 DEG (importe aproximado en divisa local). Con respecto al equipaje facturado, es responsable aun cuando esté exento de culpa, salvo que el equipaje ya estuviese dañado. Con respecto al equipaje no facturado, la compañía aérea sólo es responsable de los daños causados por su culpa (art. 17 CM y Anexo del Regl. 2027/1997, según modificación del Regl. 889/2002). • El texto originario del CM dispone que son 1.000 DEG, pero con la cláusula de actualización del artículo 24 CM, la Organización de la Aviación Civil Internacional ha elevado la indemnización a 1.131 DEG. • Esta limitación de responsabilidad no se aplicará si se prueba que el daño es el resultado de la acción u omisión del transportista o de sus dependientes o agentes en el ejercicio de sus funciones, con intención de causar daño, o con temeridad y sabiendo que probablemente se causaría daño (art. 22.5 CM). ✓ El pasajero puede acogerse a un límite de responsabilidad más elevado efectuando una declaración especial, a más tardar en el momento de facturar, y abonando una tarifa suplementaria (art. 22.2 CM y Anexo del Regl. 2027/1997, según modificación del Regl. 889/2002).

Responsabilidad en caso de destrucción, pérdida o daños del equipaje (cont.)	✓ El pasajero asume la carga de presentar protesta en caso de daños o pérdida del equipaje facturado, con el riesgo de perder la acción contra el transportista si no la formula por escrito y en los plazos previstos (arts. 31.3 y 4 CM y Anexo del Regl. 2027/1997, según modificación del Regl. 889/2002). ✓ El recibo del equipaje facturado sin protesta por parte del destinatario constituirá una prueba, salvo que se acredite lo contrario, de que el mismo ha sido entregado en buen estado y de conformidad con el documento de transporte (art. 31.1 CM).
Reclamaciones sobre el equipaje	✓ En caso de avería, el destinatario debe presentar protesta al transportista inmediatamente después de haber sido notada esa avería, y, a más tardar, dentro del plazo de 7 días para el equipaje facturado. En caso de retraso, la protesta debe hacerla a más tardar dentro de 21 días a partir de la fecha en que el equipaje haya sido puesto a su disposición. ✓ Los plazos de la reclamación son más cortos en el CV: 3 días para el equipaje y 14 días para el retraso (art. 26 CV). ✓ El aviso de protesta no es exigible en caso de muerte o lesiones a los pasajeros.
Plazo de reclamación judicial	✓ El derecho a la indemnización se extinguirá si no se inicia una acción dentro del plazo de 2 años, contados a partir de la fecha de llegada a destino o la del día en que la aeronave debería haber llegado o la de la detención del transporte. La forma de calcular ese plazo se determinará por la ley del tribunal que conoce el caso (arts. 35 CM y 29 CV).
Tribunales competentes	✓ El artículo 28 CV prevé que la acción de responsabilidad frente a la compañía aérea debe suscitarse, a elección del demandante, en el territorio de un Estado parte: • Bien ante el tribunal del domicilio del porteador. • Bien del domicilio principal de su explotación. • Bien del lugar donde posea un establecimiento por cuyo conducto haya sido ultimado el contrato. • Bien ante el tribunal del lugar de destino. ✓ El artículo 33 CM mantiene estas cuatro opciones y añade la *"quinta jurisdicción"* sólo para los casos de muerte o lesiones del pasajero (no, por tanto, para equipajes ni retraso): • Bien en el territorio de un Estado parte en que el pasajero tiene su residencia habitual y permanente en el momento del accidente y hacia y desde el cual el transportista explota servicios de transporte aéreo de pasajeros en sus propias aeronaves o en las de otro transportista con arreglo a un acuerdo comercial, y en el que el transportista realiza sus actividades de transporte aéreo de pasajeros desde locales arrendados o de su propiedad o de otro transportista con el que tiene un acuerdo comercial.

7. CONTRATO DE TRANSPORTE AÉREO DE MERCANCÍAS

Concepto	✓ En su virtud, la compañía aérea se compromete a un resultado de transporte aéreo de mercancías entre los lugares estipulados, esto es, a la entrega de la mercancía en el lugar de destino en el mismo estado y condición en que le fue entregada en el lugar de origen. ✓ Son aplicables los derechos y obligaciones generales ya analizadas para el transporte marítimo y terrestre de mercancías, por lo que se limita el estudio a las especialidades contractuales y legales del transporte por el medio aéreo.

Régimen jurídico	✓ Los artículos 102 a 125 LNA se aplican al transporte aéreo nacional de mercancías y al transporte internacional en defecto de tratado obligatorio para España (art. 125 LNA).
	✓ En relación al transporte aéreo internacional, también pueden ser aplicables el CV o el CM, atendiendo a los lugares de partida y destino de la aeronave, de acuerdo con su ámbito de aplicación. En los transportes con partida o destino en España, hay que tener en cuenta cuál es el lugar de destino o de partida, respectivamente:
	  • Si el aeropuerto está situado en un Estado parte del CM (aunque también sea parte del CV), se aplicará el CM.
	  • Si lo está en un Estado miembro del CV, pero no del CM, resulta de aplicación el CV.
	✓ En el hipotético caso que el Estado extranjero no sea parte ni del CV o del CM, ni de otro tratado internacional que pudiera resultar aplicable, regirá la LNA (art. 125 LNA).

Forma	✓ En el transporte de carga, se expedirá una carta de porte aéreo, que puede ser sustituida por cualquier otro medio del que quede constancia del transporte. Si se utilizan otros medios, el transportista entregará al expedidor, si así lo solicita éste último, un recibo de la carga que permita su identificación (arts. 4 y ss. CM). ✓ El CV se refiere sólo a la carta de porte (arts. 5 y ss. CV) y la LNA indica que el "talón de transporte" constituye prueba plena de la existencia del contrato (art. 103 LNA). ✓ El incumplimiento de los requisitos para los documentos no afecta a la existencia ni a la validez del contrato de transporte (art. 9 CM).
Sujetos	✓ El transportista • Para dedicarse comercialmente al transporte de mercancías por avión, la compañía aérea ha de disponer de un certificado de operador aéreo y de una licencia de explotación emitida por la Agencia Española de Seguridad Aérea (véase el apartado relativo al transportista en el contrato de transporte aéreo de pasajeros).

Sujetos (cont.)	✓ El expedidor
	   • Puede ser cualquier persona, bien actuando en interés propio, bien actuando por cuenta de un tercero, como en el caso de agencias de transporte o transitarios.
	✓ El destinatario
	   • Es la persona que tiene derecho a que las mercancías le sean entregadas en destino.

Contenido del contrato	✓ Sin perjuicio de la aplicación imperativa de las normas del CM, del CV o de la LNA, según sea el caso, en la práctica, las condiciones generales utilizadas por las compañías aéreas dedicadas al transporte de mercancía están bastante unificadas gracias a la labor de la IATA.

Límites de responsabilidad	✓ Los topes indemnizatorios por daños o pérdida de mercancías son muy bajos respecto a su valor real del cargamento que usualmente es transportado por aire.
	   • Contrasta por ejemplo con el cargamento marítimo de cereales a granel, por ejemplo, en donde un seguro de mercancías puede ser innecesario, pues los límites legales de responsabilidad del porteador ya cubren el valor íntegro del daño sufrido.
	✓ El artículo 24 CV-Protocolo de Montreal núm. 4 y los artículos 22.5 y 30.3 CM no prevén expresamente que el dolo o culpa temeraria excluya los límites de responsabilidad del porteador de mercancías.
	   • Esto supone un cambio sustancial respecto al texto original del CV de 1929 y al texto resultante de la enmienda introducida por el Protocolo de La Haya de 1955. El redactado vigente desde 1998 del artículo 24 CV, tal y como resulta de la modificación introducida por el Protocolo de Montreal núm. 4 sólo prevé la exclusión por dolo o culpa temeraria en contra del porteador de pasajeros o de sus equipajes, pero no para el porteador de mercancías. Los artículos 22.5 y 30.3 CM siguen esta línea.
	   • Por tanto, los porteadores aéreos de mercancías han sido favorecidos en los últimos años un cambio desconocido en los textos tradicionales.
	   • La doctrina ha criticado que con este cambio se pretende que los límites de responsabilidad del porteador de mercancías sean "indestructibles", lo que ha sido calificado de injusto, abusivo, discriminatorio e inconstitucional.
	   • En cambio, la LNA establece la responsabilidad ilimitada del transportista en caso de dolo y culpa grave (art. 121 LNA).

Límites de responsabilidad (cont.)	• Asimismo, contrasta con el principio general según el cual la responsabilidad procedente del dolo es exigible en todas las obligaciones (art. 1102 CC).
	✓ Además, para intentar garantizar que los porteadores aéreos no serán condenados judicialmente al pago de unas cuantías superiores a las establecidas en estos Convenios, el artículo 24 CV, según enmienda del Protocolo de Montreal núm. 4, y el artículo 29 CM, prevén expresamente que toda acción de responsabilidad está sujeta a las condiciones y los límites de responsabilidad de estos convenios.
	• Sin embargo, la realidad judicial demuestra que basta que los límites de responsabilidad sean bajos para que sea mayor el empeño de los afectados en buscar argumentos legales para dejarlos sin efecto.
	✓ En relación a las estipulaciones en el contrato, el artículo 22.1 CV (para el transporte de viajeros) y el artículo 25 CM disponen que cabe pactar que el contrato de transporte esté sometido a límites de responsabilidad más elevados que los previstos en estos convenios, o que no esté sujeto a ningún límite de responsabilidad.
	• Así, las aerolíneas aumentan sus límites de responsabilidad en algunas rutas en las que este Convenio no sería aplicable y los límites serían más bajos. Por ejemplo, cuando sea aplicable el CV-Protocolo de Montreal núm. 4, el importe máximo sería de 17 DEG (unos 19 euros), pero la aerolínea se compromete contractualmente a abonar 19 DEG por kilo de mercancía perdida o averiada.
	✓ Una preocupación especial de los transportistas aéreos de mercancías es no quedar sometidos a un régimen jurídico distinto cuando, para cumplir su obligación contractual, recurren a un modo de transporte no aéreo. Por ejemplo, el camión en vez de la aeronave. Puede obedecer a razones logísticas, pues su centro nodal de operaciones *(hub)* está en Madrid o Londres y es más barato subcontratar el transporte en camión hasta destino. Otras veces, la aerolínea no tiene espacio o un avión disponible en ese momento para cumplir con la entrega del cargamento en destino.
	• En caso de que el daño o pérdida de las mercancías se origine durante un trasporte terrestre convenido por el transportista aéreo en sustitución del aéreo contratado, el Tribunal Supremo no ha aplicado los topes indemnizatorios del CV, sino la satisfacción íntegra conforme al Código Civil [STS 15-7-2010 *(Tol 1910310)*].
	• El CM contiene una novedad respecto a CV en tema de cambio del modo de transporte, que ofrece seguridad jurídica a las compañías aéreas. Su artículo 18.4 *in fine* CM señala que cuando el transportista, sin el consentimiento del expedidor, reemplace total o parcialmente el transporte previsto en el acuerdo entre las partes como transporte aéreo por otro modo de transporte, el transporte efectuado por otro modo se considerará comprendido en el período de transporte aéreo. Por tanto, parece que también serán aplicables los límites indemnizatorios del CM.

Límites de responsabilidad (cont.)	✓ El Tribunal Supremo ha aclarado que la asunción de la custodia de las mercancías no convierte el contrato de transporte en un contrato de depósito mercantil, que suponga un cambio del régimen jurídico del contrato de transporte al contrato de depósito. El contrato de transporte presenta un régimen especial de custodia y responsabilidad derivada para el transportista [SSTS 25-11-2016 (*Tol 5903812*); y 15-7-2010 *(Tol 1910310)*].

8. CONTRATOS AUXILIARES DEL COMERCIO AÉREO

Los contratos de seguros aéreos	✓ El Reglamento (CE) 785/2004, del Parlamento Europeo y del Consejo, de 21 de abril de 2004, establece los requisitos mínimos para las compañías aéreas y operadores aéreos en materia de seguro de pasajeros, equipaje, carga y terceros. ✓ Se aplica a todas las compañías aéreas y operadores aéreos que efectúan vuelos dentro del territorio de un Estado miembro de la Comunidad Europea, con destino a él, procedentes de él o que lo sobrevuelen (art. 2 Regl. 785/2004). ✓ Por tanto, no se aplica sólo a las compañías y operadores comunitarios, sino también a los no comunitarios que utilicen comercialmente el territorio o el espacio de uno o más países de la Unión Europea (art. 8.2 Regl. 785/2004). ✓ Impone seguros respecto de la responsabilidad por los pasajeros, el equipaje y la carga. La suma asegurada mínima coincide con los topes indemnizatorios previstos en el texto originario del CM (art. 6 Regl. 785/2004). ✓ Requiere también la contratación de un seguro de responsabilidad con respecto a terceros, cuya cobertura mínima por accidente de cada aeronave depende de su masa máxima de despegue (art. 7 Regl. 785/2004). ✓ En caso de incumplimiento, las sanciones podrán incluir la retirada de la licencia de explotación de las compañías aéreas comunitarias (art. 8.5 Regl. 785/2004). ✓ Respecto de compañías aéreas no comunitarias y de los operadores aéreos que utilicen aeronaves matriculadas fuera de la Comunidad Europea, las sanciones pueden incluir la denegación del derecho a aterrizar en el territorio de un Estado miembro (art. 8.6 Regl. 785/2004). ✓ Los Estados miembros no permitirán el despegue de una aeronave hasta que la compañía aérea o el operador aéreo en cuestión presenten pruebas de la cobertura de seguro adecuada a este Reglamento (art. 8.7 Regl. 785/2004).

Los contratos de seguros aéreos (cont.)	✓ La LNA también impone como obligatorios los seguros de pasajeros, el de daños causados a tercero, el de aeronaves destinadas al servicio de líneas aéreas y el de las que sean objeto de hipoteca (art. 127 LNA). Estos seguros podrán sustituirse por una garantía constituida mediante depósito de cantidades o valores, o por una de las fianzas admitidas por el Estado (art. 128 LNA). ✓ De conformidad con el art. 11 LOSSEAR, los seguros aéreos son "grandes riesgos", por lo que la fuente de las obligaciones es principalmente el propio contrato. Las partes tienen libre elección de la ley aplicable a su contrato (art. 107.2 LCS).
El seguro de transporte aéreo de mercancías	✓ Frente a la escasa cuantía de los topes indemnizatorios del CM y el CV, y de la suma asegurada por los seguros obligatorios del transportista, el propietario del cargamento puede garantizarse el reembolso del valor de las mercancías que hayan sido perdidas o dañadas mediante la contratación de un seguro de transporte aéreo de mercancías. ✓ Este seguro puede incluso cubrir el porte abonado, otros gastos y el beneficio esperado. ✓ A pesar de su amplia difusión práctica, el seguro de transporte aéreo de mercancías es de contratación voluntaria. ✓ El tomador del seguro puede ser el propio transportista que, como servicio a sus clientes, les ofrece la posibilidad de hacer una declaración del valor *(ad valorem)*. A cambio de una remuneración adicional (por ejemplo, el 7% adicional del valor de las mercancías y, en caso de cosas de extraordinario valor, previa consulta con la aseguradora), sus clientes tendrán la garantía de cobrar el importe real de las mercancías perdidas o dañadas y no simplemente en función de cuántos kilos pesaban. ✓ Puede ser una póliza por viaje o una póliza por un tiempo determinado que el porteador ha contratado y que cubre una pluralidad de viajes durante ese período, de modo que el porteador ofrece al cliente cobertura del cargamento concreto a cargo de esa póliza. ✓ Otras veces, el exportador e importadores pueden optar por contratar directamente con una aseguradora sus propios seguros de mercancías. ✓ También puede contratarse para un viaje singular o para un determinado tiempo, que cubra todos los envíos del asegurado en ese período, bien previo aviso al asegurador de cada envío y fijándose una prima para cada viaje (póliza "flotante"), bien abonando una prima fija en función del volumen anual previsto de mercancías transportadas (póliza "por facturación"). No obstante, hay otras variedades, libremente diseñadas por cada aseguradora. ✓ Algunas aseguradoras españolas y otras extranjeras con derecho a operar en España en el ramo de "mercancías transportadas" ofertan y publicitan sus productos de seguro de transporte aéreo de mercancías.

El seguro de transporte aéreo de mercancías (cont.)	✓ Suelen emplear las condiciones *Institute Cargo Clauses (Air)* (ICC AIR) del *Institute of London Underwriters*, ("ILU"), de modo que el mercado está bastante homogeneizado en cuanto a los términos del contrato.
	✓ La razón es que las aseguradoras españolas preparan sus condicionados conforme a las cláusulas inglesas con la finalidad de acceder luego al mercado de reaseguro londinense.
	✓ Inspiradas en las ICC (A) de seguros marítimos, las ICC AIR inglesas ofrecen una cobertura a todo riesgo con algunas excepciones expresamente establecidas: acto doloso del asegurado, pérdidas naturales, embalaje insuficiente, vicio propio, retraso, insolvencia o incapacidad financiera del transportista, armas nucleares, guerras y huelgas.
	✓ Hay dos cláusulas de las condiciones ICC AIR que merecen un comentario especial.
	  • Por un lado, la póliza contratada a condiciones ICC AIR no cubre sólo la fase aérea, sino "de almacén a almacén". Por tanto, un único seguro cubre daños o pérdidas en las mercancías aseguradas que pueden originarse en las fases aéreas y no aéreas del transporte convenido.
	  • Por otro lado, el contrato de seguro en términos ICC AIR puede cubrir incluso la hipótesis en que el porteador aéreo sustituye el viaje en avión convenido por otro modo de transporte alternativo.

Contrato de asistencia en tierra	✓ Por el contrato de asistencia en tierra, en la práctica denominado *handling*, una persona física o jurídica dotada de la correspondiente autorización de la Agencia Española de Seguridad Aérea (AESA), presta servicios de asistencia en tierra de idéntica o variada naturaleza a un usuario de un aeropuerto a cambio de una remuneración.
Régimen jurídico	✓ La Directiva 96/67/CE, de 15 de octubre, establece el marco común regulador de la prestación de dichos servicios en los aeropuertos comunitarios, orientado a la apertura de este mercado a la libre competencia de forma progresiva. ✓ La Ley 66/1997, de medidas fiscales, administrativas y del orden social, admitió la posibilidad de establecer por reglamento limitaciones a las prestación de servicios de asistencia en tierra a aeronaves, pasajeros y mercancías, así como al derecho de autoasistencia, con base en los criterios de tráfico anual de pasajeros o carga, capacidad del aeropuerto, razones operativas o de seguridad, protección social de los empleados, autofinanciación de las entidades gestoras de los aeropuertos y reciprocidad con otros países. ✓ El Real Decreto 1161/1999, de 2 de julio, desarrolla en materia de prestación de servicios aeroportuarios de asistencia en tierra. ✓ Adolece de regulación en derecho privado, por lo que la principal fuente de derechos y obligaciones es el propio contrato (arts. 57 C. Com. y 1255 y 1258 C. Com.).

Sujetos	✓ El usuario de un aeropuerto
	   • Es definido como la persona física o jurídica que transporte por vía aérea pasajeros, correo o carga con origen o destino en ese aeropuerto (art. 2.a RD 1161/1999).
	   • Los usuarios que estén autorizados por la Agencia Española de Seguridad Aérea ("AESA") podrán practicar la autoasistencia en tierra, para el conjunto de los servicios enumerados en el anexo, distintos de los de rampa, en todos los aeropuertos de interés general (art. 3.1 RD 1161/1999). Por tanto, en todos, salvo en los de rampa en que por razones de espacio no es posible que todos se hagan autoasistencia. En cualquier caso, han de tener la autorización por aeropuerto y tener un seguro de responsabilidad civil que exigen para autorizarlo. Por tanto, la autoasistencia o "autohandling" puede salir más caro, que, por ejemplo, pagar a una compañía local para que preste el servicio de catering.
	   • La autoasistencia se la puede hacer la propia compañía u otra sociedad del mismo grupo (que no es considerada un "tercero"), pero no puede celebrar ningún contrato con un tercero, cualquiera que sea la denominación, para la prestación de dichos servicios (art. 2.d RD 1161/1999).
	✓ La empresa de *handling*
	   • Son empresarios individuales o sociales autorizados por AESA y que hayan ganado una licitación pública para operar en cada aeropuerto.
	   • El RD 1161/1999 agrupa estos servicios en 11 categorías: asistencia administrativa en tierra y supervisión, asistencia de pasajeros, asistencia de equipaje, asistencia de carga y correo, asistencia de operaciones en pista, asistencia de limpieza y servicio de la aeronave, asistencia de combustible y lubricante, asistencia de mantenimiento en línea, asistencia de operaciones de vuelo y administración de la tripulación, asistencia de transporte en superficie, asistencia de mayordomía.
	   • Los interesados en obtener una autorización para prestar servicios de asistencia en tierra o de autoasistencia deben solicitarlo a la AESA, en la que se precisarán, para cada aeropuerto, las categorías de servicio para las que se solicita.
	   • Se otorga por un período máximo de 7 años renovables, siempre y cuando se mantengan las mismas condiciones que validaron su emisión.
	   • En el caso de prestación del servicio por una unión temporal de empresas, será requisito imprescindible que todas y cada una de ellas posean dicha autorización (art. 9 RD 1161/1999).

Sujetos (cont.)	• Deben contar con un seguro de responsabilidad civil y disponer de un centro de explotación con capacidad operativa suficiente, adecuar su contabilidad al principio de separación contable del art. 15 RD 1161/1999 y respetar las normas del aeropuerto, seguridad aeroportuaria y medio ambiente (art. 10 RD 1161/1999). • Si el solicitante es una persona física, se ha de inscribir también en el Registro Mercantil. • La relación jurídica entre el operador de *handling* autorizado y la entidad gestora del aeropuerto se formaliza a través de un contrato; si es un aeropuerto de interés general, con Aeropuertos Españoles y Navegación Aérea ("AENA"), en el que se reflejen las condiciones de uso del dominio público aeroportuario y la buena conducta a seguir (art. 8 RD 1161/1999). • La selección de los agentes de asistencia en tierra para los servicios de rampa requiere una licitación con un pliego de condiciones aprobado por AENA, publicada en el Diario Oficial de la Unión Europea, en la que podrán participar todos los agentes de asistencia en tierra autorizados (art. 14.1.g RD 1161/1999).
Contenido del contrato	✓ El contrato mercantil entre el usuario del aeropuerto y la empresa de *handling* suele negociarse a partir de formularios-tipo, el más común es *IATA Standard Ground Handling Agreement* (SGHA). Se amolda con flexibilidad a las necesidades de las partes, prevé tipos de servicios uniformes, pero no todos han de prestarse, dependiendo de la necesidad del usuario, pues puede celebrar servicios con otros agentes o prestarse asistencia en *autohandling*. ✓ La compañía debe pagar el precio y cumplir con los deberes de información y colaboración. ✓ Una de las cláusulas típicas del contrato SGHA es la exoneración de la empresa de *handling* frente al usuario y a la inversa por lesiones o muerte de las personas transportadas o de un empleado del transportista; por daños, retrasos y pérdidas de equipaje; así como por daños bienes o propiedades del transportista o de la empresa de *handling*. En principio, estas cláusulas son válidas, salvo en caso de dolo o culpa grave (Morillas Jarillo).